| 貼近產業實務，提昇決策效率 |

EXCEL

第二版

工作現場 實戰 寶典

王作桓／著

推薦序

與時俱進，持續助您提升軟實力的一本書

Microsoft Office 是電腦使用者不可或缺的夥伴。時序進入巨量數據的時代，面對看似雜亂無序的原始資料，以及似是而非的各種績效指標，Microsoft Excel 是資料分析及資料整理的重要工具。

這是一本條理分明、樞紐分析工具以及大數據分析的應用書籍。不僅簡單扼要地指出資料處理問題的解決方式，更加以垂直整合相關功能之說明，以持續提供企業界降低製作資料的工時成本，並且具備一定水準之上之波動管理的各式分析技巧。

本公司在工作管理上及財務會計分析上，均善用 Excel 這本寶典的技巧，協助本公司業務蒸蒸日上，大大提供同仁資料處理的效率，同仁對於作桓兄的著作給予高度的肯定與熱烈的迴響。另外，本公司戮力於智慧軌道系統的研發與建置，大數據在智慧軌道系統中扮演非常重要的角色，藉由本書所提供的技巧，對於本公司在大數據上的分析和應用上，帶來了極大的強化。

具備豐富講授與應用經驗的作桓老師，擅長將課程內容化繁為簡，並快速引導學生領悟有效解決資料問題之方法，我們肯定這本書，也相信讀者會獲得非常正面的學習效果。掌握軟實力，您將坐享未來成長的動能，謹建議今年您一定要關注，並與朋友一起分享這一本書。

張辰秋 博士
思源軌道科技股份有限公司 執行長

推薦序

從事人才培課程規劃超過 10 年，我歸納很多學員參加培訓的目的，除了加強專業知識外，絕大的部分就是期望能提升職場競爭力。根據人力專家統計，從百大企業的主管角度，有競爭力的員工的特性一直是圍繞在高效率及思緒敏捷，這些特質具體展現於能否靈活且快速操作 Office 相關的工具。當會議的討論還在圍繞著各項數據打轉時，高效率的工作者已經利用 Excel 軟體現場將數據輸入在表格中，並簡單製作公式協助與會者分析問題，找出答案。

Excel 尤其是許多職務上必備的作業軟體，透過王作桓老師這本書，任何有關於 Excel 問題，包含資料庫管理、樞紐分析表、函數應用等都可通過本書輕鬆學習，應用在職場上工作上面，立即讓主管 / 客戶 / 同儕認可你的工作效率。

在擔任資策會教研所課程經理時，與王作桓老師合作開授的課程一直相當熱門，其靈活的授課方式，讓原本學員在工作上遇到的 Excel 表格統計分析問題，都能迎刃而解，這些年的授課經驗，王老師也將其彙整融入在此書當中，相信對想學習 Excel 的讀者是很好的工具書，非常具有參考價值，推薦給您。

黃雯欣
資策會數位教育研究所課程經理

自序

Excel 是企業使用最多的 Microsoft office 軟體，全球有超過 5 億名的活躍使用者。但是，能夠抓住 Excel 核心觀念及功能的使用者卻不多見，多數企業員工往往需要花費很多的時間才能完成報表的彙整及數據的分析，亦或需要公司同仁的幫忙而無法獨立作業；報表出去之前也沒有時間或方法去驗算數字的正確性，以上種種使用上的問題，究竟是那一個環節出了問題？其實這多半是因為觀念上的錯誤，導至用錯了工具和方法，觀念弄清楚了，整個學習過程自然就變得順暢了，在實務的應用上也就變得更有效率了！「觀念重於技巧，效率才是王道」是不變的真理！

一般 Excel 書籍，對於工具和函數介紹得很多，但是往往僅止於工具或函數的基本應用，而且對於下列問題，並未詳加說明：「為什麼要用這項工具而不能用另外一種工具？為什麼要用這個函數？能不能用另外一個函數？兩個函數之間的使用時機有何不同？效率有何差異？要學幾個函數才夠用？不同產業、不同部門的使用者，是否使用的工具就應該不一樣？」，諸如此類的問題，總是讓使用者感到困惑；比較有心的使用者，就只好到網路上大費周章的找尋問題的解法。

Excel 的核心功能在於「資料分析」，本書以「資料分析」為主軸，介紹其周邊的觀念、工具、方法和技巧，期望能使讀者在最短的時間之內，掌握 Excel 的精髓，以達到大幅提昇 Excel 使用效率、節省工時成本的目的。

所以，本書的寫法是循著觀念、方法、工具、技巧的流程，讓讀者了解重要的觀念之後，再導入必用的方法、工具，並靈活應用使用各種技巧在資料分析上。書中各章均附上對應的練習範列，以便讀者可以反覆練習。在此特別要感謝碁峰資訊的大力協助，本書方得以順利付梓。

作桓

目錄
Contents

03 資料庫管理

04 Excel 樞紐分析

05 函數的效率

06 重要內建工具的應用

07 企業實務問題集

chapter 01

必須具備的觀念

1.1 什麼是 Excel 的核心功能？

我們都知道，Excel 可以用來製作各式的財報、客製化報表以及圖表。由於 Excel 功能太多，導致初學者不易掌握學習的方向，只好依訓練單位的安排從初階、中階、進階甚至 VBA 一路學下來，當我們學了一堆功能和函數之後，回到辦公室，將所學用在實務上時，卻發現做報表老是有錯誤訊息，或者有些功能始終是灰色的不能使用，彙整報表或處理海量資料時，更總覺得困難重重，學習了一堆的工具或函數卻派不上用場，究竟是哪個環節出了問題？

其實，這是因為學習方式出了問題，一般訓練單位的 Excel 課程幾乎都是功能導向，著重在各種工具和函數的用法介紹，但卻沒有告訴我們觀念性的東西，這種事倍功半的學習過程導致學習效果大打折扣，更浪費學習者寶貴的時間和訓練成本。

若能掌握 Excel 的核心功能，就能以事半功倍的方式，完成學習的過程。我們可以用簡單的一句話來點出 Excel 的核心功能，那就是「資料分析」，更精確的說，應該是「表格資料的分析」。由於分析資料是 Excel 的強項，在學習的過程中，我們應該以此為中心，去了解其周邊的觀念、方法、工具和技巧。如此，便能很有效率的學習 Excel 的精華，進而大幅提昇 Excel 使用效率。

1.2　觀念重於技巧，效率才是王道

「觀念重於技巧」是學好 Excel 的不二法門。如果能夠先了解 Excel 的重要觀念，就不會用錯工具，或者繞遠路來解問題；同時也將會發現，有了正確的觀念之後，過去報表中感到困難無解的問題，都會變得更容易解決，而製作報表也將會變得更快速而且正確；更重要的是，企業也因此而能大幅節省分析數據和製作報表的工時成本。

1.3　Excel 的重要觀念

但是，什麼時機用什麼樣的工具，則往往要看基本資料的格式而定。一開始的報表格式不對，將對爾後的資料彙總和分析產生巨大的負面影響，使得我們浪費更多的資源來完成僅需幾個動作即可產出的報表。

所以，我們在建置報表的初期，就應該具備正確的觀念，以後不論是用 Excel 內建的功能或是函數來作資料分析，都能達事半功倍之效，這些觀念包括了：

▶ 來源資料格式的觀念
▶ 在資料分析上的可用工具
▶ 位址的觀念
▶ 名稱的觀念
▶ 陣列函數的觀念

1.3.1　來源資料格式的觀念

筆者經常到企業去做 Excel 教學並協助解決實務上的問題，所看到的共同問題就是：報表難以整合應用，也就是將每日的流水帳整合成為月報、季報或年報始終覺得困難重重，就算能夠整合成功，往往也需要花費很多時間或者必須另請高明。

問題究竟出在哪裡？主要原因之一，就是受到**客製化報表**的格式影響。這些客製化報表的外觀都很漂亮，但也就是因為要遷就客製化報表的格式，而將資料直接套打進去；此類報表在單月使用的時候都沒有什麼問題，卻是導致後續資料整合困難的主要原因，這是當初建置報表者所無法預料的。您想想看，花了許多時間建置的資料若只能在當月使用，而無法成為永續利用的資料，那真是一件很可惜的事。下圖即是一個客製化報表的實際例子：

分類編號				財產名稱	單位	數量				結存財產總值
類	項	目	節			上年度止結存數	本年度增加數	本年度減少數	截至本年度底止結存數	
				土　地						
1				宿舍及庭院用地	公頃	15.65065		0	15.67945	3,985,044,673.00
1	11	01	02	防護用土地改良物	座	5			5	13,598,528.00
				小　計						3,998,643,201.00
2				房屋及建築設備						
2	01	02	01	公務用房屋	棟	10	-		10	1,007,893,148.74
2	01	02	03	倉　庫	座	2			2	12,590,562.25
2	01	02	04	庫　庫	座	1	1		2	4,054,865.00
2	01	06	01	員工宿舍	棟	67	1		68	11,193,655.77
2	02	02	01	防護用建築	座	4			4	1,064,150.00
2	02	02	02	什項建築	座	77	1	1	77	136,273,009.80
				小　計		161	3	1	163	1,173,069,391.56
3				機械及設備						
3	01	15	06	抄紙機械及設備	式	1	1	1	1	12,600.00
3	01	23	05	層板裁刀磨光機械及設備	式	1	-		1	47,000.00
3	01	30	01	取水淨水機械及設備	式	75	3		78	3,598,035.00
3	01	31	01	製冷機械及設備	台	19			19	21,421,441.00
3	01	34	02	彩色校樣機	台	-	1		1	70,000.00
3	01	34	04	裝訂機械及設備	台	4	1		5	326,650.00
	機關首長				會計單位		財產保管單位		填表	

工作表索引：客製化報表　正確的來源資料格式

上圖之月報表具有完整且多變化的表頭，各個項目的數字以人工的方式輸入；並以小計列中的公式來做簡單的彙算，報表的列數固定，最下方還有各單位簽章的位置，看起來似乎沒有什麼問題；但是一個月中有多張這樣的表格，全部都打在同一張工作表的下方，這樣的資料如何能有效率的整合呢？

要注意的是：**客製化報表的格式不是用來登錄資料的，而僅是最終的報表格式**，此種格式的資料，是不容易管理和整合的。

客製化格式帶來的後遺症

在前圖的報表中，主要是欄位結構的錯誤，客製化的資料表頭是中看不中用的，因為，此種格式的欄位，會使得 Excel 內建的工具無法使用，例如「資料」索引頁籤之下都是很好用的資料整理或分析工具，當其碰到客製化報表的格式，有些工具就派不上用場了，此時就必須使用比較複雜的方法來解決資料管理分析的問題，造成效率的低下。最明顯的例子就是「樞紐分析」這個強大的資料分析工具就完全不能使用，而且會看到下列的錯誤訊息：

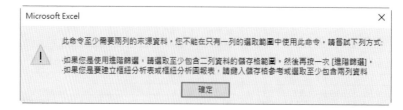

訊息的大意是說：「只點選了單格資料是無法分析的，如果格式正確，樞紐分析會自動選取個表格的數據來作分析」。樞紐分析是 Excel 資料分析的主要工具，樞紐分析不能使用，那損失可就大了，您就得花費更多的時間利用函數或 VBA 來製作報表了。

1.3.2 表格的觀念

究竟要打成什麼樣的資料格式呢？要使資料能夠永續利用且易於分析的訣竅在於：它必須是「表格」的格式。因此，只要使用 Excel 來管理資料，請您務必打成「表格」的格式，也就是俗稱「資料庫」的格式。如果您的資料來自於 ERP 或者資訊單位，那麼您已經站在效率的起跑點了，因為您所得到的一定是一個「表格」的內容，Excel 許多內建的工具或函數，其實都是用來分析和處理表格資料的。

下圖即為標準的表格資料格式：

列帳月份	大分	分類編號	財產名稱	規格及特徵	單 位	單 價	購置年	購置月	本期增加數量	本期增加金額	法定應用最低年限	本期減少數量	本期減少價值	報損原因
2	21	1010601-02	員工眷屬宿舍基地		平方公尺		92	12			0		4,089,000	更正
2	21	1010601-02	員工眷屬宿舍基地		平方公尺		92	12			0		922,200	更正
2	23	3140101-02	工作站	PT 200MMX 32MB2GB	台	56,000	87	10			5	9	504,000	不堪使用
2	23	3140101-02	工作站	PT 200MMX 32MB3GB	台	90,000	87	10			5	1	90,000	不堪使用
2	23	3140101-03	個人電腦	LEMEL PT II400	台	28,666	88	6			4	6	171,996	不堪使用
2	23	3140101-03	個人電腦	LEMEL PT II400	台	28,689	88	6			4	1	28,689	不堪使用
2	23	3140101-03	個人電腦	LEMEL PT II400	台	24,370	88	6			4	13	316,810	不堪使用
2	23	3140101-03	個人電腦	LEMEL PT II400	台	29,280	88	4			4	1	29,280	不堪使用

在 Excel 工作表中，表格資料的格式，必須符合下列規則：

1. 工作表的第一列為欄位名稱，第二列開始為實際的資料稱之為「記錄」，依序向下建置。

2. 在 Excel 2007~2019 的工作表中，最大列數為 1048576，也就是說一張工作表中最大的資料筆數，扣除第一列的欄位名稱，尚可容納 1048575 筆記錄，針對中小企業而言，應該是夠用的，何況 Excel 2013 以上的專業增強版，內建大數據分析的工具，更可以容納高達 1 億筆以上的數據。

3. 每筆記錄之間不可以有空白列，以免 Excel 誤判資料庫的範圍。

4. 登錄資料時，採先到先輸入的方式，不要用人工去做分類整理，如有必要，應以排序的方式將資料分類。

5. 完成登錄的表格資料均為沒有經過處理的「原始資料」(raw data)。

以表格的觀點來看，前圖中的客製化報表存在以下問題：

1. 欄位結構錯誤，每個欄位只能佔用一個儲存格，不能做合併儲存格或分割儲存格的動作。

2. 每筆記錄之間不可有空白列，空白列會導致資料分析時，Excel 對資料範圍的誤判。

3. 不要用人工在記錄之間做小計的計算，以免小計的結果也被當成一筆記錄。

另一種常見的非表格格式的報表，如下圖所示：

	A	B	C	D	E
1		2013年產品銷售統計表			
2		亞洲地區	美加地區	歐洲地區	中南美洲
3	一月	85,000,000	78,450,000	37,000,000	56,000,000
4	二月	91,000,000	79,000,000	28,000,000	43,000,000
5	三月	37,000,000	59,000,000	47,890,000	82,000,000
6	第一季	213,000,000	216,450,000	112,890,000	181,000,000
7	四月	91,000,000	81,000,000	86,000,000	9,000,000
8	五月	79,000,000	43,000,000	84,000,000	92,000,000
9	六月	50,000,000	92,000,000	89,000,000	96,000,000
10	第二季	220,000,000	216,000,000	259,000,000	197,000,000

此張報表主要的問題在於：

1. 表格中不可能只有一堆數字，這個表格已經是一種彙總表，而非原始資料。

2. 不易再做進一步的資料分析，亦即後續利用的價值不高。

表格是用來累積記錄的，而不是用來直接印製報表的。至於如何利用表格資料產出實際的報表呢？您可以利用資料分析的工具（例如樞紐分析表），亦可利用函數來分類，或經由邏輯判斷來彙總表格中的數據，產出最後需要的報表內容。更可以先利用樞紐分析彙總出報表所需欄位內容，再配合內建工具或函數加工成為客製化的最後結果。

所以，在 Excel 中將基本資料建置成為表格最大的價值，在於可以使用強大的分析工具配合可以永續利用的資料數據作出任何一個時間點的資料分析和彙算。否則連「資料」索引標籤中的許多基本工具都不能使用，又如何能面對龐大資料的分析工作呢？

下圖的表格資料是透過 Excel 樞紐分析的幾個簡單步驟之後得到的結果：

加總 - 銷售金額			銷售地區								
年	季	銷售日期	台北	新北	桃園	新竹	台中	彰化	台南	高雄	總計
2015年	第一季	1月	$3,863,720	$2,075,760	$2,829,640	$1,921,440	$2,188,270	--	--	$1,377,840	$14,256,670
		2月	$4,134,150	$1,998,440	$1,640,440	$2,045,370	$3,040,470	--	$220,440	$4,526,880	$17,606,190
		3月	$1,880,970	$2,379,710	$1,497,500	$2,610,270	$3,029,850	--	$520,750	$2,206,540	$14,125,590
	第一季 合計		$9,878,840	$6,453,910	$5,967,580	$6,577,080	$8,258,590	--	$741,190	$8,111,260	$45,988,450
	第二季	4月	$3,361,110	$1,462,620	$2,542,970	$1,805,390	$1,907,750	$430,600	$250,000	$1,446,160	$13,206,600
		5月	$1,878,560	$2,777,000	$2,181,200	$1,083,890	$2,173,980	--	$484,960	$3,338,260	$13,917,850
		6月	$1,883,640	$1,516,240	$2,359,870	$877,160	$2,152,010	--	$345,120	$1,267,040	$10,401,080
	第二季 合計		$7,123,310	$5,755,860	$7,084,040	$3,766,440	$6,233,740	$430,600	$1,080,080	$6,051,460	$37,525,530
	第三季	7月	$1,038,880	$1,639,330	$2,067,760	$3,767,960	$1,060,780	--	$413,760	$1,648,520	$11,636,990
		8月	$1,598,120	$2,363,790	$2,234,760	$1,633,950	$3,016,040	--	--	$3,247,940	$14,094,600
		9月	$2,733,060	$3,070,610	$4,372,050	$3,281,430	$1,213,490	--	--	$3,324,150	$17,994,790
	第三季 合計		$5,370,060	$7,073,730	$8,674,570	$8,683,340	$5,290,310	--	$413,760	$8,220,610	$43,726,380
	第四季	10月	$2,504,440	$2,309,250	$2,951,160	$1,504,260	$3,340,340	$719,250	$181,080	$1,945,840	$15,455,620
		11月	$3,479,790	$1,482,400	$2,731,150	$2,430,060	$744,880	--	--	$853,330	$11,721,610
		12月	$3,159,020	$1,324,480	$2,356,570	$2,117,680	$2,430,130	--	--	$1,622,620	$13,010,500
	第四季 合計		$9,143,250	$5,116,130	$8,038,880	$6,052,000	$6,515,350	$719,250	$181,080	$4,421,790	$40,187,730
2015年 合計			$31,515,460	$24,399,630	$29,765,070	$25,078,860	$26,297,990	$1,149,850	$2,416,110	$26,805,120	$167,428,090
2016年	第一季	1月	$2,198,570	$1,310,850	$700,400	$1,808,940	$2,052,550	--	$292,800	$2,977,770	$11,341,880
		2月	$1,790,660	$3,261,170	$934,800	$2,181,560	$339,000	--	--	$3,028,420	$11,535,610
		3月	$1,633,120	$473,120	$3,385,120	$1,814,610	$3,582,910	$1,294,250	$260,400	$2,918,160	$15,361,690

從上圖的結果可以看出來，從表格資料到一份符合需求的報表，就算是一位初學者，產出報表也不再是那麼困難了。由此可知，有了表格的概念，將有助於我們從各種角度去分析資料和產出報表。所以，從現在開始，請將您手邊的資料建置成為表格的資料型態吧！

表格資料跨工作表或跨檔的問題

大型的表格資料能不能分成多個不同的工作表來建置呢？當然不可以，表格資料必須保持其完整性，也就是必須建立在同一張工作表之中，不能切割成數張工作表來建置，更不能跨檔建置。但是，Excel 2013 以上的專業增強版，由於內建大數據分析的工具，對於跨檔或跨工作表的表格，已經可以直接處理，不再是一個問題了。

當資料超過工作表的容量

如果資料量超過 Excel 工作表 1048576 列的極限呢？以往就可能需要使用 Access 之類的軟體來建置資料庫了。其實，如果我們使用的 Excel 版本是 Excel 2013 以上的專業增強版，其中內建大數據分析的增益集 Power Pivot，讓我們可以突破單一工作表 1048576 列容量的限制，甚至可以容納超過 1 億列的資料來處理大數據。因此，現在我們完全不需要擔心工作表容量的問題，而且 Excel 2013 以上的專業增強版還可以自動整合分散式表格和關聯式表格。

輸入表格資料的方法

如果您的表格資料是來自於公司 ERP 系統的下載，就沒有輸入上的問題，否則我們可以使用 Excel 提供的工具，快速且方便的輸入一筆一筆的記錄，而不必捲動畫面到表格資料的最下方來完成輸入的動作。

用來登錄資料的工具叫作「表單」，這是從 Excel 2007 開始就被隱藏起來的工具，因此我們可以先將此工具置於「快速存取工具列」，以方便使用。

`01` 點按**自訂快速存取工具列** / **其他命令**。

`02` 在 Excel **選項**對話方塊中，點選**不在功能區的命令**，並在清單中點選「表單」，按下**新增**，再按下**確定**。

03 插入點置於表格中的任意儲存格中，點按**快速存取工具列**中的**表單**按鈕，即可看到對話方塊中的所有欄位，按下**新增**即可開始輸入資料。輸入完畢，按下**新增**，即可將新資料加到表格中的最後一列。

表單工具的按鈕用途說明

▶ 新增：輸入資料之前先按下此鈕來產生空白欄位，輸入完畢再按下此鈕，將新登錄的記錄置於資料庫的最後一列。

▶ 刪除：刪除顯示在表單工具中的這一筆記錄。

▶ 還原：還原剛更改過的欄位內容（並非用來還原被刪除的整筆記錄）。

▶ 找上一筆：向前移動一筆記錄，如有設定準則，則依準則內容顯示該筆資料。

▶ 找下一筆：向後移動一筆記錄，如有設定準則，則依準則內容顯示該筆資料。

▶ 準則：在各欄位中設定顯示記錄的條件。

▶ 關閉：結束表單工具。

Excel 輸入資料的效率

使用 Excel 第一個碰到的問題就是：如何有效率的輸入資料？有哪些工具或方法可以協助我們又快又正確的完成資料的輸入？這是一個看似很小的問題，但卻跟時間成本有關。

首先，我們必須對 Excel 的文字、數值、日期與邏輯等四種資料型態有所瞭解，才能掌握輸入資料的正確性，以減少錯誤的發生。

2.1 文字資料

有關文字資料的特性列舉如下：

▶ 單一儲存格中可以接受的文字是 32767 個字元，但是在儲存格中最多只能顯示 1000 個字；若要看到完整的 32767 個字元，必須在資料編輯列中查看。

▶ 文字資料在輸入時，會自動靠左對齊。當字串超過儲存格的寬度時，會跨至右邊的儲存格，若右邊的儲存格中已有資料，則僅顯示相當於儲存格寬度的字元，其餘字元則被隱藏。

▶ 不需要計算的數字，都可以用文字的形式來輸入，例如統一編號、電話號碼以及員工編號…等等。

▶ 輸入數字型態的文字，請先輸入**單引號**「'」，例如「'0931123456」，此時電話號碼的數字，不僅靠右對齊，而且可以顯示最前面的「0」；另外也可以先將空白欄的儲存格格式設定成「文字」，以後在該欄中輸入的數字會靠左對齊，前置 0 也能夠正常顯示。

▶ 若要在單一儲存格中輸入兩列以上的文字，可先將儲存格拉大，輸入文字之後，依下列步驟調整：

01 點按**字型**群組右下角的箭號按鈕叫出對話方塊。

02 點按左下圖的**對齊方式**標籤，勾選**自動換列**，再按下**確定**，即可看到右下圖的結果。

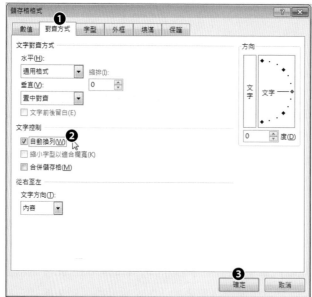

2.2 數值資料

2.2.1 數值資料的特性

▶ 輸入數值資料時,預設的對齊方式,一定是靠右對齊。

▶ 數值的整數部分,若達到 12 位數以上,Excel 會將數值自動以**科學符號**的型式顯示(如下圖所示)。

▶ Excel 採用雙精準度的浮點運算,不論整數或小數,數值精確度是 15 位數,從第 16 位數開始的數字全部轉成 0。例如 15 位數的 123456789012345 可以正常顯示,但是 18 位數的 123456789012345678 將變成 123456789012345000;小數也是一樣,小點後 15 位數 0.123456789012345 可以正常顯示,但是小點後 18 位數的 0.123456789012345678 將變成 0.123456789012345000 的結果。整數在 12 位數以上,若要顯示完整的數值,將儲存格寬度拉大是沒有用的,必須調整數值格式,才能顯示出完整的數值,最簡單的方法是直接按下**常用**索引標籤 / **數值**群組 / **千分位樣式**,即可顯示出完整的數值來。

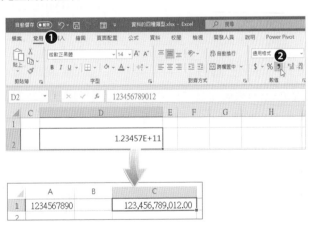

2.2.2 如何識別「數值」或是「數字」？

有時我們會發現儲存格中看起來都是數值，為何加總的結果是錯的？以下圖為例，F
欄中的三個數字，用函數「Sum(F3:F5)」加總時，卻得到錯誤的結果 400；而在 G 欄
中相同的三個數字，用公式「=G3+G4+G5」加總之後，反而得到正確的結果 600？

G6			× ✓ *fx*	=G3+G4+G5	
	E	F	G	H	I
2					
3		100	100		
4	200	200			
5		300	300		
6		400	600		

有這樣不同的結果，必須從函數和公式的特性來作說明：

▶ 函數 SUM 只要碰到不是數值型態的資料，一律視為 0，所以在 F 欄中，由於 F4
  儲存格中的 200 不是數值，而是文字，因此，A2 中的數字被 SUM 視為 0，所以
  F6 中的結果才會是 400。

▶ 在 G6 儲存格中使用公式「=G3+G4+G5」去加相同的數字，可以得到正確的結
  果，是因為公式只要碰到外觀像數值的文字，一律視為可以計算的「數值」，所
  以結論是：如果用 SUM 去相加得到錯誤的結果時，請改用公式去加總即可。

但是，碰到大範圍的計算，使用公式就會變得笨拙而且沒有效率了。此時，我們
在計算之前，可以先用函數 TYPE 或 ISNUMBER 來偵測儲存格的資料是否為「數
值」。

使用 TYPE 函數

TYPE 是用來偵測儲存格中資料的屬性，以下圖為例，在 I3 中輸入「=TYPE(H3)」，
再向下自動填滿，即可傳回儲存格資料屬性的代碼，其中 1 代表數值；2 代表文字；
4 代表邏輯值；16 代表錯誤值；64 代表陣列。

所以，下圖中 H4 出現了「2」表示 G4 的數字是「文字」而非「數值」，以致在 F6
使用 SUM 加總時，得到了錯誤的結果 400。

	F	G	H	I	J	K
2						
3	100	100	1	=TYPE(G3)	TRUE	=ISNUMBER(G3)
4	200	200	2	=TYPE(G4)	FALSE	=ISNUMBER(G4)
5	300	300	1	=TYPE(G5)	TRUE	=ISNUMBER(G5)
6	400	600				

使用函數 ISNUMBER

如果是數值資料，ISNUMBER 會傳回 True 否則將傳回 False，所以在上圖 K3 中輸入「=ISNUMBER(G3)」再向下自動填滿，即可發現 G4 儲存格中並非數值。但是，由於在 G4 中使用的是公式「=G3+G4+G5」，因此，還是可以得到正確的結果 600。

將數字轉換成為數值

針對大範圍的數值計算，用 TYPE 或 ISNUMBER 來偵測儲存格中的資料屬性是不夠的，必須將外觀像數值的文字，轉換成正確的數值，以方便後續的計算。

函數 VALUE 就是專門用來將外觀像數值的文字，轉換成為數值的工具。我們可以在右圖的 B1 中輸入「=VALUE(A1)」再向下自動填滿之後，在 B4 儲存格中使用「SUM(B1:B3)」去加總，就可以得到正確的結果。

B1		▼	:	×	✓	f_x	=VALUE(A1)
	A	B	C				
1	100	100					
2	200	200					
3	300	300					
4	400	600					

2.2.3 自訂儲存格格式

一份充斥著數字的報表，肯定是一份可讀性極低的報表，就像下圖的報表，其中有正數、負數以及 0，其中負值的數字，前面的負號「-」很小，因此很容易誤判數字為正數，而且沒有千分位的逗號，就清晰度而言，這是一份有問題的報表，可以有很大的調整空間。

	A	B	C	D	E	F	G	H	I	J	K	L	M	N
1						全球各地區去年同期銷售數量比較								
2		一月	二月	三月	四月	五月	六月	七月	八月	九月	十月	十一月	十二月	小計
3	亞洲	12312	-6150	47981	5781	-10128	42197	24395	-7025	43156	-15228	2245	51421	190957
4	美洲	35941	30109	-14476	8710	28011	26623	39879	52906	43597	38804	21844	43573	355521
5	歐洲	55125	28187	43129	0	49386	-10841	17216	26807	48340	10674	20947	46881	335851
6	中東	44927	-10376	49147	7297	28428	14799	0	7608	50187	11971	47965	-14126	237827
7	Total	148305	41770	125781	21788	95697	72778	81490	80296	185280	46221	93001	127749	1120156

一份好的客製化報表，應該能讓閱讀者輕易的就可以找到報表的重點所在。Excel 也提供了用來提昇報表可讀性的工具，若能善加利用這些工具，拿出去的報表必定是清晰易讀且受人讚賞的。

下圖是經過格式化之後的報表，將報表中的負數變成紅色帶括號的格式，將 0 值以 "-" 來呈現，並加上千分位符號。是否更容易閱讀呢？這正是使用**自訂儲存格格式**的方式，來提昇報表的清晰度，以增加其可讀性。

	A	B	C	D	E	F	G	H	I	J	K	L	M	N
1						全球各地區去年同期銷售數量比較								
2		一月	二月	三月	四月	五月	六月	七月	八月	九月	十月	十一月	十二月	小計
3	亞洲	12312	-6150	47981	5781	-10128	42197	24395	-7025	43156	-15228	2245	51421	190957
4	美洲	35941	30109	-14476	8710	28011	26623	39879	52906	43597	38804	21844	43573	355521
5	歐洲	55125	28187	43129	0	49386	-10841	17216	26807	48340	10674	20947	46881	335851
6	中東	44927	-10376	49147	7297	28428	14799	0	7608	50187	11971	47965	-14126	237827
7	Total	148305	41770	125781	21788	95697	72778	81490	80296	185280	46221	93001	127749	1120156

	A	B	C	D	E	F	G	H	I	J	K	L	M	N
1						全球各地區去年同期銷售數量比較								
2		一月	二月	三月	四月	五月	六月	七月	八月	九月	十月	十一月	十二月	小計
3	亞洲	12,312	(6,150)	47,981	5,781	(10,128)	42,197	24,395	(7,025)	43,156	(15,228)	2,245	51,421	190,957
4	美洲	35,941	30,109	(14,476)	8,710	28,011	26,623	39,879	52,906	43,597	38,804	21,844	43,573	355,521
5	歐洲	55,125	28,187	43,129	-	49,386	(10,841)	17,216	26,807	48,340	10,674	20,947	46,881	335,851
6	中東	44,927	(10,376)	49,147	7,297	28,428	14,799	-	7,608	50,187	11,971	47,965	(14,126)	237,827
7	Total	148,305	41,770	125,781	21,788	95,697	72,778	81,490	80,296	185,280	46,221	93,001	127,749	1,120,156

自訂數值格式的方法

此一單元並非介紹**常用**索引標籤**數值**群組中工具按鈕一般性的用法，而是説明自訂儲存格的設定方式。例如：我們要依下列規格來設定報表中的數值：

1. 正數取整數，加上千分位樣式。
2. 負數取整數，加上千分位樣式，改變成紅色帶括號的格式。
3. 正數必須與負數括號中的數字對齊。

您可以依照下列步驟來設定上述條件中的數值格式：

01 選取要設定格式的儲存格範圍，按下滑鼠右鍵，點選「儲存格格式」。

02 在**儲存格格式**對話方塊中點選**自訂**，在**類型**文字方塊中輸入：#,##0_);[紅色](#,##0);"-"，按下**確定**即可。

以上的設定，您可能不是很了解，因為我們第一次使用自訂儲存格來設定數值格式，想要參考一下 Excel 內建的數值格式時，肯定會被密密麻麻的格式設定嚇一跳，而不知從何下手；沒有關係，讓我們來弄清楚其中的玄機，以後就可以輕鬆搞定資料格式的設定了。

儲存格的四個區段

數值格式可以分為四個區段，區段的設定規則如下：

▶ 第一區段：設定正數的格式
▶ 第二區段：設定負數的格式
▶ 第三區段：設定零的格式
▶ 第四區段：文字設定，當我們輸入某一字元時，會自動帶出其他自訂的文字

各區段的設定內容是以**數值格式**、**顏色屬性**或是**條件**所構成。不同區段之間以分號「;」作為分隔符號。

常用的數值格式

當您第一次在工作表中輸入數值時，Excel 會以預設的「通用格式」套用在數值上，所謂「通用格式」就是我們怎麼打，它就怎麼顯示。但是在會計財務上會有不同的數值格式要求，例如，加上貨幣符號、千位分隔符號…等等，所以就必須由我們自己動手來設定或套用現成的數值格式了。

數值格式可以有很多種不同的設定方式，在此僅就較常用的數值格式設定方式，及其顯示的結果作一介紹：

儲存格格式	輸入的數值	顯示的結果
通用格式	2000.729	2000.729
0	2000.729	2001
0.00	2000.729	2000.73
#.00	0.5	.50
#,##0	2000.729	2,001
#,###.##	2000.70	2,000.7
$ #,##0	2000.729	$ 2,001
_-$* #,###.00 _-	2000.729	$ 2,000.73
#,###.00 _)	2000.729	2,000.73
%	0.236	24%
E	123456789012	1.23457E＋11

不同小數位數，使小數點對齊之設定方式		
儲存格設定之格式	輸入的數值	顯示的結果
#,##0.???	0.780	0.78
#.???	0.780	.78
#,###.???	0.125	.125
#,###.???	100.3	100.3
#,###.???	1234.567	1,234.567

▶ 小數點之後如果有兩個 0，表示強迫顯示二位小數。

▶ 小數點之後的 # 號，整數或最後一位小數為 0 時，不顯示 0。

▶ 小數點之後的 ? 號，則是用來對齊小數點。

▶ _- 或者 _) 表示數值的最右邊與儲存格邊線之間空一格，空格的寬度與負號或右括號同寬。其中 _) 的設定，多用在將正數對齊帶括號的負數；此種設定多用在儲存格格線為實線的情況之下，若無實線的框線，則此設定無太大用處。（如果打成 _A 則會空出與英文字母 A 同寬的空格）。

▶ _-$* #,###.00_-：此種設定常用於會計報表之中。

　1. 數值左右兩頭的「_-」，表示數值與儲存格左、右邊界空出與負號相同寬度的空格。

　2.「$* 」（星號後面有一空格）表示 $ 與最左邊數字之間的空格將會隨著儲存格的大小而自動拉大或縮小空白間隔，* 用來重複顯示其後的字元，直到填滿目前欄寬。

▶ E 科學符號，當整數超過 11 位數時，將自動轉成科學符號的格式。

Tips

下列設定格式的方式所代表的意義：

- 只設定正數區段：$#,##0
  表示負數與 0 值的格式與正數區段的設定相同
- 只設定正數與負數區段：$#,##0; [紅色] ($#,##0)
  此時 0 值的格式與正數區段的設定相同

以千或百萬為單位的設定

在財務報表中，常有以千或百萬為單位的表示方法，其設定方式是在任何數值格式
最後面，加上逗號「,」，一個逗號代表隱藏三個零，兩個逗號代表隱藏六個零，依
此類推，所以用此方式可以設定千、百萬、十億、兆等單位。如下表所示：

以千為單位	
設定格式：#,##0.00,	
1000000000	1,000,000.00
500000	500.00
32560	32.56

以百萬為單位	
設定格式：#,##0.00,,	
1000000000	1,000.00
500000	0.50
32560	0.03

設定數值的顏色

用顏色來區隔正數與負數，可以提昇報表的清晰度。在實務上就常會將負數設定成
為紅色帶括號的格式。若要為數值指定顏色，可在區段中以**中括號**套住中文顏色名
稱，但僅可使用下列八種中文顏色，另外還可以使用 [色彩 n] 的方式來設定其他的
顏色，一共可以設定 56 種顏色。

顏色名稱	
[黑色]	[藍色]
[青色]	[綠色]
[紅色]	[黃色]
[白色]	[洋紅]
[色彩 n] n＝1-56	

▶ [藍色]$ #,##0_);[紅色] ($ #,##0); [色彩 21] "-"
正數套用**藍色**，並用 _) 來對齊負數的數字；負數套用**紅色**帶括號的格式；0 值套
用**色彩 21** 的顏色，並以負號 "-" 來顯示。

▶ [藍色];[紅色];[綠色];[洋紅]
僅改變數值的顏色，不做數值格式的設定。

▶ [>10000][藍色];[<5000][紅色];[綠色]
還可以使用判斷式來決定數值的顏色，大於 10000 的數值以藍色顯示，小於
5000 的數值以紅色顯示，其餘的數值以綠色顯示。

文字的控制

儲存格的第四個區段是用「@」來控制輸入的文字，主要是讓我們更有效率的輸入文字資料。以下列設定為例，請焦點放在最後一個區段：

▶ #,##0;#,##0; "-";@" 北市忠孝東路 "

　　@ 表示可以在這個位置輸入任何字元，Excel 就會自動帶出 @ 前後所有的字串，所以只要輸入「台」按下 Enter 鍵，就可以帶出「台北市忠孝東路」整個字串。

▶ #,##0;#,##0; "-";" 台北市 "@" 孝東路 "

　　只要輸入忠，按下 Enter 鍵，左邊會帶出 " 台北市 " 右邊會帶出 " 孝東路 "。

隱藏數值

如果不想顯示報表中的某些數字，可以將特定數值或文字隱藏起來，以右圖為例，您可以不顯示其中的正數、負數、0 值或是文字，隱藏之後的數值一樣可以用來計算。

以不顯示 0 值為例，其做法如下：

選取 B3:D7 的儲存格範圍，在此範圍中按下滑鼠右鍵，點選「儲存格格式」，在**儲存格格式**對話方塊中點選**自訂**，在**類型**文字方塊中輸入：「#,##0;-#,##0」，按下**確定**即可看到如下圖的結果。

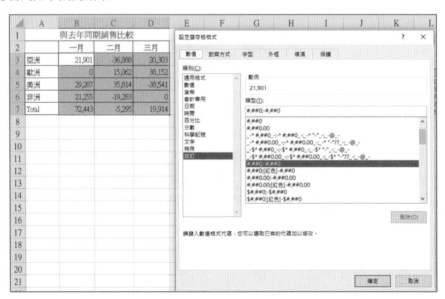

Tips

- 隱藏所有數值（不論正數、負數或 0）的設定：輸入一個分號「;」即可

	A	B	C	D
1		與去年同期比較		
2		一月	二月	三月
3	亞洲			
4	美洲			
5	歐洲			
6	中東			
7	Total			

- 隱藏正數的設定：「;-0;0」

	A	B	C	D
1		與去年同期比較		
2		一月	二月	三月
3	亞洲		-6150	
4	美洲			-14476
5	歐洲	0		
6	中東		-10376	0
7	Total			

- 隱藏負數的設定：「0;;0」

	A	B	C	D
1		與去年同期比較		
2		一月	二月	三月
3	亞洲	12312		47981
4	美洲	35941	30109	
5	歐洲	0	28187	43129
6	中東	44927		0
7	Total	93180	41770	76634

- 隱藏文字的設定：「0;-0;0;」

	A	B	C	D
1		與去年同期比較		
2				
3		12312	-6150	47981
4		35941	30109	-14476
5		0	28187	43129
6		44927	-10376	0
7		93180	41770	76634

2.3 日期與時間

日期就是數值，只是以日期的格式顯示而已，所以日期是可以計算的，因為它根本就是數值，這是面對日期資料應該具有的基本觀念。

2.3.1 1900 與 1904 年的日期系統

Excel 的日期系統分為兩種，一種是用在 Windows 作業系統的 1900 年日期系統；另一種是用在 Macintosh 作業系統的 1904 年日期系統，不同的活頁簿可以使用不同的日期系統；1900 與 1904 年的日期系統之間相差了 1462 天，以 2020/1/31 為例，同樣的日期在 1900 系統之下顯示的數字為 43861；但 1904 年系統顯示的卻是42399。

日期的計算結果得到的是數值，如果再將該數值轉成日期的格式，在 1900 年的日期系統中，將會以一連串的井號「#」來表示負值的計算結果（如左下圖）；而在右下圖 1904 年的系統中可以看到「-1904/1/2」的結果。

在實務上如果需要使用 1904 年的日期系統，可依下列方式進行切換：

01 點按**檔案** / **選項** / **進階**。

02 向下捲動畫面，勾選「使用 1904 年日期系統」，再按下**確定**即可。

2.3.2 日期的輸入方式

「一定要輸入西元的日期格式」這是日期資料最需要強調的一句話，不要以民國的格式直接輸入日期，這樣會造成日期計算上的麻煩，應該先輸入西元格式的日期再設定成為民國的格式。下圖是企業使用者常見的日期打法：

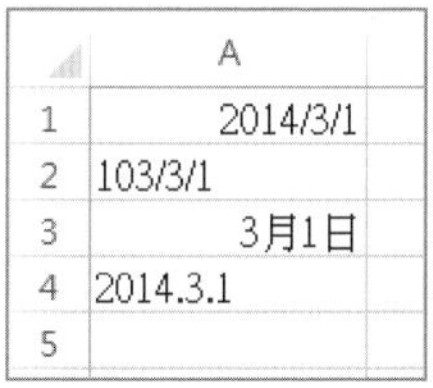

▲	A
1	2014/3/1
2	103/3/1
3	3月1日
4	2014.3.1
5	

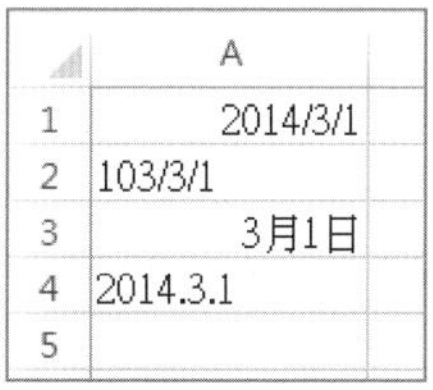

▲	A
1	2014/3/1
2	103/3/1
3	3月1日
4	2014.3.1
5	

不同輸入日期資料的方法，其優缺點和後遺症：

▸ 直接在 A1 中輸入 2014/3/1 是標準打法，所有日期資料都應用此方式來輸入；也可以打成 2014-3-1，按下 Enter 鍵時，將會自動變成 2014/3/1。

▸ A2 中輸入的中文日期 103/3/1，是最差的方式，這種日期資料被視為文字，所以它會靠左對齊，必須經由 DATE 函數轉換之後才成為正確的日期「2014/3/1」，其轉換公式如下：

=DATE(LEFT(A2,3)+1911,MID(A2,FIND("/",A2)+1,FIND("/",A2,5)-FIND("/",A2)-1),RIGHT(A2,LEN(A2)-FIND("/",A2,6)))

看起來夠麻煩吧？

▸ A3 中省掉年份直接輸入 3/1，將被轉成中文的「3 月 1 日」，年份則會自動套用當年的年份

▸ A4 中的 2014.3.1 也是很糟的打法，同樣的會被視為文字，必須經由 DATE 函數轉換之後才成為正確的日期格式

=DATE(LEFT(A4,4),MID(A4,FIND(".",A4)+1,FIND(".",A4,6)-FIND(".",A4)-1),RIGHT(A4,LEN(A4)-FIND(".",A4,6)))

▸ 另一種將年月日打在三個不同的儲存格中，這種情況，也必須用 date 函數轉成可以計算的日期格式，如下圖所示：

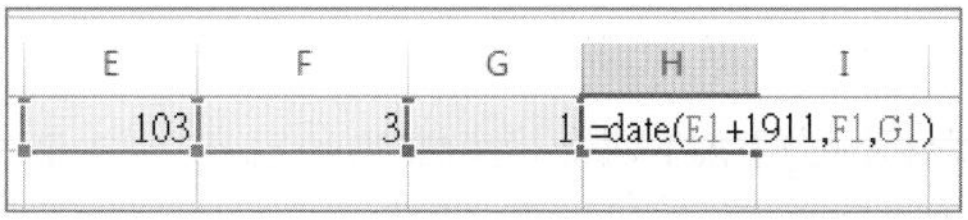

	E	F	G	H	I
	103	3	1	=date(E1+1911,F1,G1)	

年份在日期資料中的輸入方法

輸入年份的數字時，都應該輸入完整的西元年份，能否省掉前二位數？例如 2014/3/1 打成 14/3/1？其實 Excel 針對西元年份的打法有這樣的規定：

▶ 年份的尾數從 00 到 29，Excel 會將 00 到 29 的兩位數年份視為西元 2000 到 2029 年，也就是會加上 2000。例如，若輸入的日期為 14/3/1，Excel 會將日期當作 2014/3/1。

▶ 年份的尾數從 30 到 99，Excel 會將 30 到 99 的兩位數年份視為西元 1930 到 1999 年，也就是會加上 1900。例如，若輸入的日期為 95/3/1，Excel 會將日期當作 1995/3/1。

2.3.3 時間的輸入方式

錯誤的時間輸入方式，也會導致計算結果的錯誤。一般我們都會直接在儲存格中輸入如下圖的時間，在做上班時間的計算時，日班沒有問題，直接用 C2-B2 的方式即可：

◢	A	B	C	D	E
1		上班	下班	工作時間	工作時數
2	日班	09:00	18:30	=C2-B2	
3	夜班	21:00	06:00		

但是將公式向下填滿時，就會碰到如下圖的問題，出現一堆井號（如 D3 所示）：

◢	A	B	C	D	E
1		上班	下班	工作時間	工作時數
2	日班	09:00	18:30	09:30:00	
3	夜班	21:00	06:00	#########	

這是因為時間不能有負值，此時就算將儲存格拉大，看到的還是一堆井號，永遠不會顯示期望的時間數字。問題就出在一開始就打錯時間的格式，因而導致 C3-B3 產生負值的結果，原則上時間是不能顯示負值的結果，所以 Excel 會用井號來表達抗議，雖然有些 Excel 高手會用複雜的公式來將井號轉換成正確的結果，但是，根本的問題應該是打錯時間格式，如果用對的時間格式來輸入，就完全不需要經過公式的轉換才能得到正確的計算結果。

要如何輸入時間資料才對呢？請記住，**在時間的前面一定要加上日期**，以下圖為例，B3 與 C3 中的上下班時間，分別是前一天的晚上 21:00 到第二天早上 6:00，所以應該這麼輸入：

	A	B	C	D	E
1		上班	下班	工作時間	工作時數
2	日班	2014/2/28 09:00	2014/2/28 18:30	09:30:00	
3	夜班	2014/3/1 21:00	2014/3/2 06:00	09:00:00	

B2：2014/2/28 9:00

C2：2014/2/28 18:30

B3：2014/3/1 21:00

C3：2014/3/2 6:00

請注意，日期與時間之間要空一格，您可以看到，只要格式打對，D3 中立即顯示正確的計算結果，再也不會出現惱人的井號了。

將時間轉成時數

在上圖中 D2 與 D3 中的計算結果，並不是時數而是時間，如何變成需要的時數呢？如果在上下班時間當中有 1 小時的休息時間，要如何扣除呢？這些問題，可以用下列方式來處理。

01 在 E2 儲存格中輸入公式：=D2/"1:00"-1。

02 此時 E2 會出現「12:00:00」的時間格式。

03 點按**常用**索引標籤 / **數值**群組 / **千分位樣式**，即可得到所需的時數。

隱藏日期只顯示時間資料

在 B2:C3 儲存格中如果只想看到上下班的時間，不要顯示日期，可以依下列方式來處理：

01 選取 B2:C3 的範圍，點按**常用**索引標籤 / **數值**群組 / **對話方塊啟動器**。

02 在**儲存格格式**對話方塊中的**類別**清單中，點選**時間**；再點選「13:30」的類型。

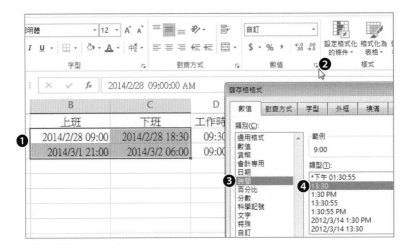

03 最後,按下**確定**即可看到如下圖的結果。

◢	A	B	C	D	E
1		上班	下班	工作時間	工作時數
2	日班	9:00	18:30	09:30:00	8.50
3	夜班	21:00	6:00	09:00:00	8.00

2.3.4 自訂日期與時間格式

若需要自訂日期或時間資料的格式,可以點按**常用**索引標籤 / **數值**群組 / **對話方塊啟動器**,並在**儲存格格式**對話方塊中選用特定的行事曆類型和日期類型。

若想要設定中華民國日期格式,只要選擇中華民國的行事曆類型,即可選擇民國格式的日期。

您也可以使用**自訂**的方式來設定所需的日期及時間格式,下表為常用的格式設定:

格式符號	說明
:	半形冒號,時、分、秒的分隔符號(例如,8:30:45)。
/	半形斜線,年、月、日的分隔符號(例如,2014/3/1)。
d	將日期顯示為沒有前置零的數字(例如,2014/3/1)。
dd	將日期顯示為有前置零的數字(例如,2014/3/01)。
ddd	將日期顯示為英文縮寫(例如,2014/3/1 顯示為 Sat)。
dddd	將日期顯示為完整名稱(例如,2014/3/1 顯示為 Saturday)。
M	將月份顯示為沒有前置零的數字(例如,2014/3/1 顯示為 3)。
MM	將月份顯示為有前置零的數字(例如,2014/03/1)。
MMM	將月份顯示為縮寫(例如,2014/3/1 顯示為 Mar)。
MMMM	將月份顯示為完整月份名稱(例如,2014/3/1 顯示為 March)。
g 或 gg	顯示字串 " 民國 "。
h	將小時顯示為沒有前置零的數字(例如,8:45:26 顯示為 8)。
hh	將小時顯示為有前置零的數字(例如,8:45:26 顯示為 08)。
[h]	累加時數超過 24 個小時,請使用 [h] 的數字格式。
m	將分鐘顯示為沒有前置零的數字(例如,9:5:10 顯示為 5)。
mm	將分鐘顯示為有前置零的數字(例如,9:5:10 顯示為 05)。
[m]	累加分鐘數超過 60 分鐘時,請使用 [m] 的數字格式。
s	將秒鐘顯示為沒有前置零的數字(例如,8:45:6 顯示為 6)。
ss	將秒鐘顯示為有前置零的數字(例如,8:45:6 顯示為 06)。

格式符號	說明
[s]	累加秒數超過 60 秒時，請使用 [s] 的數字格式。
yy	將年份顯示為有前置零的兩位數數值格式（例如，2014/3/1 顯示為 14）。
yyy 或 yyyy	將年份顯示為四位數的格式（例如，2014/3/1 顯示為 2014）。

除了上表中的日期與時間格式之外，還可以在 Excel 中按下功能鍵 F1，在下圖中輸入問題的關鍵字，再透過網路取得更多的官方說明。

2.3.5 打日期變數值或打數值變日期的問題

在輸入資料的過程中，您可能會碰到輸入的是數值，卻跳出一個日期來；或者輸入的是日期資料，卻跳出數值的結果，這究竟是怎麼回事？

其實這種情況，是發生在舊的工作表中，新工作表不會有這樣的問題。我們經常會將舊工作表中的資料刪除，再打入新的資料，如果您先前打的是日期資料，當您刪除日期資料，並在原處輸入數值時，Excel 就會套用原先日期資料的格式，而產生錯誤的結果，例如您輸入的是 1，Excel 就跳出 1900/1/1 的結果；同樣的，您輸入的是 2014/3/1，得到的結果卻是 41699 的數值。

碰到上述情況時，不必重打資料，只要點按**常用**索引標籤 / **數值**群組 / **對話方塊啟動器**，並在**儲存格格式**對話方塊中的**類別**清單中，點選**日期**；再點選所需的日期格式，按下**確定**之後，即可將其改成您所需的日期格式。

如果您打的是數值，卻跳出日期來，只要點按**常用**索引標籤 / **數值**群組 / **千分位樣式**，即可將日期調整成為數值的格式。

2.4 自訂清單的應用

2.4.1 快速輸入資料的工具

在 Excel 諸多提昇輸入效率的工具中，「自訂清單」的功能也能算上一份。例如要建立一月至十二月的文字標籤時，您可以在儲存格中輸入「一月」，再用自動填滿的方式，向下或向右拖曳**填滿控點**，即可快速地將一月到十二月的文字，輸入完畢，還有「第一季 ~ 第四季」、「星期一 ~ 星期日」以及英文的月份…等等，都能用此方法快速地輸入，用這種方法輸入資料，的確能節省一些輸入資料的時間。

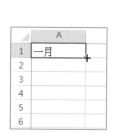
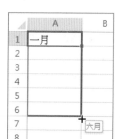

2.4.2 建置自訂清單內容

除了 Excel 內建的自訂清單內容之外，能不能將我們常用的會計科目名稱、部室名稱、產品名稱、物料編號也存進自訂清單，好讓我們重複使用，而不必每回都要在報表中複製貼上或者重新輸入這些資料？

Excel 的確可以讓我們將常用的各種專有名詞，透過**自訂清單**儲存到 Excel 系統中，以後所有的報表都可以使用這些自訂清單的內容來加快資料的輸入；建置自訂清單內容的方法有兩種，一是直接在自訂清單中輸入專有名詞，二是從舊報表中匯入專有名詞到自訂清單。

在自訂清單中輸入專有名詞

例如，要將部室名稱自行輸入到自訂清單中，可參考下列做法：

`01` 點按**檔案**索引標籤 / **選項** / **進階**。

`02` 在 Excel **選項**對話方塊中，向下捲動畫面，按下**編輯自訂清單**。

`03` 在**清單項目**文字方塊中，輸入部室名稱，每打完一個名稱就按一下 Enter 鍵，輸入完畢之後，按下**新增**，再按下**確定**；回到 Excel **選項**對話方塊，再按下**確定**即可。

如有其他專有名詞需要建置，再依上述方式來完成即可。

從舊報表中匯入專有名詞到自訂清單

若有大量專有名詞需要建置，前述的做法就顯得沒有效率了。此時，可以利用匯入舊有資料的方式，快速地完成自訂清單的建置。

例如，要將舊報表中的費用名稱加到自訂清單中，可以採用以下的步驟：

01 開啟內含費用名稱的 Excel 檔案。

02 點按**檔案**索引標籤 / **選項** / **進階**。

03 在 Excel **選項**對話方塊中，向下捲動畫面，點按**編輯自訂清單**。

04 插入點置於**匯入**按鈕左方的文字方塊中。

05 選取 A1:A13 的範圍，選定的位址會自動帶入到文字方塊中，按下**匯入**，再按下**確定**。

06 回到 Excel **選項**對話方塊，再按下**確定**即可。

2.4.3 自訂清單的缺點

看起來「自訂清單」讓我們在輸入資料上，省了不少時間；是否真的如此呢？其實利用**自訂清單**中的專有名詞來協助我們快速完成資料的輸入，並非每回都很好用。例如，報表中如果只要用到部份的費用名稱，而當我們輸入某一費用名稱再指向**填滿控點**向下拉時，每一個費用名稱都會列出在儲存格中，還得花一番功夫將不要的費用名稱刪除，再將要用到的費用名稱向上遞補，做這些動作所花費的時間，有時倒還不如用人工去輸入來得快。

因此，自訂清單在輸入連續的專有名詞是很方便，但是，在實務上，當我們要輸入不連續的自訂清單內容時，就不會用**自訂清單**來當成快速輸入資料的工具，而會用**下拉式選單**來代替**自訂清單**作為快速輸入資料的工具；稍後的章節中將會介紹**下拉式選單**的設計方法。

2.4.4 自訂清單在資料排序上的應用

在 2.4.3 節的說明之後，似乎**自訂清單**的功能不是很好用？工具要用在對的地方，其實，**自訂清單**用在資料排序上，可是一把好手。在中文資料庫的排序上，我們常碰到一個棘手的問題，例如，我們想依員工職稱來排序，其順序為董事長、總經理、副總經理、協理、經理、副理……，可是不管怎麼排，董事長永遠不會排在最前

面，當您由小到大排序時，最前面的是**人事助理**；當您由大到小排序時，總經理又在董事長的前面，甚至於**總機小姐**還排在總經理的前面，那是因為中文資料是依筆劃多寡來排序，所以，在實務上，資料庫的欄位排序，不論是職稱、地區、科目…都會有這樣的問題，也就是始終排不出需要的順序，要解決這個問題，**自訂清單**可就是最佳工具了。

利用自訂清單來排序

以下圖為例，想要讓**銷售城市**欄位中的城市名稱由北到南來排序，左圖是原始資料，右下二圖分別是由小到大以及由大到小的排序結果。

	A	B	C	D	E
1	交易編號	銷售日期	銷售城市	銷售產品	交易金額
2	S00001	2013/7/1	台南市	產品D	$26,570
3	S00002	2013/7/1	高雄市	產品B	$31,720
4	S00003	2013/7/1	台中市	產品A	$31,300
5	S00004	2013/7/1	新北市	產品A	$22,470
6	S00005	2013/7/1	台北市	產品C	$31,570
7	S00006	2013/7/2	高雄市	產品A	$34,750
8	S00007	2013/7/2	新北市	產品A	$27,000
9	S00008	2013/7/2	台北市	產品A	$28,820
10	S00009	2013/7/3	新北市	產品A	$34,000
11	S00010	2013/7/3	基隆市	產品D	$18,620
12	S00011	2013/7/3	桃園縣	產品C	$34,970
13	S00012	2013/7/4	基隆市	產品C	$25,210
14	S00013	2013/7/4	台北市	產品D	$31,570
15	S00014	2013/7/4	台中市	產品C	$23,590
16	S00015	2013/7/4	桃園縣	產品C	$32,340

C
銷售城市
台中市
台中市
台北市
台北市
台南市
桃園縣
桃園縣
高雄市
高雄市
基隆市
基隆市
新北市
新北市
新北市

C
銷售城市
新北市
新北市
新北市
基隆市
基隆市
高雄市
高雄市
桃園縣
桃園縣
台南市
台北市
台北市
台中市
台中市

從上圖顯示的結果來看，用一般排序的方法，Excel 根本不可能排出我們需要的順序（基隆市、台北市、新北市、桃園縣、台中市、台南市、高雄市）；此時，可以使用下列方法來讓排序的結果符合我們的需要。

01 點按**檔案**索引標籤 / **選項** / **進階**。

02 在 Excel **選項**對話方塊中，向下捲動畫面，點按**編輯自訂清單**。

03 在**清單項目**文字方塊中,參考下圖依序輸入城市名稱,每打完一個城市名稱就按一下 Enter 鍵,輸入完畢之後,按下**新增**,再按下**確定**。

04 回到**選項**對話方塊,再按下**確定**。

05 插入點置於任意欄位中,點按**資料**索引標籤 / **排序**。

06 在**排序**對話方塊中,在**欄**之下選擇「銷售城市」,點選**順序**清單中的「自訂清單」。

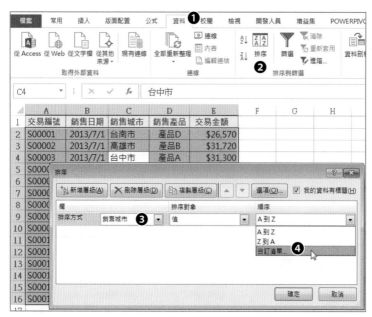

07 點選**自訂清單**下拉式方塊中的「基隆市、台北市、新北市、桃園縣、台中市、台南市、高雄市」，按下**確定**。

08 回到**排序**對話方塊，可以看到順序之下的城市名稱，按下**確定**。

09 完成排序之後的**銷售城市**欄，就會依照「基隆市、台北市、新北市、桃園縣、台中市、台南市、高雄市」的順序來排列。

	A	B	C	D	E
1	交易編號	銷售日期	銷售城市	銷售產品	交易金額
2	S00010	2013/7/3	基隆市	產品D	$18,620
3	S00012	2013/7/4	基隆市	產品C	$25,210
4	S00005	2013/7/1	台北市	產品C	$31,570
5	S00008	2013/7/2	台北市	產品A	$28,820
6	S00013	2013/7/4	台北市	產品D	$31,570
7	S00004	2013/7/1	新北市	產品A	$22,470
8	S00007	2013/7/2	新北市	產品A	$27,000
9	S00009	2013/7/3	新北市	產品A	$34,000
10	S00011	2013/7/3	桃園縣	產品C	$34,970
11	S00015	2013/7/4	桃園縣	產品C	$32,340
12	S00003	2013/7/1	台中市	產品A	$31,300
13	S00014	2013/7/4	台中市	產品C	$23,590
14	S00001	2013/7/1	台南市	產品D	$26,570
15	S00002	2013/7/1	高雄市	產品B	$31,720
16	S00006	2013/7/2	高雄市	產品A	$34,750

挑出不重複的資料匯入自訂清單

在前面小節中，曾經介紹匯入舊檔案中專有名詞的做法，但是面對重複出現城市名稱的資料庫欄位，怎樣才能挑出不重複的城市名稱，再匯入到**自訂清單**中呢？比較好的方法，是利用**進階篩選**的方式，複製出不重複的欄位內容。例如，要將下圖**銷售城市**欄位中不重複的城市名稱複製出來，可以這麼做：

01 插入點置於任意欄位中，點按**資料**索引標籤／**進階**。

02 在**進階篩選**對話方塊中，點選**將篩選結果複製到其他地方**；**資料範圍**選取 C 欄；**複製到**點選儲存格 H1；勾選**不選重複的記錄**，再按下**確定**，即可看到如右下圖 H 欄中不重複的城市名稱。

E	F	G	H
交易金額			銷售城市
$26,570			台南市
$31,720			高雄市
$31,300			台中市
$22,470			新北市
$31,570			台北市
$34,750			基隆市
$27,000			桃園縣

03 在 H 欄城市名稱的左邊，輸入心目中的順序編號，再選取 G2:H8 的範圍。

04 點按**資料**索引標籤 / **排序**，在**排序**對話方塊中，取消勾選**我的資料有標題**核取方塊，按下**確定**，即可看到如下圖左方城市名稱的排序結果。

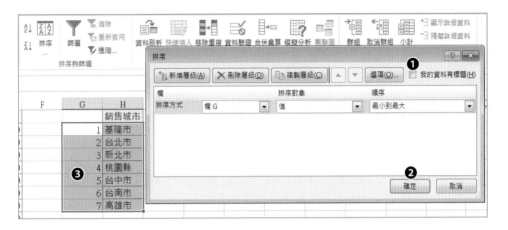

05 點按**檔案**索引標籤 / **選項** / **進階**。

06 在 Excel **選項**對話方塊中，向下捲動畫面，點按**編輯自訂清單**。

07 插入點置於**匯入**按鈕左方的文字方塊中

08 選取 H2:H8 的範圍，按下**匯入**，再按下**確定**，即可將排序之後的城市名稱匯入到**自訂清單**中。

09 回到 Excel **選項**對話方塊，再按下**確定**即可。

2.5 自動填滿的觀念和技巧

在很早以前版本的 Excel 就提供了「自動填滿」這項工具，這是一個非常好用的工具，可惜大部份的 Excel 使用者都忽略了此項工具，還是用人工的方式去輸入大量有固定間距的數字、編號或者日期。如果能善加利用自動填滿的功能，就可以快速地輸入有固定間隔的數值、日期或者計算公式，尤其針對需要大量填入的數值或日期資料，更是省時又非常有效率。

2.5.1 儲存格的填滿控點

每一個儲存格右下角都會有一個黑色的小方塊，平時我們輸入完公式或函數，都會指向這個小黑點，當滑鼠變成一黑色十字形標記時，按住左鍵向下或向右拉，這個動作，一般都稱之為「複製公式」；其實，不論面對的是數值、日期、公式、函數，這個動作都應該稱之為**自動填滿**。

例如，選取 A1:A2 範圍（如左下圖），指向這兩格右下角的黑色小方塊，當滑鼠變成一黑色十字形標記時（如中下圖），按住左鍵向下拖曳到需要的數字時，放開滑鼠，即可看到自動填滿的數字（如右下圖）。

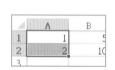 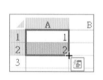 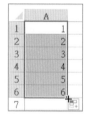

2.5.2 利用「自訂清單」的自動填滿

我們都知道，在儲存格中輸入「一月」，向下或向右拖曳填滿控點時，Excel 會自動帶出「二月」、「三月」……一直到「十二月」，若超過「十二月」就會自動從「一月」開始循環出現其他月份，這種功能就是**自動填滿**所產生的結果，其內容即來自於「自訂清單」中建置的資料。

除了月份之外，還包括了「第一季」到「第四季」、「星期一」到「星期日」，以及下圖中所列出的資料：

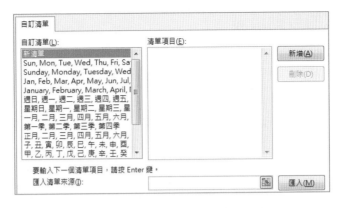

上圖自訂清單的內容，是 Excel 系統提供的，也是無法更動或刪除的。其中當然也可以包括我們自行建置的專有名詞在內，自行建置的自訂清單資料是可以更改或刪除的。

您可以如下圖般的輸入「第一季」、「一月」、「週一」、「星期一」、「Jan」、「January」、「Sunday」、「Sun」、「甲」、「子」、「人資部」、「基隆市」等專有名詞，再向下拖曳**填滿控點**，即可連續出現其他耳熟能詳的專有名詞。

	J	K	L	M	N	O	P	Q	R	S	T	U
1	第一季	一月	週一	星期一	Jan	January	Sunday	Sun	甲	子	人資部	基隆市
2	第二季	二月	週二	星期二	Feb	February	Monday	Mon	乙	丑	企劃部	台北市
3	第三季	三月	週三	星期三	Mar	March	Tuesday	Tue	丙	寅	行政處	新北市
4	第四季	四月	週四	星期四	Apr	April	Wednesday	Wed	丁	卯	管理部	桃園縣
5		五月	週五	星期五	May	May	Thursday	Thu	戊	辰	會計部	台中市
6		六月	週六	星期六	Jun	June	Friday	Fri	己	巳	財務室	台南市
7		七月	週日	星期日	Jul	July	Saturday	Sat	庚	午	業務部	高雄市
8		八月			Aug	August	Sunday	Sun	辛	未		
9		九月			Sep	September	Monday	Mon	壬	申		
10		十月			Oct	October	Tuesday	Tue	癸	酉		
11		十一月			Nov	November	Wednesday	Wed		戌		
12		十二月			Dec	December	Thursday	Thu		亥		

如果您在工作表中央一點的位置，輸入上述的專有名詞，更可以朝上、下、左、右四個方向，拖曳填滿控點，就能夠依序帶出其他相關的專有名詞；但是，不在**自訂清單**中的專有名詞，就不能用此方法來完成資料的自動輸入。

2.5.3 公式的自動填滿

在 Excel 報表中設定公式時，往往只需要輸入一格的公式，接著再向右或向下拖曳公式，就可以完成其他儲存格的計算，這就是公式的自動填滿。

	A	B	C	D	E	F
1		2013第四季銷售數量統計表				
2		產品A	產品B	產品C	產品D	小計
3	第一季	1,600	2,580	1,570	2,650	8,400
4	第二季	4,200	4,300	4,000	4,500	17,000
5	第三季	3,360	1,299	1,330	2,310	8,299
6	第四季	5,200	1,990	2,000	2,350	11,540
7	Total	14,360				

	A	B	C	D	E	F
1		2013第四季銷售數量統計表				
2		產品A	產品B	產品C	產品D	小計
3	第一季	1,600	2,580	1,570	2,650	8,400
4	第二季	4,200	4,300	4,000	4,500	17,000
5	第三季	3,360	1,299	1,330	2,310	8,299
6	第四季	5,200	1,990	2,000	2,350	11,540
7	Total	14,360	10,169	8,900	11,810	45,239
8						

這種計算方式，可以節省大量建置公式的時間，讓報表計算變得更有效率。

但是，自動填滿公式時，計算對象必須是「相對位址」，如果遇到非**相對位址**的二維報表公式設定時，在拖曳填滿控點來完成計算時，就會造成天下大亂的結果。例如，一個二維報表**九九乘法表**的公式設定，如果以相對位址的公式向下和向右拖曳 B2 儲存格的填滿控點，就會出現如下圖的錯誤結果：

	A	B	C	D	E	F	G	H	I
1		2	3	4	5	6	7	8	9
2	1	2	6	24	120	720	5040	40320	362880
3	2	4	24	576	69120	49766400	2.50823E+11	1.01132E+16	3.66987E+21
4	3	12	288	165888	11466178560	5.7063E+17	1.43127E+29	1.44747E+45	5.31202E+66
5	4	48	13824	2293235712	2.62947E+19	1.50045E+37	2.14755E+66	3.1085E+111	1.6512E+178
6	5	240	3317760	7.60841E+15	2.0006E+35	3.00181E+72	6.4466E+138	2.0039E+250	#NUM!
7	6	1440	4777574400	3.63497E+25	7.27214E+60	2.183E+133	1.4073E+272	#NUM!	#NUM!
8	7	10080	4.81579E+13	1.75053E+39	1.273E+100	2.7789E+233	#NUM!	#NUM!	#NUM!
9	8	80640	3.88346E+18	6.7981E+57	8.654E+157	#NUM!	#NUM!	#NUM!	#NUM!
10	9	725760	2.81846E+24	1.91602E+82	1.6581E+240	#NUM!	#NUM!	#NUM!	#NUM!

此問題的解決方法，請參考「2.8 位址的觀念和應用技巧」一節中的詳細說明。

2.5.4 大量數列的填滿

我們都知道，要將數值從 1 向下填滿到 10，只要先輸入 1 和 2 兩個數值，選取這兩個數值向下拖曳填滿控點，即可很快的填入 1 到 10 的數值。問題是如果要從 1 填滿到 2000 呢？少量數值可以用拖曳的方式來處理，要填滿的數值愈大，用拖曳填滿控點的方式就顯得愈沒有效率，那要怎麼做比較好呢？以 1 到 2000 為例，我們可以這樣來做：

01 在 M1 中輸入 1，點按**常用**索引標籤 / **編輯**群組 / **填滿** / **數列**。

02 在**數列**對話方塊中點選欄，在**終止值**方塊中輸入「2000」，按下**確定**即可。

很簡單吧！在上圖**數列**對話方塊中的設定項目說明如下：

▶ 列：從左向右填滿數值。

▶ 欄：從上而下填滿數值。

▶ 等差級數：如果選取 1 這個數字，間距值為 1，終止值為 2000，且向下填滿，將出現 1、2、3、4…2000 的結果；如果間距值為 2，則向下填滿時，將出現 1、3、5、7…1999 的結果。

▶ 等比級數：如果選取 1 這個數字，間距值為 10，終止值為 100000，且向下填滿，將出現 1、10、100、1000、10000、100000 的結果。

▶ 日期：請參考後面小節中的說明

▶ 自動填滿：在 A1 輸入 1，A2 輸入 2，選取 A1:A10 的範圍，向下填滿，將出現 1,2,3,4…10 的結果。

Tips

• 文字型態的數字，也可以利用自動填滿的方式，完成大量數字的輸入，只是會產生如下圖的小綠點（如左下圖），此時您可以選取有綠點的儲存格，點選智慧標籤中的「轉換成數字」（如中下圖），綠點即消失不見，同時數字也會靠右對齊（如右下圖）。

2.5.5 日期的填滿

工作天的填滿

不相鄰日期資料的輸入往往是一件麻煩事，如果想要扣除週六、週日只列出工作天的日期，最簡單的方法就是利用自動填滿的功能來完成，例如要填入 2014 年 5 月份的工作天日期，可以這麼做：

01 在 A1 中輸入 2014/5/1，點選 A1 儲存格，點按**常用**索引標籤 / **編輯**群組 / **填滿** / **數列**。

02 在左下圖的**數列**對話方塊中點選**欄**，在**日期單位**中點選**工作日**；在**終止值**方塊中輸入「2014/5/31」，按下**確定**，即可看到如右下圖的部份結果。

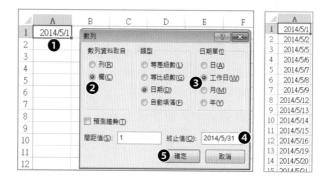

月份的填滿

若想要固定列出 2014 年每個月 15 日的日期，就可以採用下列方式來完成：

01 在 A1 中輸入 2014/1/15，點選 A1 儲存格，點按**常用**索引標籤 / **編輯**群組 / **填滿** / **數列**。

02 在左下圖的**數列**對話方塊中點選**欄**，在**日期單位**中點選**月**；在**終止值**方塊中輸入「2014/12/15」，按下**確定**，即可看到如右下圖的結果。

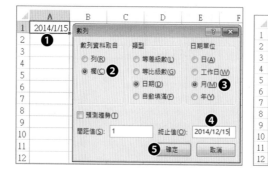

年份的填滿

在日期和月份固定的清況下，若想要列出不同年度的日期，可以採用下列方式來完成：

01 在 A1 中輸入 2014/3/1，點選 A1 儲存格，點按**常用**索引標籤 / **編輯**群組 / **填滿** / **數列**。

02 在左下圖的**數列**對話方塊中點選**欄**，在**日期單位**中點選**年**；在**終止值**方塊中輸入「2025/3/1」，按下**確定**，即可看到如右下圖的結果。

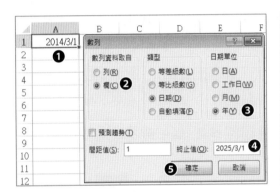

2.5.6 文字和數值混編的自動填滿

夾雜數字和文字的資料（例如，物料編號 AP-0037-T1001），向下自動填滿會有什麼樣的結果呢？ Excel 只會變動最後面的數字，而不會更動中間的數字，所以，在 A1 輸入「AP-0037-T1001」向下自動填滿，即出現如下圖的結果。

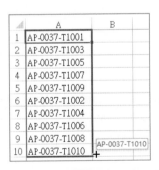

那麼，要如何才能快速輸入如下圖的物料編號呢？

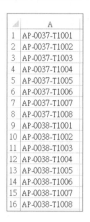

01 分別在 A1 和 A2 中輸入「AP-0037-T1001」與「AP-0038-T1001」；選取 A1 及 A2 儲存格，向下拖曳**填滿控點**（如左下圖所示）；在中下圖顯示了自動填滿的結果。

02 選取 A1:A16，點按**資料**索引標籤／**從 A 到 Z 排序**，即可得到需要的編號（如右下圖）。

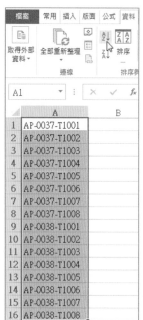

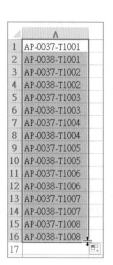

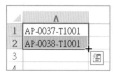

2.5.7 大型資料庫的自動填滿技巧

我們可能都有過從 ERP 系統下載資料，或者請資訊部門提供資料來做分析的經驗，這些資料也多來自於大電腦中的 Database（資料庫），取得這些資料之後，也都會透過 Excel 函數或者樞紐分析來做後續的處理。不論使用哪一種方法來處理，都必須面對完整的資料庫內容，而非如下圖的資料庫內容：

	A	B	C	D	E	F
1	項次	產品名稱	單位	單價	廠商名稱	產品型號
2	1.02	高速乙太網路交換器8埠10/100Base-TX	台	1250	國眾電腦股份有限公司	(341) ASUS GigaX 1008
3						
4					中華系統整合股份有限公司	(341) ASUS GigaX 1008
5						
6					康和資訊系統股份有限公司	(343) D-Link DES-1008D
7						
8					正中資訊科技有限公司	(341) ASUS GigaX 1008
9						
10					鼎新電腦股份有限公司	(341) ASUS GigaX 1008
11						
12					神通電腦股份有限公司	(341) ASUS GigaX 1008
13						
14					大同股份有限公司	(341) ASUS GigaX 1008
15						
16						
17						
18						
19					力麗科技股份有限公司	(343) D-Link DES-1008D
20						
21					天剛資訊股份有限公司	(341) ASUS GigaX 1008
22						
23						
24					豪勉科技股份有限公司	(343) D-Link DES-1008D

問題出在相同的資料只出現一次，所以資料大唱空城計，這樣的資料是無法再利用的。因此，使用者必須用人工的方式，將有內容的儲存格資料，向下複製到空白的地方，問題是每月都有數萬筆資料，更有數十個欄位需要處理，各欄內容也都是不對稱的，所以每回要處理這樣的資料，都要花費很多人力和時間，而且不能保證用人工填滿的結果是對的。

這樣的問題經常在企業中發生，有沒有辦法用最簡單的方式，一次搞定所有要填滿的空白，而且保證結果一定對呢？其實 Excel 的確提供了很有效率的工具來幫我們解決這個問題，請參考下列的做法：

01 從 A2 開始，選取整個資料要填滿的範圍。

02 點選常用索引標籤 / 尋找與選取 / 特殊目標。

03 在**特殊目標**對話方塊中，點選**空格**，按下**確定**。

04 放開滑鼠，不管在哪一個儲存格中，直接輸入等號「＝」，再用滑鼠點選等號上面的儲存格，在下圖中等號上面就是 A2，所以看到的結果為「＝A2」。

05 按住 Ctrl 鍵不放，再同時按下 Enter 鍵，即可看到所有的空白都完成自動填滿的動作。

	A	B	C	D	E	F
1	項次	產品名稱	單位	單價	廠商名稱	產品型號
2	1.02	高速乙太網路交換器8埠10/100Base-TX	台	1250	國眾電腦股份有限公司	(341) ASUS GigaX 1008
3	1.02	高速乙太網路交換器8埠10/100Base-TX	台	1250	國眾電腦股份有限公司	(341) ASUS GigaX 1008
4	1.02	高速乙太網路交換器8埠10/100Base-TX	台	1250	中華系統整合股份有限公司	(341) ASUS GigaX 1008
5	1.02	高速乙太網路交換器8埠10/100Base-TX	台	1250	中華系統整合股份有限公司	(341) ASUS GigaX 1008
6	1.02	高速乙太網路交換器8埠10/100Base-TX	台	1250	康和資訊系統股份有限公司	(343) D-Link DES-1008D
7	1.02	高速乙太網路交換器8埠10/100Base-TX	台	1250	康和資訊系統股份有限公司	(343) D-Link DES-1008D
8	1.02	高速乙太網路交換器8埠10/100Base-TX	台	1250	正中資訊科技有限公司	(341) ASUS GigaX 1008
9	1.02	高速乙太網路交換器8埠10/100Base-TX	台	1250	正中資訊科技有限公司	(341) ASUS GigaX 1008
10	1.02	高速乙太網路交換器8埠10/100Base-TX	台	1250	鼎新電腦股份有限公司	(341) ASUS GigaX 1008
11	1.02	高速乙太網路交換器8埠10/100Base-TX	台	1250	鼎新電腦股份有限公司	(341) ASUS GigaX 1008
12	1.02	高速乙太網路交換器8埠10/100Base-TX	台	1250	神通電腦股份有限公司	(341) ASUS GigaX 1008
13	1.02	高速乙太網路交換器8埠10/100Base-TX	台	1250	神通電腦股份有限公司	(341) ASUS GigaX 1008
14	1.02	高速乙太網路交換器8埠10/100Base-TX	台	1250	大同股份有限公司	(341) ASUS GigaX 1008
15	1.02	高速乙太網路交換器8埠10/100Base-TX	台	1250	大同股份有限公司	(341) ASUS GigaX 1008
16	1.02	高速乙太網路交換器8埠10/100Base-TX	台	1250	大同股份有限公司	(341) ASUS GigaX 1008
17	1.02	高速乙太網路交換器8埠10/100Base-TX	台	1250	大同股份有限公司	(341) ASUS GigaX 1008
18	1.02	高速乙太網路交換器8埠10/100Base-TX	台	1250	大同股份有限公司	(341) ASUS GigaX 1008
19	1.02	高速乙太網路交換器8埠10/100Base-TX	台	1250	力麗科技股份有限公司	(343) D-Link DES-1008D
20	1.02	高速乙太網路交換器8埠10/100Base-TX	台	1250	力麗科技股份有限公司	(343) D-Link DES-1008D
21	1.02	高速乙太網路交換器8埠10/100Base-TX	台	1250	天剛資訊股份有限公司	(341) ASUS GigaX 1008
22	1.02	高速乙太網路交換器8埠10/100Base-TX	台	1250	天剛資訊股份有限公司	(341) ASUS GigaX 1008
23	1.02	高速乙太網路交換器8埠10/100Base-TX	台	1250	天剛資訊股份有限公司	(341) ASUS GigaX 1008
24	1.02	高速乙太網路交換器8埠10/100Base-TX	台	1250	豪勉科技股份有限公司	(343) D-Link DES-1008D

Tips

- Ctrl+Enter 是 Excel 自動填滿的快速鍵。
- 如果依照上述的做法不成功，問題一定出在第 4 個步驟，也就是**動到了滑鼠**，使得前功盡棄，此時就必須從頭來過（從步驟 1），才能完成整套動作。

2.6 下拉式選單設計

建置報表時，如何能加快輸入資料的速度，降低錯誤發生的機率呢？將準備用在報表中的資料以「下拉式選單」的方式讓我們直接選用，就可以取代傳統的人工鍵入，針對打字速度不快的或容易打錯字的使用者而言，**下拉式選單**提供了一種極有效率的輸入資料方式。

Excel **下拉式選單**可以分為三種類型：單一選項選單、多重選項選單以及自動分類選單，下面章節將詳細說明各種下拉式選單類型的設計方法。

2.6.1 單一選項的選單設計

這是最常用的一種下拉式選單，選單中只會顯示單一的選項讓我們來點選，以資料庫欄位的輸入為例，重複性高的欄位內容，就很適合使用這種設計（如左下圖所示）。

在設計下拉式選單之前，必須在資料庫之外的另一張工作表中（例如名為「客戶代號對照表」的工作表），建立包含**客戶代號**以及公司**名稱**的選單基本資料（如右下圖所示）。

單一選項下拉式選單的設計步驟如下：

01 建立名稱，選取 A1:B7 的範圍，點按**公式**索引標籤 / **從選取範圍建立**（如左下圖），在**以選取範圍建立名稱**對話方塊中，勾選「頂端列」，按下**確定**（如右下圖），完成名稱的建立。

02 回到資料庫所在的工作表，點選 E2 儲存格，點按**資料**索引標籤 / **資料驗證** / **資料驗證**。

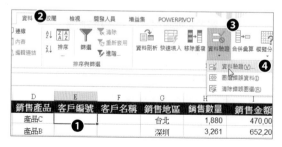

03 在**資料驗證**對話方塊中，點選**儲存格內允許**方塊中的「清單」，在**來源**文字方塊中輸入「= 客戶代號」，再按下**確定**。

04 在 E2 儲存格右邊，出現一個下拉式選單的按鈕（方塊中間有一倒三角形標記）。指向 E2 儲存格右下角的黑色小方塊（填滿控點），當指標成為黑色十字形時，按住左鍵向下拖曳，即可將選單的功能複製到其他的儲存格中。

05 點按 E2 右邊的清單按鈕，再從下拉式選單選取您要的客戶編號即可。

Tips --

- 跨工作表的下拉式選單設計，必須使用**名稱**來完成，如果直接在**驗證**中選用跨工作表的參考範圍（如下圖所示），設計出來的選單是無法使用的。

- 選單基本資料的欄位名稱要特別注意，不要和報表中的欄位名稱相同，以免產生名稱衝突的結果；例如，報表中的欄位名稱叫作「**客戶編號**」，選單基本資料中的欄名就叫作「**客戶代號**」，最好不要也叫作「**客戶編號**」。

- 在前述設計選單的第 4 步驟中，如果不記得名稱，可以先將插入點置於**來源**文字方塊中，點按公式索引標籤 / **用於公式**，再點選相關的名稱（例如：客戶代號），Excel 便會自動在**來源**文字方塊中輸入「= 客戶代號」等字樣，再按下**確定**即可。

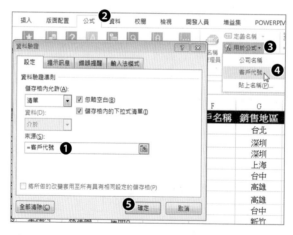

- 您不能在已設計下拉式選單的儲存格中，直接輸入選單中沒有的客戶編號，否則將會看到如下圖的錯誤訊息，此時，您可以按下**取消**，重新透過選單來操作。

- 若要取消儲存格中的下拉式選單，請點選 E2 儲存格，點按**資料**索引標籤 / **資料驗證** / **資料驗證**，在**資料驗證**對話方塊中，勾選**將所做的改變套用至所有具有相同設定的儲存格**，按下**全部清除**，再按下**確定**，即可取消所有的下拉式選單。

2.6.2 多重選項的選單設計

前述**單一選項選單**的設計，這種選單的缺點在於：選單中的客戶編號一多，就很難記得哪一個編號對應到哪一家客戶名稱；如此一來，就很容易造成選錯的情況發生。

能不能在選單中同時呈現**客戶編號**和**客戶名稱**，以防止我們選錯資料呢？此時，就必須使用「多重選項」的選單來解決此一問題，下圖即為 Excel 資料庫在登錄資料時，使用**多重選項**選單的畫面。

設計**多重選項**下拉式選單，必須注意每一個步驟的順序，過程中只要一個步驟不對，就必須全部重新來過，不可不慎。首先要建立**客戶資料對照表**，它的內容其實和**單一選項下拉式選單**所參考的資料內容是一樣的，下圖左邊是原先**單一選項下拉式選單**所參考的資料內容。

下圖右邊則是**多重選項下拉式選單**參考的資料內容,必須先建置完成。不同的是 E1 和 F1 儲存格是空白的,並沒有像 A1 及 B1 儲存格的欄位名稱,倒是在 D1 輸入了字串「客戶資料對照表」,那是準備當作**名稱**來用的。這是一種很奇特的佈局,沒什麼道理,但必須這樣做,否則就是做不出**多重選項**的下拉式選單,也沒有第二種方法可行。

	A	B	C	D	E	F
1	客戶代號	公司名稱		客戶資料對照表		
2	C001	普盛國際			C001	普盛國際
3	C002	統威光電			C002	統威光電
4	C003	全球食品			C003	全球食品
5	C004	新象企管			C004	新象企管
6	C005	品冠電機			C005	品冠電機
7	C006	順發貿易			C006	順發貿易

多重選項的下拉式選單設計步驟如下:

01 建立名稱,選取 D1:F7 的範圍,點按公式索引標籤 / 從選取範圍建立;在以選取範圍建立名稱對話方塊中,勾選**最左欄**,按下**確定**。

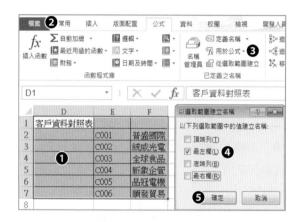

02 設計下拉式選單,回到資料庫所在的工作表,點選 E2 儲存格,點按**資料**索引標籤 / **資料驗證** / **資料驗證**。

03 在**資料驗證**對話方塊中，點選**儲存格內允許**方塊中的「清單」，在**來源**文字方塊中輸入「= 客戶資料對照表」，按下**確定**。

04 第二次建立名稱，回到含有「客戶資料對照表」的工作表中，同樣選取 D1：F7 的範圍。

05 點按公式索引標籤 / **從選取範圍建立**；在**以選取範圍建立名稱**對話方塊中，同時勾選**頂端列**和**最左欄**，按下**確定**。

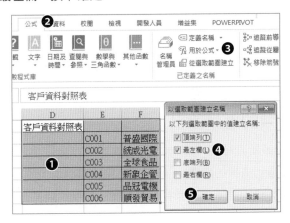

06 此時 Excel 會問您是否要取代原有的名稱「客戶資料對照表」，點按**是**，即完成第二次名稱的建立。

07 回到資料庫所在的工作表，指向 E2 儲存格右下角的黑色小方塊（填滿控點），當指標成為黑色十字形時，按住左鍵向下拖曳，即可將選單的功能複製到其他的儲存格之中，打開 E2 的選單，便能看到選單中不但有客戶編號，還有客戶名稱在內。

Tips

- 設計多重選項選單的關鍵，在第 4 個步驟，也就是必須再度使用 D1：F7 的範圍來建立第二次的名稱。

- 在多重選項的下拉式選單中，不但可以點選客戶編號，也可以點選客戶名稱。

- 如果依上述步驟做完之後，沒有看到選單內容，或者出現如下圖的錯誤訊息；就必須從步驟 1 開始重新做過，無法從中途加以修正。

2.6.3 自動分類的選單設計

當我們了解前面章節所介紹的「單一選項下拉式選單」以及「多重選項下拉式選單」之後，可能會碰到這樣的問題：「如果選單中的選項太多，導致要花很多時間來捲動選單才能找到需要的選項，這樣看起來，使用選單反而沒有效率」。

例如，在一個客戶名稱的下拉式選單中，內含 3000 個客戶名單選項，每次都要找半天，反而浪費時間，還不如直接輸入比較快些。

要解決上述的問題，我們可以設計**三層連動式**的下拉式選單，這種選單的特性是：「當選取第一層選單中的**產業別**時，下一欄的選單就自動跳出屬於該產業別的客戶名單；當選取某一客戶名稱時，又會在下一欄自動出現該客戶的分支單位名單，使得各層選單環環相扣」。

要建置**三層連動式**的下拉式選單，需先完成下列四項前置作業：

1. 先建立客戶的**產業別**使其成為第一層選單的內容，如下圖 A 欄的內容。
2. 將產業別的名稱展開來成為不同的欄位名稱，如下圖 B1:J1 的內容。
3. 在各產業別名稱之下，輸入客戶名稱，使其成為第二層的選單內容，如下圖 B2:J10 的內容。
4. 從 K1 起向右展開客戶名稱，例如 K1 中的「新光三越」，並在 K1 之下輸入所有新光三越的分店名稱，其餘客戶也依此類推，產業別或客戶愈多，欄位展開的篇幅也就愈寬廣。

	A	B	C	D	E	F	G	H	I	J	K
1	產業別	半導體	食品	百貨	服務	電腦	金融	營建	紡織	汽車	新光三越
2	半導體	台積電	天仁	大潤發	中華電信	神通	台新金控	長虹	遠紡	裕隆	台北南西店
3	食品	聯電	黑松	特力屋	遠傳	仁寶	兆豐金控	中華工程	南紡	中華	台北站前店
4	百貨	華邦電	味全	家樂福	台灣大	微星	國泰金控	冠德	新紡	和泰	信義新天地
5	服務	威盛	味王	統領	威寶	華碩	台灣銀行	京城	年興	三陽	台北天母店
6	電腦	矽品	愛之味	新光三越	零壹	宏碁	彰化銀行	宏盛	宏和	裕日	桃園店
7	金融	南科	統一	遠東百貨	訊連	英業達	永豐金控	達欣工程	聚隆	廣華	新竹店
8	營建	聯發科	康師傅	好市多	敦陽	藍天	合作金庫	皇翔	三洋紡		台中店
9	紡織	創見	泰山	統一超	資通	技嘉	花旗銀行	華固	聚陽		台南中山店
10	汽車	綠能	聯華	屈臣氏	精誠	廣達	中信金控	遠雄	儒鴻		台南新天地
11											高雄店
12											太平洋SOGO
13											微風廣場
14											大葉高島屋

以上的資料置於名為「自動分類選單基本資料」的工作表中，接著就要來設計三層連動式的下拉式選單了，請參考下列步驟：

01 建立名稱，在「自動分類選單基本資料」的工作表中，選取 A1：K14 的範圍（選取範圍的大小，要看欄位展開的幅度而定）；點按**公式**索引標籤 / **從選取範圍建立**；在**以選取範圍建立名稱**對話方塊中，勾選**頂端列**，按下**確定**。

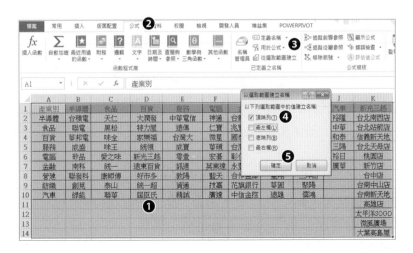

02 回到資料庫所在的工作表，點選 E2 儲存格，點按**資料**索引標籤 / **資料驗證** / **資料驗證**。

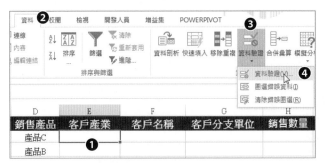

03 在**資料驗證**對話方塊中，點選**儲存格內允許**方塊中的「清單」，在**來源**文字方塊中輸入「= 產業別」，按下**確定**。

04 向下拖曳 E2 儲存格的填滿控點，讓 E 欄其他儲存格也具備下拉式選單的功能。在 E2 儲存格選單中，點選「百貨」。

05 點選 F2 儲存格，點按**資料**索引標籤 / **資料驗證** / **資料驗證**；在**資料驗證**對話方塊中，點選**儲存格內允許**方塊中的「清單」，在**來源**文字方塊中輸入「=INDIRECT(E2)」，按下**確定**。

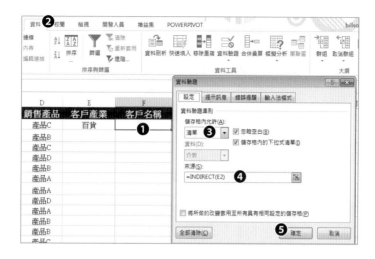

06 打開 F2 儲存格的選單，看到的只有跟百貨業相關的客戶名單，點選「新光三越」；如果 E2 選擇的是「半導體」，則在 F2 的選單中看到的也將會是跟半導體相關的客戶名單。

07 點選 G2 儲存格，點按**資料**索引標籤 / **資料驗證** / **資料驗證**；在**資料驗證**對話方塊中，點選**儲存格內允許**方塊中的「清單」，在**來源**文字方塊中輸入「=INDIRECT(F2)」，按下**確定**。

08 打開 G2 儲存格的選單，看到的只有跟**新光三越**相關的分店名單。

E	F	G	
客戶產業	**客戶名稱**	**客戶分支單位**	銷
百貨	新光三越		

台北南西店
台北站前店
信義新天地
台北天母店
桃園店
新竹店
台中店
台南中山店

Tips

- 如果在上圖 F2 儲存格中選擇「大潤發」，再去點按 G2 的選單按鈕時，您將會無法開啟選單。那是因為在下圖「自動分類選單基本資料」的工作表中並未在 K 欄之後接著設定「大潤發」的分店名稱，因此 Excel 也就無法提供選單的內容來供選擇了。

	A	B	C	D	E	F	G	H	I	J	K	L	M
1	產業別	半導體	食品	百貨	服務	電腦	金融	營建	紡織	汽車	新光三越		
2	半導體	台積電	天仁	大潤發	中華電信	神通	台新金控	長虹	遠紡	裕隆	台北南西店		
3	食品	聯電	黑松	特力屋	遠傳	仁寶	兆豐金控	中華工程	南紡	中華	台北站前店		
4	百貨	華邦電	味全	家樂福	台灣大	微星	國泰金控	冠德	新紡	和泰	信義新天地		
5	服務	威盛	味王	統領	威寶	華碩	台灣銀行	京城	年興	三陽	台北天母店		
6	電腦	矽品	愛之味	新光三越	零壹	宏碁	彰化銀行	宏盛	宏和	裕日	桃園店		
7	金融	南科	統一	遠東百貨	訊連	英業達	永豐金控	達欣工程	聚陽	廣華	新竹店		
8	營建	聯發科	康師傅	好市多	敦陽	藍天	合作金庫	皇翔	三洋紡		台中店		
9	紡織	創見	泰山	統一超	資通	技嘉	花旗銀行	華固	聚隆		台南中山店		
10	汽車	綠能	聯華	屈臣氏	精誠	廣達	中信金控	遠雄	儒鴻		台南新天地		
11											高雄店		
12											太平洋SOGO		
13											微風廣場		
14											大葉高島屋		

- 在設定儲存格 G2 中的下拉式選單時，在**資料驗證**對話方塊中按下**確定**之後，如果出現如下圖的錯誤訊息「**來源目前評估為錯誤。您要繼續嗎？**」，那是因為設定完 F2 儲存格的選單之後，忘了先選取一個客戶名稱，以致於「=INDIRECT(F2)」面對 F2 的空白資料，不知如何處理，才會有此訊息產生，此時只要按下「**是**」繼續完成設定即可。

- 有關函數 INDIRECT，參考「2.9.7 名稱在報表中的應用」一節中的詳細說明。

2.7 Excel 公式設定的效率

大家都知道，Excel 報表的產出幾乎都要經過計算的過程，每一種報表都有許多不同設定公式或使用函數的方法，端看報表的複雜度而定。不管使用哪一種方法來完成計算，都應該要有「數字一定正確」的把握，而「能夠使用最簡單的方法完成報表的計算，並能確認數字一定對」才算是真正有效率的計算方式。在實務上也最好能使用兩種以上的方法來分別做報表的**計算**與**驗算**，而不要等報表丟出去之後「錯誤是由別人發現的」，這樣會影響別人對我們的信任度。

2.7.1 公式與函數的設定效率

使用**公式**或**函數**，哪一種比較容易設定？為何不說哪一種方法的計算速度比較快？因為計算速度的快慢，會受到電腦整體效能的影響；所以，在此只談設定公式或函數的方便性和效率，也就姑且不提計算的速度了。

針對小型報表，不論使用**公式**或**函數**來設定，花的時間都差不多。以簡單的加總為例，公式「=B3+B4+B5+B6」與函數「=SUM(B3:B6)」打字的長度相當；但是，由於我們可直接按下**自動加總**的按鈕來完成函數 SUM 的輸入（如下圖所示），所以使用函數就稍佔優勢了。

如果針對大型報表或者較複雜的計算，**函數**就佔有絕對的優勢了：

公式：「=B3+B4+ ‥‥‥ +B50」

函數：「=SUM(B3:B50)」

就算不是大型報表，我們再以**標準差**的計算來看，公式與函數的設定效率差別就更大了：

公式「=((C2^2+C3^2+C4^2+C5^2+C6^2+C7^2)/6-C8^2)^0.5」
函數「=STDEV(C2:C8)」

所以，最後的結論是：**盡量用函數去計算您的報表，總是不會錯的。**

2.7.2 大型報表的快速計算

計算報表時，大多數的使用者，會習慣性的先設定一格的公式，再向左或向下拖曳填滿控點來完成計算；小型報表用拖曳填滿控點的方式還説得過去，大型報表也這樣做，就顯得沒有效率了。

以下圖的報表為例，水平方向要計算各洲以及全球合計（即第 8、14、20、26、27 等各列）；垂直方向則要計算各季上、下半年以及全年合計（即 E、I、J、N、R、S、T 各欄）。最有效率的方法是：先計算水平方向的數值，再計算垂直方向的數值（順序倒過來也可以）。

	A	B	C	D	E	F	G	H	I	J	K	L	M	N	O	P	Q	R	S	T
1				京士集團全球業績統計表																
2	銷售地區	一月	二月	三月	第一季	四月	五月	六月	第二季	上半年	七月	八月	九月	第三季	十月	十一月	十二月	第四季	下半年	全年合計
3	上海	860	1200	840		1050	1310	860			1150	1250	960		1360	870	1640			
4	首爾	1380	630	1530		1950	830	520			1660	1140	1810		1020	1280	1420			
5	東京	1390	940	800		1050	1700	1870			960	1430	820		1900	260	670			
6	曼谷	990	1050	780		820	910	1190			1350	1630	1120		1380	1480	660			
7	馬尼拉	900	1340	690		920	640	1260			1030	1560	1370		1210	930	940			
8	亞洲																			
9	渥太華	580	1520	1090		1390	1170	1230			940	1360	810		680	700	1410			
10	哥倫比亞特區	1370	1030	1630		700	1380	1140			750	990	900		1600	510	540			
11	紐克	1230	1340	1350		800	1260	1170			920	1220	1100		530	990	1230			
12	聖皮埃爾	990	990	980		1760	940	820			480	850	1100		1420	770	890			
13	漢密爾頓	950	800	1750		760	910	1260			1210	360	690		900	1180	990			
14	北美																			
15	布宜諾斯艾利斯	1030	1090	1710		900	1320	950			580	620	1280		1040	1150	300			
16	亞松森	710	1350	710		1330	1130	830			960	680	670		1030	670	1060			
17	聖地牙哥	330	410	680		440	350	140			950	850	710		400	720	1320			
18	墨西哥市	850	360	410		110	860	950			760	810	920		670	880	430			
19	巴西利亞	1130	920	920		1450	390	1080			680	920	860		560	450	1060			
20	南美																			
21	巴黎	1580	1190	570		1380	650	1130			880	750	1430		1210	1090	930			
22	倫敦	1040	1420	1620		950	680	1760			910	1060	390		1810	510	1000			
23	馬德里	1310	600	690		380	1180	1390			1270	780	280		790	1180	1170			
24	米蘭	2340	530	2220		400	980	1780			190	640	380		260	720	610			
25	阿姆斯特丹	1330	1020	910		600	610	1590			1170	1290	1490		1120	310	690			
26	歐洲																			
27	全球合計																			

請參考下列步驟，完成這張大型報表的計算：

01 計算水平方向的數字，按住 Ctrl 鍵不放，分別選取 B8:T8、B14:T14、B20:T20、B26:T26 的水平不連續範圍；再按下**公式**索引標籤 / **自動加總**（也可以按下**常用**索引標籤 / **編輯**群組 / **自動加總**）。

02 選取 B27:T27 的水平範圍，按下**公式**索引標籤 / **自動加總**，即完成所有水平方向數值的加總。

請注意：在選取不連續範圍時，您不能合併 1、2 兩個步驟成為「按住 Ctrl 鍵不放，分別選取 B8:T8、B14:T14、B20:T20、B26:T27 的水平不連續範圍」，因為第 27 列的計算規則與其他列的規則是不相同的，所以第 27 列的計算結果將會是錯誤的，因此 B27:T27 的範圍必須單獨計算。

03 計算垂直方向的數字，按住 Ctrl 鍵不放，分別選取 E3:E27、I3:I27、N3:N27、R3:R27 的垂直不連續範圍，按下 Del 鍵，刪除選取範圍中的 0 值，再按下**公式**索引標籤 / **自動加總**。

04 按住 Ctrl 鍵不放，分別選取 J3:J27、S3:S27 的範圍，刪除選取範圍中的 0 值，按下公式索引標籤 / **自動加總**。

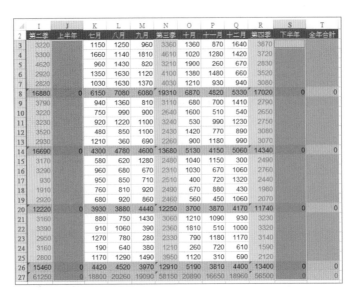

	I	J	K	L	M	N	O	P	Q	R	S	T
2	第二季	上半年	七月	八月	九月	第三季	十月	十一月	十二月	第四季	下半年	全年合計
3	3220		1150	1250	960	3360	1360	870	1640	3870		
4	3300		1660	1140	1810	4610	1020	1280	1420	3720		
5	4620		960	1430	820	3210	1900	260	670	2830		
6	2920		1350	1630	1120	4100	1380	1480	660	3520		
7	2820		1030	1370	4030	1210	930	940	3080			
8	16880	0	6150	7080	6080	19310	6870	4820	5330	17020	0	0
9	3790		940	1360	810	3110	680	700	1410	2790		
10	3220		750	990	900	2640	1600	510	540	2650		
11	3230		920	1220	1100	3240	530	990	1230	2750		
12	3520		480	850	1100	2430	1420	770	890	3080		
13	2820		1210	360	690	2260	900	1180	990	3070		
14	16690	0	4300	4780	4600	13680	5130	4150	5060	14340	0	0
15	3170		580	620	1280	2480	1040	1150	300	2490		
16	3290		960	680	670	2310	1030	670	1060	2760		
17	930		950	850	710	2510	400	720	1320	2440		
18	1910		760	810	920	2490	670	880	430	1980		
19	2920		680	920	860	2460	560	450	1060	2070		
20	12220	0	3930	3880	4440	12250	3700	3870	4170	11740	0	0
21	3160		880	750	1430	3060	1210	1090	930	3230		
22	3390		910	1060	390	2360	1810	510	1000	3320		
23	2950		1270	780	280	2330	790	1180	1170	3140		
24	3160		190	640	380	1210	260	720	610	1590		
25	2800		1170	1290	1490	3950	1120	310	690	2120		
26	15460	0	4420	4520	3970	12910	5190	3810	4400	13400	0	0
27	61250		18800	20260	19090	58150	20890	16650	18960	56500		

05 選取 T3:T27 的範圍，刪除選取範圍中的 0 值，按下公式索引標籤 / **自動加總**，下圖即為完成垂直方向數值加總之後的結果。

	A	B	C	D	E	F	G	H	I	J	K	L	M	N	O	P	Q	R	S	T
2	銷售地區	一月	二月	三月	第一季	四月	五月	六月	第二季	上半年	七月	八月	九月	第三季	十月	十一月	十二月	第四季	下半年	全年合計
3	上海	860	1200	840	2900	1050	1310	860	3220	6120	1150	1250	960	3360	1360	870	1640	3870	7230	13350
4	首爾	1380	630	1530	3540	1950	830	520	3300	6840	1660	1140	1810	4610	1020	1280	1420	3720	8330	15170
5	東京	1390	940	800	3130	1050	1700	1870	4620	7750	960	1430	820	3210	1900	260	670	2830	6040	13790
6	曼谷	990	1050	780	2820	820	910	1190	2920	5740	1350	1630	1120	4100	1380	1480	660	3520	7620	13360
7	馬尼拉	900	1340	490	2730	920	640	1260	2820	5550	1030	1630	1370	4030	1210	930	940	3080	7110	12660
8	亞洲	5520	5160	4440	15120	5790	5390	5700	16880	32000	6150	7080	6080	19310	6870	4820	5330	17020	36330	68330
9	渥太華	580	1520	1090	3190	1390	1170	1230	3790	6980	940	1360	810	3110	680	700	1410	2790	5900	12880
10	哥倫比亞特區	1370	1030	1630	4030	700	1380	1140	3220	7250	750	990	900	2640	1600	510	540	2650	5290	12540
11	努克	1230	1340	1350	3920	800	1260	1170	3230	7150	920	1220	1100	3240	530	990	1230	2750	5990	13140
12	聖皮埃爾	990	990	980	2960	1760	940	820	3520	6480	480	850	1100	2430	1420	770	890	3080	5510	11990
13	漢密爾頓	950	800	1750	3500	760	910	1260	2930	6430	1210	360	690	2260	900	1180	990	3070	5330	11760
14	北美	5120	5680	6800	17600	5410	5660	5620	16690	34290	4300	4780	4600	13680	5130	4150	5060	14340	28020	62310
15	布宜諾斯艾利斯	1030	1090	1710	3830	900	1320	950	3170	7000	580	620	1280	2480	1040	1150	300	2490	4970	11970
16	亞松森	710	1350	710	2770	1330	1130	830	3290	6060	960	680	670	2310	1030	670	1060	2760	5070	11130
17	聖地牙哥	330	410	680	1420	440	350	140	930	2350	950	850	710	2510	400	720	1320	2440	4950	7300
18	墨西哥市	850	360	410	1620	110	850	950	1910	3530	760	810	920	2490	670	880	430	1980	4470	8000
19	巴西利亞	1130	920	920	2970	1450	390	1080	2920	5890	680	920	860	2460	560	450	1060	2070	4530	10420
20	南美	4050	4130	4430	12610	4230	4040	3950	12220	24830	3930	3880	4440	12250	3700	3870	4170	11740	23990	48820
21	巴黎	1580	1190	570	3340	1380	650	1130	3160	6500	880	750	1430	3060	1210	1090	930	3230	6290	12790
22	倫敦	1040	1420	1620	4080	950	680	1760	3390	7470	910	1060	390	2360	1810	510	1000	3320	5680	13150
23	馬德里	1310	600	690	2600	380	1180	1390	2950	5550	1270	780	280	2330	790	1180	1170	3140	5470	11020
24	米蘭	2340	530	2220	5090	400	980	1780	3160	8250	190	640	380	1210	260	720	610	1590	2800	11050
25	阿姆斯特丹	1330	1020	910	3260	600	610	1590	2800	6060	1170	1290	1490	3950	1120	310	690	2120	6070	12130
26	歐洲	7600	4760	6010	18370	3710	4100	7650	15460	33830	4420	4520	3970	12910	5190	3810	4400	13400	26310	60140
27	全球合計	22290	19730	21680	63700	19140	19190	22920	61250	124950	18800	20260	19090	58150	20890	16650	18960	56500	114650	239600

Tips

▶ 上述步驟 3 中「刪除選取範圍中的 0 值」是很重要的動作，若不將選取範圍中的 0 值刪掉（不只是 0，有任何數字在裡面都不行），當您按下**公式**索引標籤 / **自動加總**，將會得到錯誤的結果。

▶ 輸入函數再配合「自動填滿」的計算方法：

- 按住 Ctrl 鍵不放，分別選取 B8:T8、B14:T14、B20:T20、B26:T26 的水平不連續範圍；此時游標會停在 B26 儲存格，直接輸入「=SUM(B21:B25)」，按下 Ctrl+Enter 兩個鍵；再選取 B27:T27 的範圍，按下**公式**索引標籤 / **自動加總**，即可完成水平方向數值的加總。

- 按住 Ctrl 鍵不放，分別選取 E3:E27、I3:J27、N3:N27、R3:T27 的垂直不連續範圍，按下 Del 鍵，刪除選取範圍中的 0 值，此時游標會停在 R3 儲存格，直接輸入「=SUM(O3:Q3)」，按下 Ctrl+Enter 兩個鍵；按住 Ctrl 鍵不放，分別選取 J3:J27、S3:S27 的垂直不連續範圍，按下 Del 鍵，刪除選取範圍中的 0 值，直接輸入「=N3+R3」，按下 Ctrl+Enter 兩個鍵；最後選取 T4:T27 的範圍，直接輸入「=J3+S3」，按下 Ctrl+Enter 兩個鍵，即可完成所有垂直方向數值的加總。

▶ Ctrl+Enter 是 Excel「自動填滿」的快速鍵，對公式或函數的設定，特別有用。

2.7.3 Excel 的加總規則

前面一節介紹了快速加總的兩種方法之後，您可能會有這樣的疑問：「計算的結果，有把握一定對嗎？」。現在就要介紹 Excel 快速加總的規則，了解之後，以後就可以放心的使用前述的兩種方法來做大型報表的快速加總了。

要了解 Excel 的加總規則，必須從單一儲存格的加總來看，以下圖為例，在 B8 儲存格下**公式**索引標籤 / **自動加總**，Excel 會加總 B8 上方所有的數值，直到碰到空白或文字為止，所以它只會向上加到 B3 就停住。

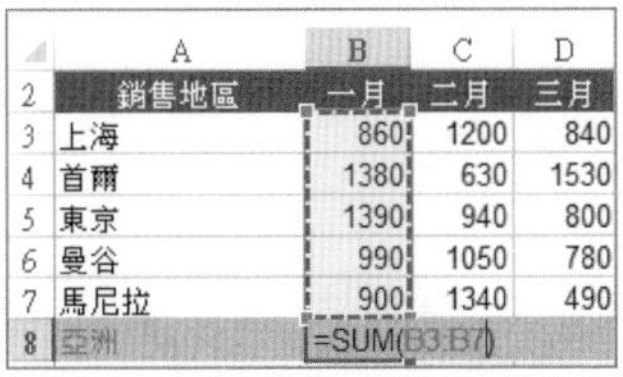

	A	B	C	D
2	銷售地區	一月	二月	三月
3	上海	860	1200	840
4	首爾	1380	630	1530
5	東京	1390	940	800
6	曼谷	990	1050	780
7	馬尼拉	900	1340	490
8	亞洲	=SUM(B3:B7)		

有趣的是在左下圖 B14 中，按下**公式**索引標籤 / **自動加總**時，Excel 在 B9 就停了下來，不是說「碰到空白或文字」才會停下向上加總的腳步嗎？ B9 上面的「5520」

是**數值**耶，怎麼不會一路往上加總呢？按理說應該從 B13 一路向上加到 B3 才合理呀！怎麼不是這樣呢？ B20 和 B26 的加總結果也是相同的情況。

再看右下圖最下面的 B27，那就更有趣了，它的公式變成了「=SUM(B26,B20,B14,B8)」居然是跳著加！觀察上述幾個儲存格的加總結果之後，我們可以得到一個結論：「**被加過的數字，不再加第二次**」，這也就是 Excel 得以快速加總大面積數字的奧祕。

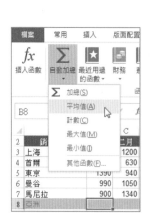

請注意，上述的加總規則不適用在「平均」和「計數」上！以下圖計算**平均值**為例，當您在 B8 儲存格按下**公式**索引標籤 / **自動加總** / **平均值**時，結果是對的；但是當您在 B14 做相同動作時，「Average」函數卻穿過 B8 一路往上去做平均計算，直到碰到文字或空白為止，所以，最後的計算結果是錯的！而執行「計數」的功能時，也跟「平均值」計算一樣，會得到錯誤的結果。

2.7.4　自動重算與手動重算的使用時機

有不少使用者都碰過這樣的情況:「怎麼電腦速度愈來愈慢?在工作表中改一個數字都要等半天!要不然就是滑鼠被卡住動不了?究竟是怎麼回事?」,相信你我也都可能這樣抱怨過。

其實,主要問題大多出在電腦「記憶體 RAM」上,**記憶太小會嚴重影響 Excel 運作的效率**。眾所周知的,現在的軟體功能愈來愈強大,Excel 也不例外,而且企業報表使用的公式或函數更是複雜且多變化,再加上到了 Excel 2007 以後的版本,工作表容量更是大幅提昇到 104 萬多列,使得 Excel 對電腦記憶體的需求急速上昇,尤其碰到大型資料庫的處理分析,需要更大的記憶體空間來作運算。究竟要多大的記憶體空間才夠用?現在買電腦,不論是桌機或筆電,記憶體都是從 4G 起跳;若是早期買的電腦大概就是 2G 或更小的記憶體吧! 4G 在現在來看,跑 Microsoft Office 應該是夠了,除非您的活頁簿裡面塞進了數十張計算複雜的大型工作表或者動輒數十萬筆資料的 Database,那就很難說了,筆者曾經看到過企業使用者,在一個活頁簿中塞進了 700 多張工作表,導致每次單是開檔就要等五分鐘。

所以,當您有速度變慢的情況,請先檢查電腦記憶體有多大,如果不到 4G,建議您先加大記憶體,看看情況有沒有改善,要加到 4G 以上的記憶體,必須確認電腦作業系統必須是 64 位元的版本;再來,確認是不是每個 Excel 檔案操作時都不順暢?如果只有特定的一兩個 Excel 檔案跑起來特別慢,那就是後面要探討的問題了。

易變函數影響操作效率

易變函數包括了:AREAS、INDEX、COLUMNS 、ROWS、RAND 、CELL 、TODAY 、NOW 、OFFSET 等九個函數。「易變函數」的特性在於,隨時會自動重新計算其結果。例如,報表中用到了函數「NOW」來顯示目前電腦日期和時間,此時,你只要在任何儲存格中更改或輸入資料,假設您的活頁簿中有數十張報表都用到了函數「NOW」,那麼這幾十張工作表的「NOW」都會重新顯示最新的日期和時間。

也就是說,報表中只要用到其中一個**易變函數**,那就不得安寧了,若是幾十張報表都要重算,而每張報表又分別使用了某些**易變函數**,重算起來將會耗費多大的硬體資源?當然也就會使得 Excel 的運作嚴重的遲滯了。

自動重算與手動重算

Excel 提供了**自動重算**和**手動重算**兩種不同的重算方式,兩者各有利弊。**自動重算**是 Excel 預設的功能,常見的用途就是,設定某一儲存格公式之後,向下自動填滿該公式時,我們可以立刻看到計算結果(如左下圖 F 欄所示),這就是自動重算在背後運作。

如果,向下自動填滿公式,Excel 得到的卻是相同的計算結果(如右下圖 F 欄所示),就表示 Excel 的**自動重算**被設定成為**手動重算**了。

設定成**手動重算**的方法很容易,只要點按**公式**索引標籤 / **計算選項** / **手動**,即可將**自動**重算的方式調整成為**手動**的重算方式。

為什麼要設定成**手動**的重算方式呢?如此一來,向下自動填滿公式時,不是會得到錯誤的結果嗎?設定成**手動**的主要原因在於:設定成**手動**之後,所有的**易變函數**將不再因為更動資料而隨時自動重算,進而導致在 Excel 重算完畢之前,我們無法做其他的操作,整個建置報表的效率,就會受到很大的影響。

當我們設定成為**手動**的重算方式之後,將明顯的可以感覺到,Excel 處理資料的速度快了許多,不再拖泥帶水了;至於那些向下自動填滿公式的儲存格,如何得到正確的計算結果呢? Excel 提供了幾個快速鍵來重算報表中公式:

▶ F9 鍵:重新計算所有開啟的活頁簿,但其重算的範圍是「自上次計算後已經變更過的公式以及其從屬公式」。

▶ Shift+F9 鍵：僅重新計算正在編輯中的工作表，但其重算的範圍是「自上次計算後已經變更的公式以及其從屬公式」

▶ Ctrl+Alt+F9 鍵：重新計算所有開啟的活頁簿，不論上次是否有變更

▶ Ctrl+Shift+Alt+F9 鍵：重新檢查所有相關連的公式，並計算所有已開啟活頁簿中的公式。

Tips ....

▶ 有關**公式**索引標籤 / **計算選項**按鈕之下的項目說明：

• 立即重算：等同於按下功能鍵 F9，重算所有開啟的活頁簿。

• 計算工作表：等同於按下 Shift+F9，重算正在編輯中的工作表。

• **計算選項**中的「除運算列表外，自動重算」：點此功能，只有透過**資料**索引標籤 / **模擬分析** / **運算列表**，所產出的報表不被重算；其餘公式都將被重算。

• 所謂**公式**，除了在儲存格中設定的公式之外，還包括**名稱**中使用的公式，以下圖為例，名稱「小計」是以「=I1*I2」的公式來設定，您在 I3 儲存格中輸入「= 小計」按下 Enter，即可得到計算的結果「80」，當您改變 I1 或 I2 數字時，Excel 也會重算名稱背後的公式，來調整 I3 的結果。

▶ 有關**手動重算**的說明

在**手動重算**的狀態之下，Excel 提供了很貼心的「存檔時自動重算」機制，我們可以在**檔案**索引標籤 / **選項** / **公式**之下，看到 Excel 自動勾選了**儲存活頁簿前自動重算**的核取方塊，如果您的活頁簿內容複雜需要花比較長的時間來重算，可以取消勾選**儲存活頁簿前自動重算**核取方塊，來縮短儲存的時間。

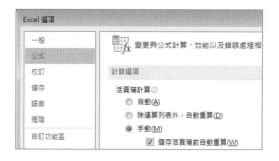

2.8 位址的觀念和應用技巧

位址的觀念是非常重要的課題，看似簡單，卻常被使用者忽略。沒有位址的觀念，在報表中建置函數時，肯定是沒有效率的。怎麼說呢？企業報表幾乎都是多維度的格式，要在多維度的報表中設定公式，就必須做到「**只在其中一個儲存格中設定公式，就能夠向下及向右自動填滿此公式，完成整張報表的計算**」，這樣才是一種有效率的公式設定方法，而不是需要一欄一欄的去修改公式之後，才能向下自動填滿公式，完成報表的計算。

下圖即是利用這樣的觀念所設定的公式，這必須有著很清楚的**位址**觀念，否則是不可能做到的。

2.8.1 位址的參照方式

Excel 有三種參照位址的方式，分別是：

▶ 相對位址

A1，這是 Excel 預設的參照方式，在設定公式時，Excel 在第一時間，一定採用這種參照方式，目的就是方便公式的複製（即**自動填滿**）。

▶ 絕對位址

$A$1，$ 符號代表鎖定，$A 表示鎖住 A 欄，$1 表示鎖住第一列；當公式被複製時，被參照的 A1 儲存格，不會因此而位移。

▶ 混合位址

有兩種混合位址的表示方式，A$1 表示只鎖住第一列，當公式向上、下複製時，參照的列不會跟著上、下位移；$A1 表示只鎖住 A 欄，當公式向左、右複製時，參照的欄不會跟著左、右位移。

這三種位址的觀念和應用方式各有不同，下面章節將有詳細的說明，Excel 使用者，務必要建立清晰的位址觀念，爾後在公式的設定上，將獲益甚多。

2.8.2 相對位址的觀念

以下圖為例，在 B7 按下**公式**索引標籤／**自動加總**之後，Excel 會自動輸入函數「=SUM(B3:B6)」，函數中的引數「B3:B6」是以**相對位址**的方式來呈現；接著，我們會向右拖曳 B7 儲存格的填滿控點，完成 C7:F7 儲存格的計算，看起來是理所當然的事，這也就是**相對位址**的好處，面對具有規則性的報表，可以輕鬆地完成計算的工作。

相對位址的後遺症

以**相對位址**設定的公式，雖經複製就能輕易的完成報表的計算，但是其後遺症必須特別留意；**相對位址**的公式如果只用在原報表中，是不會有任何問題的，但只要複製到其他儲存格，其參照的位址就會跟著移動而產生錯誤的結果。

以下圖為例，若將 B7:E7 的數字複製到 B14:E14 的範圍，結果卻是錯的。我們單以 B7 複製到 B14 來做分析：B7 背後的公式「=SUM(B3:B6)」，是以相對位址

設定的，當它複製到 B14 之後，由於其位置下降了 7 列，所以，公式就變成了「=SUM(B10:B13)」，其中 B10 是文字，會被視為 0，由於 B11:B13 都是 1000，加總的結果，自然就變成「3000」了，您想，這跟原來的數字「17040」有多大的差距？而 B14:E14 也是相同的道理。

您可能會說「發現錯誤更正就好」，各位想想看，目前我們面對的只是一張很小的報表，所以很容易就發現了錯誤；如果今天要將背後含有相對位址公式的數字丟到另一張大型報表中去作整合，是很不容易發現錯誤的，所以，我們在報表整合的過程中，就要特別小心這些內含相對位址公式的數字。

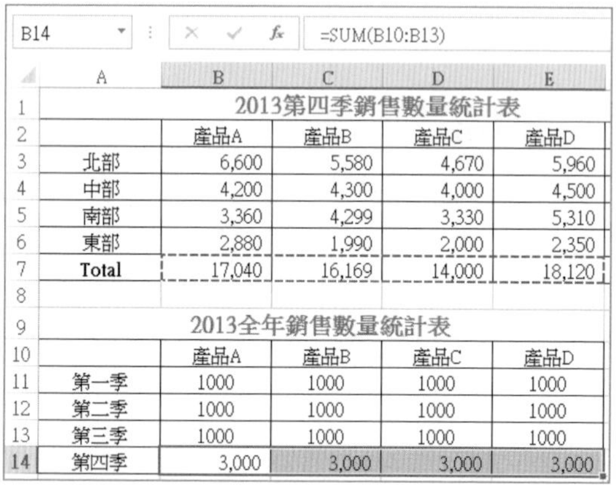

	A	B	C	D	E
1	2013第四季銷售數量統計表				
2		產品A	產品B	產品C	產品D
3	北部	6,600	5,580	4,670	5,960
4	中部	4,200	4,300	4,000	4,500
5	南部	3,360	4,299	3,330	5,310
6	東部	2,880	1,990	2,000	2,350
7	Total	17,040	16,169	14,000	18,120
8					
9	2013全年銷售數量統計表				
10		產品A	產品B	產品C	產品D
11	第一季	1000	1000	1000	1000
12	第二季	1000	1000	1000	1000
13	第三季	1000	1000	1000	1000
14	第四季	3,000	3,000	3,000	3,000

相對位址錯誤的校正

發現錯誤之後，在複製完成數字的右下角，可以點按 Excel 提供的**智慧標籤**，接著點選「值」的圖示，即可調整成為正確的計算結果。

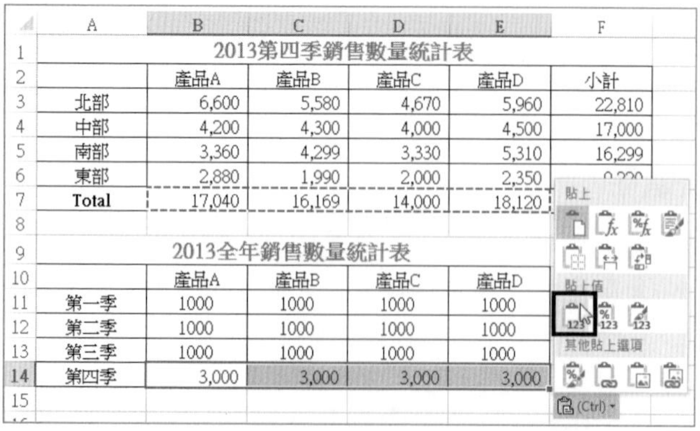

	A	B	C	D	E	F
1	2013第四季銷售數量統計表					
2		產品A	產品B	產品C	產品D	小計
3	北部	6,600	5,580	4,670	5,960	22,810
4	中部	4,200	4,300	4,000	4,500	17,000
5	南部	3,360	4,299	3,330	5,310	16,299
6	東部	2,880	1,990	2,000	2,350	[illegible]
7	Total	17,040	16,169	14,000	18,120	
8						
9	2013全年銷售數量統計表					
10		產品A	產品B	產品C	產品D	
11	第一季	1000	1000	1000	1000	
12	第二季	1000	1000	1000	1000	
13	第三季	1000	1000	1000	1000	
14	第四季	3,000	3,000	3,000	3,000	
15						

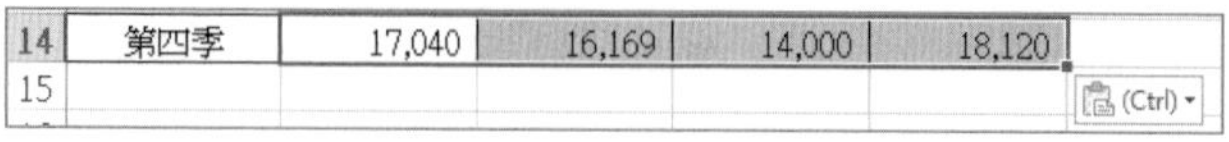

14	第四季	17,040	16,169	14,000	18,120
15					

此時再點選 B14 儲存格，在**資料編輯列**中看到的卻是不含公式的純數字「17040」，看起來是沒錯，但是第二種後遺症又來了，如果來源報表中的數字改變了，這個「17040」是**無法同步更新**的，其他所有複製過來的數字，都有同步更新的問題。

因此，在實務上若想要得到既正確又能同步更新的結果，最佳手法應該是：打開**智慧標籤**之後，點選「貼上連結」。

貼上連結之後，點選 B14 儲存格，在**資料編輯**列中顯示了「=B7」的公式，這也是能讓數字同步更新的原因所在，當 B7 有更動，B14 也會跟著改變。

如果覺得前述的步驟太多，您也可以直接在 B14 儲存格中輸入「=B7」，再將此公式向右複製即可。

2.8.3 絕對位址的觀念

在三種位址的參照中，**絕對位址**應該是比較單純的一種，**絕對位址**的特性在於「不論將公式複製到何處，參照的位址永遠不變」。

以左下圖為例，所有的貸款金額年利率都是 1.85%，當我們在 D2 中設定公式「=C2*A2」，向下複製此公式，卻得到如右下圖的結果。

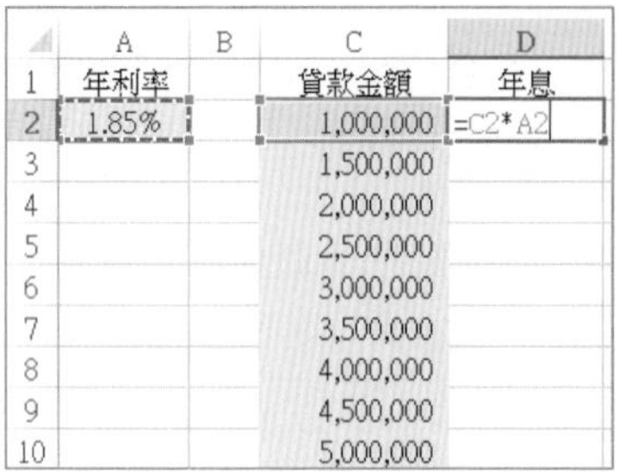

	A	B	C	D
1	年利率		貸款金額	年息
2	1.85%		1,000,000	=C2*A2
3			1,500,000	
4			2,000,000	
5			2,500,000	
6			3,000,000	
7			3,500,000	
8			4,000,000	
9			4,500,000	
10			5,000,000	

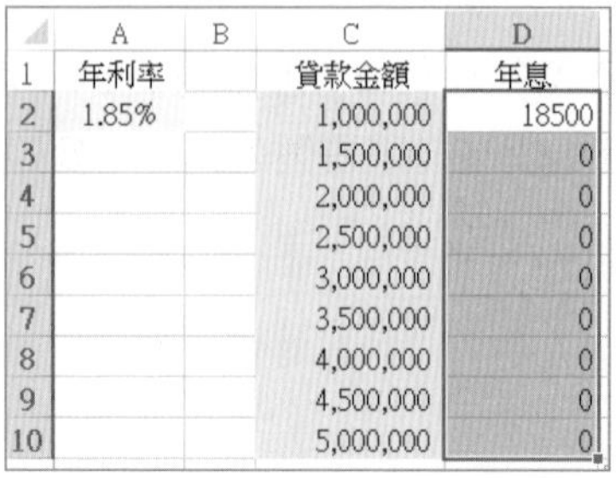

	A	B	C	D
1	年利率		貸款金額	年息
2	1.85%		1,000,000	18500
3			1,500,000	0
4			2,000,000	0
5			2,500,000	0
6			3,000,000	0
7			3,500,000	0
8			4,000,000	0
9			4,500,000	0
10			5,000,000	0

檢視 D3 儲存格中的公式，發現它變成了「=C3*A3」，應該是 C3*A2 才對呀！怎麼會去跟 A3 對乘？這就是**相對位址**在作怪。原先 D2 儲存格中的公式為「=C2*A2」由於是**相對位址**，所以，當公式向下複製，參照的利率 A2 也跟著向下移動到 A3，每向下複製一格，參照的利率就跟著下降一格，自 A3 以下都是空白，Excel 會將空白視為「0」，因此從 C3 開始，都是跟「0」對乘，以致從 D3 起向下計算的結果都變成了「0」。

那要如何調整 D2 儲存格中的公式呢？由於 C 欄中的貸款金額，一定都是跟 A2 中的利率對乘，因此，只要**鎖住** A2 儲存格就行了。

了解之後，D2 的公式可以改成「=C2*$A$2」(如左下圖)，再將公式向下複製，即可得到如右下圖的結果。

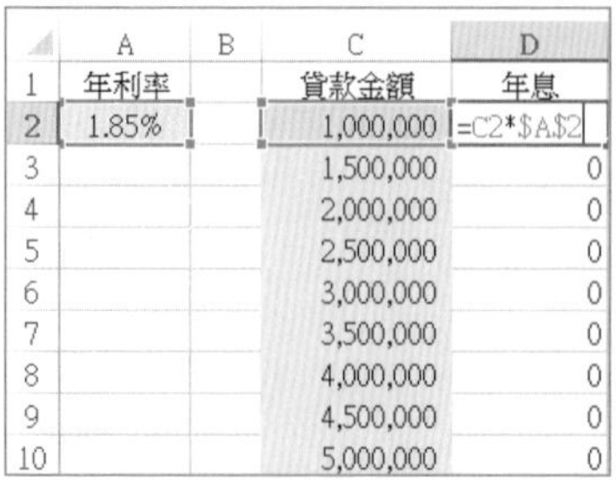

	A	B	C	D
1	年利率		貸款金額	年息
2	1.85%		1,000,000	=C2*$A$2
3			1,500,000	0
4			2,000,000	0
5			2,500,000	0
6			3,000,000	0
7			3,500,000	0
8			4,000,000	0
9			4,500,000	0
10			5,000,000	0

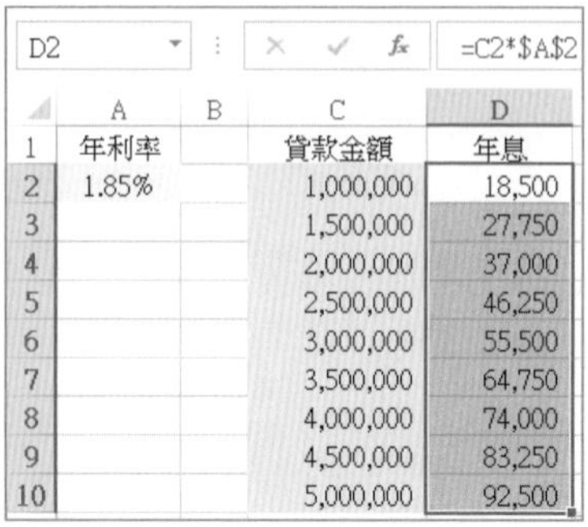

	A	B	C	D
1	年利率		貸款金額	年息
2	1.85%		1,000,000	18,500
3			1,500,000	27,750
4			2,000,000	37,000
5			2,500,000	46,250
6			3,000,000	55,500
7			3,500,000	64,750
8			4,000,000	74,000
9			4,500,000	83,250
10			5,000,000	92,500

Tips

▶ 有兩種設定**絕對位址**的方法：一種是直接在**欄名**及**列號**左方輸入「$」符號，例如 $A$2；另一種是在輸入公式時，在公式中 A2 的位置上，按下功能鍵 F4，即可將 A2 從**相對位址**切換成**絕對位址**。

▶ 功能鍵 F4 是位址的切換鍵，以相對位址 A2 為例，有下列幾種按法：

- 在公式中的「A2」上按一下 F4：切換成絕對位址「$A$2」，表示同時鎖定第 2 列與 A 欄。

- 在公式中的「A2」上按兩下 F4：切換成混合位址「A$2」，只鎖定第 2 列；可防止向上或向下複製公式時，參照的**列號**向下位移。

- 在公式中的「A2」上按三下 F4：切換成混合位址「$A2」，只鎖定 A 欄；可防止向左或向右複製公式時，參照的**欄名**向右位移。

- 在公式中的「A2」上按四下 F4：從混合位址「$A2」回到相對位址的參照方式「A2」。

2.8.4 混合位址的觀念

混合位址主要用在多維度的報表公式中，也是我們一定要了解的觀念。最能清楚説明混合位址觀念的例子，就是大名鼎鼎的「九九乘法表」，而九九乘法表的結構，也正好是多維度報表的雛形。所以，若能充份了解九九乘法表的公式設定，面對實務上多維度的報表公式設定，也就能夠得心應手了。

下圖是一張九九乘法表，能不能在 B4 儲存格中設定公式之後，再向下及向右複製公式，即可完成整張九九乘法表的建置？答案當然是肯定的。

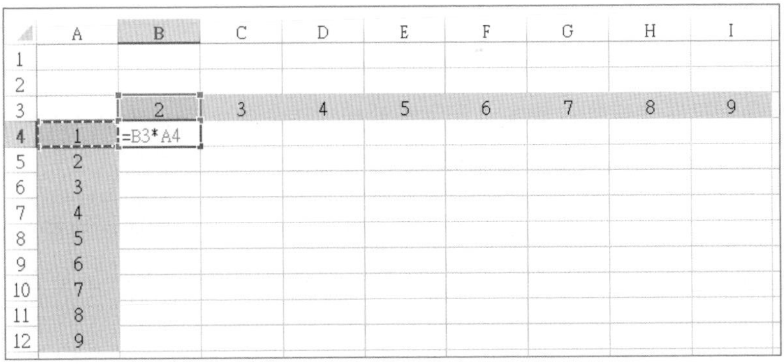

在沒有**混合位址**觀念的情況下，如果以**相對位址**來設定 B4 的公式，再複製給整張報表，將得到災難性的結果。下圖即是使用**相對位址**的方式設定公式，並完成複製的結果。

B4		:	×	✓	fx	=B3*A4		
◢	A	B	C	D	E	F	G	H	I
1									
2									
3		2	3	4	5	6	7	8	9
4	1	2	6	24	120	720	5040	40320	362880
5	2	4	24	576	69120	49766400	2.51E+11	1.01E+16	3.67E+21
6	3	12	288	165888	1.15E+10	5.71E+17	1.43E+29	1.45E+45	5.31E+66
7	4	48	13824	2.29E+09	2.63E+19	1.5E+37	2.15E+66	3.1E+111	1.7E+178
8	5	240	3317760	7.61E+15	2E+35	3E+72	6.4E+138	2E+250	#NUM!
9	6	1440	4.78E+09	3.63E+25	7.27E+60	2.2E+133	1.4E+272	#NUM!	#NUM!
10	7	10080	4.82E+13	1.75E+39	1.3E+100	2.8E+233	#NUM!	#NUM!	#NUM!
11	8	80640	3.88E+18	6.8E+57	8.7E+157	#NUM!	#NUM!	#NUM!	#NUM!
12	9	725760	2.82E+24	1.92E+82	1.7E+240	#NUM!	#NUM!	#NUM!	#NUM!
13									

九九乘法表中應該只有 1 到 81 的數字，可是我們看到的卻是如此可怕的畫面，不用問就知道，肯定是**相對位址**出了問題。

註：

- 當計算結果數值太大超過十一位數時，Excel 就會自動轉成**科學符號**的格式，例如上圖儲存格 C12 中的「2.82E+24」可以粗略解讀為 2.82*(10^24)，原來的數字為「2818457813377670000000000」。

- #NUM! 表示公式中使用不正確的引數，或是公式計算出來的值太大或太小，上圖則表示計算出來的值太大以致於無法正常顯示。

九九乘法表又稱為**二維報表**，它是由兩組不同方向的數字交叉計算的結果，一組是垂直方向排列的數字（如上圖 A4:A12 中的數字），這組數字又可稱為「欄變數」；另一組則是水平方向排列的數字（如上圖 B3:I3 中的數字），這組數字又可稱為「列變數」，而九九乘法表正是由「欄變數」與「列變數」交叉計算得到的結果。

要如何設定公式才對呢？以下圖為例，其實觀念很簡單：「**不管公式複製到哪裡，永遠是用 A 欄中的數字與第 3 列中的數字對乘**」；因此，在公式中，只要看到 A 欄的「A」字，就鎖住它，看到第 3 列的「3」也鎖住它就對了。

原先 B4 儲存格中設定的公式為「=B3*A4」，只要改成「=B$3*$A4」就行啦！

完整的操作步驟如下：

01 在 B4 儲存格輸入公式「= B3*A4」。

02 插入點置於公式中「B3」的位置（B3 的左、右或中間均可），按兩下功能鍵 F4，使其成為「B$3」。

03 插入點置於公式中「A4」的位置（A4 的左、右或中間均可），按三下功能鍵 F4，使其成為「$A4」。

	A	B	C	D
1				
2				
3		2	3	4
4	1	=B$3*$A4		
5	2			
6	3			

04 向下複製公式，再向右複製公式，即可得到如下圖的結果。

B4　=B$3*$A4

	A	B	C	D	E	F	G	H	I
3		2	3	4	5	6	7	8	9
4	1	2	3	4	5	6	7	8	9
5	2	4	6	8	10	12	14	16	18
6	3	6	9	12	15	18	21	24	27
7	4	8	12	16	20	24	28	32	36
8	5	10	15	20	25	30	35	40	45
9	6	12	18	24	30	36	42	48	54
10	7	14	21	28	35	42	49	56	63
11	8	16	24	32	40	48	56	64	72
12	9	18	27	36	45	54	63	72	81

2.8.5 混合位址在報表中的應用

前述的九九乘法表主要在陳述**混合位址**的觀念，如何將**混合位址**應用在實務上呢？下圖左邊是一個只有 19 筆記錄的小型資料庫，現在想要依下圖右邊的格式，統計各**業務部門**在各**銷售產品**上的**銷售金額**統計表。

雖然有很多方法可以完成這樣的統計表，由於主要是在介紹**混合位址**的應用，所以，我們就用函數「SUMIFS」配合混合位址的設定來完成這張統計報表。

	A	B	C	D	E	F	G	H	I	J	K	L	M
1	銷售日期	業務部門	業務員	銷售產品	地區	銷售數量	銷售金額						
2	2014/01/03	業務一	林美君	產品B	台北	2,575	515,000						
3	2014/01/03	業務一	楊銘哲	產品A	上海	2,255	270,600						
4	2014/01/04	業務一	何茂宗	產品A	高雄	3,171	380,520						
5	2014/01/11	業務一	楊銘哲	產品D	高雄	1,082	173,120			產品A	產品B	產品C	產品D
6	2014/01/11	業務三	黃慧萍	產品A	香港	686	82,320		業務一				
7	2014/01/11	業務一	陳建岳	產品D	北京	2,172	347,520		業務二				
8	2014/01/12	業務三	施美芳	產品B	上海	828	165,600		業務三				
9	2014/01/12	業務二	林俊成	產品D	北京	1,963	314,080		業務四				
10	2014/01/12	業務二	劉伯村	產品A	台北	2,647	317,640						
11	2014/01/13	業務三	陳舜庭	產品B	台北	974	194,800						
12	2014/01/13	業務三	施美芳	產品C	香港	1,949	487,250						
13	2014/01/13	業務四	蔡豪鈞	產品C	上海	2,185	546,250						
14	2014/01/15	業務二	陳建岳	產品A	高雄	1,432	171,840						
15	2014/01/15	業務三	黃慧萍	產品A	香港	2,647	317,640						
16	2014/01/16	業務四	鍾智慧	產品D	北京	516	82,560						
17	2014/01/16	業務二	吳淑芬	產品C	台北	1,343	335,750						
18	2014/01/16	業務二	陳舜庭	產品D	上海	1,482	237,120						
19	2014/01/17	業務三	黃慧萍	產品D	台中	3,165	506,400						
20	2014/01/17	業務二	吳淑芬	產品A	台中	2,007	240,840						

01 建立名稱，選取 A1:G20 的範圍，點按公式索引標籤 / 從選取範圍建立，在以選取範圍建立名稱對話方塊中，勾選頂端列，按下確定。

02 在 J6 儲存格中輸入公式「=SUMIFS(銷售金額 , 業務部門 ,$I6, 銷售產品 ,J$5)」，按下 Enter 鍵。

	B	C	D	E	F	G	H	I	J	K	L	M
	業務部門	業務員	銷售產品	地區	銷售數量	銷售金額						
	業務一	林美君	產品B	台北	2,575	515,000						
	業務一	楊銘哲	產品A	上海	2,255	270,600						
	業務一	何茂宗	產品A	高雄	3,171	380,520						
	業務一	楊銘哲	產品D	高雄	1,082	173,120			產品A	產品B	產品C	產品D
	業務三	黃慧萍	產品A	香港	686			=sumifs(銷售金額,業務部門,$I6,銷售產品,J$5)				
	業務一	陳建岳	產品D	北京	2,172	347,520		業務二				
	業務三	施美芳	產品B	上海	828	165,600		業務三				
	業務二	林俊成	產品D	北京	1,963	314,080		業務四				
	業務二	劉伯村	產品A	台北	2,647	317,640						

03 向下及向右複製 J6 的公式,即可完成報表的計算。

	產品A	產品B	產品C	產品D
業務一	822,960	515,000		520,640
業務二	558,480	-	335,750	314,080
業務三	399,960	360,400	487,250	743,520
業務四	-	-	546,250	82,560

在公式「=SUMIFS(銷售金額 , 業務部門 ,$I6, 銷售產品 ,J$5)」中的「I6」只鎖住
「I」,使其成為「$I」,其目的在於:當公式向右複製時,I 欄中的的業務部門名稱所
在的位址,不能跟著向右移動,所以必須鎖住 I 欄;公式中的「J5」只鎖住了「5」
使其成為「J$5」,這樣一來,當公式向下複製時,第五列**產品名稱**所在的位址,就
不會跟著向下移動了。

上述報表的解法,是不是跟九九乘法表的觀念完全相同呢? I6:I9 中的業務部門名
稱,可以稱之為「欄變數」,而 J5:M5 中的產品名稱,可以稱之為「列變數」。所
以,最後的結論是:「在多維度報表中,看到**欄變數**就鎖定欄變數所在的欄名;看到
列變數就鎖定列變數所在的列號」,這也就是**混合位址**的觀念所在。

Tips ....

▸ 公式中的 SUMIFS,稱為「條件式加總」函數,可說是資料庫分析的最佳函數之
  一,它能夠接受多重條件的設定,但是 Excel 從 2007 版才開始提供此一函數,
  舊版本的 Excel 是沒有這個函數的。

▸ SUMIFS 的語法為:

  SUMIFS(sum_range, criteria_range1, criteria1, [criteria_range2, criteria2], ...)

  • sum_range:第 1 個引數,是指**要加總的範圍或欄位**。例如前述之
    「=SUMIFS(銷售金額 ,…)」其中的**銷售金額**是預先建立的名稱,也可以打成
    「=SUMIFS(G2:G20, ……)」。

  • criteria_range1:第 2 個引數,是指**第一組條件所比對的範圍或欄位**。例如
    「=SUMIFS(銷售金額 , **業務部門** ,……)」其中的**業務部門**是預先建立的**名
    稱**,也可以打成「=SUMIFS(G2:G20,B2:B20,……)」。

  • criteria1:第 3 個引數,是指第一組條件,可以是**儲存格位址**,例如
    =SUMIFS(銷售金額 , 業務部門 , I6 ,……)。

    或者直接使用「雙引號 + 字串」的方式來設定此引數:

    =SUMIFS(銷售金額 , 業務部門 , " **業務一** ", 銷售產品 , " **產品 A**"……)。

- [criteria_range2, criteria2]：第 4、5 個引數（在中括號裡面的引數，表示可有可無），是指第二組條件所比對的範圍以及條件內容，其意跟 criteria_range1 以及 criteria1 相同。

2.9 名稱的觀念和應用技巧

2.9.1 名稱的重要性

名稱（Range name）可以說是**公式**或**函數**的最佳拍檔，**名稱**的用途十分廣泛，在 Excel 各式報表與資料庫中被大量的使用，所以名稱的應用，是我們絕對不能忽視的一項課題。

建立**名稱**的優點，列舉如下：

▸ 名稱用在公式裡，能使公式更容易解讀。

▸ 名稱可以精簡函數的內容，使得函數更容易維護。

▸ 在**名稱方塊**中，可以透過選定的名稱，直接跳至所在的位置。

▸ 名稱可以取代**查詢函數**（例如 Vlookup）來完成報表的查詢作業。

▸ 公式中使用了名稱，在複製公式時往往就不需要考慮位址的問題。

我們以實務上的例子來看，下列是兩個作用完全相同的公式：

=SUMIFS($G$2:$G$20,$B$2:$B$20,$I6,$D$2:$D$20,J$5)

=SUMIFS(銷售金額 , 業務部門 , 業務小組 , 銷售產品 , 品項)

第一行公式是用傳統**儲存格位址**的方式來設定；第二行公式則是完全使用**名稱**來設定，哪一種公式比較容易解讀呢？相信大家一看就知道，高下立判。而且第二行採用名稱的公式，在複製計算結果到工作表的其他位置做整合應用時，完全不需要考慮**相對位址**、**絕對位址**以及**混合位址**的問題，其結果一定正確。

2.9.2 名稱的設定規則

建立名稱時，必須注意下列規則：

▸ 名稱以精簡且容易識別為原則，例如「本季最高」、「PRICE」。

▸ 名稱的長度最多可以有 255 個字元，英文字元不分大小寫。

▶ 名稱的第一個字元必須是英文字母、中文字元、底線字元「_」或反斜線「\」；從第二個字元開始，可以是字母、數字、句點及底線字元。例如：「_北區」、「A長度」、「\組員」、「交易2014」、「亞洲.2014.銷售」。

▶ 不可以單獨使用大小寫的「C」、「c」、「R」、「r」等四個字母來當作名稱，因為這四個字母，是 Excel 的關鍵字，代表整欄或整列。

▶ 名稱不可以跟儲存格參照相同，例如 A3 或 R1C1。

▶ 名稱中不可以有空格，例如「北區 業務」；如果字元之間想要有所區隔，請加上連接符號，並請使用底線字元「_」或句點「.」，例如「北區.業務」、「北區_業務」或者「亞洲.2014.銷售」。

2.9.3　建立名稱的方法

首先您必須要選定儲存格範圍，接著才能做建立名稱的動作。Excel 提供了幾種建立名稱的方法，究竟要使用哪一種方法來建立名稱，端看個人的習慣而定，並無好壞之分，請參考下列幾種建立名稱的方法。

用名稱方塊來建立名稱

名稱方塊位於工作表左上方，主要用途在於顯示目前停駐儲存格所在的位址，例如，目前停駐在 A1 儲存格，此時就會在**名稱方塊**中顯示「A1」字樣。

在**名稱方塊**中建立名稱，是一種最簡便的建立名稱方式，例如，要將下圖 B3:B6 的範圍，建立名為「產品 A.2014」的名稱，其步驟如下：

01　選取 B3:B6 的範圍，在**名稱方塊**中按一下滑鼠左鍵。

02　輸入「產品 A.2014」，按下 Enter 鍵即可。

產品A.2014		fx	37810320		
	A	B	C	D	E	F
1						
2		產品A	產品B	產品C	產品D	小計
3	北部	37,810,320	64,364,400	87,383,000	55,987,200	
4	中部	31,433,280	66,779,400	85,903,500	58,761,440	
5	南部	24,256,320	38,170,600	58,820,500	37,999,040	
6	東部	20,332,680	50,939,400	62,351,750	41,218,080	
7	總計					

使用定義名稱的方式建立名稱

這是最標準的建立名稱方式，例如，要將下圖 C3:C6 的範圍，建立名為「產品 B.2014」的名稱，其步驟如下：

01 選取 C3:C6 的範圍，點按**公式**索引標籤 / **已定義之名稱**群組 / **定義名稱**。

02 在**新名稱**對話方塊的**名稱**文字方塊中輸入「產品 B.2014」，按下**確定**即可。

Tips

- 在前圖的**參照到**文字方塊中顯示了「= 位址的觀念 !$C$3:$C$6」，這是告訴我們，「產品 B.2014」此名稱對應的範圍是在「位址的觀念」這張工作表中 $C$3:$C$6 的範圍，此範圍為何是**絕對位址**呢？因為 Excel 所有的**名稱**，原則上都是以**絕對位址**的方式建立的，其好處在於：複製此名稱到任何工作表中，其範圍永遠都定位在「位址的觀念」這張工作表中的 C3:C6 的位置。

- 「= 位址的觀念 ! $C$3:$C$6」其中的驚嘆號「!」可以解讀為「裡面的」，所以整個公式可以這樣來解釋：名稱「產品 B.2014」，其對應的儲存格範圍是在「位址的觀念」這張工作表裡面的 C3:C6 的位置。

大量名稱的建立

少數一、兩個名稱可以用前述**定義名稱**的方式一個一個建立起來，但是，在實務上更常見的是，在一張報表中同時要建立數十個名稱，此時便產生了效率上的問題，而不能使用**定義名稱**的方式了。

例如下圖中同時要建立**產品 A、產品 B、產品 C、產品 D** 以及**北部、中部、南部、東部**等八個名稱，這八個名稱分別對應到 B3:B6、C3:C6、D3:D6、E3:E6 以及 B3:E3、B4:E4、B5:E5、B6:E6 的範圍。

	A	B	C	D	E	F
1						
2		產品A	產品B	產品C	產品D	小計
3	北部	37,810,320	64,364,400	87,383,000	55,987,200	
4	中部	31,433,280	66,779,400	85,903,500	58,761,440	
5	南部	24,256,320	38,170,600	58,820,500	37,999,040	
6	東部	20,332,680	50,939,400	62,351,750	41,218,080	
7	總計					

如何能夠一次建立八個名稱呢？請依下列步驟進行：

`01` 選取 A2:E6 的範圍，點按**公式**索引標籤 / **已定義之名稱**群組 / **從選取範圍建立**。

`02` 在**以選取範圍建立名稱**對話方塊中，勾選**頂端列**及**最左欄**，再按下**確定**即可。

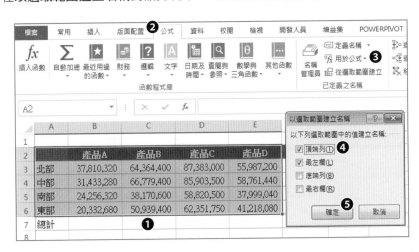

Tips

- 所謂**頂端列**是指 A2:E6 範圍中的最上面一列，Excel 會用 B2:E2 中的字串**產品 A、產品 B、產品 C、產品 D**，分別當作其下方數字範圍的名稱。

- 所謂**最左欄**是指 A2:E6 範圍中的 A 欄，Excel 會用 A3:A6 中的字串**北部、中部、南部、東部**，分別當作其右方數字範圍的名稱。

- 如果要檢視建立完成的名稱，請點按**名稱方塊**右邊的小箭號，即可看到建立完成的名稱；只要點選其中的名稱，Excel 就會將其對應的範圍標示出來，例如點選「產品 C」就會標示 D3:D6 的範圍。

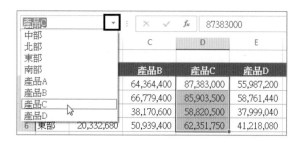

- 您也可以透過「名稱管理員」來檢視名稱，請參考後續章節中的說明。

2.9.4　名稱的等級

Excel 的名稱分成兩種等級，一種是**活頁簿等級**的名稱（又稱作**活頁簿範圍**的名稱），另一種是**工作表等級**的名稱（又稱作**工作表範圍**的名稱）。在建立名稱的過程中，我們可以點開下圖之**範圍**清單，其中有兩個選項：**活頁簿**與**位址的觀念**。

活頁簿：Excel 的預設選項，選此項目表示「**產品 B.2014**」是屬於**活頁簿等級**的名稱，這種等級的名稱，可以用在活頁簿的每一張工作表中。

位址的觀念：這是**工作表**的名稱，也就是用來建立名稱之報表所在的**工作表名稱**。如果選擇此項，表示「**產品 B.2014**」是屬於**工作表等級**的名稱，這種等級的名稱，只能用在一個名為「位址的觀念」的工作表中，不能跨工作表使用。

一般而言，建立名稱時，我們都會使用 Excel 預設的**活頁簿**選項，使其成為**活頁簿等級**的名稱，以方便在不同的工作表中使用。

2.9.5 名稱管理員的應用

建立好的名稱如果對應的範圍有所增減，Excel 會自動調整範圍的大小嗎？這要分為兩種情況來看，第一種情況：當您在已經建好名稱的表格中插入一列或一欄，此時增加的範圍，將會自動反映在名稱對應的範圍中。以下圖為例，在**中部**與**南部**之間插入一列，當您點選**名稱方塊**中的「產品 C」時，明顯的可以看出來其範圍也跟著加大。

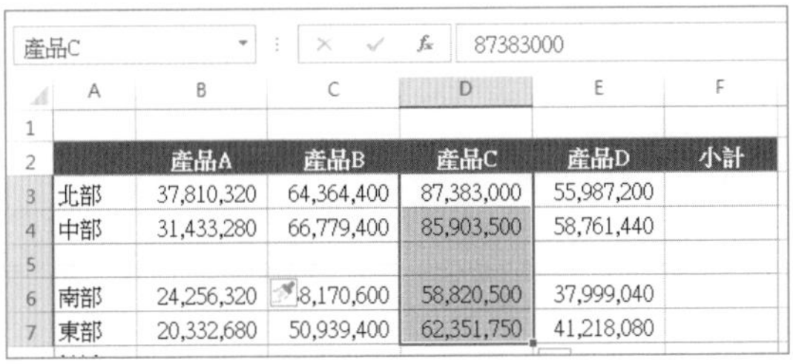

如果在 C 欄之後插入一欄，當您點選名稱方塊中的「中部」時，也可以看到範圍跟著加大。

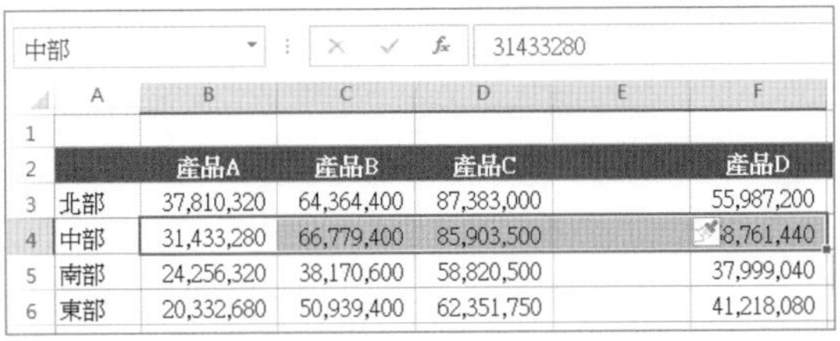

第二種情況，是在表格的外圍（上、下、左、右）輸入資料，以下圖為例，在表格之外的第七列輸入一排資料，當您點選名稱方塊中的「產品 C」時，其範圍就並未跟著加大；所以，在原表格外圍增加資料，將不會反應在原名稱對應的範圍中。

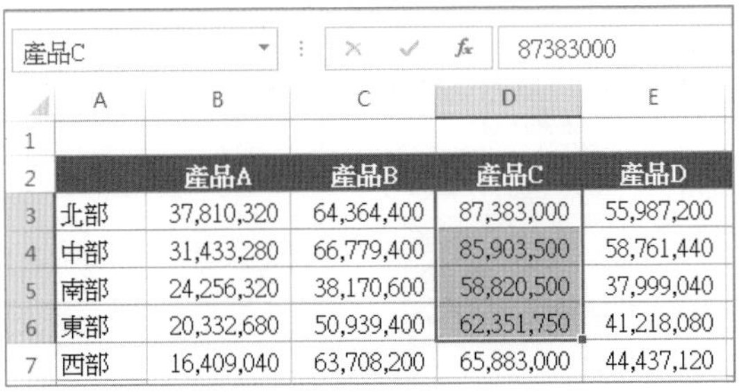

此時，就必須重設名稱或者透過**名稱管理員**來修正了。

名稱管理員是用來新增、更新、刪除以及篩選名稱的工具，一般而言，用來新增名稱的機會較少，用在更改或刪除名稱的機會較大。

更新名稱對應的範圍

如果要在不重建**名稱**的前題之下，透過**名稱管理員**來將名稱「產品 C」對應的範圍 D3:D6 更新為 D3:D7，請參考下列操作步驟：

01 點按公式索引標籤 / **已定義之名稱**群組 / **名稱管理員**（如左下圖）；在**名稱管理員**對話方塊中（如右下圖），點選「產品 C」，按下**參照到**文字方塊右邊的**選擇鈕**。

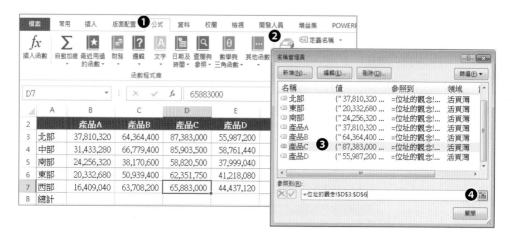

02 選取左下圖 D3:D7 的範圍，按下**選擇鈕**，回到**名稱管理員**對話方塊，按下打勾的核取方塊，再按下**關閉**即可。

變更名稱

如果只是想要更新**名稱**，以方便識別，而並不需要更動對應的範圍，例如，要將名稱「北部」改成「大台北地區」，請參考下列步驟：

01 點按公式索引標籤 / **已定義之名稱**群組 / **名稱管理員**；在**名稱管理員**對話方塊中，點選「北部」，按下**編輯**（也可以在「北部」名稱上連按兩下左鍵）。

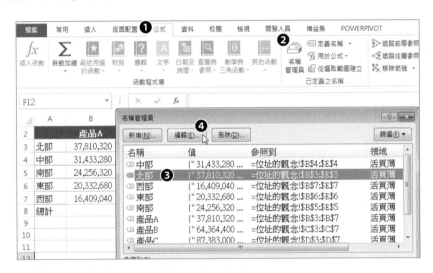

02 在**編輯名稱**對話方塊中，將原來的名稱「北部」改成「大台北地區」，按下**確定**，回到**名稱管理員**對話方塊，再按下**關閉**即可。

新增名稱

您可以透過**名稱管理員**，增加一個新的名稱。例如，要將下圖 B3:E7 的數字建立命名為「銷售金額」的名稱，您可以這麼做：

	A	B	C	D	E
2		產品A	產品B	產品C	產品D
3	北部	37,810,320	64,364,400	87,383,000	55,987,200
4	中部	31,433,280	66,779,400	85,903,500	58,761,440
5	南部	24,256,320	38,170,600	58,820,500	37,999,040
6	東部	20,332,680	50,939,400	62,351,750	41,218,080
7	西部	16,409,040	63,708,200	65,883,000	44,437,120

01 點按公式索引標籤 / 已定義之名稱群組 / 名稱管理員，在名稱管理員對話方塊中，按下新增。

02 在新名稱對話方塊中，輸入名稱「銷售金額」，接著點按參照到文字方塊右邊的選擇鈕。

03 選取 B3:E7 的範圍，再按一下選擇鈕；回到新名稱對話方塊，按下確定。

04 回到**名稱管理員**對話方塊，可以看到名稱「銷售金額」已新增成功，再按下**關閉**即可。

刪除名稱

我們可以透過**名稱管理員**來刪除不再用到的名稱，刪除名稱的方法有三種：

▶ 刪除一個名稱：點選該名稱，按下**刪除**，並在**確認**對話方塊中按下**確定**，再按下**關閉**。

▶ 刪除多個名稱：按住 Ctrl 鍵，點選多個名稱，按下**刪除**，並在**確認**對話方塊中按下**確定**，再按下**關閉**。

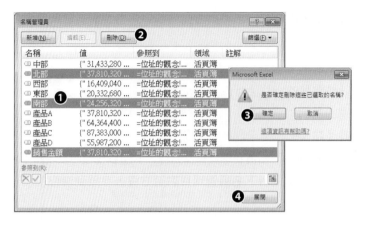

▶ 刪除全部名稱：點選第一個名稱，按住 Shift 鍵再點選最後一個名稱，按下**刪除**，並在**確認**對話方塊中按下**確定**，再按下**關閉**。

篩選名稱

如果**名稱管理員**對話方塊中，儲存了太多的名稱，就不容易找到要更改的那個名稱，此時就可以按下**篩選**，再利用清單中的選項來過濾出某一類型的名稱，以方便選擇。

篩選清單中選項的說明如下：

▸ 清除篩選：取消名稱的篩選，顯示所有的名稱。

▸ 工作表範圍的名稱：只留下**名稱管理員**對話方塊，**領域**欄位中顯示為「工作表」的名稱，其他類型的名稱全部隱藏起來。

▸ 活頁簿範圍的名稱：只留下**名稱管理員**對話方塊，**領域**欄位中顯示為「活頁簿」的名稱，其他類型的名稱全部隱藏起來。

▸ 具有錯誤的名稱：只留下**名稱管理員**對話方塊，**參照到**欄位中出現錯誤訊息的名稱。

▸ 不具有錯誤的名稱：只留下**名稱管理員**對話方塊，**參照到**欄位中沒有錯誤訊息的名稱。

▸ 已定義之名稱：只顯示自訂成 Excel 定義之名稱。

▸ 表格名稱：只留下被設定成「清單」的 Excel 資料庫名稱；有關「清單」的觀念，請參考第 3 章 3.1 節的說明。

Tips

• 名稱經過更名或者重設其範圍，所有用到此名稱的公式或函數，也會同步跟著改變。

• 建立**名稱**與建立**名稱**是相同的意思。

2.9.6 替資料庫建立名稱

在實務上，我們常會面對**資料庫**來作資料分析，在分析的過程中，幾乎都會用到**名稱**來簡化公式的設定；為資料庫建立名稱的方法有兩種，一種是為整個資料庫建立名稱，另一種是替資料庫的各個欄位建立名稱，下圖即為內含九個欄位十五筆記錄的小型 Excel 資料庫。

	A	B	C	D	E	F	G	H	I
1	銷售日期	業務部門	業務員	性別	銷售產品	客戶行業別	地區	銷售數量	銷售金額
2	2014/1/1	業務三	陳舜庭	男	產品C	機電業	台北	1,880	470,000
3	2014/1/2	業務一	何茂宗	男	產品B	化學業	深圳	3,261	652,200
4	2014/1/3	業務一	楊銘哲	男	產品C	服務業	深圳	683	170,750
5	2014/1/3	業務二	吳淑芬	女	產品D	汽車業	上海	589	94,240
6	2014/1/3	業務三	黃慧萍	女	產品D	造紙業	台中	1,392	278,400
7	2014/1/5	業務二	王芳香	女	產品A	紡織業	高雄	3,067	368,040
8	2014/1/8	業務三	蔡豪鈞	男	產品A	航運業	高雄	872	104,640
9	2014/1/8	業務三	蔡豪鈞	男	產品D	航運業	台中	1,745	279,200
10	2014/1/9	業務四	林建興	男	產品A	電子業	新竹	941	112,920
11	2014/1/9	業務一	劉伯村	男	產品D	百貨業	新竹	1,177	235,400
12	2014/1/9	業務三	黃慧萍	女	產品B	造紙業	香港	2,914	582,800
13	2014/1/10	業務三	蔡豪鈞	男	產品C	航運業	台北	545	136,250
14	2014/1/11	業務四	張財全	男	產品D	食品業	台北	1,454	232,640
15	2014/1/11	業務三	陳建岳	男	產品C	服務業	香港	1,027	256,750
16	2014/1/11	業務三	黃慧萍	女	產品D	造紙業	台中	2,974	475,840

為資料庫建立名稱

在使用 Excel **資料庫函數**（例如 DSUM）或者**樞紐分析**的時候，都會被要求輸入資料庫的參照範圍，如果事先建立好資料庫的名稱，在設定公式時，就可以將資料庫的名稱帶入到公式中，而不必使用類似 A1:I16 的參照方式，導致每次檢視公式，還要根據這個參照位址，去對照資料庫的範圍，如果碰到內含數十萬筆記錄的資料庫，這種做法，就顯得很沒有效率了，而且公式也不易解讀。

所以，我們最好養成為資料庫建立名稱的習慣，絕對只有好處沒有壞處。

資料庫名稱的範圍務必要包含**欄位名稱**，為整個資料庫建立名稱的步驟如下：

01 點選資料庫中的任一儲存格，按下 Ctrl + A 選取整個資料庫。

02 點按**公式**索引標籤 / **已定義之名稱**群組 / **定義名稱**，在**新名稱**對話方塊的**名稱**方塊中輸入「銷售資料」，按下**確定**即可。

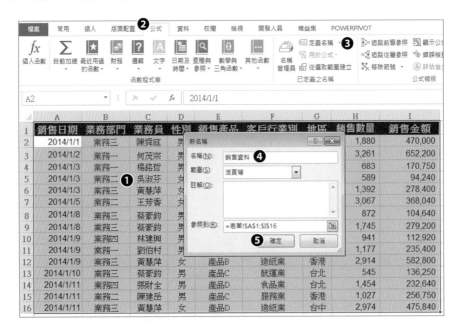

為資料庫的各欄建立名稱

使用非資料庫函數做資料分析時（例如 SUMIFS），常會參照各欄中的資料，我們可以事先為各欄建立名稱，讓 Excel 用各欄的欄位名稱當作各欄的名稱。為資料庫的每個欄位建立名稱的操作步驟如下：

01　點選資料庫中的任一儲存格，按下 Ctrl + A 選取整個資料庫。

02　點按公式索引標籤 / 已定義之名稱群組 / 從選取範圍建立，在以選取範圍建立名稱對話方塊中，勾選頂端列核取方塊，再按下確定即可。

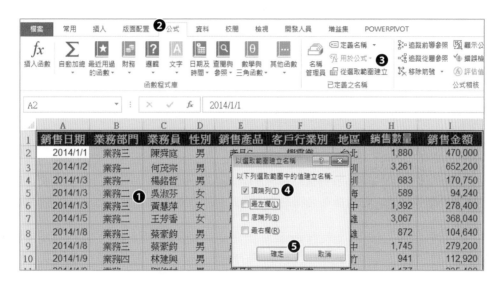

所謂頂端列是指資料庫的第一列，也就是欄位名稱所在的那一列。此時，Excel 會自動建立銷售日期、業務部門、業務員、性別、銷售產品、客戶行業別、地區、銷售數量以及銷售金額等九個名稱。

當您點按公式索引標籤 / 已定義之名稱群組 / 名稱管理員，即可在名稱管理員對話方塊中，看到所有的名稱，而且從領域欄中可知，這些名稱都屬於活頁簿等級的名稱。

為資料庫建立動態名稱

我們可能每天都會在資料庫中新增**記錄**，偶爾還可能會在資料庫中新增資料庫的**欄位**，當資料庫範圍有變動時，先前建立的資料庫名稱，其對應的參照範圍不是就都不對了嗎？能不能讓名稱參照的範圍，隨著資料或欄位的增減，而自動調整參照範圍的大小？

其實，這個問題每個企業用戶都有機會碰到，而我們可以用兩種方法來解決這個問題，一種算是土法煉鋼的方法，雖然比較簡單，但是有其缺點；另一種則是比較精確的手法，但是需要依靠函數來解決。

■ 土法煉鋼的方法

以下圖中的小型資料庫為例，我們先來介紹土法煉鋼的做法。嚴格來說，這種方法只能讓新增的**記錄**自動囊括在名稱之中，但是卻不能對新增加的**欄位**有所反應。操作步驟如下：

01 選取資料庫範圍時，用滑鼠按住 A 欄的欄名，向右拖曳至最後的 I 欄（其範圍將從 A1 一直到 I1048576 也就是 A1:I1048576）。

02 點按**公式**索引標籤 / **已定義之名稱**群組 / **定義名稱**，在**新名稱**對話方塊中輸入「銷售資料」，按下**確定**即可。

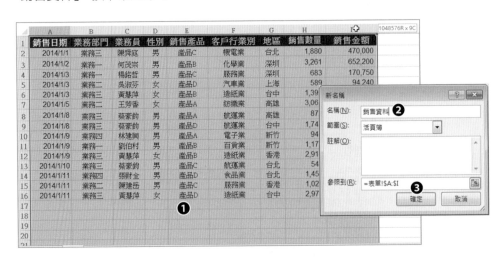

雖然範圍中包含了非常多的空白列，但不會對名稱造成任何影響。爾後，當我們在資料庫下方新增記錄時，就不必重新調整**名稱**所參照的範圍大小了。

■ 精確的方法

這種方法必須借助於函數 OFFSET 以及 COUNTA 來完成。建立**名稱**時,這兩個函數搭配使用,能夠隨時偵測資料庫的變動,提供最精確的資料庫範圍大小,我們先來看看**名稱**設定的步驟,再説明函數的用法。

`01` 點選任意儲存格,點按**公式**索引標籤 / **已定義之名稱**群組 / **定義名稱**,在**新名稱**對話方塊中輸入「銷售資料」。

`02` 在參照到文字方塊中輸入「=OFFSET($A$1,0,0,COUNTA($A:$A), COUNTA($1:$1))」,按下**確定**即可。

在「=OFFSET($A$1,0,0,COUNTA($A:$A),COUNTA($1:$1))」公式中用到了兩種函數,一個是 OFFSET;另一個是 COUNTA,分別説明如下。

▶ OFFSET 函數

針對此函數,官方提供的説明是這樣的:

「傳回根據所指定列數及欄數之儲存格或儲存格範圍之範圍的參照。 傳回的參照可以是單一儲存格或一個儲存格範圍。 您可以指定要傳回的列數和欄數。」

哇!不太容易看得懂吧?官方説明總是有翻譯上的問題,所以不必感到意外。

OFFSET 是一個應用廣泛的函數,簡單的來説,大致上有兩個主要用途,一是用來界定資料庫的範圍,二是用來擷取資料,其標準語法為:

OFFSET(reference, rows, cols, [height], [width])

我們以前圖的資料庫,來對照 OFFSET 函數的引數用法:

Reference:資料庫最左上角的起始位址,通常是 A1。

Rows:起始位置向下移動的列數,不需要移動時就打 0 或省略此引數。例如起始儲存格是 A1,如果 Rows 為 1,則起始儲存格就變成 A2。Rows 可以是正數或負數,正數代表向下移動,負數代表向上移動。

Cols:起始位置向右移動的欄數,不需要移動時就打 0 或省略此引數。例如起始儲存格是 A1,如果 Cols 為 1,則起始儲存格就變成 B1。Rows 可以是正數或負數,正數代表向右移動,負數代表向左移動。

Height:選擇性的引數,必須是正數,以資料庫而言,代表資料庫的高度,也就是資料的筆數(包含欄位名稱)。

Width:選擇性的引數,必須是正數。以資料庫而言,代表資料庫的寬度,也就是資料庫的欄位數。

▶ COUNTA 函數

用來計算「指定範圍中,非空白儲存格的個數」。

COUNT($A:$A):可以計算出 A 欄中有幾筆記錄(含欄位名稱),此處將傳回 16。

COUNT($1:$1):可以計算出第一列中有幾個資料庫欄位,此處將傳回 9。

所 以 公 式「=OFFSET($A$1,0,0,COUNTA($A:$A),COUNTA($1:$1))」 變 成 了「=OFFSET($A$1,0,0,16,9)」,可以解讀為「資料庫的起始點在 A1,起始點不要向下移動,也不要向右移動,資料庫的列數有 16 列,資料庫的欄位有 9 個」。

使用 OFFSET 來建立名稱之後,就不必擔心資料庫記錄或欄位的增減問題了,OFFSET 會隨時偵測資料庫的變動,提供最新、最精確的資料庫範圍大小。

Tips

- 在「=OFFSET($A$1,0,0,COUNTA($A:$A),COUNTA($1:$1))」的寫法中,其中的 0 可以省略,而寫成「=OFFSET($A$1,,,COUNTA($A:$A),COUNTA($1:$1))」。
- 從**名稱管理員**去檢視名稱「銷售資料」時,可以看到 Excel 會自動將**工作表名稱**加入到引數中,使其成為這樣的內容:
  =OFFSET(表單 !$A$1,0,0, COUNTA(表單 !$A:$A),COUNTA(表單 !$1:$1))

- 要注意的是：函數中**必須使用絕對位址**，如果使用相對位址，Excel 會遷就當時停駐點所在的位置，自動改變引數的相對位址，因而導致資料庫的位置完全跑掉。例如，先點選 J14 儲存格，再去檢視**名稱管理員**中的「銷售資料」名稱設定時，看到的將會是完全離譜的函數內容：

  =OFFSET(表單 !XFD14,0,0,COUNTA(表單 !XFD:XFD),COUNTA(表單 !14:14))

2.9.7　名稱在報表中的應用

在報表中設定公式，如果能用名稱來代替儲存格位址，除了能讓計算的結果更容易解讀之外，在報表整合上，更能突顯其用途，我們從一個簡單的例子來印證這個觀點。

下圖中 SUM 函數的引數，都是使用儲存格位址來設定，小型報表沒什麼問題，但是如果是一份內含數十列資料的大型報表，當您想要參考 D 欄的總計數字時，必須不斷的向下捲動工作表，而且看到的可能是 =SUM(D3:D6) 的公式計算出來的數字，但卻無法立刻就知道是哪一項產品的加總數字，還必須向上捲動工作表直到看到欄位名稱，才會知道是哪一項產品，用這樣的方式檢視報表，是很沒有效率的。

	A	B	C	D	E	F
1						
2		產品A	產品B	產品C	產品D	小計
3	北部	37810320	64364400	87383000	55987200	=SUM(B3:E3)
4	中部	31433280	66779400	85903500	58761440	=SUM(B4:E4)
5	南部	24256320	38170600	58820500	37999040	=SUM(B5:E5)
6	東部	20332680	50939400	62351750	41218080	=SUM(B6:E6)
7	總計	=SUM(B3:B6)	=SUM(C3:C6)	=SUM(D3:D6)	=SUM(E3:E6)	=SUM(B7:E7)

如果能讓報表中的公式變成下圖的結果，公式的可讀性立刻提高許多，在大型報表中，此一優勢尤其明顯。

	A	B	C	D	E	F
1						
2		產品A	產品B	產品C	產品D	小計
3	北部	37810320	64364400	87383000	55987200	=SUM(北部)
4	中部	31433280	66779400	85903500	58761440	=SUM(中部)
5	南部	24256320	38170600	58820500	37999040	=SUM(南部)
6	東部	20332680	50939400	62351750	41218080	=SUM(東部)
7	總計	=SUM(產品A)	=SUM(產品B)	=SUM(產品C)	=SUM(產品D)	=SUM(B7:E7)

將公式中的位址轉換成名稱

在報表中要以名稱的方式（例如「=SUM(產品 A)」）來代替傳統公式「=SUM(B3:B6)」，請參考以下完整的操作步驟。

01 選取 A2:E6 的範圍，點按**公式**索引標籤 / **已定義之名稱**群組 / **從選取範圍建立**。

02 在**以選取範圍建立名稱**對話方塊中，勾選**頂端列**及**最左欄**，按下**確定**。

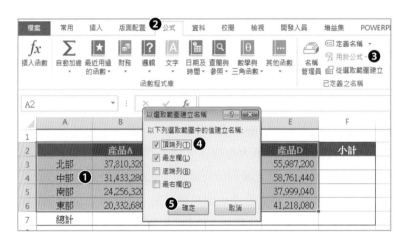

03 選取 B7:E7，點按**公式**索引標籤 / **自動加總**；再用相同方式處理 F3:F7，完成報表的計算。

04 點選任意儲存格，點按**公式**索引標籤 / **已定義之名稱**群組 / **定義名稱** / **套用名稱**。

05 在**套用名稱**對話方塊中，看到了一片藍色，表示所有選定的名稱都要用來取代公式中的儲存格位址，直接按下**確定**。

06 完成轉換的公式，如下圖所示。

	A	B	C	D	E	F
1						
2		產品A	產品B	產品C	產品D	小計
3	北部	37810320	64364400	87383000	55987200	=SUM(北部)
4	中部	31433280	66779400	85903500	58761440	=SUM(中部)
5	南部	24256320	38170600	58820500	37999040	=SUM(南部)
6	東部	20332680	50939400	62351750	41218080	=SUM(東部)
7	總計	=SUM(產品A)	=SUM(產品B)	=SUM(產品C)	=SUM(產品D)	=SUM(B7:E7)

Tips

如果不想轉換某些名稱，只要在**套用名稱**對話方塊中，點按該名稱，使其變成白底黑字的狀態，再按下**確定**即可；如果不小心取消錯了，只需再點一下該名稱，即可變成藍色的選取狀態。

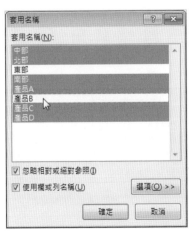

名稱在報表整合上的用途

使用名稱的好處之一，是在整合報表時，不需要用**連結**的方法，就可以得到正確的結果，我們曾在前面「2.8.2 相對位址的觀念」一節中，談到過相對位址的公式，在報表整合時所產生的後遺症，如下圖所示，當內含相對位址公式的儲存格 B7:E7 複製到 B14:E14 之後，得到錯誤的結果。

	A	B	C	D	E	F
1		\multicolumn{5}{c}{2013第四季銷售數量統計表}				
2		產品A	產品B	產品C	產品D	小計
3	北部	6,600	5,580	4,670	5,960	22,810
4	中部	4,200	4,300	4,000	4,500	17,000
5	南部	3,360	4,299	3,330	5,310	16,299
6	東部	2,880	1,990	2,000	2,350	9,220
7	**Total**	17,040	16,169	14,000	18,120	65,329
8						
9		2013全年銷售數量統計表				
10		產品A	產品B	產品C	產品D	
11	第一季	1000	1000	1000	1000	
12	第二季	1000	1000	1000	1000	
13	第三季	1000	1000	1000	1000	
14	第四季	3,000	3,000	3,000	3,000	

要修正這樣的錯誤，只要在 B7:E7 的公式中使用名稱，就可以避免錯誤的發生，而不必採用**連結**的方式。因此，要將 B7:E7 的計算結果整合到 B14:E14 的位置，請參考下列操作步驟：

01 選取 A2:E6 的範圍，點按**公式**索引標籤 / **已定義之名稱**群組 / **從選取範圍建立**。

02 在**以選取範圍建立名稱**對話方塊中，勾選**頂端列**及**最左欄**，按下**確定**。

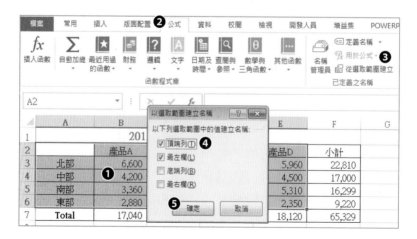

03 點選任意儲存格，點按公式索引標籤 / **已定義之名稱**群組 / **定義名稱** / **套用名稱**；並在**套用名稱**對話方塊中，按下**確定**。

04 此時在 B14:E14 中，可以看到正確的結果。

	A	B	C	D	E	F
1		2013第四季銷售數量統計表				
2		產品A	產品B	產品C	產品D	小計
3	北部	6,600	5,580	4,670	5,960	22,810
4	中部	4,200	4,300	4,000	4,500	17,000
5	南部	3,360	4,299	3,330	5,310	16,299
6	東部	2,880	1,990	2,000	2,350	9,220
7	Total	17,040	16,169	14,000	18,120	65,329
8						
9		2013全年銷售數量統計表				
10		產品A	產品B	產品C	產品D	
11	第一季	1000	1000	1000	1000	
12	第二季	1000	1000	1000	1000	
13	第三季	1000	1000	1000	1000	
14	第四季	17,040	16,169	14,000	18,120	

名稱在查表中的應用

在報表自動化的過程中，利用查詢函數（VLOOKUP、LOOKUP、INDEX⋯）來做資料的比對和擷取，是實務上常用的手法；但是，每一種查詢函數都有其特定的用法，面對不同的資料格式，會用到不同的查詢函數，尤其要在二維表格中進行查表作業，使用上述這些查詢函數，對一般使用者而言，似乎有些複雜和一定的難度。

那麼，除了使用查詢函數之外，有沒有其他的方法，可以簡單而有效率的完成查表的工作呢？答案就在**名稱**身上。

以下圖為例，如果想要在**費用明細表**中找出台北市的**差旅費**，並將找到的數字填進 K4 儲存格，在不使用查詢函數的前提之下，我們只要利用**名稱**，就可以完成查表作業。

	A	B	C	D	E	F	G	H	I	J	K
1				2014年第一季各地區分公司費用明細表							
2		台北市	新北市	桃園縣	台中市	台南市	高雄市	小計		地區	台北市
3	規費	3,410	10,560	2,630	7,070	20,150	18,260	62,080		科目	差旅費
4	租金	7,670	11,150	21,040	23,700	11,670	28,410	103,640		費用	
5	呆帳損失	9,890	9,630	27,330	24,480	23,670	22,740	117,740			
6	利息費用	10,330	18,190	20,040	4,560	22,480	19,850	95,450			
7	訓練費	11,330	19,220	13,590	4,260	25,330	5,040	78,770			
8	差旅費	15,630	5,110	21,220	3,700	9,110	2,070	56,840			
9	保險費	16,960	14,560	10,260	19,110	2,850	17,110	80,850			
10	雜項支出	18,890	22,410	17,780	18,410	4,780	3,480	85,750			
11	辦公用品	20,560	2,370	6,300	14,480	17,560	22,000	83,270			
12	電話費	24,520	24,150	3,300	21,780	8,410	21,520	103,680			
13	水電費	28,300	28,070	17,410	22,070	11,590	23,410	130,850			
14	廣告費	120,000	254,800	83,000	272,600	114,100	103,000	947,500			
15	薪資	13,512,000	11,600,000	6,664,000	13,776,000	3,048,000	9,960,000	58,560,000			
16	合計	13,799,490	12,020,220	6,907,900	14,212,220	3,319,700	10,246,890	60,506,420			

請參考下列操作步驟：

01 選取 A2:G15 的範圍，點按公式索引標籤 / **已定義之名稱**群組 / **從選取範圍建立**。

02 在**以選取範圍建立名稱**對話方塊中，勾選**頂端列**及**最左欄**，按下**確定**。

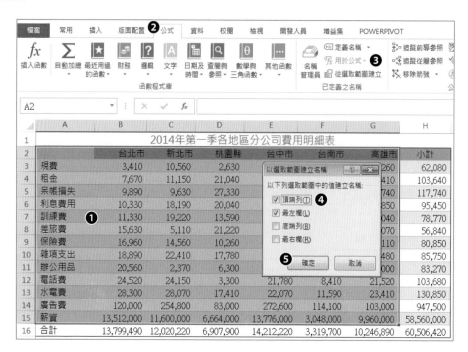

03 在 K4 儲存格中輸入「= 台北市 差旅費」，此時，這兩個範圍會被標示在表格中，其中交集的那一格，就是要擷取的數字所在，再按下 Enter 鍵即可看到如下圖右下方的數字 15630。

	A	B	C	D	E	F	G	H	I	J	K
1				2014年第一季各地區分公司費用明細表							
2		台北市	新北市	桃園縣	台中市	台南市	高雄市	小計		地區	台北市
3	規費	3,410	10,560	2,630	7,070	20,150	18,260	62,080		科目	差旅費
4	租金	7,670	11,150	21,040	23,700	11,670	28,410	103,640		費用	=台北市 差旅費
5	呆帳損失	9,890	9,630	27,330	24,480	23,670	22,740	117,740			
6	利息費用	10,330	18,190	20,040	4,560	22,480	19,850	95,450			
7	訓練費	11,330	19,220	13,590	4,260	25,330	5,040	78,770			J	K
8	差旅費	15,630	5,110	21,220	3,700	9,110	2,070	56,840			
9	保險費	16,960	14,560	10,260	19,110	2,850	17,110	80,850			
10	雜項支出	18,890	22,410	17,780	18,410	4,780	3,480	85,750		地區	台北市
11	辦公用品	20,560	2,370	6,300	14,480	17,560	22,000	83,270		科目	差旅費
12	電話費	24,520	24,150	3,300	21,780	8,410	21,520	103,680		費用	15630
13	水電費	28,300	28,070	17,410	22,070	11,590	23,410	130,850			
14	廣告費	120,000	254,800	83,000	272,600	114,100	103,000	947,500			
15	薪資	13,512,000	11,600,000	6,664,000	13,776,000	3,048,000	9,960,000	58,560,000			
16	合計	13,799,490	12,020,220	6,907,900	14,212,220	3,319,700	10,246,890	60,506,420			

Tips

- 在「= 台北市 差旅費」的公式中，「台北市」與「差旅費」這兩個字串中間**一定要空一格**。

- 由於事先建立了名稱，所以，當我們在 K4 儲存格中輸入「= 台北市 差旅費」時，「台北市」與「差旅費」這兩個字串會出現不同的顏色，這是代表這兩個字串已經分別對應到兩個同名的名稱上；如果這兩個字串沒有變顏色，還是本來的黑色，那就表示我們事先沒有建立名稱，那麼，公式「= 台北市 差旅費」也就不能運作了。

名稱與動態查表

上述的例子，是用人工輸入公式「= 台北市 差旅費」的方式來完成查表作業，如果要更換**地區**或**科目**，又必須輸入新的公式，這樣豈不是太沒有效率了嗎？是否能在下圖 K2 以及 K3 儲存格中，設計下拉式選單，當我們切換不同的**地區**或**科目**時，就能夠自動在 K4 儲存格中看到最新的數字呢？

	J	K
	地區	台北市
	科目	差旅費
	費用	15630

上述的問題，可以利用名稱和動態查表的技巧來完成這項工作，操作步驟如下：

01 點選 K2 儲存格，點按**資料**索引標籤 / **資料驗證**，在**資料驗證**對話方塊中，點選**儲存格內允許**方塊中的「清單」，在**來源**文字方塊中輸入「=$B$2:$G$2」，按下**確定**。

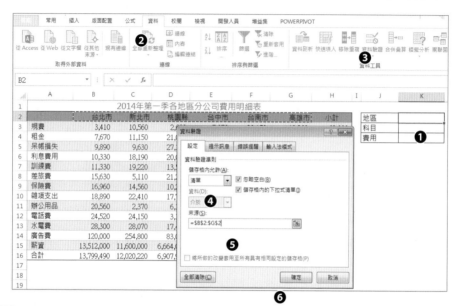

02 點選 K3 儲存格，點按**資料**索引標籤 / **資料驗證**，在**資料驗證**對話方塊中，點選**儲存格內允許**方塊中的「清單」，在**來源**文字方塊中輸入「=$A$3:$A$15」，按下**確定**。

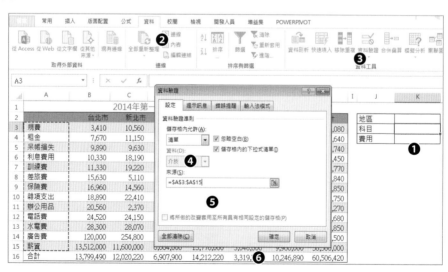

03 分別在地區及科目的選單中點選「新北市」與「廣告費」。

04 在 K4 儲存格中輸入「=INDIRECT(K2) INDIRECT(K3)」（兩個 INDIRECT 函數之間要空一格），再按下 Enter 鍵即可。當我們切換到不同的**地區**或**科目**時，Excel 就會顯示相關的費用金額。

J	K	L	M
地區	新北市		
科目	廣告費		
費用	=INDIRECT(K2) INDIRECT(K3)		

地區	新北市
科目	廣告費
費用	254800

地區	高雄市
科目	保險費
費用	17110

Tips

▶ INDIRECT 函數的用法

INDIRECT 的官方說明為：「傳回文字串所指定的參照。該參照會立刻進行計算並顯示其內容。INDIRECT 通常是您想在公式中變更儲存格參照卻不想改變公式本身時使用。」

這是一個間接參照的函數，它有兩個用途，一是擷取資料，例如在 C1 儲存格中輸入「=INDIRECT("A1")」，就能將 A1 儲存格中的值複製到 C1 儲存格中。

第二種用途，可以將字串轉換成對應的名稱，此種用途在實務上到處可見。

以下圖為例，在 K4 儲存格中輸入「=INDIRECT(K2) INDIRECT(K3)」，前面的 INDIRECT(K2) 是用來將 K2 中的字串「新北市」轉換成為一個名為「新北市」的名稱；後面的 INDIRECT(K3) 是用來將 K3 中的字串「廣告費」轉換成為一個名為「廣告費」的名稱。

Tips --

- 要用 INDIRECT 擷取 A1 儲存格中的資料時，儲存格位址前後**一定要加上雙引號**，例如「=INDIRECT("A1")」。
- 要用 INDIRECT 將 K2 儲存格中的字串轉換成為名稱時，儲存格位址前後**不要加上雙引號**，例如「=INDIRECT(K2)」。

chapter 資料庫管理 03

什麼是 Excel 資料庫？在「1.3.2 資料庫的觀念」一節，已經詳細闡述過資料庫的觀念，這裡不再贅述，僅以下圖展現一個 Excel 小型資料庫的欄位結構和資料內容。

	A	B	C	D	E	F	G	H	I
1	銷售日期	業務單位	業務員	性別	銷售產品	銷售地區	客戶產業	銷售數量	銷售金額
2	2014/01/01	業務二	柳美玉	女	產品A	高雄	航運	2,581	309,720
3	2014/01/02	業務二	何希均	男	產品D	上海	食品	1,625	260,000
4	2014/01/03	業務一	古進雄	男	產品C	香港	化工	2,674	668,500
5	2014/01/03	業務二	張樹人	男	產品D	新竹	汽車	2,118	338,880
6	2014/01/06	業務三	吳曉君	女	產品B	新竹	化工	2,480	496,000
7	2014/01/06	業務二	林大明	男	產品A	深圳	教育	3,259	391,080
8	2014/01/06	業務一	黃義銘	男	產品B	台中	紡織	2,639	527,800
9	2014/01/06	業務二	古進雄	男	產品B	高雄	航運	1,010	202,000
10	2014/01/06	業務一	張樹人	男	產品C	北京	金融	2,360	590,000
11	2014/01/06	業務四	蔡玲玲	女	產品C	新竹	服務	2,529	632,250
12	2014/01/08	業務二	柳美玉	女	產品D	高雄	化工	1,595	255,200
13	2014/01/09	業務二	蔡玲玲	女	產品B	香港	電子	2,600	520,000
14	2014/01/10	業務二	張樹人	男	產品C	新竹	服務	2,701	324,120
15	2014/01/10	業務四	汪九祥	女	產品A	香港	食品	3,019	362,280
16	2014/01/10	業務三	古進雄	男	產品D	台北	服務	3,148	503,680

有趣的是，在 Excel 的索引標籤中，我們看不到「資料庫」一詞，最多只有一個「資料」索引標籤，而在此索引標籤之下，絕大部份的功能項目，都是用來處理資料庫的工具。

Excel 究竟是如何來稱呼**資料庫**的？有趣的是 Excel 給了資料庫三個名稱：**表格、範圍**與**清單**，這三種名稱在 Excel 中，都是指**資料庫**；其中的**清單**不僅是資料庫的代稱而已，它更是一種功能性的稱呼。在 Excel 2003 之前的版本，**清單**是**資料功能表**

之下的一個功能項目，到了 Excel 2007 之後，在 Excel 索引標籤中，再也找不到此一名稱，而是將**清單**的功能融入到另一項功能之中，因此，對許多想要使用清單功能的使用者造成了蠻大的困擾；所以，本章首先探討的，就是「清單」。

3.1 清單的觀念和應用

雖然**清單**就是**資料庫**，但是，兩者之間的外觀與功能性還是有些不同，**清單**主要用途包括了：

▶ 針對資料庫的各欄進行篩選和統計，當我們隱藏部份記錄時，Excel 將自動重新計算統計的結果。

▶ 在清單的模式之下，新增加的資料庫記錄，其數據會自動反映到利用**函數**或**樞紐分析**所產出的報表中。

所以「**清單**是進化版的**資料庫**」的這種說法，一點也不為過。

3.1.1 將資料庫轉換成「清單」

想要發揮**清單**的功能，首先必須依照下列步驟，將**資料庫**轉換成**清單**的模式。

01 點選資料庫中的任意儲存格，點按**常用**索引標籤 / **樣式**群組 / **格式化為表格**；再點選「表格樣式中等深淺 15」的樣式。

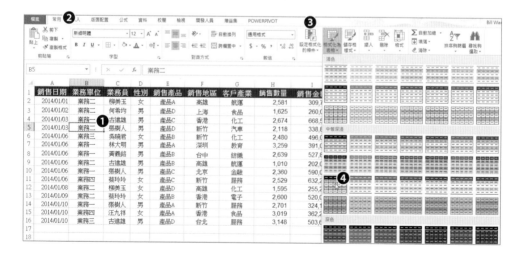

02 在**格式為表格**對話方塊中，Excel 會自動選取整個資料庫範圍，勾選「有標題的表格」，按下**確定**即可。

	A	B	C	D	E	F	G	H	I
1	銷售日期	業務單位	業務員	性別	銷售產品	銷售地區	客戶產業	銷售數量	銷售金額
2	2014/01/01	業務二	柳美玉	女	產品A	高雄	航運	2,581	309,720
3	2014/01/02	業務二	何希均	男				1,625	260,000
4	2014/01/03	業務一	古進雄	男				2,674	668,500
5	2014/01/03	業務二	張樹人	男				2,118	338,880
6	2014/01/06	業務三	吳曉君	女				2,480	496,000
7	2014/01/06	業務一	林大明	男				3,259	391,080
8	2014/01/06	業務一	黃義銘	男				2,639	527,800
9	2014/01/06	業務二	古進雄	男				1,010	202,000
10	2014/01/06	業務一	張樹人	男	產品C	北京	金融	2,360	590,000
11	2014/01/06	業務四	蔡玲玲	女	產品C	新竹	服務	2,529	632,250
12	2014/01/08	業務二	柳美玉	女	產品D	高雄	化工	1,595	255,200
13	2014/01/09	業務二	蔡玲玲	女	產品B	香港	電子	2,600	520,000
14	2014/01/10	業務一	張樹人	男	產品A	新竹	服務	2,701	324,120
15	2014/01/10	業務四	汪九祥	女	產品A	香港	食品	3,019	362,280
16	2014/01/10	業務三	古進雄	男	產品D	台北	服務	3,148	503,680

對話方塊內容：
格式為表格
請問表格的資料來源(W)?
=$A$1:$I$16
☑ 有標題的表格(M)
確定　取消

03 下圖為轉換完成的清單，整個清單會用綠色框線圍住，而且每個欄位名稱的右邊，會出現**篩選**按鈕來讓您過濾資料。

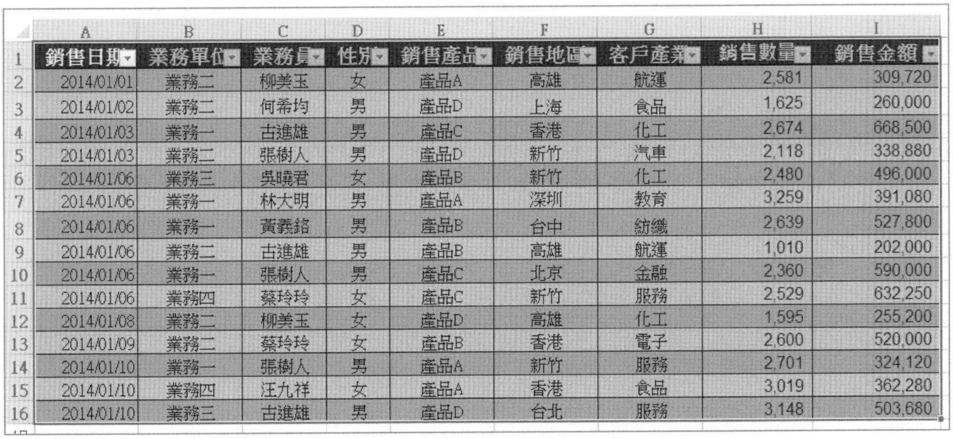

	A	B	C	D	E	F	G	H	I
1	銷售日期	業務單位	業務員	性別	銷售產品	銷售地區	客戶產業	銷售數量	銷售金額
2	2014/01/01	業務二	柳美玉	女	產品A	高雄	航運	2,581	309,720
3	2014/01/02	業務二	何希均	男	產品D	上海	食品	1,625	260,000
4	2014/01/03	業務一	古進雄	男	產品C	香港	化工	2,674	668,500
5	2014/01/03	業務二	張樹人	男	產品D	新竹	汽車	2,118	338,880
6	2014/01/06	業務三	吳曉君	女	產品B	高雄	化工	2,480	496,000
7	2014/01/06	業務一	林大明	男	產品A	深圳	教育	3,259	391,080
8	2014/01/06	業務一	黃義銘	男	產品B	台中	紡織	2,639	527,800
9	2014/01/06	業務二	古進雄	男	產品B	高雄	航運	1,010	202,000
10	2014/01/06	業務一	張樹人	男	產品C	北京	金融	2,360	590,000
11	2014/01/06	業務四	蔡玲玲	女	產品C	新竹	服務	2,529	632,250
12	2014/01/08	業務二	柳美玉	女	產品D	高雄	化工	1,595	255,200
13	2014/01/09	業務二	蔡玲玲	女	產品B	香港	電子	2,600	520,000
14	2014/01/10	業務一	張樹人	男	產品A	新竹	服務	2,701	324,120
15	2014/01/10	業務四	汪九祥	女	產品A	香港	食品	3,019	362,280
16	2014/01/10	業務三	古進雄	男	產品D	台北	服務	3,148	503,680

Tips

只要您在「**常用**索引標籤 / **樣式**群組 / **格式化為表格**」的表格樣式選單之中，點選任何一種樣式，都能將資料庫轉換為清單的模式。

3.1.2 快速統計各欄數據

您只要在**資料表工具** / **設計索引標籤** / **表格樣式選項**群組中，勾選合計列核取方塊，資料庫底部即多出了第 17 列的**合計列**，同時在 I17 的位置出現 I 欄的加總結果。

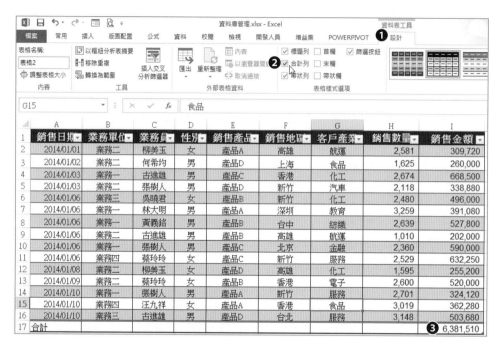

點按 H17 儲存格右邊的按鈕，可在選單中點選計算的方式（如左下圖中的**加總**）；如果針對文字欄，就只能點選**項目個數**來統計資料筆數（如右下圖）。

您可能會問：「只不過是計算**總和**而已，按下**公式**索引標籤 / **自動加總**就行了呀！為何要如此麻煩地轉成**清單**之後，再來作計算？」。

第一個理由在於：您可以輕易的按下**公式**索引標籤 / **自動加總**或者使用傳統的函數 SUM 計算出結果，但是，如果要改成計算平均值、最大值或最小值呢？那又要勞師動眾地更改公式了；而在清單的模式之下，只要在計算方式的選單中去點選就行了，就效率而言是比較好的做法。

第二個理由在於：使用 SUM 來統計資料欄位時，SUM 不會在隱藏資料的情況之下自動重算，而使得計算的結果是錯的。左下圖中的 I17 儲存格是用 SUM 來計算的，隱藏 5、6、7 三列之後，因其值不變而導致錯鋘；右下圖中，同樣隱藏 5、6、7 三列，但由於 I17 是在**清單**模式之下所作的計算結果，所以會自動重算，因而得到正確的結果；不止是隱藏資料，透過**清單**中的欄位篩選，也能夠讓**清單**的統計結果重算。

	A	B	H	I
1	銷售日期	業務單位	銷售數量	銷售金額
2	2014/01/01	業務二	2,581	309,720
3	2014/01/02	業務二	1,625	260,000
4	2014/01/03	業務一	2,674	668,500
8	2014/01/06	業務一	2,639	527,800
9	2014/01/06	業務二	1,010	202,000
10	2014/01/06	業務一	2,360	590,000
11	2014/01/06	業務四	2,529	632,250
12	2014/01/08	業務二	1,595	255,200
13	2014/01/09	業務二	2,600	520,000
14	2014/01/10	業務一	2,701	324,120
15	2014/01/10	業務四	3,019	362,280
16	2014/01/10	業務三	3,148	503,680
17				6,381,510

	A	B	H	I
1	銷售日期	業務單位	銷售數量	銷售金額
2	2014/01/01	業務二	2,581	309,720
3	2014/01/02	業務二	1,625	260,000
4	2014/01/03	業務一	2,674	668,500
8	2014/01/06	業務一	2,639	527,800
9	2014/01/06	業務二	1,010	202,000
10	2014/01/06	業務一	2,360	590,000
11	2014/01/06	業務四	2,529	632,250
12	2014/01/08	業務二	1,595	255,200
13	2014/01/09	業務二	2,600	520,000
14	2014/01/10	業務一	2,701	324,120
15	2014/01/10	業務四	3,019	362,280
16	2014/01/10	業務三	3,148	503,680
17	合計			5,155,550

3.1.3 清單工具的應用

在**清單**模式之下，Excel 提供了幾種好用的工具，其中包括了：以樞紐分析表摘要、移除重複以及插入交叉分析篩選器，其功能分述如後。

以樞紐分析表摘要

一般是在**插入**索引標籤 / **表格**群組 / **樞紐分析表**之下，來完成樞紐分析表的製作，如果在清單的模式之下製作**樞紐分析表**，其優點是新增記錄可反映在舊的樞紐分析表中。

我們將在「第 4 章 Excel 樞紐分析」中詳細介紹樞紐分析表的製作方法,所以,本節中僅以小型資料庫為例,簡單說明樞紐析表的基本製作。

01 點選資料庫中的任意儲存格,點按**常用**索引標籤 / **樣式**群組 / **格式化為表格**;再點選「表格樣式中等深淺 15」的樣式。

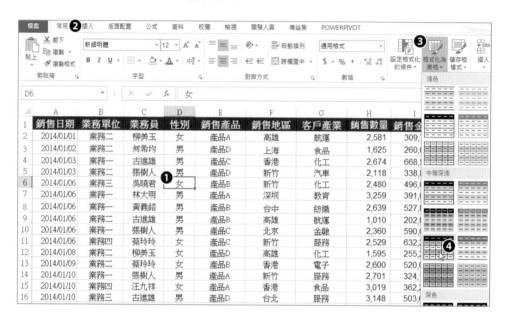

02 在**格式為表格**對話方塊中,Excel 會自動選取整個資料庫範圍,勾選「有標題的表格」,按下**確定**即可。

03 點按**資料表工具** / **設計**索引標籤 / **工具**群組 / **以樞紐分析表摘要**，此時，在建立**樞紐分析表**對話方塊中，可以看到其**選取表格** / **範圍**下的文字方塊，出現了「表格 1」，而非傳統資料庫 A1:I16 的儲存格範圍，按下**確定**。

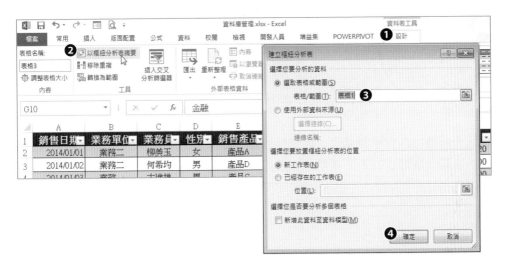

04 在下圖右邊的**樞紐分析表欄位**選單中，分別勾選「業務單位」、「銷售產品」以及「銷售金額」等三個欄位；在下圖左邊即可看到樞紐分析表的雛形。

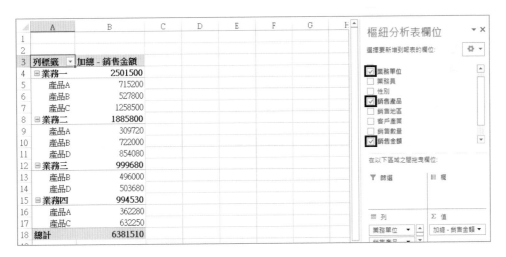

05 拖曳**樞紐分析表欄位**選單下方**列**方塊中的「銷售產品」標籤至右上方**欄**方塊中（如左下圖），此時樞紐析表的外觀改變成為右下圖的結果。

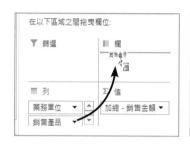

樞紐分析表的內容千變萬化，製作的過程卻是簡潔而有效率，使用清單製作樞紐分析表最大的好處在於，新增記錄可以反映在報表中；更多的介紹請參考第 4 章的說明。

移除重複

此項功能可以清除**清單**中重複的記錄，也可以針對單一欄位來移除重複的資料。以下圖的清單為例，第六列與第七列的記錄是重複的。

我們可以使用下列方法，清除其中一筆記錄：

01 點選清單中的任意儲存格，點按**資料表工具** / **設計**索引標籤 / **工具群組** / **移除重複**。

02 在**移除重複**對話方塊中，所有的項目都採用 Excel 預設值，按下**確定**。

03 在提示訊息對話方塊中，按下**確定**即可，其背後清單的重複記錄已被清除。

	A	B	C	D	E	F	G	H	I
1	銷售日期	業務單位	業務員	性別	銷售產品	銷售地區	客戶產業	銷售數量	銷售金額
2	2014/01/01	業務二	柳美玉	女	產品A	高雄	航運	2,581	309,720
3	2014/01/02	業務二	何希均	男				625	260,000
4	2014/01/03	業務一	古進雄	男				674	668,500
5	2014/01/03	業務二	張樹人	男				118	338,880
6	2014/01/06	業務一	林大明	男				259	391,080
7	2014/01/06	業務二	黃義銘	男				639	527,800
8	2014/01/06	業務二	古進雄	男				010	202,000
9	2014/01/06	業務一	張樹人	男	產品C	北京	金融	2,360	590,000

Microsoft Excel

找到並移除 1 個重複值；共保留 14 個唯一的值。

確定

這項資訊有幫助嗎？

若想要知道下圖清單中的 G 欄中有幾種客戶產業別，也可以用類似的做法來將 G 欄
重複的資料刪除。

E	F	G
銷售產品	銷售地區	客戶產業
產品A	高雄	航運
產品D	上海	食品
產品C	香港	化工
產品D	新竹	汽車
產品A	深圳	教育
產品B	台中	紡織
產品B	高雄	航運
產品C	北京	金融
產品C	新竹	服務
產品D	高雄	化工
產品B	香港	電子
產品A	新竹	服務
產品A	香港	食品
產品D	台北	服務

01 點選清單中的任意儲存格，點按**資料表工具 / 設計**索引標籤 **/ 工具群組 / 移除重複**。

02 在**移除重複**對話方塊中，僅勾選欄位「客戶產業」，其他項目採用預設值，按下**確定**。

03 在提示訊息對話方塊中，按下**確定**即可，其背後清單中 G 欄的重複記錄已被清除。

Tips

移除重複記錄之後存檔，便無法再復原記錄；否則可以按下**快速存取工具列**上的**復原鈕**來還原記錄。

插入交叉分析篩選器

在**清單**模式之下，我們可以輕鬆地以**篩選**欄位的方式挑出想看的資料。以下圖為例，若只想要顯示**銷售地區**為「新竹」的資料，可以按下**銷售地區**欄位（F 欄）右邊的**篩選鈕**，並在城市名稱的選單中勾選「新竹」，再按下**確定**即可。

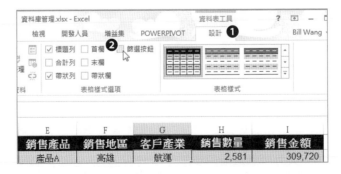

此時，只會出現新竹地區的銷售資料，這是傳統篩選資料的做法。

	業務單位	業務員	性別	銷售產品	銷售地區	客戶產業	銷售數量	銷售金額
5	業務二	張樹人	男	產品D	新竹	汽車	2,118	338,880
10	業務四	蔡玲玲	女	產品C	新竹	服務	2,529	632,250
13	業務一	張樹人	男	產品A	新竹	服務	2,701	324,120

另外一種篩選清單資料的方法是使用「交叉分析篩選器」，以往是用在樞紐分析表之中，現在也可以在清單中來使用，其使用時機在於：**清單**的欄位名稱旁邊沒有篩選按鈕時，為什麼清單中會沒有欄位的篩選呢？原來，在清單的模式之下，我們可以取消篩選按鈕，使其不顯示出來，其方法如下：

01 在**資料表工具** / **設計**索引標籤 / **表格樣式**群組中，取消勾選「篩選按鈕」。

02 在下圖的欄位名稱旁邊就看不到篩選按鈕了。

當**清單**的欄位名稱旁邊沒有篩選按鈕時，想要篩選資料，「交叉分析篩選器」就可以登場來代替篩選按鈕了，其使用方式如下：

01 點選**清單**中的任意儲存格，點按**資料表工具 / 設計**索引標籤 / **工具**群組 / **插入交叉分析篩選器**。

02 在**插入交叉分析篩選器**對話方塊中，勾選**銷售地區**核取方塊，按下**確定**。

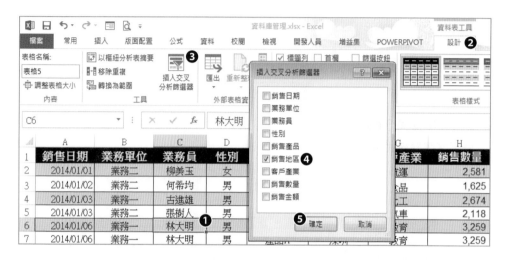

03 工作表中會跳出**交叉分析篩選器**，點選其中的「新竹」，即可在沒有篩選按鈕的情況之下，用以篩選出想要看的資料。

Tips

- 按住 Ctrl 鍵不放，可選取多個不連續排列的城市名稱；也可以按住 Shift 鍵不放，選取一片連續的城市名稱。
- 可以任意移動**交叉分析篩選器**的位置，

但向上移動不能超過工作表的欄名。

- 您可以利用**交叉分析篩選器**四周的小圓點來放大或縮小**交叉分析篩選器**,或者利用**交叉分析篩選器工具**來調整**交叉分析篩選器**的大小。

- 若要改變**交叉分析篩選器**的外觀,請點按**交叉分析篩選器工具 / 選項**,並在**交叉分析篩選器樣式**選單中,點選中意的樣式。

- 若要刪除**交叉分析篩選器**,只要在**交叉分析篩選器**中的任何位置點按一下,再按 Delete 鍵即可。
- 若要取消欄位篩選,只需按下**交叉分析篩選器**右上角的**清除篩選**標記即可。

	C	D	E	F	G	H	I
1	業務員	性別	銷售產品	銷售地區	客戶產業	銷售數量	銷售地區
2	柳美玉	女	產品A	高雄	航運	2,581	00
3	何希均	男	產品D	上海	食品	1,625	00
4	古進雄	男	產品C	香港	化工	2,674	00
5	張樹人	男	產品D	新竹	汽車	2,118	00
6	林大明	男	產品A	深圳	教育	3,259	00
7	林大明	男	產品A	深圳	教育	3,259	00
8	黃義銘	男	產品B	台中	紡織	2,639	00
9	古進雄	男	產品B	高雄	航運	1,010	00
10	張樹人	男	產品C	北京	金融	2,360	00
11	蔡玲玲	女	產品C	新竹	服務	2,529	50
12	柳美玉	女	產品D	高雄	化工	1,595	255,200
13	蔡玲玲	女	產品B	香港	電子	2,600	520,000
14	張樹人	男	產品A	新竹	服務	2,701	324,120
15	汪九祥	女	產品A	香港	食品	3,019	362,280
16	古進雄	男	產品D	台北	服務	3,148	503,680

3.1.4 移除清單

想要移除**清單**，還原成資料庫的原始格式，請參考下列步驟：

`01` 點選**清單**中的任意儲存格，再點按**資料表工具** / **設計**索引標籤 / **工具群組** / **轉換為範圍**。

`02` 在確認對話方塊中，按下**是**。

`03` 還原成資料庫的格式後，其中的框線及色彩，仍會被保留下來。

	C	D	E	F	G	H	I
1	業務員	性別	銷售產品	銷售地區	客戶產業	銷售數量	銷售金額
2	柳美玉	女	產品A	高雄	航運	2,581	309,720
3	何希均	男	產品D	上海	食品	1,625	260,000
4	古進雄	男	產品C	香港	化工	2,674	668,500
5	張樹人	男	產品D	新竹	汽車	2,118	338,880
6	林大明	男	產品A	深圳	教育	3,259	391,080
7	林大明	男	產品A	深圳	教育	3,259	391,080
8	黃義銘	男	產品B	台中	紡織	2,639	527,800
9	古進雄	男	產品B	高雄	航運	1,010	202,000
10	張樹人	男	產品C	北京	金融	2,360	590,000
11	蔡玲玲	女	產品C	新竹	服務	2,529	632,250
12	柳美玉	女	產品D	高雄	化工	1,595	255,200
13	蔡玲玲	女	產品B	香港	電子	2,600	520,000
14	張樹人	男	產品A	新竹	服務	2,701	324,120
15	汪九祥	女	產品A	香港	食品	3,019	362,280
16	古進雄	男	產品D	台北	服務	3,148	503,680

3.1.5 在清單中新增記錄

在**清單**中輸入資料來新增記錄的方法，有下列幾種：

■ 使用表單登錄資料

這是新增資料庫登錄的最佳方法之一，詳細做法請參考第 1 章「1.3.2 資料庫的觀念」一節中的說明。

■ 在清單的記錄之間插入新資料

在清單的記錄之間插入一列空白，再輸入資料。此時清單範圍會自動向下擴大一列。但是此種做法違反了資料庫「先到的資料先輸入」的原則，所以還是少用此種方法來新增記錄為佳。

■ 複製別的資料庫記錄到清單尾端

在實務上也會利用這種方式來將別的資料庫記錄合併到目前**清單**中。為了方便舉例說明，我們就利用下圖清單本身的 2、3、4 列資料記錄，將其複製到**清單**的後面，同時自動擴大清單範圍。

01 將資料庫轉為清單之後，選取 A2:I4 的範圍，按下 Ctrl+C 完成複製。

	A 銷售日期	B 業務單位	C 業務員	D 性別	E 銷售產品	F 銷售地區	G 客戶產業	H 銷售數量	I 銷售金額
2	2014/01/01	業務二	柳美玉	女	產品A	高雄	航運	2,581	309,720
3	2014/01/02	業務二	何希均	男	產品D	上海	食品	1,625	260,000
4	2014/01/03	業務一	古進雄	男	產品C	香港	化工	2,674	668,500
5	2014/01/03	業務二	張樹人	男	產品D	新竹	汽車	2,118	338,880
6	2014/01/06	業務一	林大明	男	產品A	深圳	教育	3,259	391,080
7	2014/01/06	業務一	林大明	男	產品A	深圳	教育	3,259	391,080
8	2014/01/06	業務二	黃義銘	男	產品B	台中	紡織	2,639	527,800
9	2014/01/06	業務二	古進雄	男	產品B	高雄	航運	1,010	202,000
10	2014/01/06	業務一	張樹人	男	產品C	北京	金融	2,360	590,000
11	2014/01/06	業務四	蔡玲玲	女	產品C	新竹	服務	2,529	632,250
12	2014/01/08	業務二	柳美玉	女	產品D	高雄	化工	1,595	255,200
13	2014/01/09	業務二	蔡玲玲	女	產品B	香港	電子	2,600	520,000
14	2014/01/10	業務二	張樹人	男	產品A	新竹	服務	2,701	324,120
15	2014/01/10	業務四	汪九祥	女	產品A	香港	食品	3,019	362,280
16	2014/01/10	業務三	古進雄	男	產品D	台北	服務	3,148	503,680

02 點選 A17 儲存格，按下 Ctrl+V 貼上資料，此時清單的範圍自動向下擴大到第 19 列，新貼上的三筆資料，也被包含在清單之中。

	A 銷售日期	B 業務單位	C 業務員	D 性別	E 銷售產品	F 銷售地區	G 客戶產業	H 銷售數量	I 銷售金額
2	2014/01/01	業務二	柳美玉	女	產品A	高雄	航運	2,581	309,720
3	2014/01/02	業務二	何希均	男	產品D	上海	食品	1,625	260,000
4	2014/01/03	業務一	古進雄	男	產品C	香港	化工	2,674	668,500
5	2014/01/03	業務二	張樹人	男	產品D	新竹	汽車	2,118	338,880
6	2014/01/06	業務一	林大明	男	產品A	深圳	教育	3,259	391,080
7	2014/01/06	業務一	林大明	男	產品A	深圳	教育	3,259	391,080
8	2014/01/06	業務二	黃義銘	男	產品B	台中	紡織	2,639	527,800
9	2014/01/06	業務二	古進雄	男	產品B	高雄	航運	1,010	202,000
10	2014/01/06	業務一	張樹人	男	產品C	北京	金融	2,360	590,000
11	2014/01/06	業務四	蔡玲玲	女	產品C	新竹	服務	2,529	632,250
12	2014/01/08	業務二	柳美玉	女	產品D	高雄	化工	1,595	255,200
13	2014/01/09	業務二	蔡玲玲	女	產品B	香港	電子	2,600	520,000
14	2014/01/10	業務二	張樹人	男	產品A	新竹	服務	2,701	324,120
15	2014/01/10	業務四	汪九祥	女	產品A	香港	食品	3,019	362,280
16	2014/01/10	業務三	古進雄	男	產品D	台北	服務	3,148	503,680
17	2014/01/01	業務二	柳美玉	女	產品A	高雄	航運	2,581	309,720
18	2014/01/02	業務二	何希均	男	產品D	上海	食品	1,625	260,000
19	2014/01/03	業務一	古進雄	男	產品C	香港	化工	2,674	668,500

Tips

請注意，如果貼上的位置並未緊鄰第 17 列，而是貼在第 18 列的位置：

	A	B	C	D	E	F	G	H	I
1	銷售日期	業務單位	業務員	性別	銷售產品	銷售地區	客戶產業	銷售數量	銷售金額
2	2014/01/01	業務二	柳美玉	女	產品A	高雄	航運	2,581	309,720
3	2014/01/02	業務二	何希均	男	產品D	上海	食品	1,625	260,000
4	2014/01/03	業務一	古進雄	男	產品C	香港	化工	2,674	668,500
5	2014/01/03	業務二	張樹人	男	產品D	新竹	汽車	2,118	338,880
6	2014/01/06	業務一	林大明	男	產品B	深圳	教育	3,259	391,080
7	2014/01/06	業務一	林大明	男	產品A	深圳	教育	3,259	391,080
8	2014/01/06	業務一	黃義銘	男	產品B	台中	紡織	2,639	527,800
9	2014/01/06	業務二	古進雄	男	產品B	高雄	航運	1,010	202,000
10	2014/01/06	業務二	張樹人	男	產品C	北京	金融	2,360	590,000
11	2014/01/06	業務四	蔡玲玲	女	產品C	新竹	服務	2,529	632,250
12	2014/01/08	業務二	柳美玉	女	產品D	高雄	化工	1,595	255,200
13	2014/01/09	業務二	蔡玲玲	女	產品B	香港	電子	2,600	520,000
14	2014/01/10	業務一	張樹人	男	產品A	新竹	服務	2,701	324,120
15	2014/01/10	業務四	汪九祥	女	產品A	香港	食品	3,019	362,280
16	2014/01/10	業務三	古進雄	男	產品D	台北	服務	3,148	503,680
17									
18	2014/01/01	業務二	柳美玉	女	產品A	高雄	航運	2,581	309,720
19	2014/01/02	業務二	何希均	男	產品D	上海	食品	1,625	260,000
20	2014/01/03	業務一	古進雄	男	產品C	香港	化工	2,674	668,500

此時，清單的內容將不會包含這三筆貼上的記錄，如果要將這三筆記錄包含在清單的範圍中，請將滑鼠游標指向清單的右下角的標記，待出現雙箭頭的指標時，按住左鍵向下拖曳清單的綠色外框線，直到涵蓋這三筆記錄，再放開滑鼠左鍵即可。

14	2014/01/10	業務一	張樹人	男	產品A	新竹	服務	2,701	324,120
15	2014/01/10	業務四	汪九祥	女	產品A	香港	食品	3,019	362,280
16	2014/01/10	業務三	古進雄	男	產品D	台北	服務	3,148	503,680
17									
18	2014/01/01	業務二	柳美玉	女	產品A	高雄	航運	2,581	309,720
19	2014/01/02	業務二	何希均	男	產品D	上海	食品	1,625	260,000
20	2014/01/03	業務一	古進雄	男	產品C	香港	化工	2,674	668,500
21									

3.2 資料庫的排序技巧

排序的目的只有一個，就是用來協助資料的分類，讓同類型的資料放在一起，以便查閱以及方便某些函數的執行。所以，只要是資料庫，就一定會用到排序的功能，在 Excel 的諸多功能之中，有些功能在執行之前，必須先行排序，否則將會得到錯誤的結果，其中最典型的就是「小計」這項功能了。

排序時，資料排列的優先順序，是依照 ASCII Code（美國國家標準資訊交換碼）中字元的順序。例如數字 0 的 ASCII 編碼為 49（十進位），1 的編碼為 50，所以 0 會

排在 1 的前面；同樣的，大寫英文字母 A 的編碼為 65，而小寫 a 為 97，所以大寫 A 會排在小寫 a 的前面；至於中文字則是採 Big-5 碼，所以會依筆畫多寡排在所有 ASCII 字元的後面。

以中文的姓名由小到大的排序方式為例，Excel 會先用姓名中的第一個字來排序，筆劃少的在前面，如果第一個字相同，再繼續用第二個字來做比較，依此類推。若是空白資料，將會被置於最後面。

Excel 不僅可以使用欄位的內容來排序，還可以使用儲存格背景色彩和文字色彩來排序。

3.2.1 資料庫排序基礎

首先讓我們來了解一下資料庫排序的兩種基本做法：單一欄位的排序與多重欄位的排序。

單一欄位的排序

以下圖中的 1980 筆資料庫記錄為例，如果想要依「銷售金額」的多寡來排序，請參考下列操作步驟。

01 點選「銷售金額」欄位中的任何儲存格，點按**資料**索引標籤 / **排序與篩選**群組 / **從最小到最大排序**按鈕，即可完成金額的**遞增**排序（如左下圖）。

02 點按**資料**索引標籤 / **排序與篩選**群組 / **從最大到最小排序**按鈕，即可完成金額的**遞減**排序（如右下圖）。

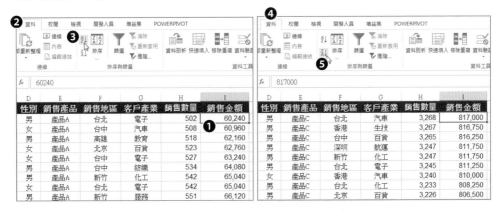

其他欄位的排序方法也都完全相同，不再贅述。

多重欄位的排序

在 Excel 2003 中，檯面上最多只能同時使用三個欄位來排序，而 Excel 2007 之後的版本，已經可以使用高達 64 個欄位來同時排序。如果使用兩個以上的欄位排序，就可以做到資料庫的多層次分類，而讓我們能夠更有脈絡地檢視資料庫內容了。

例如，我們將「銷售產品」欄由小到大排序，使其成為**大分類**的對象（即第一層分類），碰到相同的銷售產品時，再將「地區」欄由小到大排序，使其成為**次分類**的對象（即第二層分類）；如果再碰到相同的地區，再將「銷售金額」欄由大到小排序，使其成為**小分類**的對象（即第三層分類），此三層排序的操作步驟如下：

01 選取資料庫中的任意儲存格，點按**資料**索引標籤 /**排序與篩選**群組 /**排序**按鈕。

02 在**排序**對話方塊的**欄**選單中，點選「銷售產品」，其餘設定使用預設值。

03 接著按下**新增層級**，在**次要排序方式**的**欄**選單中，選擇「銷售產品」，其餘設定使用預設值。

04 再按下**新增層級**，並在第二個**次要排序方式**的**欄**選單中，選擇「銷售金額」，再到**順序**文字方塊中選擇「最大到最小」，其餘設定使用預設值，最後按下**確定**。

05 排序之後的部份資料庫內容，如下圖所示。

	A	B	C	D	E	F	G	H	I
1	銷售日期	業務單位	業務員	性別	銷售產品	銷售地區	客戶產業	銷售數量	銷售金額
2	2013/07/24	業務一	汪九祥	女	產品A	上海	金融	3,061	367,320
3	2011/08/19	業務四	楊柏森	男	產品A	上海	服務	2,274	272,880
4	2012/09/13	業務二	何希均	男	產品A	上海	服務	2,164	259,680
5	2013/09/27	業務二	汪九祥	女	產品A	上海	生技	2,060	247,200
6	2010/06/18	業務三	蔡玲玲	女	產品A	上海	生技	1,810	217,200
7	2011/10/17	業務三	古雄雄	男	產品A	上海	服務	1,287	154,440
8	2012/04/24	業務二	楊柏森	男	產品A	上海	航運	1,108	132,960
9	2013/11/15	業務一	何希均	男	產品A	上海	航運	897	107,640
10	2011/02/28	業務三	柳美玉	女	產品A	北京	航運	3,202	384,240
11	2012/08/16	業務一	吳曉君	女	產品A	北京	電子	3,186	382,320
12	2013/09/04	業務二	張樹人	男	產品A	北京	汽車	3,182	381,840

Tips

多欄排序時，其實也可以使用**資料**索引標籤 / **排序與篩選**群組 / **從最小到最大排序**或**從最大到最小排序**的按鈕來完成。

秘訣在於「**先排序不重要的欄位**」，例如要以「銷售產品」、「地區」以及「銷售金額」的先後順序來排序這三個欄位；最重要的大分類欄位就是「銷售產品」，最不重要的小分類欄位就是「銷售金額」，這種方法對 Excel 2003 之前的版本尤其有用。

所以，排序的步驟為：

01 先點選「銷售金額」欄位中的任意儲存格，按下**從最大到最小排序**按鈕。

02 再點選「地區」欄位中的任意儲存格,按下**從最小到最大排序**按鈕。

03 最後再點選「銷售產品」欄位中的任意儲存格,按下**從最小到最大排序**按鈕。

每個欄位要由小到大或由大到小排序,皆可自行決定。

依儲存格色彩排序

前述的排序方式,都是以「值」作為排序對象,在**排序**對話方塊中,排序對象除了「值」之外,另外三種儲存格內容也能當作排序對象:**儲存格色彩、字型色彩**以及**儲存格圖示**。

我們必須先對欄位做格式化處理,才能讓上述三種排序對象產生作用。例如,在**銷售金額**欄位中,要將金額最高的前五個數字用顏色來標記,可以依照下列步驟來處理:

01 選取資料庫中 I1:I1981 的儲存格範圍,按下**常用**索引標籤 / **樣式**群組 / **設定格式化的條件** / 頂端 / 底端項目規則 / 前 10 個項目。

02 在**前 10 個項目**對話方塊中，設定前「5」項為「綠色填滿與深綠色文字」，再按下**確定**。

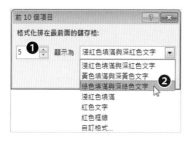

將**銷售金額**欄中的數字格式化之後，就可以使用排序的方式，將前五個最大的金額移到欄位的最前端來顯示了：

01 選取資料庫中的任意儲存格，點按**資料**索引標籤 /**排序與篩選**群組 /**排序**按鈕。

02 在**排序**對話方塊的**欄**清單中，點選「銷售金額」；在**排序對象**之下，點選「儲存格色彩」；在**順序**之下，點選綠色的色塊，其餘項目使用預設值，再按下**確定**。

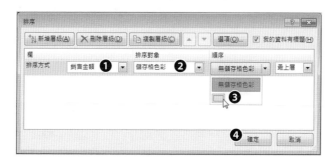

03 在**銷售金額**欄中前五個最大的金額，被移到欄位的最前端。

	A	B	C	D	E	F	G	H	I
1	銷售日期	業務單位	業務員	性別	銷售產品	銷售地區	客戶產業	銷售數量	銷售金額
2	2013/11/11	業務一	古進雄	男	產品C	台中	百貨	3,265	816,250
3	2012/03/02	業務二	林大明	男	產品C	台北	汽車	3,268	817,000
4	2011/11/04	業務二	張樹人	男	產品C	香港	生技	3,267	816,750
5	2010/04/30	業務四	古進雄	男	產品C	深圳	航運	3,247	811,750
6	2010/05/28	業務四	古進雄	男	產品C	新竹	化工	3,247	811,750
7	2013/07/24	業務一	汪九祥	女	產品A	上海	金融	3,061	367,320
8	2011/08/19	業務四	楊柏森	男	產品A	上海	服務	2,274	272,880

Tips

▶ **設定格式化的條件**是 Excel 重要的工具之一，能夠突顯報表的重點所在，後續的章節中，將會有更詳細的介紹。

▶ 在**排序**對話方塊中的**排序對象**之下，所點選的「儲存格色彩」是指儲存格的**背景顏色**。

▶ 先前在**設定格式化的條件**中，針對前五項的格式設定為「綠色填滿與深綠色文字」，因此在下圖**排序對象**之下點選「字型色彩」，則在**順序**之下，一樣可以選擇深綠色方塊來進行排序。

▶ 在**排序**對話方塊中的最後一個「最上層」的設定，是指合乎條件的五筆記錄會被移到欄位的最前端，如果選擇「最底層」，這五筆記錄將會被移到欄位的最底端。

▶ 在**設定格式化的條件**之下，若點選**圖示集**中的任何圖示（例如右圖中的**三箭號圖示**）。此時在**排序對象**之下點選「儲存格圖示」時，若選擇箭號向上的圖示以及「最上層」的設定，所有標記該圖示的記錄，都會被移到欄位最前端。

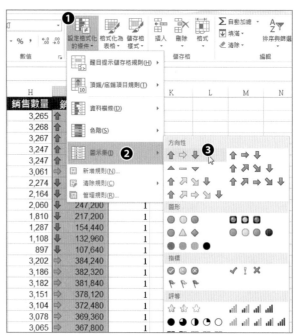

▶ 若要清除格式化之後留下的色彩
或圖示，請點按**常用**索引標籤 /
樣式群組 / **設定格式化的條件** /
清除規則 / **清除整張工作表的規**
則即可。

3.2.2 自訂排序

在實務上，往往有特殊需求的排序方式，以下圖的 F 欄「銷售地區」為例，當您
由小到大排序，「上海」會第一個出現；由大到小排序，則會第一個看到「深圳」。
如果想要依照台北、桃園、台中、台南、高雄、上海、北京、深圳的順序來完成排
序，要怎麼做呢？

銷售產品	銷售地區	客戶產業	銷售產品	銷售地區	客戶產業	銷售產品	銷售地區	客戶產業
產品C	深圳	金融	產品A	上海	航運	產品C	深圳	金融
產品C	桃園	百貨	產品C	上海	百貨	產品D	深圳	化工
產品B	台北	金融	產品B	上海	電子	產品A	深圳	服務
產品D	高雄	航運	產品B	上海	金融	產品D	深圳	生技
產品A	上海	航運	產品B	上海	生技	產品A	深圳	服務
產品D	台中	航運	產品B	上海	汽車	產品C	深圳	航運
產品C	桃園	食品	產品D	上海	服務	產品B	深圳	生技
產品C	台南	航運	產品B	上海	航運	產品A	深圳	百貨
產品D	高雄	金融	產品B	上海	化工	產品C	深圳	化工
產品D	北京	化工	產品A	上海	服務	產品D	深圳	紡織

記得在第 2 章中，曾經提到**自訂清單**的用途，針對資料欄位的排序，自訂清單是很
有用的一項工具，它可以讓我們根據自己心目中的資料順序來完成排序，而不受
Excel 排序規則的限制。

首先要將銷售地區欄位中的城市名稱，依心目中的順序，建置到 Excel 自訂清單中，再完成排序的動作：

01 點按**檔案**索引標籤 / **選項** / **進階**，在 Excel **選項**對話方塊中，按下**編輯自訂清單**。

02 在**自訂清單**對話方塊的**清單項目**之下，分別輸入台北、桃園、台中、台南、高雄、上海、北京、深圳等城市名稱，輸入完畢請按下**新增**和**確定**，回到 Excel **選項**對話方塊，再按下**確定**。

03 回到資料庫，點按**資料**索引標籤 /**排序與篩選**群組 /**排序**按鈕；在**排序**對話方塊中，依下圖設定，並在**順序**之下點選**自訂清單**。

04 隨即跳出**自訂清單**對話方塊，在**自訂清單**方塊中，點選剛才輸入的城市名稱，按下**確定**。

05 回到**排序**對話方塊，按下**確定**。

06 **銷售地區**欄中的城市名稱，便能依照我們想要的順序來呈現了。

	A	B	C	D	E	F	G
1	銷售日期	業務單位	業務員	性別	銷售產品	銷售地區	客戶產業
2	2010/01/01	業務四	汪九祥	女	產品D	台北	金融
3	2010/01/12	業務三	汪九祥	女	產品A	台北	服務
4	2010/01/14	業務二	黃義銘	男	產品A	台北	教育
5	2010/01/21	業務四	黃義銘	男	產品C	台北	生技
6	2010/01/21	業務三	林大明	男	產品C	台北	食品
7	2010/01/22	業務一	汪九祥	女	產品B	台北	航運
8	2010/01/26	業務三	柳美玉	女	產品B	台北	紡織
9	2010/02/03	業務二	楊柏森	男	產品A	台北	百貨
10	2010/02/09	業務一	汪九祥	女	產品B	台北	化工
11	2010/02/15	業務二	楊柏森	男	產品C	台北	服務

3.2.3 循列排序的技巧

Excel 是以「循欄排序」為其預設的排序方式，另外還有一種排序方式，稱之為「循列排序」，一般而言，此項功能如果用在資料庫欄位的重新排列上，倒是可以充份展現「循列排序」的用途。怎麼説呢？以一個大型資料庫而言，動輒數十個欄位，常被用到的欄位（多為較重要的欄位），有可能散佈在資料庫的多個位置，當您要檢視這些重要欄位時，常要左右捲動畫面，這樣操作起來是很沒有效率的；能不能將常用到的重要欄位，全部向前挪動，以方便資料的檢視？如果可以，什麼方法又能將欄位順序快速的重新排列呢？

例如，下圖是資料庫的原始欄位順序：

	A	B	C	D	E	F	G	H
1	銷售日期	業務單位	業務員	銷售產品	銷售地區	客戶產業	銷售數量	銷售金額
2	2010/01/01	業務四	汪九祥	產品D	台北	金融	1,362	217,920
3	2010/01/01	業務二	林大明	產品C	桃園	百貨	2,983	745,750

現在想將欄位的先後順序調整成為：業務單位、業務員、銷售日期、銷售產品、銷售數量、銷售金額、銷售地區以及客戶產業的排列順序。

	A	B	C	D	E	F	G	H
1	業務單位	業務員	銷售日期	銷售產品	銷售數量	銷售金額	銷售地區	客戶產業
2	業務四	汪九祥	2010/01/01	產品D	1,362	217,920	台北	金融
3	業務二	林大明	2010/01/01	產品C	2,983	745,750	桃園	百貨
4	業務一	何希均	2010/01/01	產品D	1,540	246,400	高雄	航運

快速對調欄位順序的做法，請參考下列步驟：

01 點選 A1 儲存格，點按**常用**索引標籤 / **儲存格**群組 / **插入** / **工作表列**，在原來第一列的上方插入一空白列。

02 在第一列的儲存格中分別輸入欄位順序的編號，要排在前面的欄位為 1，排在最後面的欄位為 8（本範例總共只有八個欄位）。

	A	B	C	D	E	F	G	H
	3	1	2	4	7	8	5	6
2	銷售日期	業務單位	業務員	銷售產品	銷售地區	客戶產業	銷售數量	銷售金額
3	2010/01/01	業務四	汪九祥	產品D	台北	金融	1,362	217,920
4	2010/01/01	業務二	林大明	產品C	桃園	百貨	2,983	745,750
5	2010/01/01	業務一	何希均	產品D	高雄	航運	1,540	246,400

03 選取 A1:H1 的範圍，點按**資料**索引標籤 / **排序與篩選**群組 / **排序**按鈕；在排序**警告**對話方塊中，依其預設選項「將選取範圍擴大」，按下**排序**鈕。

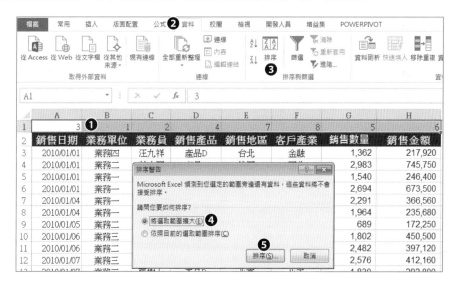

04 按下**排序**對話方塊中的**選項**；接著，在**排序選項**對話方塊中點選「循列排序」，並按下**確定**。

05 在**排序**對話方塊中，選取「列 1」，其餘設定採預設值，按下**確定**。

06 回到資料庫，即可看到欄位調整之後的結果，最後再將第一列移除即可。

Tips

在下圖**排序警告**對話方塊中的兩個選項：「將選取範圍擴大」與「依照目前的選取範圍排序」，兩者有何不同？

- **將選取範圍擴大**：雖然排序的範圍只選取 A1:H1，選擇此項之後，Excel 會自動擴大選取範圍到整個資料庫，這樣在排序時，欄位中的所有內容才會跟著移動。

- **依照目前的選取範圍排序**：只有 A1:H1 中的數字會左右移動，第一列下方的所有資料都會原封不動的停在原處，成為無效的排序動作。

3.3 資料庫的分組統計

前面章節介紹了**清單**的應用，其中也談到了可以利用**清單**「合計列」的功能來快速統計資料庫，但是此種方法卻不能直接用來做資料庫的**分組統計**。因此，Excel 另外提供了「小計」的功能，用來做資料庫的**分組統計**；要注意的是，在執行**小計**之前，用來分組的欄位一定要先排序，否則會得到錯誤的結果。

3.3.1 單一欄位的小計

若想要統計各**業務單位**的**銷售金額**分別是多少，只需用單一欄位做資料分組統計即可，其操作步驟如下：

01 點選**業務單位**欄位中的任意儲存格，點按**資料**索引標籤 / **排序與篩選**群組 / **從最小到最大排序**按鈕。

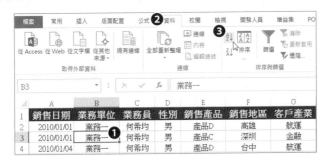

02 點按**資料**索引標籤 / **大綱**群組 / **小計**；在**小計**對話方塊中，**分組小計欄位**選擇「業務單位」；在**新增小計位置**中勾選「銷售金額」，其餘設定使用預設值，再按下**確定**。

03 隨即可以看到如下圖之部份結果，下圖左上方的按鈕「1、2、3」稱為**大綱鈕**，左邊的垂直黑線稱為**群組**的連接線。

		A	B	C	D	E	F	G	H	I
	1	銷售日期	業務單位	業務員	性別	銷售產品	銷售地區	客戶產業	銷售數量	銷售金額
	2	2010/01/01	業務一	何希均	男	產品D	高雄	航運	1,540	246,400
	3	2010/01/01	業務一	何希均	男	產品C	深圳	金融	2,694	673,500
	4	2010/01/04	業務一	何希均	男	產品D	台中	航運	2,291	366,560
	5	2010/01/04	業務一	楊柏森	男	產品A	上海	航運	1,964	235,680
	6	2010/01/08	業務一	汪九祥	女	產品B	高雄	服務	886	177,200
	7	2010/01/11	業務一	古進雄	男	產品D	台中	金融	579	92,640
	8	2010/01/22	業務一	汪九祥	女	產品B	台北	航運	2,331	466,200
	9	2010/01/22	業務一	何希均	男	產品B	桃園	化工	706	141,200
	10	2010/01/22	業務一	汪九祥	女	產品A	北京	生技	2,996	359,520

04 您可以透過畫面左上方的「大綱按鈕 1、2、3」來檢視不同的資料架構，當您按下「1」，會顯示整個資料庫的銷售總金額。

		A	B	C	D	E	F	G	H	I
	1	銷售日期	業務單位	業務員	性別	銷售產品	銷售地區	客戶產業	銷售數量	銷售金額
	1986		總計							687,649,790
	1987									

05 當您按下「2」，會顯示各業務單位的銷售總金額，下圖左邊的「+」號可以展開各業務單位的細部資料；「-」號可以摺疊被展開的資料。

		A	B	C	D	E	F	G	H	I
	1	銷售日期	業務單位	業務員	性別	銷售產品	銷售地區	客戶產業	銷售數量	銷售金額
	560		業務一 合計							196,751,070
	1067		業務二 合計							174,053,930
	1558		業務三 合計							167,643,060
	1985		業務四 合計							149,201,730
	1986		總計							687,649,790

06 當您按下上圖**業務一**左邊的「+」號時，**業務一**的所有記錄都被展開來，同時在此分組的最下方多了一列，用來顯示**業務一**的**銷售金額**合計數字。

		A	B	C	D	E	F	G	H	I
	552	2014/03/11	業務一	張樹人	男	產品C	北京	生技	2,237	559,250
	553	2014/03/12	業務一	林大明	男	產品B	台中	食品	1,175	235,000
	554	2014/03/13	業務一	吳曉君	女	產品A	高雄	化工	2,676	321,120
	555	2014/03/14	業務一	蔡玲玲	女	產品C	桃園	服務	1,950	487,500
	556	2014/03/14	業務一	汪九祥	女	產品D	桃園	電子	598	95,680
	557	2014/03/21	業務一	蔡玲玲	女	產品A	台南	化工	1,750	210,000
	558	2014/03/21	業務一	蔡玲玲	女	產品B	高雄	教育	961	192,200
	559	2014/03/24	業務一	古進雄	男	產品C	台中	汽車	2,300	575,000
	560		業務一 合計							196,751,070
	561	2010/01/01	業務二	林大明	男	產品C	桃園	百貨	2,983	745,750
	562	2010/01/05	業務二	何希均	男	產品C	桃園	食品	689	172,250

Tips

- 如要取消小計的結果，回到原資料庫的格式，請點選資料庫中的任意儲存格，再按下**資料**索引標籤／**大綱**群組／**小計**，並在**小計**對話方塊中，按下**全部移除**即可（如左下圖所示）。

- 取消小計時，如果點選資料庫之外的儲存格，將會無法移除小計，並且出現如右下圖的訊息。

- 在**小計**對話方塊中，您可以在**使用函數**選單中，選取不同的計算方式。

3.3.2 多重欄位的小計

如果要用兩個以上的欄位來做資料的分組小計，就必須先同時排序這些欄位，然後再分多次來執行**小計**。

我們就以兩個欄位來做多重欄位的分組小計練習，例如要以**業務單位**與**銷售產品**兩個欄位來做分組小計，請參考下列操作步驟：

01 點選資料庫中的任意儲存格，點按**資料**索引標籤 / **排序與篩選**群組 / **排序**按鈕。

02 在**排序**對話方塊的欄清單中，點選「業務單位」，其餘設定使用預設值；再按下**新增層級**，在**次要排序方式**的欄選單中，點選「銷售產品」，其餘設定使用預設值，按下**確定**。

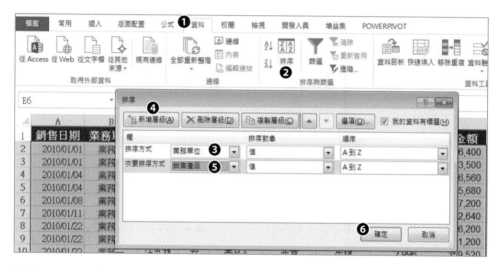

03 點按**資料**索引標籤 / **大綱**群組 / **小計**；在**小計**對話方塊中，**分組小計欄位**選擇「業務單位」；在**新增小計位置**中勾選「銷售金額」，其餘設定使用預設值，再按下**確定**。

04 點按**資料**索引標籤／**大綱**群組／**小計**；在**小計**對話方塊中，**分組小計欄位**選擇「銷售產品」；取消勾選「取代目前小計」，其餘設定使用預設值，再按下**確定**。

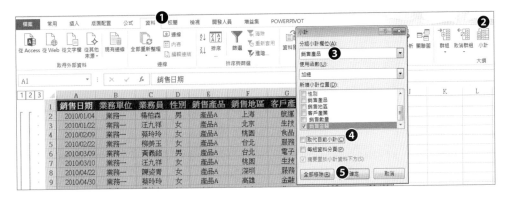

05 下列四張圖中，是依序分別按下圖中左上方的**大綱按鈕**「1、2、3、4」之後，所展現的分組小計結果。

1 2 3 4		A	B	C	D	E	F	G	H	I
	1	銷售日期	業務單位	業務員	性別	銷售產品	銷售地區	客戶產業	銷售數量	銷售金額
+	2002		總計							687,649,790
	2003									

1 2 3 4		A	B	C	D	E	F	G	H	I
	1	銷售日期	業務單位	業務員	性別	銷售產品	銷售地區	客戶產業	銷售數量	銷售金額
+	564		業務一 合計							196,751,070
+	1075		業務二 合計							174,053,930
+	1570		業務三 合計							167,643,060
+	2001		業務四 合計							149,201,730
−	2002		總計							687,649,790

1 2 3 4		A	B	C	D	E	F	G	H	I
	1	銷售日期	業務單位	業務員	性別	銷售產品	銷售地區	客戶產業	銷售數量	銷售金額
+	130					產品A 合計				29,844,000
+	254					產品B 合計				45,831,800
+	403					產品C 合計				72,811,750
+	563					產品D 合計				48,263,520
−	564		業務一 合計							196,751,070
+	662					產品A 合計				19,572,120
+	791					產品B 合計				45,680,800
+	916					產品C 合計				60,695,250
+	1074					產品D 合計				48,105,760
−	1075		業務二 合計							174,053,930
+	1188					產品A 合計				25,882,200
+	1319					產品B 合計				50,005,600
+	1449					產品C 合計				58,573,500
+	1569					產品D 合計				33,181,760
−	1570		業務三 合計							167,643,060
+	1658					產品A 合計				19,304,880
+	1761					產品B 合計				39,154,000
+	1882					產品C 合計				53,857,250
+	2000					產品D 合計				36,885,600
−	2001		業務四 合計							149,201,730

1 2 3 4		A	B	C	D	E	F	G	H	I
	1	銷售日期	業務單位	業務員	性別	銷售產品	銷售地區	客戶產業	銷售數量	銷售金額
	2	2010/01/04	業務一	楊柏森	男	產品A	上海	航運	1,964	235,680
	3	2010/01/22	業務一	汪九祥	女	產品A	北京	生技	2,996	359,520
	4	2010/02/09	業務一	蔡玲玲	女	產品A	桃園	食品	668	80,160
	5	2010/02/22	業務一	柳美玉	女	產品A	台北	服務	980	117,600
	6	2010/03/09	業務一	黃義銘	男	產品A	台北	電子	2,428	291,360
	7	2010/03/10	業務一	汪九祥	女	產品A	桃園	生技	2,497	299,640
	8	2010/04/22	業務一	陳姿青	女	產品A	深圳	服務	2,046	245,520
	9	2010/04/30	業務一	蔡玲玲	女	產品A	高雄	金融	567	68,040
	10	2010/05/03	業務一	楊柏森	男	產品A	台中	化工	1,054	126,480
	11	2010/05/07	業務一	林大明	男	產品A	台南	汽車	1,460	175,200
	12	2010/05/26	業務一	汪九祥	女	產品A	台中	汽車	508	60,960
	13	2010/06/01	業務一	何希均	男	產品A	台北	生技	2,635	316,200
	14	2010/07/07	業務一	林大明	男	產品A	台南	化工	542	65,040
	15	2010/07/12	業務一	林大明	男	產品A	桃園	電子	2,488	298,560
	16	2010/09/06	業務一	何希均	男	產品A	台南	百貨	2,555	306,600
	17	2010/09/08	業務一	林大明	男	產品A	高雄	百貨	577	69,240
	18	2010/09/20	業務一	古進雄	男	產品A	深圳	百貨	1,060	127,200
	19	2010/09/24	業務一	吳曉君	女	產品A	桃園	航運	569	68,280
	20	2010/09/29	業務一	張樹人	男	產品A	高雄	教育	2,386	286,320
	21	2010/10/25	業務一	吳曉君	女	產品A	台北	百貨	658	78,960

Tips

- 在步驟 4 中，取消勾選「取代目前小計」是很重要的動作，如果不這麼做，第二次做的分組小計，將會蓋掉第一次分組小計的數字；同樣的，第三次做的分組小計，也會蓋掉第二次分組小計的數字；因此，從第二次的分組小計開始，都要取消勾選「取代目前小計」。

- 不管做了幾層的分組小計，只要點按**小計**對話方塊中的**全部移除**，就可移除所有的小計結果，回到原來資料庫的格式。

3.4 資料篩選

您可以透過「篩選」的功能來過濾資料庫中的記錄，找出想看的資料內容，不合乎篩選準則的記錄，會被隱藏起來。Excel 提供了兩種篩選資料的方式：一種是「自動篩選」，適合較簡單的過濾條件；另一種是「進階篩選」，適合較複雜的過濾條件。

3.4.1 自動篩選

自動篩選可以讓我們在一個或多個欄位中，依據設定或選用的**準則**來顯示某一類型的資料，您還可以將合乎篩選準則的資料記錄，複製到指定的位置。

準則中的規範

在篩選準則中可以使用通配字元**星號「＊」**以及**問號「？」**，如此可讓準則變得更有彈性，星號表示「不限字數、不限內容」，問號則是「一個問號對應一個字元、不限內容」，使用方法請參考下表。

篩選準則	說明	篩選出來的結果
＊北＊	找出欄位中內含「北」的記錄	台北、北京、新北市
＊北	找出欄位中最後一個字為「北」的記錄	台北、東北
<>＊北	找出欄位中最後一個字不是「北」的記錄	台南、高雄
北＊	找出欄位中第一個字為「北」的記錄	北京、北極熊
？北？	找出長度為三個字，第二個字必須是「北」的記錄	台北市、新北市
????	找出長度為四個字的記錄	中部地區
~?	找出欄位中內含問號的記錄	?
=	找出欄位中為空白的記錄	
<>	找出欄位中不是空白的記錄	

在準則中，可以使用下列之**比較運算子**：

運算子	說明	舉例	說明
=	等於	=500	找出等於 500 的記錄
>	大於	>500	找出大於 500 的記錄
>=	大於或等於	>=500	找出大於或等於 500 的記錄
<	小於	<500	找出小於 500 的記錄
<=	小於或等於	<=500	找出小於或等 500 的記錄
<>	不等於	<> 500	找出不等於 500 的記錄

文字的自動篩選

若想要在**銷售地區**欄位中篩選出「上海」和「台北」的資料，操作步驟如下：

`01` 點選資料庫中的任意儲存格，點按**資料**索引標籤 / **排序與篩選**群組 / **篩選**，此時每個欄位的右邊都會看到**篩選**按鈕。

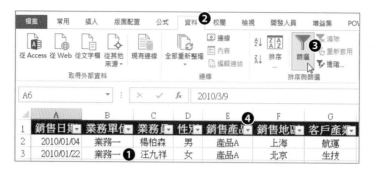

02 點按**銷售地區**欄位右邊的**篩選**按鈕，並在下圖城市名稱選單中，勾選台北和上海，再按下**確定**。

03 篩選出來的記錄，其左邊的列號是跳號的，這就表示只要不是台北或上海的資料，都被隱藏起來了；此時**銷售**地區欄右邊的**篩選**按鈕，也變成了漏斗形狀。

	A	B	C	D	E	F	G	H	I
1	銷售日期	業務單位	業務員	性別	銷售產品	銷售地區	客戶產業	銷售數量	銷售金額
5	2010/01/01	業務四	汪九祥	女	產品D	台北	金融	1,362	217,920
6	2010/01/04	業務一	楊柏森	男	產品A	上海	航運	1,964	235,680
17	2010/01/12	業務三	汪九祥	女	產品A	台北	服務	2,724	326,880
18	2010/01/14	業務二	黃義銘	男	產品A	台北	教育	967	116,040
32	2010/01/21	業務三	林大明	男	產品C	台北	食品	1,867	466,750
33	2010/01/21	業務四	黃義銘	男	產品C	台北	生技	2,015	503,750
36	2010/01/22	業務三	汪九祥	女	產品B	台北	航運	2,331	466,200
43	2010/01/26	業務三	柳美玉	女	產品B	台北	紡織	1,639	327,800
50	2010/02/03	業務二	楊柏森	男	產品A	台北	百貨	2,313	277,560

04 選取 A5:I50 範圍中的資料，按下複製鍵 Ctrl+C，可以發現每個虛線框都是獨立的，這意謂者：若將此範圍中的資料複製到他處時，不會帶到不相干的記錄。

	A 銷售日期	B 業務單位	C 業務員	D 性別	E 銷售產品	F 銷售地區	G 客戶產業	H 銷售數量	I 銷售金額
5	2010/01/01	業務四	汪九祥	女	產品D	台北	金融	1,362	217,920
6	2010/01/04	業務一	楊森	男	產品A	上海	航運	1,964	235,680
17	2010/01/12	業務一	汪九祥	女	產品A	台北	服務	2,724	326,880
18	2010/01/14	業務二	黃義銳	男	產品A	台北	教育	967	116,040
32	2010/01/21	業務三	林大明	男	產品C	台北	食品	1,867	466,750
33	2010/01/21	業務四	黃義銳	男	產品C	台北	生技	2,015	503,750
36	2010/01/22	業務一	汪九祥	女	產品B	台北	航運	2,331	466,200
43	2010/01/26	業務三	柳美玉	女	產品B	台北	紡織	1,639	327,800
50	2010/02/03	業務二	楊柏森	男	產品A	台北	百貨	2,313	277,560

上述的做法是直接勾選要留用的選項，來完成資料的篩選；如果要勾選的項目非常多，這樣的方法就顯得沒有效率了；下面要介紹更有效率的做法。

例如要在下圖中找出姓名是兩個字的業務員，而不是在左下圖中一個一個的去勾選，所以做法應該是：

01 點按**業務員**欄位上的**篩選**按鈕，在**搜尋**方塊中輸入兩個問號「**??**」，左下圖中原有的業務員名單，立刻消失不見；成為中下圖的結果，其中只出現兩個字的業務員姓名，按下**確定**，隨即看到資料庫中的**業務員**欄位，只顯示兩個字的姓名，如右下圖。

02 或者您也可以在點按**業務員**欄位上的**篩選**按鈕之後,再點按**文字篩選 / 等於**;接著在**自訂自動篩選**對話方塊中,輸入兩個問號「**??**」,再按下**確定**即可。

Tips

▸ 要取消「銷售地區」欄的篩選,只要點按欄位右邊的**篩選**按鈕,再點選「清除 " 銷售地區 " 的篩選」即可(如左下圖)。如果針對兩個以上的欄位進行篩選,再點按一次**資料**索引標籤 / **排序與篩選**群組 / **篩選**,即可同時取消所有的篩選(如右下圖)。

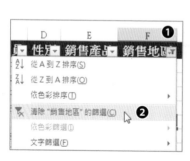 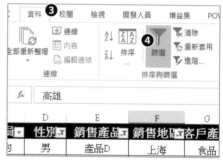

日期的自動篩選

針對日期的篩選,為節省篇幅,此處不再展現篩選的結果,僅介紹篩選準則的種類和用法,請您自行測試並觀察結果。

▸ 若只顯示要指定年度的資料,請在左下圖中點按**銷售日期**欄的**篩選**按鈕之後,在右下圖中,勾選要顯示的年份即可。

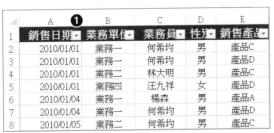

▶ 您可以展開年度的選單，勾選要顯示的月份，例如勾選 2013 與 2014 年的二月與三月（如左下圖）；也可以展開並勾選各月份之下的日期（如右下圖）。

▶ 如果只想顯示歷年各月份中 12 日這一天的資料，您可以在**搜尋**方塊中直接輸入「12」，再按一下**搜尋**方塊右邊的按鈕，在「年、月、日期」的選單中點選「日期」，再按下**確定**即可（如左下圖）；在**搜尋**方塊中輸入「12」之後，若點選「年」，則 Excel 只會勾選 2012 年這一個年度（如右下圖）。

▶ 如您在**搜尋**方塊中只輸入「3」這個數字,當您在「年、月、日期」的選單中點選「日期」時,Excel 會將所有內含「3」這個數字的日期,全部勾選出來(如左下圖)。

▶ 當您點按右下圖的**日期篩選**時,Excel 會展現第二層的日期篩選準則項目;若您點選第二層下方的「週期中的所有日期」時,隨即展現第三層的篩選準則來讓您選擇。

▶ 點按左下圖的**日期篩選**之後,再點選第二層準則下方的「自訂篩選」,就可以在**自訂自動篩選**對話方塊中,設定篩選的日期區間(如右下圖)。

Tips

您可以在**自訂自動篩選**對話方塊中，使用萬年曆來自動填入日期；若按下萬年曆中的「今天」按鈕，可直接輸入目前日期。

數字的自動篩選

相對於日期，Excel 內建的數字篩選準則就比較少了，這也表示數字的篩選是比較容易的。以**銷售數量**欄為例，當我們點按**銷售數量**欄的**篩選**按鈕之後，接著點按**清單**中的**數字篩選**，Excel 隨即展現數字篩選的準則，由於看起來都不是太困難，所以在此僅介紹「前 10 項」以及「自訂篩選」這兩種篩選準則的使用方法。

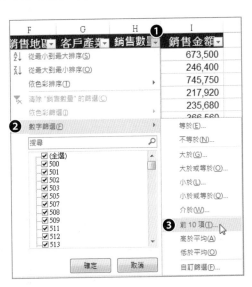

若要篩選出**銷售數量**欄位中，最大三個數字的基本資料，可以這麼做：

01 在上圖中點按「前 10 項」，在**自動篩選前 10 項**對話方塊中，參考下圖的設定，再按下**確定**。

02 資料庫中**銷售數量**前三大的資料都被篩選了出來。

	A	B	C	D	E	F	G	H	I
1	銷售日期	業務單位	業務員	性別	銷售產品	銷售地區	客戶產業	銷售數量	銷售金額
898	2011/11/04	業務二	張樹人	男	產品C	桃園	生技	3,267	816,750
1045	2012/03/02	業務二	林大明	男	產品C	台北	汽車	3,268	817,000
1841	2013/12/13	業務一	林大明	男	產品D	桃園	百貨	3,267	522,720

若要篩選銷售金額在 500000~800000 之間的數字，可用**自訂篩選**的方式來找出相關的資料。

01 點按**資料**索引標籤 / **排序與篩選**群組 / **篩選**，再點按**銷售金額**欄右邊的**篩選**按鈕。

02 點按**數字篩選** / **自訂篩選**，在右下圖的**自訂自動篩選**對話方塊中，完成如圖中的設定，再按下**確定**。

03 此時**銷售金額**欄中看到的數字一定介於 500000~800000 之間。

	A	B	C	D	E	F	G	H	I
1	銷售日期	業務單位	業務員	性別	銷售產品	銷售地區	客戶產業	銷售數量	銷售金額
2	2010/01/01	業務一	何希均	男	產品C	深圳	金融	2,694	673,500
4	2010/01/01	業務二	林大明	男	產品C	桃園	百貨	2,983	745,750
16	2010/01/11	業務三	張樹人	男	產品B	台中	百貨	2,973	594,600
25	2010/01/19	業務二	吳曉君	女	產品D	桃園	食品	3,258	521,280
26	2010/01/19	業務三	林大明	男	產品C	高雄	化工	2,473	618,250
29	2010/01/20	業務二	陳姿青	女	產品C	台南	化工	2,182	545,500

要篩選介於兩個數字或兩個日期之間的資料時，可以在**數字篩選**的選單中，點選**介於**或者**自訂篩選**，因為此兩者顯示的畫面（如右下圖）都是一樣的。

3.4.2 進階篩選

自動篩選可讓您輕鬆的在資料庫中挑出想要的資料，但是，碰到複雜的篩選條件，**自動篩選**就無法應付了，因為，自動篩選在單一欄位中，最多只能設定兩組準則，雖然可以使用**通配字元**，但也不足以滿足複雜的準則設定。

Excel **進階篩選**的功能，可以在單一欄位設定多重篩選條件。在使用**進階篩選**之前，最好先了解執行進階篩選的三部曲：

▶ 複製資料庫中用來設定篩選條件的**欄位名稱**到資料庫右方空白處，作為設定**篩選準則**的依據，並且與資料庫之間至少空一欄。

▶ 設定篩選**準則**。

▶ 執行**進階篩選**。

進階篩選之一 ─ 基礎應用

現在要依據下列四種條件來篩選資料，並在原地顯示篩選結果：

▶ 銷售日期：2013 年（含）之後的所有資料

▶ 銷售縣市：台北市、新北市、台中市、台南市以及高雄市

▶ 客戶產業：金融

▶ 銷售金額：大於 400000 以上者

由於同一個欄位中，包含兩個以上的條件準則，所以必須使用進階篩選來完成，如果能再配合**名稱**來設定資料庫所在的範圍，就更理想了。

01 建立資料庫名稱。點選資料庫中任意儲存格，按下 Ctrl+A，點按**公式 / 已定義之名稱**群組 / **定義名稱**；接著在**新名稱**對話方塊中的**名稱**輸入「銷售記錄」，按下**確定**。

02 複製資料庫中的欄位名稱**銷售日期**、**銷售縣市**、**客戶產業**以及**銷售金額**。按住 Ctrl 鍵，點選 A1、G1、H1、J1 儲存格，按下 Ctrl+C，點按 L1 按下 Ctrl+V 完成欄位名稱的複製。

銷售縣市	客戶產業	銷售數量	銷售金額		銷售日期	銷售縣市	客戶產業	銷售金額
台北市	金融	2,694	673,500					
台南市	航運	1,540	246,400					

03 在 L2:O6 的儲存格中，輸入如下圖的條件準則。

銷售日期	銷售縣市	客戶產業	銷售金額
>=2013/1/1	台北市	金融	>400000
>=2013/1/1	新北市	金融	>400000
>=2013/1/1	台中市	金融	>400000
>=2013/1/1	台南市	金融	>400000
>=2013/1/1	高雄市	金融	>400000

04 點選資料庫中的任意儲存格，點按**資料**索引標籤 / **排序與篩選**群組 / **進階**。

05 在**進階篩選**對話方塊中，點選「在原有範圍顯示篩選結果」；在**資料範圍**文字方塊中輸入「銷售記錄」；在**準則範圍**文字方塊中點按一下，選取 L1:O6 的範圍，按下**確定**。

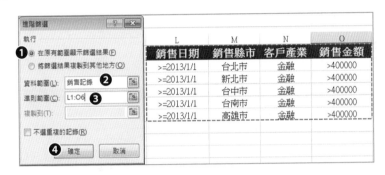

06 篩選出來的記錄，如下圖所示。

	C	D	E	F	G	H	I	J
1	業務員	性別	銷售產品	銷售地區	銷售縣市	客戶產業	銷售數量	銷售金額
1511	王文軒	男	產品D	北部	新北市	金融	2,684	429,440
1529	陳姿青	女	產品C	北部	台北市	金融	1,867	466,750
1601	黃英	男	產品C	北部	台北市	金融	3,059	764,750
1620	黃英	男	產品D	中部	台中市	金融	2,702	432,320
1740	柳美玉	女	產品D	北部	新北市	金融	2,981	596,200
1743	黃英	男	產品C	北部	新北市	金融	2,637	659,250
1763	吳曉君	女	產品B	中部	台中市	金融	2,464	492,800
1788	古進雄	男	產品B	南部	台南市	金融	2,624	524,800
1810	蔡玲玲	女	產品B	南部	台南市	金融	2,278	455,600
1866	楊柏森	男	產品C	南部	高雄市	金融	2,360	590,000
1967	楊柏森	男	產品D	中部	台中市	金融	3,264	522,240
1975	蔡玲玲	女	產品B	中部	台中市	金融	2,737	547,400
1978	林坤池	男	產品B	北部	台北市	金融	2,153	430,600

進階篩選之二 ─ 複製指定欄位的內容

如果要將篩選結果複製到其他儲存格，而不是原地顯示篩選結果，並且在篩選出來的記錄中，只能看到**銷售日期**、**業務單位**、**銷售縣市**以及**銷售金額**等四個欄位的內容，而不要顯示其他欄位內容。另外，篩選的準則要求如下：

▸ 銷售日期：2013 年全年

▸ 銷售縣市：台北市、新北市

▸ 客戶產業：金融

▸ 銷售金額：介於 400000~600000 之間

要滿足上列需求的操作步驟如下：

`01` 建立資料庫名稱。點選資料庫中任意儲存格，按下 Ctrl+A，點按公式 / 已定義之名稱群組 / 定義名稱；接著在新名稱對話方塊中的名稱輸入「銷售記錄」，按下確定（此步驟若已在前範例中做過，可省略）。

`02` 複製資料庫中的欄位名稱到 L1:Q1 儲存格，成為如下圖的結果，其中銷售日期以及銷售金額欄位要各複製兩次。

	L	M	N	O	P	Q
	銷售日期	銷售日期	銷售縣市	客戶產業	銷售金額	銷售金額

`03` 在 L2:O3 的儲存格中，輸入如下圖的條件準則；再複製如下圖 L9:O9 儲存格中的欄位名稱，作為複製資料的依據。

	L	M	N	O	P	Q
	銷售日期	銷售日期	銷售縣市	客戶產業	銷售金額	銷售金額
	>=2013/1/1	<=2013/12/31	台北市	金融	>=400000	<=600000
	>=2013/1/1	<=2013/12/31	新北市	金融	>=400000	<=600000
	銷售日期	業務單位	銷售縣市	銷售金額		

`04` 點選資料庫中的任意儲存格，點按資料索引標籤 / 排序與篩選群組 / 進階。

`05` 在進階篩選對話方塊中，點選「將篩選結果複製到其他地方」；在資料範圍文字方塊中輸入「銷售記錄」；在準則範圍文字方塊中點按一下，選取 L1:O3 的範圍，在複製到文字方塊中點按一下，選取 L9:O9 的範圍，按下確定，即可看到如右下圖 L9:O12 的結果。

進階篩選		
執行		

○ 在原有範圍顯示篩選結果(F)

❶ ● 將篩選結果複製到其他地方(O)

資料範圍(L): 銷售記錄 ❷

準則範圍(C): $L$1:$Q$3 ❸

複製到(T): $L$9:$O$9 ❹

□ 不選重複的記錄(R)

❺ 確定　　取消

	J	K	L	M	N	O	P	Q
1	銷售金額		銷售日期	銷售日期	銷售縣市	客戶產業	銷售金額	銷售金額
2	673,500		>=2013/1/1	<=2013/12/31	台北市	金融	>=400000	<=600000
3	246,400		>=2013/1/1	<=2013/12/31	新北市	金融	>=400000	<=600000
4	745,750							
	397,120		銷售日期	業務單位	銷售縣市	銷售金額		
10	450,500		2013/03/29	業務四	新北市	429,440		
11	292,800		2013/04/12	業務四	台北市	466,750		
12	412,160		2013/09/23	業務二	新北市	596,200		

Tips

- 凡是介於**兩個日期**或**兩個數字**之間的準則，一定要複製兩個相同的欄位，當作設定**級距**的依據。

- 左右排列的欄位準則，代表各欄之間的條件，必須同時成立（代表 AND 的關係）；上下排列的準則條件則表示上、下只要有任何一組條件成立即可（代表 OR 的關係）。

進階篩選之三 — 挑出不重複的資料內容

雖然在第 2 章「2.4.4 自訂清單在資料排序上的應用」一節中曾經談到如何在資料庫欄位中挑出不重複的資料，但是本節介紹的是更完整的觀念和實務應用。

我們都知道，使用函數透過資料庫作資料分析時，首先必須建置報表結構，下圖右邊的表格，即是配合資料庫建置的一個簡單的報表架構，用以統計各縣市在各產品上的銷售總金額。

I 銷售數量	J 銷售金額	K	L	M 產品A	N 產品B	O 產品C	P 產品D
2,694	673,500						
1,540	246,400		台北市				
2,983	745,750		台南市				
1,362	217,920		台中市				
1,964	235,680		新北市				
2,291	366,560		高雄市				
689	172,250		新竹縣				
2,482	397,120		台東縣				
1,802	450,500		嘉義縣				
1,830	292,800		花蓮縣				
2,576	412,160		苗栗縣				
886	177,200		屏東縣				
2,483	397,280		彰化縣				

然而企業使用者，常用的方法是複製舊報表的內容到新工作表中，然後將其中的數字刪掉，就成為可以再利用的報表架構，並在其中設定函數來完成計算。

要注意的是，這樣的做法，是有一定風險的。因為資料庫的記錄可能隨時會增加或修改，如果新增的記錄中，正好有新產品的名稱登錄在其中，如果不臨時做出一個最新的報表架構，而去沿用舊的架構，豈不是會造成錯誤且有漏失的統計結果？因此建議大家，要對資料庫做分析時，請養成習慣「**經由資料庫欄位內容，重新建置最新的報表架構，不要沿用舊的格式**」。

此時，要在欄位中過濾出不重複的資料，最簡單而有效率的方法，就是使用**進階篩選**的功能。例如，要從**銷售縣市**欄和**銷售產品**欄中分別挑出不重複的縣市名稱和產品名稱，做成報表結構，請參考下列操作步驟：

01 點按**資料**索引標籤 / **排序與篩選**群組 / **進階**。

02 在**進階篩選**對話方塊中，點選「將篩選結果複製到其他地方」；在**資料範圍**文字方塊中輸入「G:G」；在**複製到**文字方塊中輸入「L2」；勾選「不選重複的記錄」，按下**確定**，即可看到下圖 L 欄中的結果。

03 點按**資料**索引標籤 / **排序與篩選**群組 / **進階**。

04 在**進階篩選**對話方塊中，點選「將篩選結果複製到其他地方」；在**資料範圍**文字方塊中輸入「E:E」；在**複製到**文字方塊中輸入「M3」；勾選「不選重複的記錄」，按下**確定**，即可看到右圖 M 欄中的結果。

05 選取 M4:M7 的範圍,按下 Ctrl+C,再點選 M2 儲存格,點按**常用**索引標籤 / **剪貼簿**群組 / **貼上** / **轉置**,隨即看到產品名稱由直式排列成橫式。再清除 M3:M7 以及 L2 中的文字和顏色,即成為如右下圖的報表架構。

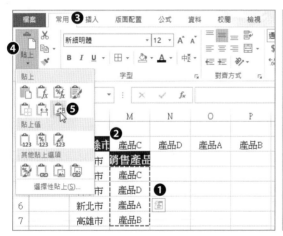

L	M	N	O	P
	產品C	產品D	產品A	產品B
台北市				
台南市				
台中市				
新北市				
高雄市				
新竹縣				
台東縣				
嘉義縣				
花蓮縣				
苗栗縣				
屏東縣				
彰化縣				

進階篩選之四 — 篩選準則中使用邏輯判斷

在設定進階篩選準則的過程中,標準的做法是需要先複製資料庫的欄位名稱到另一個位置,並在其下輸入準則內容。

L 銷售日期	M 銷售日期	N 銷售縣市	O 客戶產業	P 銷售金額	Q 銷售金額
>=2013/1/1	<=2013/12/31	台北市	金融	>=400000	<=600000
>=2013/1/1	<=2013/12/31	新北市	金融	>=400000	<=600000
2014/3/26		高雄	電子		

另有一種更簡潔有力的準則設定方式，就是以公式所產生邏輯判斷作為篩選資料的準則，其優點為：

▶ 將複雜且多行的準則條件簡化成一行公式。

▶ 不必複製欄位名稱到空白處。

▶ 使用自訂欄位名稱的方式來讓篩選條件的意涵更為清楚。

下圖即為自訂欄位名稱並在其下設定邏輯判斷的五組準則：

	L	M	N	O	P
	北部地區的銷售資料		銷售金額排名前5的資料		大於平均銷售金額的資料
	TRUE		FALSE		TRUE
	高雄市服務業的資料		各年度第4季的銷售資料		
	FALSE		FALSE		

這五組準則的設定方式，分述如下：

■「北部地區的銷售資料」準則設定

1. 在 L1 儲存格中輸入自訂的欄位名稱「北部地區的銷售資料」。
2. 在 L2 儲存格中輸入公式「=F2=" 北部 "」。

Excel 會用**銷售地區**欄之下的 F2 儲存格的內容來判斷是否為「北部」，如果是「北部」就傳回 TRUE 到 L2 儲存格中；如果不是「北部」，就傳回 FALSE 到 L2 儲存格中，所以在 L2 儲存格中顯示的「FALSE」，只是針對 F2 單一儲存格判斷的結果；至於 F 欄的其他儲存格怎麼辦呢？不用擔心，在執行進階篩選時，Excel 會依此準則從 F2 一直判斷到 F1981（資料庫最後一筆記錄）為止，並會將 FALSE 的記錄逐一隱藏，只給我們看屬於 TRUE 的記錄。

因此在 L1 與 L2 儲存格中完成準則設定之後，後續的操作步驟如下：

01 點選資料庫中的任意儲存格，再點按**資料**索引標籤 / **排序與篩選**群組 / **進階**。

02 在**進階篩選**對話方塊中，使用預設選項「在原有範圍顯示篩選結果」；在**資料範圍**文字方塊中會自動擷取整個資料庫的範圍「$A$1:$J$1981」；選取「$L$1:$L$2」作為**準則範圍**，按下**確定**。

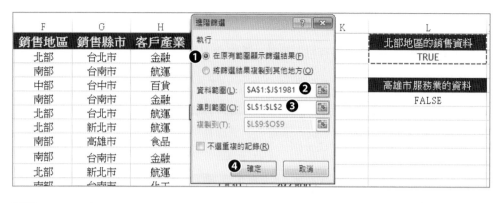

03 下圖為篩選出來的部份記錄，其中的**銷售地區**欄（F欄）顯示的都是北部的資料。

	B	C	D	E	F	G	H	I	J
1	業務單位	業務員	性別	銷售產品	銷售地區	銷售縣市	客戶產業	銷售數量	銷售金額
2	業務一	林大明	男	產品C	北部	台北市	金融	2,694	673,500
6	業務一	蔡玲玲	女	產品A	北部	台北市	航運	1,964	235,680
7	業務三	張杰	男	產品D	北部	新北市	航運	2,291	366,560
10	業務三	汪九祥	男	產品C	北部	新北市	航運	1,802	450,500
12	業務四	陳姿青	女	產品D	北部	新北市	電子	2,576	412,160
13	業務一	黃英	男	產品B	北部	新北市	服務	886	177,200
14	業務二	柳美玉	女	產品D	北部	台北市	紡織	2,483	397,280
16	業務二	黃乙銘	男	產品B	北部	新竹縣	百貨	2,973	594,600
18	業務三	楊柏森	男	產品A	北部	新竹縣	教育	967	116,040
26	業務一	黃英	男	產品C	北部	新竹縣	化工	2,473	618,250

■「高雄市服務業的資料」準則設定

1. 在 L4 儲存格中輸入自訂的欄位名稱「高雄市服務業的資料」。
2. 在 L5 儲存格中輸入公式「=AND（G2=" 高雄市 ",H2=" 服務 "）」。

有關執行過程與運作原理，請參考第一個準則設定範例中的說明，在此僅說明 AND 函數的使用方法以及篩選之後的結果。

AND 為一邏輯函數，主要用來判斷兩種以上的條件是否同時成立，這是一個常被用到的重要函數。

公式「=AND（G2=" 高雄市 ",H2=" 服務 "）」執行時會先判斷**銷售縣市**欄之下的 G2 儲存格，是否為「高雄市」，再判斷**客戶產業**欄之下的 H2 儲存格，是否為「服務」，必須兩者都成立才會傳回「TRUE」到 L5 儲存格；只要有一個條件不成立，就會傳回「FALSE」。

在 L4 與 L5 儲存格中完成準則設定之後，後續的操作步驟如下：

01 點選資料庫中的任意儲存格，再點按**資料**索引標籤 / **排序與篩選**群組 / **進階**。

02 在**進階篩選**對話方塊中，使用預設選項「在原有範圍顯示篩選結果」；在**資料範圍**文字方塊中會自動擷取整個資料庫的範圍「$A$1:$J$1981」；選取「$L$4:$L$5」作為**準則範圍**，按下**確定**；下圖即為篩選出來的部份記錄：

	A	B	C	D	E	F	G	H	I	J
1	銷售日期	業務單位	業務員	性別	銷售產品	銷售地區	銷售縣市	客戶產業	銷售數量	銷售金額
286	2010/07/09	業務一	黃英	男	產品D	南部	高雄市	服務	3,157	505,120
375	2010/09/10	業務二	黃乙銘	男	產品C	南部	高雄市	服務	1,550	387,500
483	2010/12/07	業務一	古進雄	男	產品C	南部	高雄市	服務	1,985	496,250
613	2011/03/17	業務四	楊森	男	產品A	南部	高雄市	服務	2,225	267,000
617	2011/03/18	業務四	陳姿青	女	產品D	南部	高雄市	服務	739	118,240
640	2011/04/04	業務三	張杰	男	產品D	南部	高雄市	服務	1,909	305,440
678	2011/05/05	業務一	古進雄	男	產品B	南部	高雄市	服務	3,073	614,600
724	2011/06/17	業務一	吳曉君	女	產品D	南部	高雄市	服務	3,022	483,520
805	2011/08/26	業務一	林大明	男	產品B	南部	高雄市	服務	725	145,000
859	2011/10/11	業務四	吳曉君	女	產品A	南部	高雄市	服務	659	79,080

■「銷售金額排名前 5 的資料」準則設定

1. 在 N1 儲存格中輸入自訂的欄位名稱「銷售金額排名前 5 的資料」。
2. 在 N2 儲存格中輸入公式「=OR(J2=LARGE($J$2:$J$1981,{1,2,3,4,5}))」。

這是一個陣列公式，用到了 OR 和 LARGE 兩個函數，OR 也是邏輯函數，在眾多條件中，只要有一個條件成立，就會傳回 TRUE；只有全部的條件都不成立時，才會傳回 FALSE。

LARGE 函數會抓出指定範圍中第幾大的數字，例如 LARGE(J2:J1981,1) 會傳回 J2:J1981 範圍中第 1 大的數字，而 LARGE(J2:J1981,5) 則會傳回第 5 大的數字。由於在表示第幾大的第二個引數中，一次只能輸入一個數字來代表第幾大，所以，要連續處理前 5 大的數字時，就不能用這樣的語法：「=LARGE(J2:J1981,(1,2,3,4,5))」，而必須用 OR 和 LARGE 再加上陣列的手法和絕對位址，設定成為如下的公式：「OR(J2=LARGE($J$2:$J$1981,{1,2,3,4,5}))」。

這個公式運作方式是：LARGE 先連續執行五次，找出 $J$2:$J$1981 範圍中前 5 大的數字相關記錄所在的位置，暫存到電腦記憶體中，最後才用 OR 到記憶體，依前 5 大數字相關位置的記錄逐一提列出來。

其中要注意的是，在 {1,2,3,4,5} 的語法中，數字前後使用的是大括號。

在 N1 與 N2 儲存格中完成準則設定之後，後續的操作步驟如下：

`01` 點選資料庫中的任意儲存格，再點按**資料**索引標籤 / **排序與篩選**群組 / **進階**。

`02` 在**進階篩選**對話方塊中，使用預設選項「在原有範圍顯示篩選結果」；在**資料範圍**文字方塊中會自動擷取整個資料庫的範圍「$A$1:$J$1981」；選取「$N$1:$N$2」作為**準則範圍**，按下**確定**；下圖即為篩選出來的記錄：

	A	B	C	D	E	F	G	H	I	J
1	銷售日期	業務單位	業務員	性別	銷售產品	銷售地區	銷售縣市	客戶產業	銷售數量	銷售金額
185	2010/04/30	業務二	柳美玉	女	產品C	東部	花蓮縣	航運	3,247	811,750
220	2010/05/28	業務三	汪九祥	男	產品C	東部	花蓮縣	化工	3,247	811,750
898	2011/11/04	業務二	何希均	男	產品C	南部	台南市	生技	3,267	816,750
1045	2012/03/02	業務一	黃英	男	產品C	南部	高雄市	汽車	3,268	817,000
1796	2013/11/11	業務一	林大明	男	產品C	南部	台南市	百貨	3,265	816,250

如果不容易了解上述公式的語法，沒有關係，我們也可以使用較傳統的語法來設定此公式：=OR(J2=LARGE($J$2:$J$1981,1),J2=LARGE($J$2:$J$1981,2),J2=LARGE($J$2:$J$1981,3), J2=LARGE($J$2:$J$1981,4), J2=LARGE($J$2:$J$1981,5))

這是一個很長的公式，雖然執行的結果相同，但是設定的過程卻大不相同，親和力重要還是效率重要？留待大家思考囉！

■「各年度第 4 季的銷售資料」準則設定

1. 在 N4 儲存格中輸入自訂的欄位名稱「各年度第 4 季的銷售資料」。
2. 在 N5 儲存格中輸入公式「=OR(MONTH(A2)={10,11,12})」。

「各年度第 4 季的銷售資料」就是要提列每年 10、11、12 三個月份的資料，公式「=OR(MONTH(A2)={10,11,12})」也是一個陣列公式，利用 MONTH 與 OR 兩個函數來找出相關的記錄。

MONTH 用來傳回指定日期的月份，例如：「=MONTH("2014/3/1")」會傳回 3，「=MONTH(TODAY())」會傳回今天日期所屬的月份。

「=OR(MONTH(A2)={10,11,12})」表示只要顯示**銷售日期**欄中，月份是 10、11 以及 12 的相關記錄。

在 N4 以及 N5 儲存格中完成準則設定之後，後續的操作步驟如下：

`01` 點選資料庫中的任意儲存格，再點按**資料**索引標籤 / **排序與篩選**群組 / **進階**。

02 在**進階篩選**對話方塊中，使用預設選項「在原有範圍顯示篩選結果」；在**資料範圍**文字方塊中會自動擷取整個資料庫的範圍「$A$1:$J$1981」；選取「$N$4:$N$5」作為**準則範圍**，按下**確定**，下圖即為篩選出來的部份記錄：

	A	B	C	D	E	F	G	H	I	J
1	銷售日期	業務單位	業務員	性別	銷售產品	銷售地區	銷售縣市	客戶產業	銷售數量	銷售金額
400	2010/10/01	業務四	楊森	男	產品A	北部	新北市	百貨	523	62,760
401	2010/10/01	業務四	陳姿青	女	產品C	北部	新北市	食品	1,407	351,750
402	2010/10/04	業務二	張世凱	男	產品A	南部	高雄市	電子	1,640	196,800
403	2010/10/04	業務二	柳美玉	女	產品A	北部	台北市	汽車	2,048	512,000
404	2010/10/04	業務三	張杰	男	產品D	北部	台北市	生技	911	145,760
405	2010/10/06	業務四	陳姿青	女	產品B	中部	台中市	紡織	678	135,600
406	2010/10/06	業務一	古進雄	男	產品C	中部	台中市	紡織	1,738	434,500
407	2010/10/08	業務四	王文軒	男	產品D	南部	台南市	金融	1,097	175,520
408	2010/10/08	業務一	林大明	男	產品D	北部	台北市	航運	3,150	504,000
409	2010/10/08	業務一	古進雄	男	產品D	南部	高雄市	金融	2,959	473,440

■「大於平均銷售金額的資料」準則設定

1. 在 P1 儲存格中輸入自訂的欄位名稱「大於平均銷售金額的資料」。
2. 在 P2 儲存格中輸入公式「= J2>AVERAGE($J:$J)」。

AVERAGE 函數用來計算指定範圍數值的平均值，公式中 AVERAGE($J:$J) 是指平均整個 J 欄的數值，Exel 不會將文字和空白納入平均值的計算，所以可以直接使用「$J:$J」的引數。

在 P1 與 P2 儲存格中完成準則設定之後，後續的操作步驟如下：

01 點選資料庫中的任意儲存格，再點按**資料**索引標籤 / **排序與篩選**群組 / **進階**。

02 在**進階篩選**對話方塊中，使用預設選項「在原有範圍顯示篩選結果」；在**資料範圍**文字方塊中會自動擷取整個資料庫的範圍「$A$1:$J$1981」；選取「$P$1:$P$2」作為**準則範圍**，按下**確定**；下圖即為篩選出來的部份記錄：

	A	B	C	D	E	F	G	H	I	J
1	銷售日期	業務單位	業務員	性別	銷售產品	銷售地區	銷售縣市	客戶產業	銷售數量	銷售金額
2	2010/01/01	業務一	林大明	男	產品C	北部	台北市	金融	2,694	673,500
4	2010/01/01	業務三	林坤池	男	產品C	中部	台中市	百貨	2,983	745,750
7	2010/01/04	業務三	張杰	男	產品D	北部	新北市	航運	2,291	366,560
9	2010/01/06	業務三	楊柏森	男	產品D	南部	台南市	金融	2,482	397,120
10	2010/01/06	業務三	汪九祥	男	產品C	北部	新北市	航運	1,802	450,500
12	2010/01/07	業務四	陳姿青	女	產品C	北部	新北市	電子	2,576	412,160
14	2010/01/08	業務二	柳美玉	女	產品C	北部	台北市	紡織	2,483	397,280
16	2010/01/11	業務二	黃乙銘	男	產品B	北部	新竹縣	百貨	2,973	594,600
19	2010/01/14	業務三	汪九祥	男	產品B	南部	嘉義縣	生技	2,146	429,200
25	2010/01/19	業務二	柳美玉	女	產品D	東部	台東縣	食品	3,258	521,280

3.5 外部資料的應用

企業在做資料分析時，可能會從 ERP 系統下載資料，或者透過資訊單位取得資料，面對這些資料，經常會有使用者反應：「數字無法計算」或者「比對產品料號時，明明有這個料號，查詢函數就偏偏出現 #N/A 的錯誤訊息，以致於造成很大的困擾，這究竟是怎麼回事？要下載成什麼樣的資料格式，才能減少此種情況的發生？」

從 Server 端下載的資料庫內容，有時可能會因不明原因被摻入空白字元或者虛字元（Null），使得看起來像數字的資料不能計算，而文字資料也無法比對。

此時，可試著在 ERP 系統中選擇「文字檔（*.txt）」的格式來下載資料庫內容，這樣或許可以減少被摻入空白字元或者虛字元的機會，而讓下載的文字檔可以在 Excel 工作表中正常運作。

所謂外部資料，包括了文字檔、Microsoft Access 資料表、Outlook 通訊錄、SQL、Oracle…等等的資料庫。由此可見 Excel 對資料格式的包容性是很大的。

3.5.1 將文字檔轉換成 Excel 資料庫

下圖是一個用**記事本**就可以開啟的文字檔（*.txt），如果將這樣的檔案內容直接丟進 Excel 工作表中，充其量它還是個文字型態的資料，是無法用來做資料分析的。

面對這樣的檔案，Excel 可以輕易的將其轉換成為標準的資料庫格式，以供後續的**統計彙算**與**資料分析**，轉換文字檔為資料庫的操作步驟如下：

01 在活頁簿中新增一張工作表，點按**資料**索引標籤 / **取得外部資料**群組 / **從文字檔**。

02 在**匯入文字檔**對話方塊中，找到並點選要匯入的文字檔，按下**匯入**（也可以在文字檔檔名上連點兩下左鍵）。

03 Excel 會自動判斷文字檔中欄位的區隔方式，請點按下**一步**。

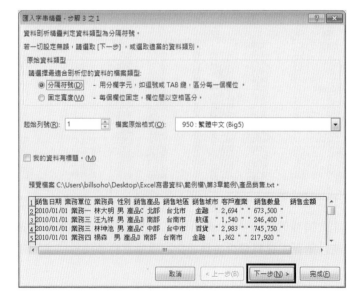

04 Excel 會自動採用預設的分隔符號「Tab 鍵」，並完成欄位的切割，所以請點按下一步。

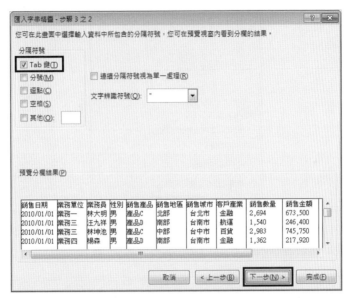

如果文字檔中的分隔符號不是「Tab 鍵」而是「逗號」或其他符號，就請自行勾選或者在**其他**文字方塊中自行輸入特定的分隔符號（例如井號「#」）。

05 Excel 會請我們檢視各個欄位中的資料格式是否正確，除非有特殊情況，否則均使用「一般」的預設值，因此，按下**完成**即可。

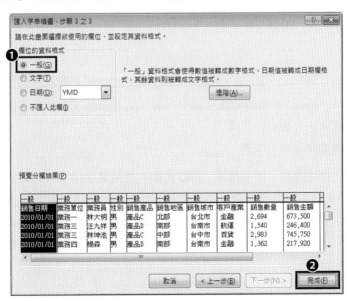

06 在**匯入資料**對話方塊中，採用預設的選項，按下**確定**。

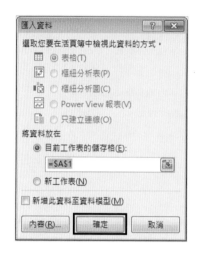

07 匯入之後的部份資料內容，如下圖所示。

	A	B	C	D	E	F	G	H	I	J
1	銷售日期	業務單位	業務員	性別	銷售產品	銷售地區	銷售城市	客戶產業	銷售數量	銷售金額
2	2010/1/1	業務一	林大明	男	產品C	北部	台北市	金融	2,694	673,500
3	2010/1/1	業務三	汪九祥	男	產品D	南部	台南市	航運	1,540	246,400
4	2010/1/1	業務三	林坤池	男	產品D	中部	台中市	百貨	2,983	745,750
5	2010/1/1	業務四	楊森	男	產品D	南部	台南市	金融	1,362	217,920
6	2010/1/4	業務一	蔡玲玲	女	產品A	北部	台北市	航運	1,964	235,680
7	2010/1/4	業務三	張之鼎	男	產品D	北部	新北市	航運	2,291	366,560
8	2010/1/5	業務三	楊柏森	男	產品C	南部	高雄市	食品	689	172,250
9	2010/1/6	業務三	楊柏森	男	產品D	南部	台南市	金融	2,482	397,120
10	2010/1/6	業務三	汪九祥	男	產品C	北部	新北市	航運	1,802	450,500

Tips

• 上述第 3 個步驟開始，Excel 是在執行**資料剖析**的功能。**資料剖析**是用來切割長字串的工具，Excel 會將前述文字檔中的每一列資料都視為一長字串，因此可以很有效率的完成大量資料的轉換。

• 第二種轉換文字檔的方法是：

01 開啟一空白活頁簿，按下**檔案 / 開啟舊檔**，找到文字檔所在的位置之後，在**開啟舊檔**對話方塊的右下方，點選「文字檔案（*prn,*txt,*csv）」。

02 點選要轉換為資料庫的文字檔「產品銷售 .txt」，按下**開啟**。

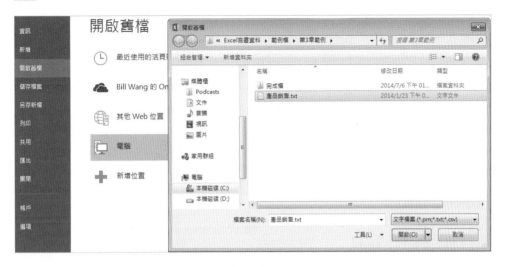

03 隨即看到前述步驟 3 的操作畫面，後續步驟請參考前述步驟 3 之後的說明。

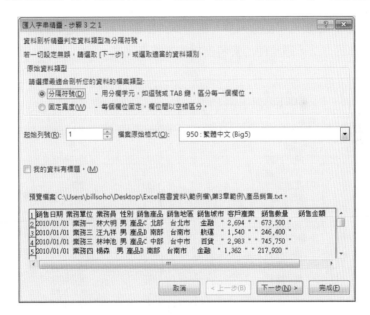

■ **第三種轉換文字檔的方法是（僅適用於** Excel 2013）：

01 開啟要轉換的文字檔，在**記事本**中按下**編輯** / **全選**，再按下**編輯** / **複製**。

02 開啟一空白工作表，按下**常用**索引標籤 / **剪貼簿**群組 / **貼上**，Excel 2013 會立即自動轉換文字檔為資料庫的格式。

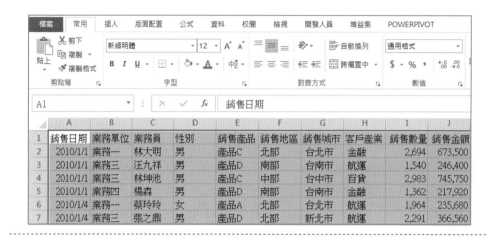

資料剖析與字串切割

在前面小節中，介紹了如何將整個文字檔的內容轉換成為資料庫的方法，而針對長字串的切割，在 Excel 中更是常見，以下圖為例，要將 A 欄中的會計科目分割成兩欄（如右下圖），雖然可用函數來解，但是像這種數字和文字之間有固定分隔符號的字串，最簡單的方法，還是使用**資料剖析**的方式來完成。

	A	B
1	會計科目	
2	1 資產	
3	1-18 流動資產	
4	110 現金	
5	1101 庫存現金	
6	1102 在途現金	
7	1103 零用金	
8	111 銀行存款	
9	1110 銀行存款	
10	1130 有價證券	
11	114 應收款項	
12	1140 應收款項	
13	1141 應收票據	
14	1142 應收帳款	
15	1143 備抵呆帳	
16	120-99 存貨	
17	1200 存貨	
18	1211 製成品	

	A	B
1	會計科目	
2	1	資產
3	1-18	流動資產
4	110	現金
5	1101	庫存現金
6	1102	在途現金
7	1103	零用金
8	111	銀行存款
9	1110	銀行存款
10	1130	有價證券
11	114	應收款項
12	1140	應收款項
13	1141	應收票據
14	1142	應收帳款
15	1143	備抵呆帳
16	120-99	存貨
17	1200	存貨
18	1211	製成品

要完成上圖字串的切割，請參考下列操作步驟：

01 選取 A2:A18 的範圍，點按**資料**索引標籤 / **資料工具**群組 / **資料剖析**。

02 在**資料剖析精靈 - 步驟 3 之 1** 對話方塊中，直接點按**下一步**。

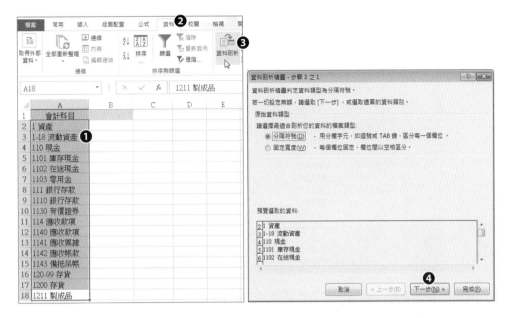

03 在**資料剖析精靈 - 步驟 3 之 2** 對話方塊中，Excel 在**預覽分欄結果**之下，選取了含有數字編號的第 1 欄，請在**欄位的資料格式**中點選「**文字**」，按下**完成**即可。

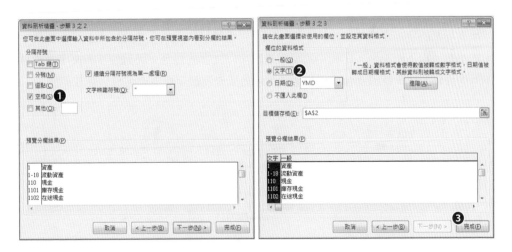

Tips

- 完成前述**步驟 3** 之後會得到如左下圖的結果；為何要在**步驟 3** 中**欄位的資料格式**之下點選「**文字**」呢？因為使用 Excel 預設值「**一般**」，將會得到如右下圖的

結果；其中 A3 儲存格的「1-18」會被轉換成「1 月 18 日」，主要的原因於「1-18」是合法的日期格式，所以會被 Excel 轉換成日期資料。

	A	B
1	會計科目	
2	1	資產
3	1-18	流動資產
4	110	現金
5	1101	庫存現金
6	1102	在途現金
7	1103	零用金
8	111	銀行存款
9	1110	銀行存款
10	1130	有價證券
11	114	應收款項
12	1140	應收款項
13	1141	應收票據
14	1142	應收帳款
15	1143	備抵呆帳
16	120-99	存貨
17	1200	存貨
18	1211	製成品

	A	B
1	會計科目	
2	1	資產
3	1月18日	流動資產
4	110	現金
5	1101	庫存現金
6	1102	在途現金
7	1103	零用金
8	111	銀行存款
9	1110	銀行存款
10	1130	有價證券
11	114	應收款項
12	1140	應收款項
13	1141	應收票據
14	1142	應收帳款
15	1143	備抵呆帳
16	120-99	存貨
17	1200	存貨
18	1211	製成品

- **資料剖析**的功能，僅適用於內含固定長度的欄位或具有固定分隔符號的長字串。否則就必須使用字串函數來切割長字串。

字串切割 - 使用快速填入

如果要切割的字串是有規則性的，就可以使用更簡單的工具「快速填入」來完成長字串的切割。以下圖為例，H 欄中的資料是數字與文字的混合，而且數字和文字是兩種不同的資料型態，就很適合使用**快速填入**的方式來將數字與縣市名稱分割成兩欄。

要將前圖 H 欄中的數字和文字分成兩欄，可以這麼做：

01 在 I1 儲存格中輸入「100」，點按**資料**索引標籤 / **資料工具**群組 / **快速填入**。

02 Excel 會參考左方 H 欄中對應的資料，快速向下提列所有的數字，完成數字的切割（如左下圖）。

03 在 J1 儲存格中輸入「台北市」，點按**資料**索引標籤 / **資料工具**群組 / **快速填入**，即可完成文字的切割（如右下圖）。

H	I		H	I	J
100台北市	100		100台北市	100	台北市
101新北市	101		101新北市	101	新北市
102新竹縣	102		102新竹縣	102	新竹縣
103苗栗縣	103		103苗栗縣	103	苗栗縣
104台中市	104		104台中市	104	台中市
105彰化縣	105		105彰化縣	105	彰化縣
106嘉義縣	106		106嘉義縣	106	嘉義縣
107台南市	107		107台南市	107	台南市
108高雄市	108		108高雄市	108	高雄市
109屏東縣	109		109屏東縣	109	屏東縣
110台東縣	110		110台東縣	110	台東縣
111花蓮縣	111		111花蓮縣	111	花蓮縣

其實，就算每一儲存格中的數字或文字長度不固定，依然可以使用**快速填入**的方式切割字串成為多欄的格式。以左下圖為例，其中的物料編號長度是不固定的，我們可以將 A 欄中的物料編號利用**快速填入**的方式分割成三欄，成為如右下圖的結果。

	A			A	B	C	D
1	PCB/AC-1513/V1.1		1	PCB/AC-1513/V1.1	PCB	AC-1513	V1.1
2	PCB/LS20036/V1.0		2	PCB/LS20036/V1.0	PCB	LS20036	V1.0
3	PCB/GT-31 USB/V1.0		3	PCB/GT-31 USB/V1.0	PCB	GT-31 USB	V1.0
4	PCB/LS20026/V1.3		4	PCB/LS20026/V1.3	PCB	LS20026	V1.3
5	PCB/TMC-1513/V3.0		5	PCB/TMC-1513/V3.0	PCB	TMC-1513	V3.0

操作步驟如下：

01 在 B1 儲存格中輸入「PCB」，點按**資料**索引標籤 / **資料工具**群組 / **快速填入**。

02 在 C1 儲存格中輸入「AC-1513」，點按**資料**索引標籤 / **資料工具**群組 / **快速填入**。

03 在 D1 儲存格中輸入「V1.1」，點按**資料**索引標籤 / **資料工具**群組 / **快速填入**，即可完成文字的切割。

但是，**快速填入**也有其盲點，並非所有字串都能完全順利的分割成想要的結果；以中文姓名的分割為例，在姓名欄中最常見的是三個字的名字，但也有兩個字和四個字的名字，**快速填入**對四個字的名字較無法掌握。我們來看看下圖中的例子：

M	N	O
林大明	林	大明
汪九祥	汪	九祥
林坤池	林	坤池
楊森	楊	森
蔡玲玲	蔡	玲玲
張杰	張	杰
楊柏森	楊	柏森
歐陽春霖	歐	陽春霖
黃乙鋁	黃	乙鋁
陳姿青	陳	姿青
黃英	黃	英

當您依下列步驟分割 M 欄中的姓名時，只要是四個字的名字，就會出現如上圖 N 欄及 O 欄中的錯誤結果。

01 在 N1 儲存格中輸入「林」，點按**資料**索引標籤 / **資料工具**群組 / **快速填入**。

02 在 O1 儲存格中輸入「大明」，點按**資料**索引標籤 / **資料工具**群組 / **快速填入**。

從前圖完成的結果來看，這是 Excel 將三個字的規則套用到四個字的判斷上，所導致的錯誤。因此，並非每一種類型的長字串都能用**快速填入**的方式來解決問題，而**快速填入**的方式更不能用在文字檔的轉換上。

Tips

- 使用**快速填入**的方式來分割字串之後，會出現**快速填入選項**的標記，點按此標記中的「復原快速填入」，Excel 會清除 O1 儲存格之下所有被填入的內容。

M	N	O	P	Q	R
林大明	林	大明			
汪九祥	汪	九祥			
林坤池	林	坤池			
楊森	楊	森			
蔡玲玲	蔡	玲玲			
張杰	張	杰			
楊柏森	楊	柏森			

復原快速填入(U)
接受建議(A)
選取所有 0 個空白儲存格(B)
選取所有 10 個變更的儲存格(C)

3.5.2 匯入 Access 資料表

大家都知道 Microsoft Access 是功能強大的資料庫軟體，其內部雖然提供了樞紐分析的工具，但是很多時候，企業用戶喜歡將 Access 資料表或查詢的內容移植到 Excel 中去做樞紐分析或資料分析，因為資料分析這個領域，正是 Excel 的專長。

我們以 Access 提供的範本「北風資料庫 .accdb」為例，介紹如何將特定的資料表，匯入成為 Excel 資料庫或者將關連式資料庫匯入成為資料模型再做樞紐分析。

匯入單一資料表

下圖是「北風資料庫 .accdb」中的 20 個資料表名稱，每一個資料表都可視為一個小型的資料庫。

現在只要將「訂單」資料表匯入到 Excel 工作表中，來做進一步的資料分析，操作步驟如下：

`01` 啟動 Excel 之後，點按**資料**索引標籤 / **取得外部資料**群組 / **從 Access**；並點選要匯入的 Access 檔案「北風資料庫 .accdb」，按下**開啟**。

02 在**選取表格**對話方塊中,點選「訂單」,按下**確定**。在**匯入資料**對話方塊中,選取「表格」,此為 Excel 預設檢視匯入資料的方式,按下**確定**。

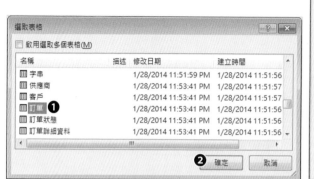
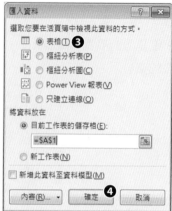

03 匯入之後的 Access 資料表內容,將會以**清單**的模式來呈現(有關**清單**的說明,請參考前述「3.1 清單的觀念和應用」一節)。

匯入關連式資料表

簡單來說,在 Access 中設計資料結構時,一定會將重複在欄位中出現的資料,拉出去成立另外一個資料表,以減輕資料表的負荷,使得資料庫運作變得更有效率;若再將兩個資料表透過**關鍵欄位**(Key Field)作關連式的設定,就可以在一張報表中,同時看到不同資料表中的內容(**關鍵欄位**具有唯一性,其內容不可重複)。

以下圖為例，四個類型不同的資料表，卻可以使用內容屬性相同的欄位（欄位名稱可以不相同），將其設定**關連**，用以形成完整的資料鏈，並建立起**資料模型**，使得我們可以在一張報表中同時看到散佈在四個資料表中的欄位資料：

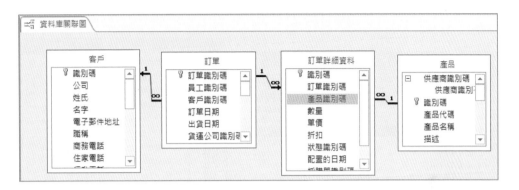

由於資料表之間的關連設定，已在 Access 中完成，現在我們要將「客戶」、「訂單」、「訂單詳細資料」以及「產品」等四個資料表中的欄位，利用**樞紐分析**做出關連式的報表，每個資料表之間的關連對象、使用的關鍵欄位以及在報表中用到的欄位，表列如下：

資料表名稱	關連對象	關鍵欄位	報表中用到的欄位
客戶	訂單	識別碼	公司名稱
訂單	客戶、訂單詳細資料	訂單識別碼	送貨城市
訂單詳細資料	訂單、產品	產品識別碼	數量
產品資料	訂單詳細資料	識別碼	產品名稱

關連式樞紐分析表的產出步驟如下：

01 開啟一活頁簿，點按**資料**索引標籤 / **取得外部資料**群組 / **從 Access**；並點選要匯入的 Access 檔案「北風資料庫 .accdb」。

02 在左下圖的**選取表格**對話方塊中，點選「客戶」、「訂單」、「訂單詳細資料」以及「產品」等四個資料表，按下**確定**。接著，在右下圖的**匯入資料**對話方塊中，Excel 會自動選取「樞紐分析表」，並自動勾選「新增此資料至資料模型」，按下**確定**。

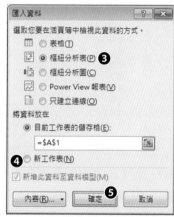

03 此時在下圖右方**樞紐分析表欄位**清單中，可以看到已啟用的四個資料表「客戶」、「訂單」、「訂單詳細資料」以及「產品」。

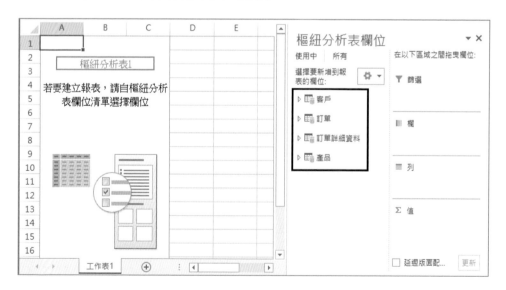

04 勾選「客戶」資料表之下的「公司」欄位;「訂單」資料表之下的「運送縣/市」欄位;「訂單詳細資料」資料表之下的「數量」欄位;「產品」資料表之下的「產品名稱」欄位。

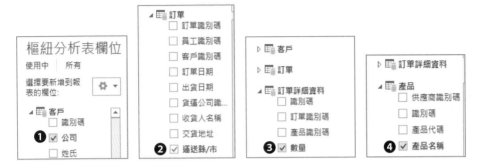

05 完成之後的關連式樞紐分析表,如下圖所示。

Tips

關連式資料處理是從 Excel 2013 開始提供的新功能,主要是將外部資料庫透過資料表之間的關鍵欄位(Key Field)來建立資料模型,並透過視覺化的欄位清單設定方式,得以讓我們輕易的在一張報表中,同時顯示不同資料表之間的欄位資料。

3.6 資料庫函數的應用

海量資料（Big data）當道的時代，Excel 用來分析處理大量資料的工具中，**資料庫函數**絕對是一項不可或缺的工具。資料庫函數的特性概述如下：

▶ 計算快速：不論資料量的大小，執行速度幾無差異

▶ 極有彈性的準則設定：準則條件由簡而複雜，隨心所欲

▶ 語法一致：資料庫函數的引數設定幾乎完全一致，非常容易上手

▶ 進階應用威力強大：配合**運算列表**的功能，更能彰顯資料庫函數的高效率

Excel 提供的 12 個資料庫函數，其用途如下表所示：

函數名稱	用途說明
DAVRAGE	計算資料庫的指定欄位中，符合準則的數值資料平均值
DCOUNT	計算資料庫的指定欄位中，符合準則之數值資料的個數
DCOUNTA	計算資料庫的指定欄位中，符合準則的非空白儲存格個數
DGET	從資料庫符合準則的第一筆記錄中，擷取指定欄位中的資料
DMAX	傳回所選資料庫項目中的最大值
DMIN	傳回所選資料庫項目中的最小值
DPRODUCT	乘以資料庫中符合準則之特定記錄欄位的值
DSTDEV	根據所選資料庫項目的樣本來估算標準差
DSTDEVP	根據所選資料庫項目的整個母體來計算標準差
DSUM	將資料庫中符合準則的記錄欄位欄中的數字相加
DVAR	根據所選資料庫項目的樣本來估算變異數
DVARP	根據所選資料庫項目的整個母體來計算變異數

3.6.1 資料庫函數的語法

資料庫函數相對於其他種類的函數，在設定上就簡單多了。因為這 12 個資料庫函數的語法都一樣，所以只要會設定其中一個函數，也就等於會設定其他 11 個函數了，資料庫函數完整的語法如下：

DSUM（database, field, criteria）
資料庫函數（資料庫範圍, 欄位, 準則範圍）

我們就以 DSUM 為例，介紹資料庫函數中，三個引數的用法：

▶ Database（資料庫範圍）

- 資料庫所在的儲存格範圍，可以使用**名稱**或者**儲存格位址**來表示，建議使用**名稱**較佳。例如：「=DSUM（**銷售記錄** ," 銷售金額 ",L1:N2）」，其中第一個引數「**銷售記錄**」就是一個**名稱**。

▶ Field（欄位）：此為第二個引數，表示用來計算的**欄位名稱**。

- 欄位名稱前後，必須加上**雙引號**，例如「=DSUM（**銷售記錄** ," 銷售金額 ",L1:N2）」。

- 可以使用欄位的**數字編號**（不需要加雙引號）來代替**欄位名稱**，例如 1 代表第一欄，2 代表第二欄，依此類推，例如「銷售金額」欄位是資料庫從左到右的第 10 個欄位，因此也可以改寫成為「=DSUM（**銷售記錄** ,10,L1:N2）」，但是實務上不建議使用數字來表示這個引數，那會使得函數不易解讀。

- 可以是內含 " 銷售金額 " 四個字的任意儲存格位址，假設 P1 儲存格中含有字串 " 銷售金額 "，於是函數可以寫成「=DSUM（**銷售記錄** ,P1,L1:N2）」。

▶ Criteria（準則範圍）：內含準則的儲存格範圍。任何**準則**的上方，必須要有一個**欄標籤**，下圖中 L1 中的「銷售日期」或 N1 中的「銷售縣市」即為**欄標籤**，一般都會直接使用資料庫中的欄位名稱來當作**欄標籤**。

L	M	N
銷售日期	銷售日期	銷售縣市
>2010/7/1		台北市

3.6.2 準則的設定

資料庫函數的準則設定和資料庫**進階篩選**的準則設定非常相似，如果您對**進階篩選**的功能很熟悉，那麼，在設定資料庫函數的**準則**時，就變得很容易了，我們以下圖中的準則範例來說明**準則**的設定方式。

	L	M	N	O	P
1	銷售日期	銷售日期	銷售縣市	銷售金額	銷售金額
2	>=2010/7/1	<=2010/9/30	*北市	>=300000	<=400000
3	>=2010/7/1	<=2010/9/30	台中市	>=300000	<=400000

▶ 首先必須自行輸入或者複製**欄標籤**（即資料庫欄位名稱）到資料庫右方空白處，作為設定準則的根據，例如上圖 L1:P1 中的標籤，您可以從資料庫欄位中直接複製。

▶ 要設定介於兩個日期或兩個數值區間的準則，**銷售日期**或**銷售金額**欄標籤就必須輸入兩次，並在其下輸入準則。

▶ 可以使用「＝、＞、＞＝、＜、＜＝、＜＞、＆」等運算元，也可以使用「＊、?」等通配字元，例如 N2 儲存格中的「＊北市」；想要了解更詳細的用法說明，請參考「3.4.2 進階篩選」一節。

▶ L2:P2 是第一組準則的範圍，表示**銷售日期**必須是 2010 年第二季；**銷售縣市**必須是大台北地區（台北市及新北市）；**銷售金額**必須介於 300000~400000 之間。

▶ L3:P3 是第二組準則的範圍，條件與第一組準則相似，不同之處在於**銷售縣市**必須是台中市；左右排列的準則，將被視為「AND」的關係，條件必須同時成立；上下排列的準則，將被視為「OR」的關係，只要一組條件吻合即可；我們可以依準則的複雜程度，向下延伸準則的設定。

3.6.3 計算上的應用

由於資料庫函數的引數設定均相同，在此僅以下圖中的資料庫（1980 筆記錄）來介紹實務上較常用的資料庫函數。

	A	B	C	D	E	F	G	H	I	J
1	銷售日期	業務單位	業務員	性別	銷售產品	銷售地區	銷售縣市	客戶產業	銷售數量	銷售金額
2	2010/01/01	業務一	林大明	男	產品C	北部	台北市	金融	2,694	673,500
3	2010/01/01	業務三	汪九祥	男	產品D	南部	台南市	航運	1,540	246,400
4	2010/01/01	業務三	林坤池	男	產品C	中部	台中市	百貨	2,983	745,750
5	2010/01/01	業務四	楊森	男	產品D	南部	台南市	金融	1,362	217,920
6	2010/01/04	業務一	蔡玲玲	女	產品A	北部	台北市	航運	1,964	235,680
7	2010/01/04	業務三	張杰	男	產品D	北部	新北市	航運	2,291	366,560
8	2010/01/05	業務三	楊柏森	男	產品C	南部	高雄市	食品	689	172,250
9	2010/01/06	業務三	楊柏森	男	產品C	南部	台南市	金融	2,482	397,120
10	2010/01/06	業務三	汪九祥	男	產品C	北部	新北市	航運	1,802	450,500
11	2010/01/07	業務二	黃乙鎔	男	產品D	南部	台南市	化工	1,830	292,800

計算的準則如下：

▶ **銷售日期**：2010 年第二季
▶ **銷售縣市**：大台北地區（台北市或新北市）
▶ **銷售金額**：介於 300000~400000 之間

或者

▶ **銷售日期**：2010 年第二季
▶ **銷售縣市**：台中地區
▶ **銷售金額**：介於 300000~400000 之間

依上述三種準則條件完成下列統計：

▶ 合於上述準則的總銷售金額
▶ 合於上述準則的平均銷售金額
▶ 合於上述準則的最大一筆銷售金額
▶ 合於上述準則的最小一筆銷售金額
▶ 合於上述準則的交易筆數

操作步驟：

`01` 複製或輸入欄位名稱至 L1:P1 儲存格。

▶ L1 以及 M1 儲存格：" 銷售日期 "
▶ N1 儲存格：" 銷售縣市 "
▶ O1 以及 P1 儲存格：" 銷售金額 "

`02` 輸入準則內容：

▶ L2 以及 L3 儲存格：>=2010/7/1
▶ M2 以及 M3 儲存格：<=2010/9/30
▶ N2 儲存格："* 北市 "；N3 儲存格：" 台中市 "
▶ O2 以及 O3 儲存格：">=300000"
▶ P2 以及 P3 儲存格："<=400000"

`03` 輸入如下圖黃色區塊 L7:L12 中的提示文字，並套用格線。

	C 業務員	D 性別	E 銷售產品	F 銷售地區	G 銷售縣市	H 客戶產業	I 銷售數量	J 銷售金額	K	L 銷售日期	M 銷售日期	N 銷售縣市	O 銷售金額	P 銷售金額
1														
2	林大明	男	產品C	北部	台北市	金融	2,694	673,500		>=2010/7/1	<=2010/9/30	*北市	>=300000	<=400000
3	汪九洋	男	產品D	南部	台南市	航運	1,540	246,400		>=2010/7/1	<=2010/9/30	台中市	>=300000	<=400000
4	林綺彼	男	產品D	中部	台中市	百貨	2,983	745,750						
5	楊森	男	產品D	南部	台南市	金融	1,362	217,920						
6	蔡玲玲	女	產品A	北部	台北市	航運	1,964	235,680						
7	張杰	男	產品C	北部	新北市	航運	2,291	366,560		銷售總金額		4490020		
8	楊怡森	男	產品C	南部	高雄市	食品	689	172,250		銷售筆數(計對數值欄)				
9	楊怡森	男	產品C	南部	台南市	金融	2,482	397,120		銷售筆數(計對文字欄)		13		
10	汪九洋	男	產品C	北部	新北市	航運	1,802	450,500		最大一筆金額		396250		
11	黃乙峰	男	產品D	南部	台南市	化工	1,830	292,800		最小一筆金額		303750		
12	陳婈青	女	產品D	北部	新北市	電子	2,576	412,160		平均銷售金額		345386.1538		
13	黃英	男	產品B	北部	新北市	服務	886	177,200						

`04` 建立資料庫的名稱。點選資料庫中任意儲存格，按下 Ctrl+A 選取整個資料庫，點按公式索引標籤 / 已定義之名稱群組 / 定義名稱，並在新名稱對話方塊中輸入名稱「sale_data」，按下確定；接著再點按公式索引標籤 / 已定義之名稱群組 / 從選取範圍建立，在以選取範圍建立名稱對話方塊中，勾選「頂端列」，按下確定。

05 輸入公式：

N7：=DSUM（sale_data," 銷售金額 ",L1:P3）

N8：=DCOUNT（sale_data," 銷售金額 ",L1:P3）

N9：=DCOUNTA（sale_data," 銷售產品 ",L1:P3）

N10：=DMAX（sale_data," 銷售金額 ",L1:P3）

N11：=DMIN（sale_data," 銷售金額 ",L1:P3）

N12：=DAVERAGE（sale_data," 銷售金額 ",L1:P3）

	L	M	N	O	P
1	銷售日期	銷售日期	銷售縣市	銷售金額	銷售金額
2	>=2010/7/1	<=2010/9/30	*北市	>=300000	<=400000
3	>=2010/7/1	<=2010/9/30	台中市	>=300000	<=400000
4					
5					
6					
7	銷售總金額		=DSUM(sale_data,"銷售金額",L1:P3)		
8	銷售筆數(針對數值欄)		=DCOUNT(sale_data,"銷售金額",L1:P3)		
9	銷售筆數(針對任何欄位)		=DCOUNTA(sale_data,"銷售產品",L1:P3)		
10	最大一筆金額		=DMAX(sale_data,"銷售金額",L1:P3)		
11	最小一筆金額		=DMIN(sale_data,"銷售金額",L1:P3)		
12	平均銷售金額		=DAVERAGE(sale_data,"銷售金額",L1:P3)		

最後可以得到如下圖的結果：

銷售總金額	4490020
銷售筆數(針對數值欄)	13
銷售筆數(針對任何欄位)	13
最大一筆金額	396250
最小一筆金額	303750
平均銷售金額	345386.1538

Tips

如果您可將準則所在的範圍 L1:P3 取名為「準則條件」的名稱，公式就可以改寫成「=DSUM（sale_data," 銷售金額 ", **準則範圍**）」，這樣做的好處在於可以將此函數向下複製，再更改函數名稱即可，而不必全部重新輸入函數，也可因此省下不少打字的時間。

3.6.4 資料擷取上的應用

資料庫函數除了用來計算之外，其中 DGET 函數還可以協助我們在資料庫中擷取欄位中的資料。一般而言，要做資料的**比對**和**擷取**，大概都是使用**查詢函數**（Vlookup 或 Index 之類的函數）來完成這項工作，但是碰到多欄同時比對的狀況，VLOOKUP 就顯得力有未逮，否則就必須了解**查詢函數**的深度應用，才能解決此一問題；而資料庫函數「DGET」卻可以輕鬆解決多欄同時比對的棘手問題。

以下圖為例，要使用 E1:F2 範圍中的兩個準則「D01W」、「QA004」，到左方資料庫去和**類別**欄（A 欄）與**資料**欄（B 欄）同時比對，藉以找到**代碼**欄位中對應的代碼，並填入 G2 儲存格中，此時若使用資料庫函數「DGET」，就可稱得上是最佳手法了。

	A	B	C	D	E	F	G
1	類別	資料	代碼		類別	資料	要找尋的代碼
2	A01W	QA001	134		D01W	QA004	=DGET(data_list,"代碼",查詢條件)
3	A01W	QA002	568				
4	A01W	QA003	107				
5	A01W	QA004	438				
6	B01W	QA001	612				
7	B01W	QA002	636				
8	B01W	QA003	905				
9	B01W	QA004	852				
10	B01W	QA005	118				
11	B01W	QA006	846				
12	B01W	QA007	130				
13	B01W	QA008	181				
14	D01W	QA001	770				
15	D01W	QA002	776				
16	D01W	QA003	693				
17	D01W	QA004	844				

DGET 函數設定步驟：

01 在資料庫右方 E1 儲存格中輸入欄標籤「類別」；E2 儲存格中輸入「D01W」；F1 儲存格中輸入欄標籤「資料」；F2 儲存格中輸入「QA004」。

02 建立資料庫的**名稱**。選取 A1:C17 資料庫範圍，點按公式索引標籤 / **已定義之名稱**群組 / **定義名稱**，並在**編輯名稱**對話方塊中，輸入**名稱**「data_list」，按下**確定**。

03 選取儲存格 E1:F2，點按公式索引標籤 / **已定義之名稱**群組 / **定義名稱**，並在**編輯名稱**對話方塊中，輸入**名稱**「查詢條件」，按下**確定**。

04 在 G2 儲存格中輸入公式「=DGET（data_list," 代碼 ", 查詢條件）」，按下 Enter 鍵，即可得到如下圖的代碼「844」。

	E	F	G
	類別	資料	要找尋的代碼
	D01W	QA004	844

Tips

- 資料庫函數 DGET 的原型是：DGET（database, field, criteria），與其他資料庫函數使用的引數是一樣的。

- 在 G2 儲存格中輸入的公式「=DGET（data_list," 代碼 ", 查詢條件）」，第 1 個引數和第 3 個引數用到了名稱「data_list」和「查詢條件」。

- 整個公式「=DGET（data_list," 代碼 ", 查詢條件）」可解讀為：請依**查詢條件**範圍中的準則，到資料庫範圍 data_list 的**代碼**欄中，擷取對應的代碼。

- Excel 的**名稱**功能，往往會被大量應用在函數中，主要是用來增進函數設定的效率並提昇函數的可讀性，使得函數更容易維護。因此，在設定函數之前，最好能先熟悉第 2 章「2.9 名稱的觀念和應用技巧」一節中的詳細說明。

Chapter 04

Excel 樞紐分析

樞紐分析（Pivot Table）是 Excel 專門用來分析、彙算**資料庫**的強大工具。它可以讓我們從龐大的資料庫中，經過幾個簡單步驟就能產生出脈絡清晰的各式分析表。

對於 Excel 初學者而言，**樞紐分析**更是在學習 Excel 的過程中，最應該優先上手的工具；因為，樞紐分析是一種不必借助任何函數或公式就能做出精彩報表的工具，因此，初學者在略具 Excel 基礎以及簡單的**資料庫**概念之後，就應立即上手使用**樞紐分析**，而不應等到學了一堆 Excel 的工具和函數之後，再接觸此項工具。

綜觀大多數的教育訓練單位，都會將**樞紐分析**歸類為進階學習的課題，在實務上，有些 Excel 工具在初學階段就應該善加利用，方有助於提昇報表製作的效率，**樞紐分析**即是最明顯的例子。

4.1 樞紐分析的重要性

不論您是任何產業或者任何部門的 Excel 使用者，都可以利用**樞紐分析**來彙總、分析手邊的資料，所以說 Excel **樞紐分析**是任何使用者都可以輕鬆上手使用的工具，但是請特別注意的是：「樞紐分析的資料來源，必須是一個**資料庫**」。

有關資料庫的觀念和操作，請參考「第 3 章資料庫管理」中的詳細說明；在此強烈的建議讀者，在使用樞紐分析之前，請務必先熟悉此一章節的內容。

4.1.1 樞紐分析的優點

樞紐分析是高效率的報表產出工具，在此將使用樞紐分析的優點歸納如下：

- 只需要具備簡單的資料庫概念，即可執行樞紐分析
- 不論資料庫的大小，產出報表的速度幾乎都相同
- 不需要有 Excel 函數和位址的基礎
- 複雜函數才能解的報表，樞紐分析 1 分鐘之內即可搞定
- 能滿足企業 80% 以上的報表需求
- Excel 2010 之後的樞紐分析，能處理海量資料的分析
- 能配合函數加工處理樞紐分析表，以滿足客製化的報表格式
- 整合報表的利器

4.1.2 樞紐分析表格式概觀

下圖是內含 10 個欄位，共有 1980 筆記錄的小型資料庫的部份內容。

	A	B	C	D	E	F	G	H	I	J
1	銷售日期	業務單位	業務員	性別	銷售產品	銷售地區	銷售城市	客戶產業	銷售數量	銷售金額
2	2010/01/01	業務一	林大明	男	產品C	北部	台北市	金融	2,694	673,500
3	2010/01/01	業務三	汪九祥	男	產品D	南部	台南市	航運	1,540	246,400
4	2010/01/01	業務三	林坤池	男	產品C	中部	台中市	百貨	2,983	745,750
5	2010/01/01	業務四	楊森	男	產品D	南部	台南市	金融	1,362	217,920
6	2010/01/04	業務一	蔡玲玲	女	產品A	北部	台北市	航運	1,964	235,680
7	2010/01/04	業務三	張之鼎	男	產品D	北部	新北市	航運	2,291	366,560
8	2010/01/05	業務三	楊柏森	男	產品C	南部	高雄市	食品	689	172,250
9	2010/01/06	業務三	楊柏森	男	產品D	南部	台南市	金融	2,482	397,120
10	2010/01/06	業務三	汪九祥	男	產品C	北部	新北市	航運	1,802	450,500
11	2010/01/07	業務二	黃乙銘	男	產品D	南部	台南市	化工	1,830	292,800

透過**樞紐分析**做出來的報表，稱之為「樞紐分析表」，以上圖的資料庫為例，雖然只有一千多筆記錄，但卻能夠做出千變萬化的報表來；而**樞紐分析表**的複雜程度，端視欄位和維度的多寡而定。

在此僅列舉幾種重要且常見的樞紐分析表格式種類：

- 單變數統計表：只用到一個欄位來作資料分類統計

	A	B
1		
2		
3	銷售地區	銷售金額小計
4	中部	150,835,070
5	北部	263,260,120
6	東部	32,296,040
7	南部	241,258,560
8	總計	687,649,790

	A	B
1		
2		
3	業務單位	銷售金額小計
4	業務一	168,725,010
5	業務二	171,836,410
6	業務三	180,479,850
7	業務四	166,608,520
8	總計	687,649,790

	A	B
1		
2		
3	銷售產品	銷售金額小計
4	產品A	94,603,200
5	產品B	180,672,200
6	產品C	245,937,750
7	產品D	166,436,640
8	總計	687,649,790

▶ 多維度報表：使用兩個以上的欄位且置於不同的方向，來作資料分類統計

銷售金額統計表	銷售產品				
業務單位	產品A	產品B	產品C	產品D	總計
業務一	23,491,560	45,202,000	63,772,250	36,259,200	168,725,010
業務二	21,009,720	48,718,800	61,587,250	40,520,640	171,836,410
業務三	28,987,680	49,135,000	59,651,250	42,705,920	180,479,850
業務四	21,114,240	37,616,400	60,927,000	46,950,880	166,608,520
總計	94,603,200	180,672,200	245,937,750	166,436,640	687,649,790

銷售金額統計表		銷售產品				
業務單位	銷售地區	產品A	產品B	產品C	產品D	總計
業務一	中部	3,786,120	10,808,000	13,243,000	6,843,040	34,680,160
	北部	11,031,000	12,826,200	20,492,000	17,905,600	62,254,800
	東部	468,600	3,894,000	2,101,500	1,177,280	7,641,380
	南部	8,205,840	17,673,800	27,935,750	10,333,280	64,148,670
業務一 合計		23,491,560	45,202,000	63,772,250	36,259,200	168,725,010
業務二	中部	4,571,280	11,317,400	12,473,000	7,965,600	36,327,280

▶ 佔有率分析：以百分比的型態，展現報表的重點所在

貢獻度報表	銷售產品				
業務單位	產品A	產品B	產品C	產品D	總計
業務一	3.42%	6.57%	9.27%	5.27%	24.54%
業務二	3.06%	7.08%	8.96%	5.89%	24.99%
業務三	4.22%	7.15%	8.67%	6.21%	26.25%
業務四	3.07%	5.47%	8.86%	6.83%	24.23%
總計	13.76%	26.27%	35.76%	24.20%	100.00%

貢獻度報表	銷售產品				
業務單位	產品A	產品B	產品C	產品D	總計
業務一	24.83%	25.02%	25.93%	21.79%	24.54%
業務二	22.21%	26.97%	25.04%	24.35%	24.99%
業務三	30.64%	27.20%	24.25%	25.26%	26.25%
業務四	22.32%	20.82%	24.77%	28.21%	24.23%
總計	100.00%	100.00%	100.00%	100.00%	100.00%

▶ 差異分析：競爭對手之間的績效差異分析

貢獻度報表	銷售產品				
業務地區	產品A	產品B	產品C	產品D	總計
中部	(23,332,440)		6,821,350	(8,463,440)	
北部	(22,980,120)		26,942,000	3,026,240	
東部	(4,813,760)		3,858,400	(3,839,000)	
南部	(34,942,680)		27,643,800	(4,959,360)	
總計	(86,069,000)		65,265,550	(14,235,560)	

銷售地區	數值	銷售產品				
		產品A	產品B	產品C	產品D	總計
中部	差異	(23,332,440)		6,821,350	(8,463,440)	
	差異%	(53.09%)		15.52%	(19.26%)	
北部	差異	(22,980,120)		26,942,000	3,026,240	
	差異%	(35.87%)		42.05%	4.72%	
東部	差異	(4,813,760)		3,858,400	(3,839,000)	
	差異%	(51.91%)		41.61%	(41.40%)	
南部	差異	(34,942,680)		27,643,800	(4,959,360)	
	差異%	(55.13%)		43.62%	(7.82%)	
差異 的加總		(86,069,000)		65,265,550	(14,235,560)	
差異% 的加總		(47.64%)		36.12%	(7.88%)	

▶ 多層次績效比較：多變數之間的差異分析

銷售金額統計表		銷售產品				
業務單位	業務員	產品A	產品B	產品C	產品D	總計
業務一	古進雄	13.06%	28.43%	43.72%	14.78%	100.00%
	林大明	14.32%	22.79%	40.09%	22.80%	100.00%
	黃英	10.58%	21.50%	44.04%	23.87%	100.00%
	蔡玲玲	18.91%	35.87%	19.67%	25.55%	100.00%
業務一 合計		13.92%	26.79%	37.80%	21.49%	100.00%
業務二	何希均	13.52%	27.54%	35.85%	23.09%	100.00%

▶ 「年、季、月」分類報表：以日期為目標的群組資料分析

	A	B	C	D	E	F	G	H
3	銷售金額統計表			銷售產品				
4	年	季	銷售日期	產品A	產品B	產品C	產品D	總計
5	2010年	第一季	1月	1,841,280	3,642,000	5,581,000	4,313,120	15,377,400
6			2月	1,529,880	6,333,400	7,801,500	3,020,320	18,685,100
7			3月	1,464,360	3,648,200	6,266,500	2,418,560	13,797,620
8		第二季	4月	1,834,800	3,988,200	7,662,750	3,063,200	16,548,950
9			5月	936,240	2,159,200	5,878,250	4,455,040	13,428,730
10			6月	2,077,920	4,269,200	6,941,500	2,574,080	15,862,700
11		第三季	7月	1,445,760	4,385,600	7,004,500	6,086,080	18,921,940
12			8月	1,277,520	1,611,400	3,182,250	6,025,440	12,096,610
13			9月	1,695,480	2,626,400	3,826,250	2,854,080	11,002,210
14		第四季	10月	338,520	2,179,800	4,981,000	5,084,160	12,583,480
15			11月	1,174,800	3,370,000	6,843,000	2,810,880	14,198,680
16			12月	2,353,800	4,485,400	6,936,000	3,266,880	17,042,080
17	2010年 合計			17,970,360	42,698,800	72,904,500	45,971,840	179,545,500
18	2011年	第一季	1月	1,209,960	2,589,000	5,350,000	2,865,280	12,014,240

▶ 依金額級距產出的交易筆數統計表：數值欄位的群組分析

	A	B	C	D	E	F
3	計數 - 銷售金額	銷售產品				
4	銷售金額	產品A	產品B	產品C	產品D	總計
5	1-100000	58			30	88
6	100001-200000	120	84	75	122	401
7	200001-300000	136	92	57	125	410
8	300001-400000	110	89	70	113	382
9	400001-500000		100	65	122	287
10	500001-600000		72	82	40	194
11	600001-700000		46	88		134
12	700001-800000			71		71
13	800001-900000			13		13
14	總計	424	483	521	552	1,980

如果樞紐分析表的格式與客製化報表的格式相差太大，那要如何處理呢？一般而言，我們會先用樞紐分析做出彙總的結果，再配合公式或函數來完成樞紐分析表的二次加工，這樣就可以解決報表格式不同的問題了。

4.1.3 樞紐分析表的結構

樞紐分析表的製作，完全是運用欄位在表格中的位置變化來產生各種不同格式的報表；因此，資料庫中的「欄位」就是架構樞紐分析表的主要元素。

在製作樞紐分析表的過程中，一定會看到如下圖所示的樞紐分析表的基本結構，我們必須了解此一結構，製作樞紐分析表才能得心應手。

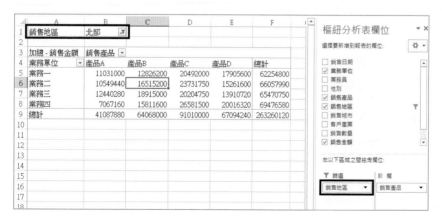

畫面左邊為樞紐分析表的操作示意圖，重點在於右半邊的「樞紐分析表欄位」清單，清單中的上半部稱為「欄位區段」，其中顯示了資料庫的所有欄位名稱，您可以在此處勾選要置於報表中的欄位。

畫面的下半部稱為「區域區段」，其中包括了「篩選」、「列」、「欄」與「值」等四個區域，其用途分述如下：

▶ **篩選**：主要用來過濾報表的內容，例如，將「銷售地區」欄拖曳至此區域中，就可以選擇性地顯示某些地區的統計數字；置於篩選區域中的欄位，將會反映在樞紐分析表的左上方以供使用者篩選資料。

只要將多個欄位置於此處,即可作多重欄位的篩選,這是一個非必要使用的區域,可以不去理會它。

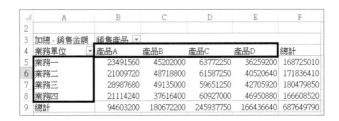

▶ 列:當您在**欄位區段**中勾選某一欄位時,Excel 自動會將此欄位置於「列」區域中,並在樞紐分析表的最左一欄中由上而下顯示其不重複的內容,來當作樞紐分析表的「列標籤」。例如下圖所示 A 欄中的「業務一」、「業務二」、「業務三」、「業務四」就是**列標籤**。

| 加總 - 銷售金額 | 銷售產品 | | | | |
業務單位	產品A	產品B	產品C	產品D	總計
業務一	23491560	45202000	63772250	36259200	168725010
業務二	21009720	48718800	61587250	40520640	171836410
業務三	28987680	49135000	59651250	42705920	180479850
業務四	21114240	37616400	60927000	46950880	166608520
總計	94603200	180672200	245937750	166436640	687649790

▶ 欄:當您將某一欄位置於「欄」區域時,該欄位中不重複的內容將排列在樞紐分析表的最上方,被當作樞紐分析表的「欄標籤」。例如上圖第 4 列中的「產品A」、「產品 B」、「產品 C」、「產品 D」就是**欄標籤**。

▶ 值:放置用來計算的欄位,預設的計算方式為「加總」,您可以依需要調整計算的方式;如果將文字型態的欄位置於此處,則將以「計數」的方式來進行計算。

4.1.4 樞紐分析表與圖的規格與限制

雖然 Excel 樞紐分析表是非常好用的資料分析工具,但是,電腦硬體中的 RAM(隨機存取記憶體)會影響 Excel 整體運作的效率,因此建議電腦記憶體至少能在 4G 以上,在操作上比較不會有需要等待或容易當機的現象。

引用微軟官方網站「http://office.microsoft.com/zh-tw/excel-help/ HP010073849.aspx#BMpivottable」,對於樞紐分析表的特性及限制的相關說明:

樞紐分析表的規格特性	最大限制
工作表中樞紐分析表的數目	受限於可用的記憶體
每個欄位唯一的項目	1,048,576
樞紐分析表中列欄位或欄欄位的數目	受限於可用的記憶體
樞紐分析表中的報表篩選數目	256（可能會受限於可用的記憶體）
樞紐分析表中的值欄位數目	256
樞紐分析表中計算項目公式的數目	受限於可用的記憶體
樞紐分析圖報表中的報表篩選數目	256（可能會受限於可用的記憶體）
樞紐分析圖報表中的值欄位數目	256
在樞紐分析圖中計算項目公式	受限於可用的記憶體
樞紐分析表項目的 MDX 名稱長度	32,767
關連式樞紐分析表字串的長度	32,767

4.2 樞紐分析表製作技巧

製作樞紐分析表時，是不需要事先選定資料庫範圍的，只要先點選資料庫中的任一儲存格，再去執行製作樞紐分析表的動作即可。

如果滑鼠不小心點選了資料庫以外的範圍之後就直接去製作樞紐分析表，過程中就必須選取資料庫範圍，但是由於資料庫範圍可能很大，將會因選取不易而缺乏效率，此時通常會用輸入**名稱**來替代選取資料庫範圍的做法。

4.2.1 基礎樞紐分析表

以下圖內含 1980 筆記錄的資料庫為例，我們來介紹樞紐分析表的製作基礎。

	A	B	C	D	E	F	G	H	I	J
1	銷售日期	業務單位	業務員	性別	銷售產品	銷售地區	銷售城市	客戶產業	銷售數量	銷售金額
2	2010/01/01	業務一	林大明	男	產品C	北部	台北市	金融	2,694	673,500
3	2010/01/01	業務三	汪九祥	男	產品C	南部	台南市	航運	1,540	246,400
4	2010/01/01	業務三	林坤池	男	產品D	中部	台中市	百貨	2,983	745,750
5	2010/01/01	業務四	楊森	男	產品D	南部	台南市	金融	1,362	217,920
6	2010/01/04	業務一	蔡玲玲	女	產品A	北部	台北市	航運	1,964	235,680
7	2010/01/04	業務一	張之鼎	男	產品D	北部	新北市	航運	2,291	366,560
8	2010/01/05	業務三	楊柏森	男	產品C	南部	高雄市	食品	689	172,250
9	2010/01/06	業務三	楊柏森	男	產品D	南部	台南市	金融	2,482	397,120
10	2010/01/06	業務三	汪九祥	男	產品C	北部	新北市	航運	1,802	450,500
11	2010/01/07	業務二	黃乙鎔	男	產品D	南部	台南市	化工	1,830	292,800
12	2010/01/07	業務四	陳姿青	女	產品D	北部	新北市	電子	2,576	412,160
13	2010/01/08	業務一	黃英	男	產品B	北部	新北市	服務	886	177,200
14	2010/01/08	業務三	柳美玉	男	產品D	北部	台北市	紡織	2,483	397,280
15	2010/01/11	業務三	林坤池	男	產品D	中部	台中市	金融	579	92,640
16	2010/01/11	業務二	黃乙鎔	男	產品B	北部	新竹縣	百貨	2,973	594,600

快速統計各業務單位的績效

這是製作一張樞紐分析的入門報表，內容是各**業務單位**在**銷售金額**上的統計，我們將會用到「業務單位」和「銷售金額」兩個欄來架構出所需的報表內容。請參考下列操作步驟：

01 開啟 \ 範例檔 \ 第 4 章範例 \ 樞紐分析 .xlsx\「銷售資料」工作表。

02 點選資料庫中的任一儲存格，點按**插入**索引標籤 / **表格**群組 / **樞紐分析表**。

03 在**建立樞紐分析表**對話方塊中，Excel 自動選取了整個資料庫的範圍「銷售資料 !$A$1:$J$1981」，所有設定均採用預設值，直接按下**確定**即可。

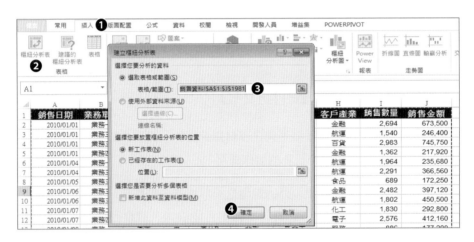

有關**建立樞紐分析表**對話方塊中的選項說明，列舉如下：

▶ 選取表格或資料庫

選取用來製作樞紐分析表的資料庫範圍；可以是目前工作表中的資料庫或表格（即清單）範圍或者是資料庫的**名稱**；也可以是另一個已開啟活頁簿中的資料庫範圍。

如果先點選目前資料庫中的任一儲存格，製作樞紐分析表時，Excel 會自動選取整個資料庫的範圍，並在「表格 / 範圍」文字方塊中，以絕對位址來表示選取的範圍：**銷售資料** !$A$1:$J$1981，其中「銷售資料」是工作表名稱，驚嘆號「!」可解釋成「裡面的」。

如果選取的是另一個已開啟活頁簿中的資料庫範圍，則「表格 / 範圍」文字方塊中將出現類似「[樞紐分析 .xlsx] 銷售資料 !$A$1:$J$1600」的內容，最開頭會看到套上中括號的檔案名稱「[樞紐分析 .xlsx]」。

▶ 使用外部資料來源

　　使用 Access、SQL、Oracle 等資料庫檔案或者 Windows Azure Marketplace 網站中的資料庫。

▶ 選擇您要放樞紐分析表的位置

　　可以將完成的樞紐分析表置於新工作表或者指定的工作表中，一般都會置於新工作表中，建議不要跟別的表格放在一起。

▶ 選擇您是否要分析多個表格

　　這是關連式資料庫的選項，在 Excel 中建置的資料庫，並無關連性，也就沒有**資料模型**的問題，因此不需要理會此一項目。

04 在**樞紐分析表欄位**清單中，分別勾選「業務單位」和「銷售金額」，「業務單位」將自動出現在「列」區域中；〝加總 - 銷售金額〞等字樣將會出現在「Σ 值」區域中；工作表左方 A3:B8 的範圍中亦同步顯示分類彙總的結果。

上圖中看到的是使用一個欄位來做分類彙總的樞紐分析表，此種報表又稱為單變數（或單維度）樞紐分析表。由於僅是簡單的彙總結果，因此，並不能成為一張正式的報表。像這樣的資料，常用來將彙總的數字套用到其他的報表之中，或者將計算結果當作快速查詢之用，而不會直接列印出來。

多維度樞紐分析表

多維度樞紐分析表，具有正式報表的規模，適合當作企業報表來列印。

在下圖的樞紐分析表中，左側包含了「業務單位」與「業務員」兩種**列標籤**，報表上方則包含了「銷售城市」與「銷售產品」兩種**欄標籤**，這就是典型的多維度報表結構，用來展現多重欄位分類統計的報表形式。

業務單位	業務員	台中市 產品A	產品B	產品C	產品D	台中市 合計	台北市 產品A	產品B	產品C	產品D	台北市 合計
⊟業務一		3401160	7099400	10377250	6193120	27070930	5335320	5055600	11816000	7706080	29913000
	古進雄	594360	2342800	2875500	1122400	6935060	1589280	1560000	4234750	1855040	9239070
	林大明	708000	936400	2694250	1845760	6184410	1416480		3380250	2155520	6952250
	黃英	1779000	1523600	4655750	2644800	10603150	563160	2525400	2003500	149120	5241180
	蔡玲玲	319800	2296600	151750	580160	3348310	1766400	970200	2197500	3546400	8480500
⊟業務二		3224400	9358800	10122250	4793760	27499210	5434680	7690400	10347750	8237760	31710590
	何希均	646560	2000200	1475000	494720	4616480	1094760	1454000	1159000	3373120	7080880
	柳美玉	1066680	2339800	1457500	1925440	6789420	611520	3369200	4567500	3363840	11912060
	張世凱	1084200	1435800	2901000	552480	5973480	1693440	2385600	4047000	836640	8962680
	黃乙銘	426960	3583000	4288750	1821120	10119830	2034960	481600	574250	664160	3754970
⊟業務三		6436680	12286800	9689000	10525440	38937920	5499480	8433200	8606250	7221120	29760050
	汪九祥	795600	1872600	3439000	2186400	8293600	584400	1333600		1458880	3376880
	林坤池	1576320	2261400	3747250	2724480	10309450	2471520	1049600	4559750	2107360	10188230
	張之鼎	2906880	4192800	2502750	2843520	12445950	1857120	2269800	2428750	1192160	7747830
	楊柏森	1157880	3960000		2771040	7888920	586440	3780200	1617750	2462720	8447110
⊟業務四		5374320	8435800	5820500	6793280	26423900	3669960	5102400	14156250	7525120	30453730
	王文軒	1800840	1325600	1254750	1854400	6235590	1160640	717800	4387750	2446560	8712750
	吳曉君	462480	2939200	1701000	2147040	7249720	817920	801400	2806250	1664640	6090210
	陳姿青	926160	1499800	2357250	2067520	6850730	1157040	558800	2242000	1457120	5414960
	楊森	2184840	2671200	507500	724320	6087860	534360	3024400	4720250	1956800	10235810
總計		18436560	37180800	36009000	28305600	119931960	19939440	26281600	44926250	30690080	121837370

製作多維度報表的操作步驟如下：

01 開啟 \ 範例檔 \ 第 4 章範例 \ 樞紐分析 .xlsx\「銷售資料」工作表。

02 點選資料庫中的任一儲存格，點按插入索引標籤 / 表格群組 / 樞紐分析表。

03 在建立樞紐分析表對話方塊中，所有設定均採用預設值，按下確定即可。

04 在樞紐分析表欄位清單中，分別勾選「業務單位」、「業務員」、「銷售城市」、「銷售產品」以及「銷售金額」五個欄位，除了「銷售金額」欄被置於「Σ 值」區

域之外，其餘四個文字欄位都被置於「列」區域中（如左下圖）；此時，工作表左方同時出現初步完成的部份報表內容（如右下圖）。

05　分別將「銷售城市」與「銷售產品」兩個欄位從「列」區域拖曳到「欄」區域中，此時報表結構立即跟著改變，成為如右下圖的結果（部份內容）。

樞紐分析表的製作過程雖然很簡單,但卻能針對資料庫很快地做出各式分類彙總報表,對工作效率的提昇幫助極大。

回到 Excel 2003 之前的操作模式

如果您已經在 Excel 2003 或更早的版本中使用過樞紐分析表,一時之間可能還不太習慣 Excel 2007 之後版本的操作方式,除了操作介面不同之外,兩者最大不同之處在於 Excel 2003 是以拖曳欄位的方式來完成樞紐分析表,而 Excel 2007~2013,則是以勾選欄位為主的方式,完成樞紐分析表的建置;其實 Excel 2007~2013 也可以使用拖曳欄位的方式來建置樞紐分析表,但是需要經過如下的設定:

01　開啟 \ 範例檔 \ 第 4 章範例 \ 樞紐分析 .xlsx\「銷售資料」工作表。

02　點選資料庫中的任一儲存格,點按**插入**索引標籤 / **表格**群組 / **樞紐分析表**;在**建立樞紐分析表**對話方塊中,按下**確定**。

03　由於在**樞紐分析表欄位清單**中,沒有勾選任何欄位,所以左方看到的是一個空的架構;點按**樞紐分析表工具** / **分析**索引標籤 / **樞紐分析表**群組 / **選項**。

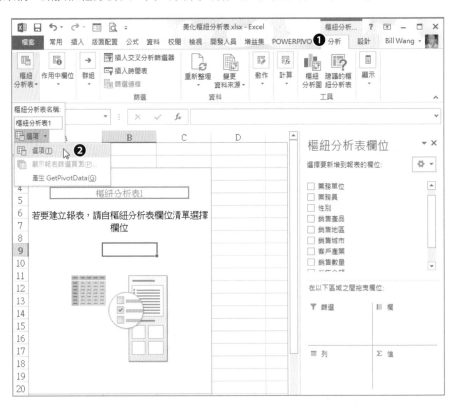

04 在**樞紐分析表選項**對話方塊的**顯示**標籤之下,勾選「古典樞紐分析表版面配置」核取方塊,按下**確定**。

05 在**樞紐分析表欄位**清單中,按住「業務單位」欄位,將其向左拖曳到左邊 A 欄「列欄位」的方塊中。

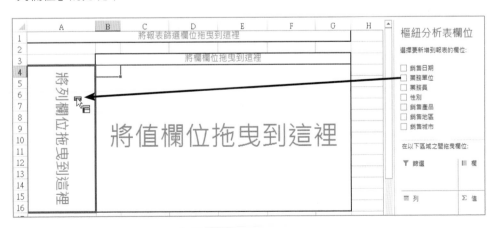

06 再逐一將「銷售產品」拖曳到第 3 列「欄欄位」的方塊中，最後再將「銷售金額」拖曳到最大一塊「值欄位」的方塊中即可。

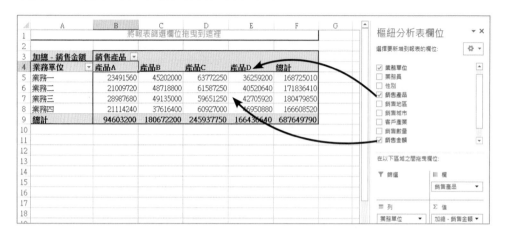

被拖曳到樞紐分析表中的欄位，同時會在**樞紐分析表欄位**清單中呈現勾選的狀態，在**樞紐分析表欄位**清單下方各個區域中，也顯示了對應的欄位名稱。

選擇不同的摘要方式

「加總」是樞紐分析表的預設摘要方式（即計算方式），您可以透過不同的摘要方式，來滿足實務上的需求。只要在完成的樞紐分析表上，按下滑鼠右鍵，在**快顯功能表**中點選**摘要值方式**，並點選第二層選單中的摘要方式項目，即可完成不同的計算結果。

常用的摘要方式列舉如下：

▶ **項目個數**：成交筆數統計

	A	B	C	D	E	F
3	計數 - 銷售金額	欄標籤				
4	列標籤	產品A	產品B	產品C	產品D	總計
5	業務一	103	121	142	126	492
6	業務二	98	129	129	130	486
7	業務三	125	128	127	137	517
8	業務四	98	105	123	159	485
9	總計	424	483	521	552	1980

▶ **平均值**：計算平均銷售金額

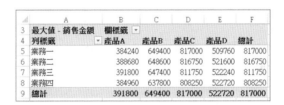

	A	B	C	D	E	F
3	平均值 - 銷售金額	欄標籤				
4	列標籤	產品A	產品B	產品C	產品D	總計
5	業務一	228073.3981	373570.2479	449100.3521	287771.4286	342937.0122
6	業務二	214384.898	377665.1163	477420.5426	311697.2308	353572.8601
7	業務三	231901.44	383867.1875	469694.8819	311722.0438	349090.619
8	業務四	215451.4286	358251.4286	495341.4634	295288.5535	343522.7216
9	總計	223120.7547	374062.5259	472049.4242	301515.6522	347297.8737

▶ **最大值**：不做計算，報表中僅列出最大的交易金額數字

	A	B	C	D	E	F
3	最大值 - 銷售金額	欄標籤				
4	列標籤	產品A	產品B	產品C	產品D	總計
5	業務一	384240	649400	817000	509760	817000
6	業務二	388680	648600	816750	521600	816750
7	業務三	391800	647400	811750	522240	811750
8	業務四	384960	637800	808250	522720	808250
9	總計	391800	649400	817000	522720	817000

▶ **最小值**：不做計算，報表中僅列出最小的交易金額數字

	A	B	C	D	E	F
3	最小值 - 銷售金額	欄標籤				
4	列標籤	產品A	產品B	產品C	產品D	總計
5	業務一	65040	100400	126250	80800	65040
6	業務二	63240	103800	127000	82240	63240
7	業務三	60240	104000	125000	80160	60240
8	業務四	60960	101000	128250	85280	60960
9	總計	60240	100400	125000	80160	60240

■ **更多的摘要方式**

如果需要使用更進階的摘要方式，您可以在樞紐分析表上，按下滑鼠右鍵，在**快顯功能表**中點選**摘要值方式**，並點選第二層選單中的**更多選項**，即可在右下圖中的**值欄位設定**對話方塊中，看到更多摘要方式的選項，點選之後，按下**確定**即可。

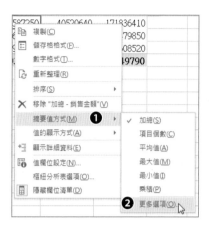

在右上圖**值欄位設定**對話方塊中，如果將**自訂名稱**文字方塊中的標籤「加總 - 銷售金額」改成「銷售金額統計」，如下二圖所示。

則將對樞紐分析表造成下列兩種影響：

1. 樞紐分析表左上角的文字標籤「加總 - 銷售金額」（如左下圖），將同步更新成為「銷售金額統計」（如右下圖）。

2. 「Σ 值」區域中的標籤也將同步更新成為「銷售金額統計」。

Tips

- 您可以直接更改樞紐分析表中 A3 儲存格的文字標籤成為「銷售金額統計」；同時也可以更改 B3 儲存格中的「欄標籤」成為「銷售產品名稱」，更改 A4 儲存格中的「列標籤」成為「業務單位」。

- 在**值欄位設定**對話方塊中，稍向下捲動選單，就可以看到「數字項個數」這個選項，此一選項究竟有什麼用途呢？

原來，樞紐分析表摘要值的計算，背後都是運用相關的函數作為運算的基礎。Excel 有兩個用來計數的函數，一個是 COUNT 另外一個是 COUNTA，我們在樞紐分析表中做次數的統計時，有兩個選項讓我們來選擇，一個叫作「項目個數」，在計數時，會套用 COUNTA 函數；另一個叫作「數字項個數」，在計數時，則會套用 COUNT 函數。

COUNT 函數專門用來統計數值儲存格的個數，空白或者非數值的儲存格會自動忽略。COUNTA 函數則是用來統計非空白儲存格的個數。

所以，在樞紐分析表中用來計數的如果是數值欄，而其中又含有非數值的錯誤資料或者有些是空白儲存格，最好能用「數字項個數」這個選項來將非數值或者空白的儲存格排除在外，這樣才能得到正確的計數值。

不論是數值欄或者文字欄，如果只想統計非空白儲存格的個數，使用「項目個數」就可以得到正確的計數值。

多重欄位的統計表

樞紐分析表中可以同時完成多個數值欄位的統計，例如，下圖中的**銷售數量**和**銷售金額**同時顯示在報表中。

	A	B	C	D	E	F
3		欄標籤 ▼				
4	列標籤 ▼	產品A	產品B	產品C	產品D	總計
5	業務一					
6	加總 - 銷售數量	195763	226010	255089	226620	903482
7	加總 - 銷售金額	23491560	45202000	63772250	36259200	168725010
8	業務二					
9	加總 - 銷售數量	175081	243594	246349	253254	918278
10	加總 - 銷售金額	21009720	48718800	61587250	40520640	171836410
11	業務三					
12	加總 - 銷售數量	241564	245675	238605	266912	992756
13	加總 - 銷售金額	28987680	49135000	59651250	42705920	180479850
14	業務四					
15	加總 - 銷售數量	175952	188082	243708	293443	901185
16	加總 - 銷售金額	21114240	37616400	60927000	46950880	166608520
17	加總 - 銷售數量 的加總	788360	903361	983751	1040229	3715701
18	加總 - 銷售金額 的加總	94603200	180672200	245937750	166436640	687649790

若要同時展現多個數值欄位的計算結果，請參考下列操作步驟：

`01` 開啟 \ 範例檔 \ 第 4 章範例 \ 樞紐分析 .xlsx\「銷售資料」工作表。

`02` 點選資料庫中的任一儲存格，點按**插入**索引標籤 / **表格**群組 / **樞紐分析表**。

`03` 在**建立樞紐析表**對話方塊中，所有設定均採用預設值，按下**確定**即可。

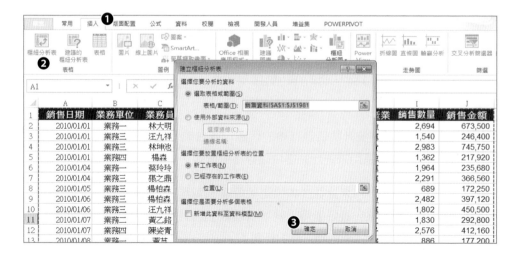

04 在**樞紐分析表欄位**清單中，分別勾選「業務單位」、「銷售產品」並將「銷售產品」欄位標籤從「列」區域拖曳到「欄」區域中；再勾選「銷售數量」以及「銷售金額」兩個欄位；此時在工作表左方可以看到「銷售數量」以及「銷售金額」以左右排列的方式列在報表之中，導致報表因太寬而不易閱讀。

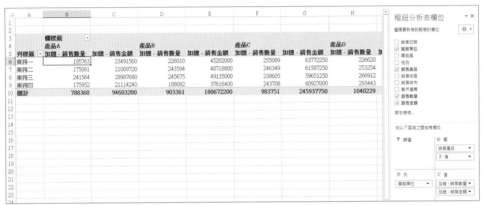

05 按住「欄」區域中「Σ 值」標籤，拖曳到「列」區域的最下方，即可看到「銷售數量」以及「銷售金額」由左右排列的方式，改變成為上下排列的方式，使得報表更容易閱讀。

	A	B	C	D	E	F
3		欄標籤				
4	列標籤	產品A	產品B	產品C	產品D	總計
5	業務一					
6	加總 - 銷售數量	195763	226010	255089	226620	903482
7	加總 - 銷售金額	23491560	45202000	63772250	36259200	168725010
8	業務二					
9	加總 - 銷售數量	175081	243594	246349	253254	918278
10	加總 - 銷售金額	21009720	48718800	61587250	40520640	171836410
11	業務三					
12	加總 - 銷售數量	241564	245675	238605	266912	992756
13	加總 - 銷售金額	28987680	49135000	59651250	42705920	180479850
14	業務四					
15	加總 - 銷售數量	175952	188082	243708	293443	901185
16	加總 - 銷售金額	21114240	37616400	60927000	46950880	166608520
17	加總 - 銷售數量 的加總	788360	903361	983751	1040229	3715701
18	加總 - 銷售金額 的加總	94603200	180672200	245937750	166436640	687649790

Tips

如果樞紐分析表中用到了兩個以上的數值欄來做統計，Exel 就會將這些用來統計的數值欄，以左右排列的方式展開在報表之中，同時會在「欄」區域中出現一個「Σ值」的標籤。

由於這樣會使得報表篇幅過寬，導致不易檢視報表內容，因此，我們可將「Σ值」標籤移至「列」區域的最下方，用來改變報表的維度，使得報表內容更加集中，而且容易閱讀；所以，「Σ值」標籤的用途在於：**調整用來計算的數值欄位的排列方向**，您可以依需要，任意調整「Σ值」標籤的位置。

建議的樞紐分析表

必須要先聲明的是：「這是 Excel 2013 之後的版本才有的功能」。

對初次建立樞紐分析表的使用者而言，可以透過「建議的樞紐分析表」清單中的 10 種樞紐分析表樣式，快速建立簡單的樞紐分析表；但是，報表內容必須經過調整才能使用。

例如，要建立一張「各業務單位的成交筆數統計表」，就可以使用「建議的樞紐分析表」來完成，操作步驟如下：

01 開啟 \ 範例檔 \ 第 4 章範例 \ 樞紐分析 .xlsx\「銷售資料」工作表。

02 點選資料庫中的任一儲存格，點按**插入**索引標籤 / **表格**群組 / **建議的樞紐分析表**。

03 在**建議的樞紐分析表**對話方塊中，點選第一個報表樣式，按下**確定**。

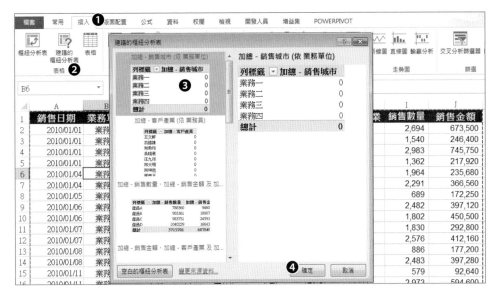

04 報表中出現一堆「0」的數字，點按「Σ 值」區域中的標籤「加總 - 銷售城市」，點選快顯功能表中的「值欄位設定」。

05 在**值欄位設定**對話方塊中的**摘要值欄位方式**清單中，點選「項目個數」，按下確定。

06 左下圖即為初步完成的**成交筆數統計表**，再將 A3 以及 B3 儲存格中的標籤分別改成「業務單位」與「成交筆數」即可（如右下圖）。

「建議的樞紐分析表」只提供 10 種簡單的樞紐分析表樣式，所以，如果需要較複雜的報表內容，還是要了解樞紐分析表的進階應用才行。

欄位勾選的順序對報表內容的影響

在**欄位清單**中勾選欄位的順序非常重要，順序不同，出現的結果也將會不一樣。

例如，在下一圖和下二圖右邊**欄位清單**中勾選的欄位完全相同，但是樞紐分析表的內容卻不相同，這是怎麼回事呢？那是因為下一圖勾選的順序為「業務單位」、「業務員」以及「銷售產品」，而下二圖勾選的順序卻為「銷售產品」、「業務單位」以及「業務員」，所以，從**區域區段**中可以清楚的看出欄位勾選的順序。

由此可知，樞紐分析表會將第一個勾選的欄位視為**大分類**欄位，會顯示在報表的最左邊，第二個勾選的欄位視為**次分類**欄位，會顯示在報表的中間位置，第三個勾選的欄位視為**小分類**欄位會被置於報表的最右邊。

如何調整已勾選的欄位順序呢？有三種做法可將左下圖的「銷售產品」移動到最前面，使其成為如右下圖的排列方式。

▶ 方法一

取消勾選**欄位區段**中用來分類的欄位，依分類順序重新勾選**欄位區段**中的欄位。

▶ 方法二

在「銷售產品」的列標籤上按一下，點選「移動到開頭」，即可將「銷售產品」列標籤移動到最前面。

▶ 方法三

按住「銷售產品」列標籤，向上拖曳至最上方。

欄位清單不見了

在操作的過程中，經常碰到的問題是**欄位清單**怎麼不見了？發生這樣問題的原因在於：

▶ 當我們製作完成樞紐分析表之後，如果點選了其他的儲存格，**欄位清單**就會自動消失，此時只要點選樞紐分析表中的任一儲存格，即可看到**欄位清單**再度出現。

▶ 可能不小心關閉了**欄位清單**，此時只要點按一下樞紐分析表中的任一儲存格，再點按**樞紐分析表工具 / 分析 / 顯示群組 / 欄位清單**，即可再度啟用**欄位清單**。

延遲版面配置更新

在**樞紐分析表欄位**工作窗格最下方，有一名叫「延遲版面配置更新」的核取方塊，這是做什麼用的？其實這是一個沒什麼大不了的功能，在沒有被勾選的狀態之下

（這是 Excel 預設狀態），當您在上方的欄位清單中勾
選或取消勾選其他欄位時，樞紐分析表的內容將會同
步更新；如果勾選了「延遲版面配置更新」的核取方
塊，它的右邊會出現「更新」按鈕，這表示當您在欄
位清單中勾選或取消勾選其他欄位時，樞紐分析表的
內容將不會同步更新，一直要等到您按下「更新」按
鈕之後，Excel 才會更新樞紐分析表的內容。

4.2.2 報表篩選

樞紐分析表完成之後，您可以根據某一個（或多個）
欄位來進行**單一項目**或**多重項目**的資料過濾，篩選出
想看的報表內容。在 Excel 2003 或更早的版本，此項
功能稱之為「分頁」，這樣的稱呼不容易讓使用者了
解它的用途，到了 Excel 2007 之後的版本，改成了
「報表篩選」的稱呼，感覺也比較貼切。

什麼是「項目」

所謂「項目」，就是來自於欄位中不重複的內容。以下圖為例，「產品 A」、「產品
B」、「產品 C」、「產品 D」就是 B3 儲存格**欄標籤**之下的**項目**，也就是「銷售產
品」欄位中不重複的內容；「業務一」、「業務二」、「業務三」、「業務四」就是 A4 儲
存格**列標籤**之下的**項目**，也就是「業務單位」欄位中不重複的內容。

使用「欄標籤」與「列標籤」中的篩選按鈕

以下圖的樞紐分析表為例，您可以點按 B3 儲存格**欄標籤**旁邊的篩選按鈕，並
在篩選清單中取消勾選不要出現在報表中的項目，例如「產品 C」、「產品 D」，按下

確定；接著點按 A4 儲存格「**列標籤**」旁邊的**篩選**按鈕，並在篩選清單中取消勾選不要出現在報表中的項目，例如「業務三」、「業務四」，按下**確定**（如右下圖）。

篩選完成之後的樞紐分析表，如下圖所示。

取消篩選

若要取消所有的項目篩選，只要分別點開 B3 及 A4 儲存格中的**篩選**按鈕，再分別點選「清除 " 銷售產品 " 的篩選」以及「清除 " 業務單位 " 的篩選」即可；您也可以在右下圖中點選「全選」核取方塊，重新顯示所有的項目。

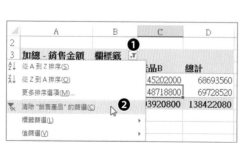

在報表篩選區域中設定篩選欄位

除了使用樞紐分析表本身的「欄標籤」或「列標籤」來篩選項目之外，還可以搭配報表中沒有用到的資料庫欄位來進行篩選，在 Excel 2003 或更早的版本中，此種做法，稱之為「分頁」。

■ 單一欄位單一項目的篩選

下圖是以「銷售城市」為篩選對象的樞紐分析表，在這樣的架構之下，當我們點選某一銷售城市（例如「台北市」），報表僅會顯示「台北市」的統計數字。

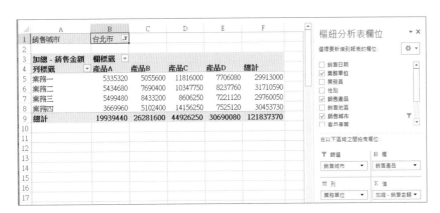

設定篩選欄位到**報表篩選**區域中的操作步驟如下：

`01` 開啟 \ 範例檔 \ 第 4 章範例 \ 樞紐分析 .xlsx\「銷售資料」工作表。

`02` 點選資料庫中的任一儲存格，點按**插入**索引標籤 / **表格**群組 / **樞紐分析表**。

`03` 在**建立樞紐分析表**對話方塊中，所有設定均採用預設值，按下**確定**即可。

`04` 在**樞紐分析表欄位**清單中，分別勾選「業務單位」、「銷售產品」、「銷售城市」以及「銷售金額」；將「銷售產品」欄位標籤從「列」區域拖曳到「欄」區域中；再將「銷售城市」欄位標籤從「列」區域拖曳到「報表篩選」區域，完成的樞紐分析表如下圖所示。

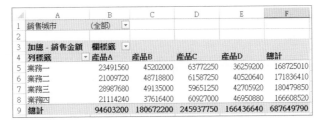

05 點按 B1 儲存格中的**篩選按鈕**，在項目清單中，點選「台北市」再按下**確定**即可。

06 此時 B1 儲存格中，可以看到「台北市」的項目名稱，其右邊的**篩選按鈕**上出現了漏斗的圖示，報表中的統計數字也跟著改變。

■ 單一欄位多重項目的篩選

如果想要同時篩選多個銷售城市，請先勾選項目清單中最下方的「選取多重項目」，在勾選多個城市項目之後，按下**確定**即可。

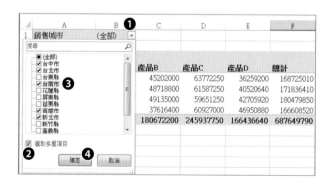

此時，B1 儲存格中，可以看到「多重項目」的字樣，報表中的統計數字也跟著改變。

	A	B	C	D	E	F
1	銷售城市	(多重項目) ▼				
2						
3	加總 - 銷售金額	欄標籤 ▼				
4	列標籤 ▼	產品A	產品B	產品C	產品D	總計
5	業務一	21062760	35776600	54146250	32388640	143374250
6	業務二	17653200	42142400	52621250	34444800	146861650
7	業務三	26842080	44798400	45511000	38046400	155197880
8	業務四	19596360	32868400	53348750	43648800	149462310
9	總計	85154400	155585800	205627250	148528640	594896090

此種篩選方式的缺點在於，看不出來有多少個城市被勾選，導致篩選標的不夠清楚；在稍後的章節中，將會介紹另外一種「交叉分析篩選器」的工具，來替代多重項目的篩選方式。

■ 多重欄位的項目篩選

除了前述「單一欄位多重項目的篩選」之外，我們還可以同時使用兩個以上的欄位來進行篩選，好讓報表內容更為精準。例如，除了「銷售城市」欄位之外，另外想再加上「客戶產業」欄作為篩選的另一種條件，如下圖所示：

	A	B	C	D	E	F
1	銷售城市	(多重項目) ▼				
2	客戶產業	(全部) ▼				
3						
4	加總 - 銷售金額	欄標籤 ▼				
5	列標籤 ▼	產品A	產品B	產品C	產品D	總計
6	業務一	21062760	35776600	54146250	32388640	143374250
7	業務二	17653200	42142400	52621250	34444800	146861650
8	業務三	26842080	44798400	45511000	38046400	155197880
9	業務四	19596360	32868400	53348750	43648800	149462310
10	總計	85154400	155585800	205627250	148528640	594896090

在此僅針對**欄位清單**之下的**區域區段**，設定了哪些欄位加以說明：

▶ **篩選**區域：「銷售城市」與「客戶產業」

▶ **列**區域：「業務單位」

▶ **欄**區域：「銷售產品」

▶ **值**區域：「銷售金額」

雖然在樞紐分析表中設定了兩個以上的篩選欄位，但是未必都要執行項目的篩選。以下圖為例，一看就知道，「銷售城市」是經過篩選的，因為它的右邊顯示了「多重

項目」的字樣和漏斗標記。而「客戶產業」欄的右邊顯示了「全部」的字樣，代表「客戶產業」欄尚未進行項目的篩選。

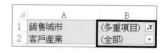

下圖則是「銷售城市」進行了**多重項目**的篩選，而「客戶產業」只選擇了「百貨」業的客戶，報表中的數字也將因此而改變。

若要取消「銷售城市」以及「客戶產業」的篩選，只需在**欄位清單**中取銷勾選這兩個欄位，A1:B2 的篩選設定即被清除，報表也會重新計算。

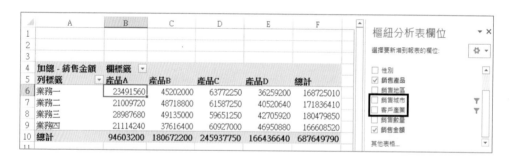

4.2.3 交叉分析篩選器

雖然前一節中的「多重欄位的項目篩選」可讓報表展現更精確的統計數字，但是，其缺點在於：看不出來有多少個**銷售城市**和**客戶產業**的項目被勾選，僅顯示了「（多重項目）」的字樣（如右圖所示），因而降低了報表的可讀性。

為了讓篩選項目能夠一目了然，Excel 2010 之後的版本，推出了「交叉分析篩選器」這項工具，讓篩選欄位和項目清單不再被局限在樞紐分析表的左上角，而讓我們以視覺化的方式來操作欄位中的篩選項目。

以下圖為例,透過「交叉分析篩選器」的設定,可以將篩選欄位置於樞紐分析表的上方或四周的任何位置;並將所有的篩選項目,以視覺化的方式全部展現出來,被選取的項目,則被標記了不同的顏色;例如「銷售城市」欄位中的「台中市」、「台北市」、「台南市」、「高雄市」、「新北市」以及「客戶產業」欄位中的「生技」、「百貨」、「金融」、「食品」等項目,分別標記了橘色和綠色。

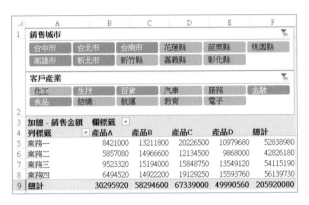

設定交叉分析篩選器

以下圖的樞紐分析表為例,若要將「銷售城市」以及「客戶產業」兩個欄位,利用「交叉分析篩選器」設定成為視覺化的篩選工具(如前圖所示),請參考下列操作步驟:

01 點選樞紐分析表中的任一儲存格,點按**插入**索引標籤 / **篩選**群組 / **交叉分析篩選器**。

02 在插入**交叉分析篩選器**對話方塊中,勾選「銷售城市」以及「客戶產業」兩個欄位,按下**確定**。

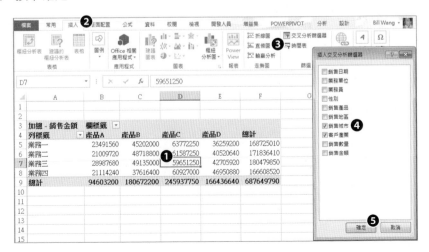

您也可以在點選樞紐分析表中的任一儲存格之後，再點按**樞紐分析表工具** / **分析**索引標籤 / **篩選**群組中的「插入交叉分析篩選器」。

03 Excel 將「銷售城市」以及「客戶產業」兩個欄位的項目清單，以部份重疊的方式，顯示在樞紐分析表的右方；兩個欄位中的所有項目都是在選取的狀態，表示都是作用中的項目。

04 取消選取不要的欄位項目。按住 Ctrl 鍵不放，分別點選「花蓮縣」、「苗栗縣」、「桃園縣」以及「化工」、「汽車」、「服務」、「食品」、「航運」、「教育」、「電子」等項目（捲動**銷售城市**與**客戶產業**與的項目清單，就可看到清單中的其他項目），被取消的項目，呈白底黑字的狀態，其數字就不會反映在報表中。

Tips

如果要取消所有的篩選項目，還原所有的項目內容，只要點按**交叉分析篩選器**右上角的**清除篩選**按鈕即可（如左下圖）。

或者也可以在**交叉分析篩選器**中，按下滑鼠右鍵，點按快顯功能表中的「清除 " 銷售城市 " 的篩選」（如右下圖）。

調整交叉分析篩選器的大小和位置

接著，我們延續前一小節「**設定交叉分析篩選器**」的後續動作，設定**交叉分析篩選器**的欄數與大小，再將其移動到樞紐分析表的上方。

`01` 拉大工作表第 2 列的高度（約 145pt），在「**銷售城市**」**交叉分析篩選器**的標題上按住左鍵，拖曳至如下圖所示的位置，以方便**交叉分析篩選器**的格式設定。

`02` 點按**交叉分析篩選器工具 / 選項**，並請設定**大小**群組中的數據「高度：2.4 公分；寬度：15.2 公分」。接著設定**按鈕**群組中的數據「欄：6；高度：0.6 公分；寬度：2.39 公分」，成為如下圖所示的結果。

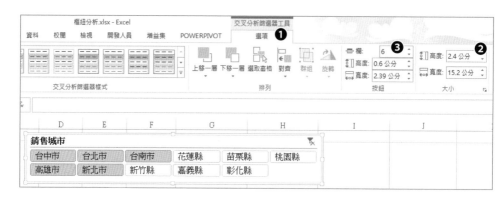

03 將「銷售城市」交叉分析篩選器拖曳至 A1 儲存格的位置。點按設定交叉分析篩選器工具 / 選項 / 交叉分析篩選器樣式，點選「交叉分析篩選器樣式深色 2」的樣式。

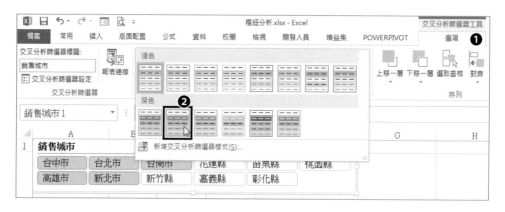

04 在「客戶產業」交叉分析篩選器的標題上按住左鍵，拖曳至「銷售城市」交叉分析篩選器的下方，並參考步驟 2 與步驟 3 的做法（套用「交叉分析篩選器樣式深色 2」的樣式），將「客戶產業」交叉分析篩選器設定成為如下圖所示的結果。

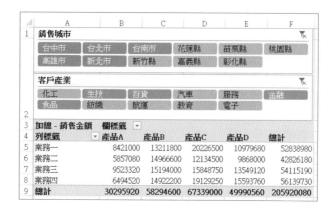

Tips

如果想要針對**交叉分析篩選器**的外觀格式做更進一步的設定，請點按**交叉分析篩選器工具 / 選項**，並點按**大小**群組右下角的**對話方塊啟動器**，就可以在**設定交叉分析篩選器格式**窗格中，分別針對「位置和版面配置」、「大小」、「屬性」與「替代文字」等四個項目做更進一步的設定（如下圖所示），但是一般而言是無此必要的。

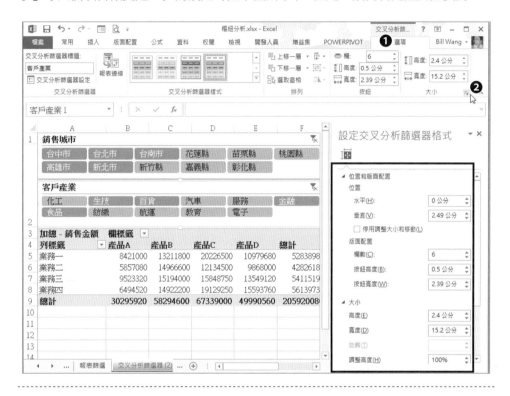

變更標題文字與項目的排序

■ 變更「交叉分析篩選器」的標題文字

您可以變更交叉分析篩選器的標題文字，以符合需求。例如要將「銷售城市」交叉分析篩選器的標題文字「銷售城市」改成「銷售縣市」，操作步驟如下：

`01` 點按一下「銷售城市」交叉分析篩選器，再點按**交叉分析篩選器工具 / 選項 / 交叉分析篩選器**群組 / **交叉分析篩選器設定**。

`02` 在**交叉分析篩選器設定**對話方塊中，輸入標題文字「銷售縣市」，再按下**確定**即可。

03 變更之後的標題文字「銷售縣市」如下圖所示。

■「交叉分析篩選器」的項目排序

您可以依筆劃的順序，重新排列交叉分析篩選器中的項目，例如，要由大到小重新排列「客戶產業」交叉分析篩選器中的項目，可以這麼做：

01 在「客戶產業」交叉分析篩選器中按下滑鼠右鍵，在快顯功能表中點選「從 Z 到 A 排序」。

02 排序完成的「客戶產業」項目如下圖所示。

如果要將「銷售城市」交叉分析篩選器中的縣市名稱，**依由北到南的順序排列**，就必須透過**自訂清單**的設定，才能不受筆劃的限制，排列出需要的順序。有關**自訂清單**的設定和應用，請參考第 2 章「2.4 自訂清單的應用」一節中的詳細說明。

當您完成了**自訂清單**的設定之後，就可以依下列操作步驟，來將「銷售城市」交叉分析篩選器中的縣市名稱，**由北到南完成排序**。

01 點按一下「銷售城市」交叉分析篩選器，再點按**交叉分析篩選器工具 / 選項 / 交叉分析篩選器**群組 / **交叉分析篩選器設定**。

02 在交叉分析篩選器設定對話方塊中，點選「遞增 (A 到 Z)」，再勾選「排序時，使用自訂清單」，最後按下**確定**即可。

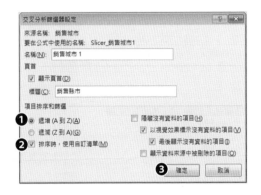

移除交叉分析篩選器

如果要移除「銷售城市」**交叉分析篩選器**，有兩種移除**交叉分析篩選器**的做法。

▶ 第一種做法：在「銷售城市」**交叉分析篩選器**中按下右鍵，點選「移除 " 銷售城市 "」即可從樞紐分析表中移除。

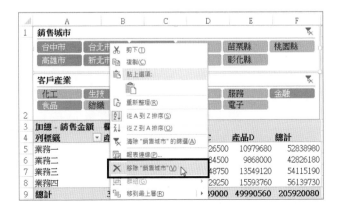

▶ 第二種做法：在要移除的**交叉分析篩選器**標題上點按一下，再按下 Delete 鍵即可。

在清單中使用交叉分析篩選器

交叉分析篩選器不僅在**樞紐分析表**中可以使用，即便沒有製作樞紐分析表，您一樣可以在**清單**的模式之下使用**交叉分析篩選器**來篩選資料庫內容；什麼是「清單」？請參考第 3 章「3.1 清單的觀念和應用」一節中詳細的說明。

要在清單中使用**交叉分析篩選器**，請參考下列操作步聚：

`01` 點選資料庫的任一儲存格，點按**常用**索引標籤 / **樣式**群組 / **格式化為表格**，在清單中點選任一樣式。

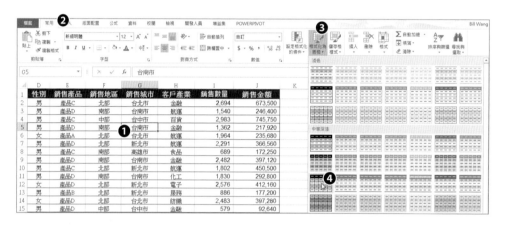

`02` 在**格式為表格**對話方塊中，全部採用預設值，按下**確定**。

`03` 點按**資料表工具** / **設計**索引標籤 / **篩選**群組 / **交叉分析篩選器**；在**插入交叉分析篩選器**對話方塊中，勾選「**銷售城市**」以及「**客戶產業**」，按下**確定**。

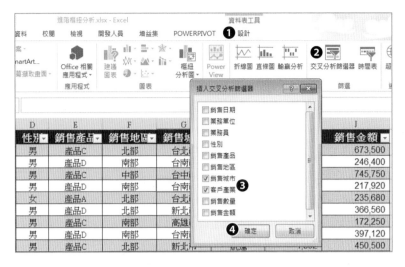

04 將交叉分析篩選器移到適當位置,選取「台北市」、「新北市」兩個**銷售城市**的項目,再選取**客戶產業**中的「金融」項目,即可依此篩選出資料庫的內容。

	A	B	C		E	F	G		銷售數量	銷售金額		K	L	M	N
1	銷售日期	業務單位	業務員	性別	銷售產品	銷售地區	銷售城市	客戶產業	銷售數量	銷售金額		銷售城市		客戶產業	
2	2010/01/01	業務一	林大明	男	產品C	北部	台北市	金融	2,694	673,500		台中市		化工	
313	2010/07/26	業務四	楊森	男	產品B	北部	台北市	金融	2,942	588,400		台北市		生技	
325	2010/08/02	業務三	張之forum	男	產品B	北部	台北市	金融	1,401	168,120		台南市		百貨	
348	2010/08/20	陳愛青		女	產品D	北部	台北市	金融	913	146,080		花蓮縣		汽車	
395	2010/09/27	業務四	吳曉音	女	產品A	北部	新北市	金融	2,242	269,040		苗栗縣		服務	
397	2010/09/29	業務四	楊森	男	產品B	北部	台北市	金融	2,147	429,400		桃園縣		金融	
445	2010/11/09	業務四	王文軒	男	產品D	北部	新北市	金融	1,126	180,160		高雄市		食品	
473	2010/11/30	業務二	柳美玉	女	產品A	北部	台北市	金融	991	118,920		新北市		紡織	
477	2010/12/03	業務三	楊怡森	男	產品B	北部	台北市	金融	2,679	535,800					
484	2010/12/08	業務一	蔡玲玲	女	產品B	北部	台北市	金融	1,251	150,120					
537	2011/01/17	業務四	陳愛青	女	產品C	北部	新北市	金融	1,270	317,500					
545	2011/01/25	業務四	王文軒	男	產品B	北部	台北市	金融	1,570	314,000					

Tips ----

再次提醒大家,要在資料庫中直接使用**交叉分析篩選器**,一定要先將資料庫轉成**清單**的格式,否則無法使用。

4.2.4 進階樞紐分析表

本節將介紹樞紐分析表的各種變化,從而了解樞紐分析的強大功能,其中包括了各種百分比報表、差異性報表、群組報表、多層次父項分析表、貢獻度報表、三合一報表、筆數統計表、報表的再分類…等等,全方位的精彩內容。

下表為微軟官方網站,針對 Excel 2013 樞紐分析表提供的**計算方式**(又稱為「值的顯示方式」)的項目說明,照原文列舉如下:

計算方式	說明
無計算	顯示在欄位中輸入的值。
總計百分比	以報表中所有值或資料點之總計百分比的方式顯示值。
欄總和百分比	以各欄或數列總計百分比的方式,顯示各欄或數列中的所有值。
列總和百分比	以列或類別總計百分比的方式,顯示各列或類別中的值。
百分比	以 [基本欄位] 中之所選 [基本項目] 值百分比的方式顯示值。
父項列總和百分比	值的顯示方式:(項目值) / (列中父項目值)
父項欄總和百分比	值的顯示方式:(項目值) / (欄中父項目值)
父項總和百分比	值的顯示方式:(項目值) / (所選 [基本欄位] 中父項目值)
差異	以 [基本欄位] 中之所選 [基本項目] 值差異的方式顯示值。
差異百分比	以 [基本欄位] 中之所選 [基本項目] 值百分比差異的方式顯示值。
計算加總至	將所選 [基本欄位] 中連續項目值作為計算加總的值。
計算加總至百分比	將所選 [基本欄位] 中連續項目的百分比值顯示為計算加總值。
最小到最大排列	所選取的值在特定欄位中的順位,欄位中最小的項目列為 1,值愈大,所指派的順位值則愈後面。
最大到最小排列	所選取的值在特定欄位中的順位,欄位中最大的項目列為 1,值愈小,所指派的順位值則愈後面。
索引	值的顯示方式:((儲存格內數值) x (總計的總計)) / ((列總計) x (欄總計))

如果看了半天也不太了解上表中的官方說明,沒有關係,後面的章節中會有詳細的說明及操作範例可供參考。

總計百分比

在報表中單純的用數字來展現統計結果,只會看到一堆令人難以解讀的龐大數字,因而大幅降低了報表的可讀性,而且不容易看出報表的重點所在。除了數字之外,如果能用「佔有率」的方式來表達數字的重要性,這樣不僅可以增加報表的可讀性,而且能讓報表中的數字易於理解。

總計百分比是將樞紐分析表中的每一個數字跟全公司的總計作比較,再以百分比的方式來呈現。例如,想要知道各**業務單位**在各個**銷售產品**上的業績佔全公司總業績的百分比分別是多少?請參考下列操作步驟:

01 開啟 \ 範例檔 \ 第 4 章範例 \ 進階樞紐分析 .xlsx\「銷售資料」工作表。

02 點選資料庫中的任一儲存格，點按**插入**索引標籤/**表格**群組/**樞紐分析表**；在**建立樞紐析表**對話方塊中，所有設定均採用預設值，直接按下**確定**即可。

03 在**樞紐分析表欄位**清單中，分別勾選「業務單位」、「銷售產品」以及「銷售金額」三個欄位，並將「列」區域中的「銷售產品」標籤拖曳到「欄」區域中。

04 點按**樞紐分析表工具**/**分析**索引標籤/**作用中欄位**群組/**欄位設定**。

05 在**值欄位設定**對話方塊中，點按**值的顯示方式**標籤，點選**值的顯示方式**清單中的「總計百分比」，再按下**確定**。

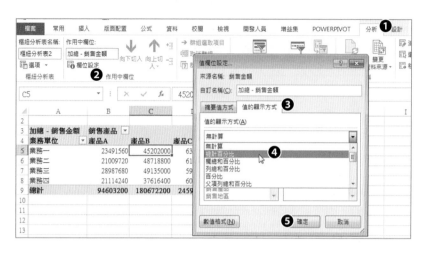

完成「總計百分比」設定之後的結果,如下圖所示;以圖中 B5 儲存格中的 3.42% 為例,我們可以這樣解讀:「**業務一**在**產品 A** 的銷售金額,佔全公司銷售總金額的 3.42%」。

	A	B	C	D	E	F
2						
3	加總 - 銷售金額	銷售產品 ▾				
4	業務單位 ▾	產品A	產品B	產品C	產品D	總計
5	業務一	3.42%	6.57%	9.27%	5.27%	24.54%
6	業務二	3.06%	7.08%	8.96%	5.89%	24.99%
7	業務三	4.22%	7.15%	8.67%	6.21%	26.25%
8	業務四	3.07%	5.47%	8.86%	6.83%	24.23%
9	總計	13.76%	26.27%	35.76%	24.20%	100.00%

Tips

• 要將純數字的報表轉換成為「總計百分比」的格式,除了前述的方法之外,還可以在報表中按下滑鼠右鍵,點選快顯功能表中的**值的顯示方式 / 總計百分比**。

欄總和百分比

前述「總計百分比」是以全公司業績的角度來看佔有率，另外還可以透過**銷售產品**的角度來看佔有率，也就是「**欄總和百分比**」。

不論哪一種百分比報表，在做法上都是相同的，只是在**值的顯示方式**上有所不同而已，所以要將數字設定成為「欄總和百分比」的格式，只需在樞紐分析表中按下滑鼠右鍵，點選快顯功能表中的**值的顯示方式** / **欄總和百分比**即可（如下圖所示）。

以圖中 B5 儲存格中的 24.83% 為例，我們可以這樣解讀：「在**產品 A** 的銷售總金額當中，**業務一**貢獻了 24.83% 的績效」。

列總和百分比

我們還可以**業務單位**的角度來看佔有率，Excel 稱之為「**列總和百分比**」；要將數字設定成為「列總和百分比」的格式，只需在樞紐分析表中按下滑鼠右鍵，點選快顯功能表中的**值的顯示方式** / **列總和百分比**即可（如下圖所示）。

以下圖 B5 儲存格中的 13.92% 為例，我們可以這樣解讀：「在**業務一**的銷售總金額當中，**產品 A** 貢獻了 13.92% 的績效」。

「百分比」報表

「百分比」報表與前面三種佔有率報表有些不同，「百分比」是一種比較性質的報表格式。例如，我們以**銷售城市**中的「台北市」為標的，想要知道其他城市的業績是「台北市」的百分之幾，就適合使用此類型的報表。請參考下列操作步驟：

01 開啟 \ 範例檔 \ 第 4 章範例 \ 進階樞紐分析 .xlsx\「銷售資料」工作表。

02 點選資料庫中的任一儲存格，點按**插入**索引標籤 / **表格**群組 / **樞紐分析表**；在**建立樞紐分析表**對話方塊中，所有設定均採用預設值，直接按下**確定**即可。

03 在**樞紐分析表欄位**清單中，分別勾選「業務單位」、「銷售城市」以及「銷售金額」三個欄位，並將「列」區域中的「業務單位」標籤拖曳到「欄」區域中，使得報表成為如下圖所示的結果。

04 在樞紐分析表的任一數字上，按下滑鼠右鍵，點選快顯功能表中的**值的顯示方式** / **百分比**。

05 在**值的顯示方式**對話方塊中，**基本欄位**選擇「銷售城市」；**基本項目**選擇「台北市」，按下**確定**。

06 完成之後的「百分比」報表，如下圖所示。

加總 - 銷售金額	業務單位				
銷售城市	業務一	業務二	業務三	業務四	總計
台中市	90.50%	86.72%	130.84%	86.77%	98.44%
台北市	100.00%	100.00%	100.00%	100.00%	100.00%
台東縣	9.01%	9.73%	5.66%	3.21%	6.93%
台南市	103.89%	82.21%	92.26%	93.15%	92.72%
花蓮縣	9.63%	13.20%	20.21%	5.90%	12.21%
屏東縣	6.90%	9.55%	4.46%	8.40%	7.37%
苗栗縣	12.57%	16.94%	16.91%	11.74%	14.56%
高雄市	97.66%	92.90%	89.96%	91.62%	93.03%
新北市	87.26%	101.30%	108.44%	119.24%	104.08%
新竹縣	20.86%	7.01%	11.56%	8.89%	11.99%
嘉義縣	12.91%	11.42%	13.04%	11.75%	12.26%
彰化縣	12.87%	10.90%	13.11%	6.42%	10.80%
總計					

在上圖第 6 列，**台北市**的每一個數字都化身成 100%；其他城市的數字都與台北市的數字比較，得到最後的 % 數。例如 B8 儲存格中的 103.89%，可以這樣解讀：「業務一在台南市的業績是業務一在台北市業績的 103.89%」。

父項百分比報表

這是用在多層次報表中的計算方式，父項百分比報表包括了「父項總和百分比 」、「父項列總和百分比」以及「父項欄總和百分比」三種格式。

■ 父項總和百分比

多層次報表中，各個**子項**數字與**父項**數字之間的比較，就很適合採用此種計算方式。以下圖為例，**業務一**之下有四位業務員，他們的業績總額是 B5 儲存格中的數字「23491560」，B6~B9 儲存格中的數字可稱之為「子項」，而 B5 儲存格中的數字「23491560」就是它們的「父項」。現在想要知道 B6~B9 中的每一個數字佔父項數字「23491560」的百分之幾？

	A	B	C	D	E	F
2						
3	- 銷售金額	欄標籤				
4	列標籤	產品A	產品B	產品C	產品D	總計
5	⊟業務一	23491560	45202000	63772250	36259200	168725010
6	古進雄	6044640	13158000	20234250	6840800	46277690
7	林大明	5629560	8959600	15757750	8963840	39310750
8	黃英	4962720	10082400	20648500	11191200	46884820
9	蔡玲玲	6854640	13002000	7131750	9263360	36251750
10	⊟業務二	21009720	48718800	61587250	40520640	171836410
11	何希均	5436240	11074400	14415750	9286080	40212470

01 在樞紐分析表的任一數值儲存格中，按下滑鼠右鍵，點選**值的顯示方式 / 父項總和百分比**，並在**值的顯示方式**對話方塊的**基本欄位**文字方塊中，選擇「業務單位」，再按下**確定**。

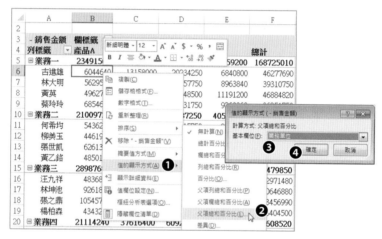

02 完成的報表如下圖所示；以 B6 儲存格中的百分比「25.73%」為例，我們可以這樣解讀：「**古進雄**在**產品 A** 的銷售業績佔**業務一**在產品 A 銷售總業績的 25.73%」。

	A	B	C	D	E	F
2						
3	- 銷售金額	欄標籤				
4	列標籤	產品A	產品B	產品C	產品D	總計
5	⊟業務一	100.00%	100.00%	100.00%	100.00%	100.00%
6	古進雄	25.73%	29.11%	31.73%	18.87%	27.43%
7	林大明	23.96%	19.82%	24.71%	24.72%	23.30%
8	黃英	21.13%	22.31%	32.38%	30.86%	27.79%
9	蔡玲玲	29.18%	28.76%	11.18%	25.55%	21.49%
10	⊟業務二	100.00%	100.00%	100.00%	100.00%	100.00%
11	何希均	25.87%	22.73%	23.41%	22.92%	23.40%

■ 父項列總和百分比

「父項列總和百分比」除了用來計算「各**業務員**在各項**產品**的銷售業績，佔各**業務單位**在各項**產品**銷售總業績的百分比」之外，同時還計算「各**業務單位**在各項**產品**上的業績佔全公司總業績的百分比」。

更簡單的說，就是用來計算「各業務單位以及各業務員，對各項產品業績的貢獻度有多大？」。

下圖 B5 及 B6 儲存格中，百分比數字的解讀方式為：「業務一在產品 A 的總業績，佔全公司產品 A 總業績的 24.83%；古進雄在產品 A 的銷售業績，佔業務一在產品 A 銷售總業績的 25.73%」。

	A	B	C	D	E	F
2						
3	- 銷售金額	欄標籤 ▼				
4	列標籤 ▼	產品A	產品B	產品C	產品D	總計
5	⊟業務一	24.83%	25.02%	25.93%	21.79%	24.54%
6	古進雄	25.73%	29.11%	31.73%	18.87%	27.43%
7	林大明	23.96%	19.82%	24.71%	24.72%	23.30%
8	黃英	21.13%	22.31%	32.38%	30.86%	27.79%
9	蔡玲玲	29.18%	28.76%	11.18%	25.55%	21.49%
10	⊟業務二	22.21%	26.97%	25.04%	24.35%	24.99%
11	何希均	25.87%	22.73%	23.41%	22.92%	23.40%

只要在樞紐分析表的任一數值儲存格中，按下滑鼠右鍵，點選**值的顯示方式** / **父項列總和百分比**即可。

■ **父項欄總和百分比**

「父項欄總和百分比」除了用來計算「各**業務員**在各項**產品**的銷售業績，佔各**業務單位**在各項**產品**銷售總業績的百分比」之外，同時還計算「各**業務單位**在各項**產品**上的業績佔全公司總業績的百分比」。

簡單的說，就是用來計算「各項產品的業績，對各業務單位以及各業務員業績的貢獻度有多大？」。

在右圖 B5 及 B6 儲存格中，百分比數字的解讀方式為：「在業務一的總業績中，產品 A 貢獻了 13.92%；在古進雄的的總業績中產品 A 貢獻了 13.06%」。

	A	B	C	D	E	F
2						
3	- 銷售金額	欄標籤				
4	列標籤	產品A	產品B	產品C	產品D	總計
5	⊟ 業務一	13.92%	26.79%	37.80%	21.49%	100.00%
6	古進雄	13.06%	28.43%	43.72%	14.78%	100.00%
7	林大明	14.32%	22.79%	40.09%	22.80%	100.00%
8	黃英	10.58%	21.50%	44.04%	23.87%	100.00%
9	蔡玲玲	18.91%	35.87%	19.67%	25.55%	100.00%
10	⊟ 業務二	12.23%	28.35%	35.84%	23.58%	100.00%
11	何希均	13.52%	27.54%	35.85%	23.09%	100.00%

差異性報表

這是一種能讓我們分析諸如「各業務單位之間的營業額究竟有多大的差別？」或「不同產品之間營業額的差別有多大？」之類的問題，您可以用每一個欄位中的項目來相互比較，藉以觀察各個項目之間所呈現出來的強勢或弱勢。

差異性報表可以用數字或百分比來呈現各個項目之間的差距大小。

■ 以數字來展現「差異」

例如，我們在做出各**業務單位**在各**銷售城市**的**銷售金額**統計的樞紐分析表之後（如下一圖），想要以「台北市」為基準，比較各城市跟台北市之間的業績差異有多大？（如下二圖）。

	A	B	C	D	E	F
2						
3	加總 - 銷售金額	欄標籤				
4	列標籤	業務一	業務二	業務三	業務四	總計
5	台中市	27070930	27499210	38937920	26423900	119931960
6	台北市	29913000	31710590	29760050	30453730	121837370
7	台南市	31075650	26069160	27457070	28368730	112970610
8	花蓮縣	2880400	4185220	6013320	1796160	14875100
9	苗栗縣	3759520	5371270	5032990	3574970	17738750
10	桃園縣	4760980	6114270	3011040	3534650	17420940
11	高雄市	29211870	29459660	26771620	27901850	113345000
12	新北市	26102800	32123030	32271220	36314100	126811150
13	新竹縣	6239000	2224370	3439480	2708750	14611600
14	嘉義縣	3861150	3622830	3882140	3576830	14942950
15	彰化縣	3849710	3456800	3903000	1954850	13164360
16	總計	168,725,010	171,836,410	180,479,850	166,608,520	687,649,790

	A	B	C	D	E	F
2						
3	加總 - 銷售金額	欄標籤				
4	列標籤	業務一	業務二	業務三	業務四	總計
5	台中市	-2842070	-4211380	9177870	-4029830	-1905410
6	台北市					
7	台南市	1162650	-5641430	-2302980	-2085000	-8866760
8	花蓮縣	-27032600	-27525370	-23746730	-28657570	-106962270
9	苗栗縣	-26153480	-26339320	-24727060	-26878760	-104098620
10	桃園縣	-25152020	-25596320	-26749010	-26919080	-104416430
11	高雄市	-701130	-2250930	-2988430	-2551880	-8492370
12	新北市	-3810200	412440	2511170	5860370	4973780
13	新竹縣	-23674000	-29486220	-26320570	-27744980	-107225770
14	嘉義縣	-26051850	-28087760	-25877910	-26876900	-106894420
15	彰化縣	-26063290	-28253790	-25857050	-28498880	-108673010
16	總計					

上述以數字來呈現差異性報表的做法，請參考下列操作步驟：

01 開啟 \ 範例檔 \ 第 4 章範例 \ 進階樞紐分析 .xlsx\「銷售資料」工作表。

02 點選資料庫中的任一儲存格，點按**插入**索引標籤 / **表格**群組 / **樞紐分析表**；在**建立樞紐分析表**對話方塊中，所有設定均採用預設值，直接按下**確定**即可。

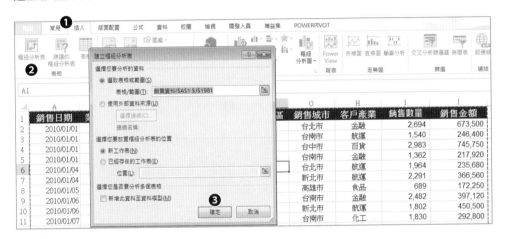

03 在**樞紐分析表欄位**清單中，分別勾選「業務單位」、「銷售城市」以及「銷售金額」三個欄位，並將「列」區域中的「業務單位」標籤拖曳到「欄」區域中。

04 在**樞紐分析表**的任一數字上，按下滑鼠右鍵，點選**值的顯示方式** / **差異**。

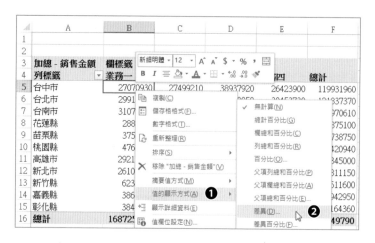

05 在**值的顯示方式**對話方塊中，**基本欄位**選擇「銷售城市」；**基本項目**選擇「台北市」，按下**確定**。

06 完成之後的差異性報表如下圖所示。其中台北市的數字會被清空成為空白；報表中正值的數字代表比台北市多，負值代表比台北市少。

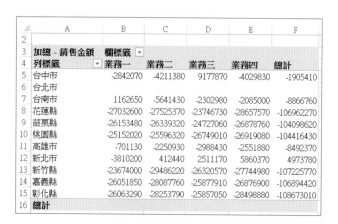

■ 更容易解讀的「差異百分比」報表

曾在前面章節提過一個觀念：「純數字的報表不易解讀」，數字型態的差異性報表尤其明顯。報表中出現的比較結果，出現了**正數**或**負數**，您看得出各個項目之間的差異有多大嗎？如果銷售金額非巨大，其實這點差距算不了什麼，如果銷售金額不大，彼此之間的差別就得很大了；因此，如果能將差異的數字改以百分比的方式來顯示，就很容易看出差異的程度是否真的這麼大了。

由於**差異百分比**報表與**差異**報表的製作方法，其間的差別只在於第 5 個步驟，其餘步驟則完全相同，所以僅列舉不同之處的操作方式，前四個步驟請參考前一小節中的說明。

01 在初步完成的**樞紐分析表**的任一數字上，按下滑鼠右鍵，點選**值的顯示方式** /
差異百分比。

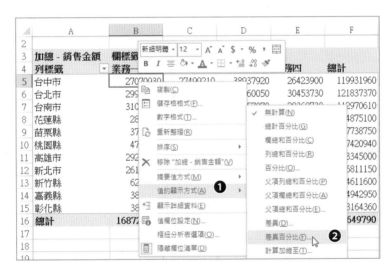

02 在**值的顯示方式**對話方塊中，**基本欄位**選擇「銷售城市」；**基本項目**選擇「台北市」，按下**確定**。

03 完成之後的**差異百分比**報表如下圖所示，是不是一眼就可以看出每個數字跟台北市之間的差異究竟有多大呢？

列標籤	業務一	業務二	業務三	業務四	總計
台中市	-9.50%	-13.28%	30.84%	-13.23%	-1.56%
台北市					
台南市	3.89%	-17.79%	-7.74%	-6.85%	-7.28%
花蓮縣	-90.37%	-86.80%	-79.79%	-94.10%	-87.79%
苗栗縣	-87.43%	-83.06%	-83.09%	-88.26%	-85.44%
桃園縣	-84.08%	-80.72%	-89.88%	-88.39%	-85.70%
高雄市	-2.34%	-7.10%	-10.04%	-8.38%	-6.97%
新北市	-12.74%	1.30%	8.44%	19.24%	4.08%
新竹縣	-79.14%	-92.99%	-88.44%	-91.11%	-88.01%
嘉義縣	-87.09%	-88.58%	-86.96%	-88.25%	-87.74%
彰化縣	-87.13%	-89.10%	-86.89%	-93.58%	-89.20%
總計					

加總 - 銷售金額，欄標籤

三合一的差異性報表

不論是「差異」或「差異百分比」的報表，由於基本項目「台北市」那一列的字會被清空成為空白，因此都會有報表內容不夠完整的感覺。

若報表中能同時呈現**銷售金額**、**差異**以及**差異百分比**三種數字（如下圖所示），對於報表數字之間的比較基礎，將會有更清晰的脈絡可供參考。

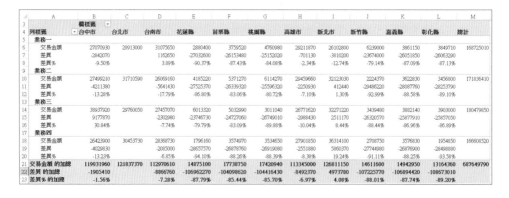

操作步驟：

01 開啟 \ 範例檔 \ 第 4 章範例 \ 進階樞紐分析 .xlsx\「銷售資料」工作表。

02 點選資料庫中的任一儲存格，點按**插入**索引標籤 / **表格**群組 / **樞紐分析表**；在**建立樞紐分析表**對話方塊中，所有設定均採用預設值，直接按下**確定**即可。

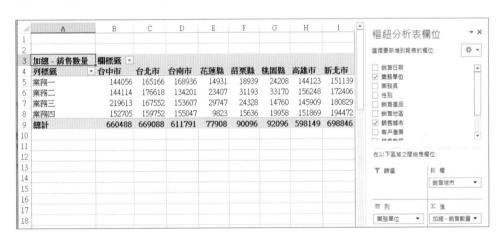

03 在**樞紐分析表欄位**清單中，分別勾選「業務單位」、「銷售城市」以及「銷售金額」三個欄位，並將「列」區域中的「銷售城市」標籤拖曳到「欄」區域中。

04 按住**樞紐分析表欄位**清單中的「銷售金額」欄位，連續兩次將其拖曳至「Σ值」區域中，成為如下圖所示的結果。

05 將「欄」區域中的「∑ 值」標籤拖曳至「列」區域中,來改變三個「銷售金額」欄位的排列方式,使其原來由左至右排列,變成了由上而下排列方式。

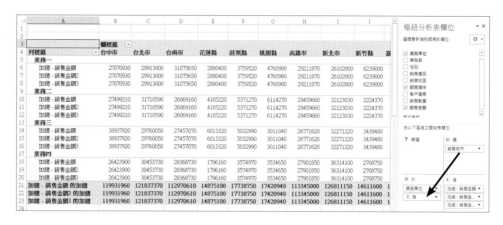

06 分別將 A7 以及 A8 儲存格中的文字標籤「銷售金額」改成「差異」以及「差異%」;整張報表的相關文字標籤,也會同步更動。

07 在 B7 儲存格按下滑鼠右鍵,點選快顯功能表中的**值的顯示方式 / 差異**;在**值的顯示方式**對話方塊中,**基本欄位**選擇「銷售城市」;**基本項目**選擇「台北市」,按下**確定**。

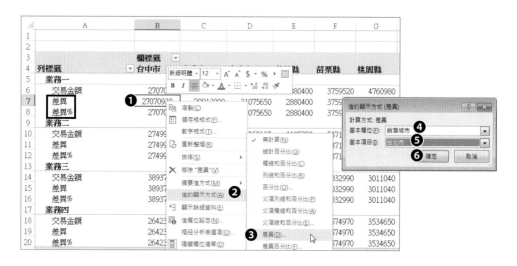

08 在 B8 儲存格按下滑鼠右鍵，點選快顯功能表中的**值的顯示方式／差異百分比**；在**值的顯示方式**對話方塊中，**基本欄位**選擇「銷售城市」；**基本項目**選擇「台北市」，按下**確定**。

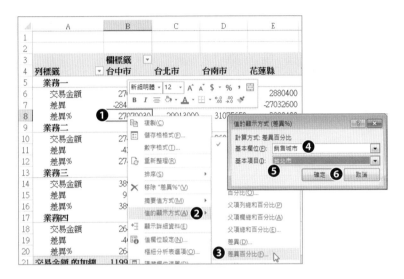

09 完成之後的三合一報表，如下圖所示。

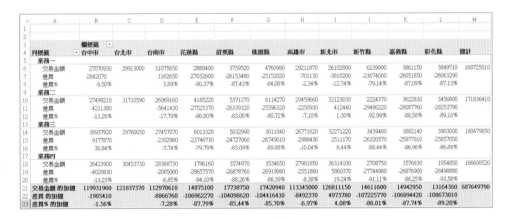

日期的群組設定 — 年報、季報、月報

要在一個大型資料庫中，依日期欄位中的流水日期，快速的彙整成為「年」、「季」與「月」的格式，在完全不使用 VBA 或函數的情況之下，毫無疑問的，「樞紐分析表」是最佳的選擇。

要做出如上圖，各項產品在各個不同**年度**、**季節**、**月份**的統計表，請參考下列操作步驟：

01 開啟 \ 範例檔 \ 第 4 章範例 \ 進階樞紐分析 .xlsx\「銷售資料」工作表。

02 點選資料庫中的任一儲存格，點按**插入**索引標籤 / **表格**群組 / **樞紐分析表**；在**建立樞紐分析表**對話方塊中，所有設定均採用預設值，直接按下**確定**即可。

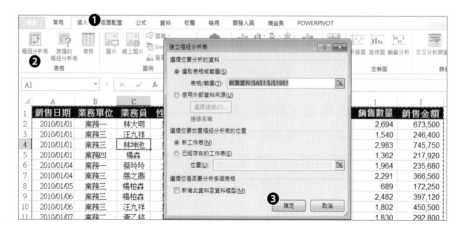

03 在**樞紐分析表欄位**清單中，分別勾選「銷售日期」、「銷售產品」以及「銷售金額」三個欄位，並將「列」區域中的「銷售產品」標籤拖曳到「欄」區域中，初步完成的樞紐分析表如下圖所示。

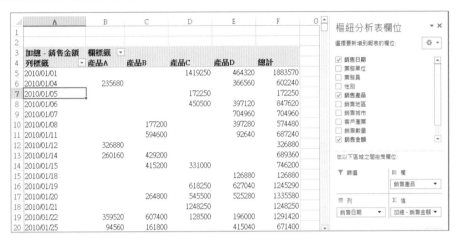

04 在 A 欄中的任一日期儲存格上（例如 A7 儲存格），按下滑鼠右鍵，在快顯功能表中，點選「群組」；在**群組**對話方塊中，點選**間距值**清單中的「月」、「季」和「年」，再按下**確定**。

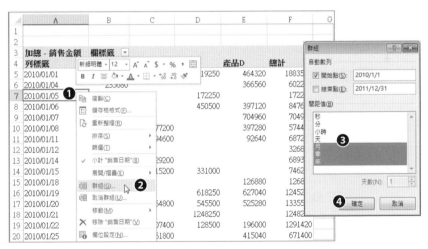

▶ 您也可以自行輸入日期區間，例如，要統計 2010 年到 2011 年的資料，可在**開始點**文字方塊中輸入「2010/1/1」，在**結束點**文字方塊中輸入「2011/12/31」即可。

▶ 在**間距值**清單中，被選取的項目會呈現藍色的底色，若要取消某一被選擇的項目，只要在該項目上再按一下左鍵，使底色消失即可。

05 完成群組設定之後的報表部份內容，如下圖所示。

Tips

- 如果想要每 15 天統計一次銷售金額，可以這麼做：

01 在 A 欄中任一含有年度或季節資料的儲存格上，按下滑鼠右鍵，點選快顯功能表中的**群組**。

02 在**群組**對話方塊中，分別再點按一下已被選定的的「月」、「季」與「年」，取消其選取狀態即可。

03 點選「天」，並在下方**天數**文字方塊中，輸入「15」，按下**確定**。

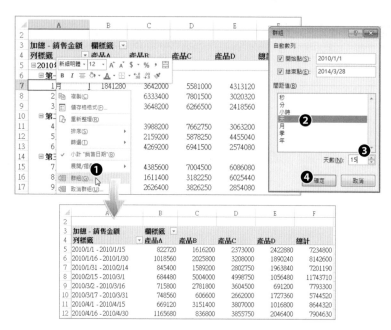

- 在其他報表中加入年度分類

利用日期欄位做過「年」、「季」、「月」的群組設定之後，Excel 會在**樞紐分析表欄位清單**中留下「年」、「季」與「銷售日期」（即「月」）的標籤選項，供其他類型的樞紐分析表來使用。例如下一圖的樞紐分析表，經過勾選**樞紐分析表欄位**清單中的「年」標籤之後，就成為了「各業務單位在各年度的產品銷售金額統計表」。

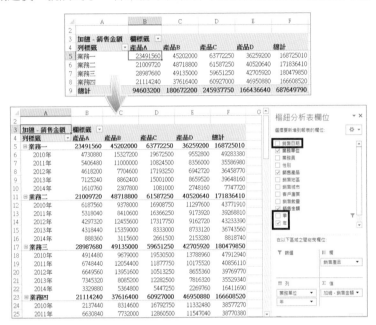

- 要取消「銷售日期」的群組設定，只要在 A 欄任一含有「年度」、「季節」或「月份」資料的儲存格中，按下滑鼠右鍵，並點選功能表中的**取消群組**即可（您也可以點按**樞紐分析表工具** / **分析**索引標籤 / **群組**群組 / **取消群組**）。

- 顯示群組小計

完成日期欄的群組報表之後,各年度、季節和月份的合計數值,稱之為群組小計,目前是空白的,因為 Excel 預設的方式是不顯示的,但是如果能列出其中的小計值,將使報表更具可讀性,群組小計開關的操控方法如下:

01 在樞紐分析表中的任一儲存格中按一下,點按**樞紐分析表工具** / **設計**索引標籤 / **版面配置**群組 / **小計**。

02 在**小計**清單中,點選「在群組的頂端顯示所有小計」。

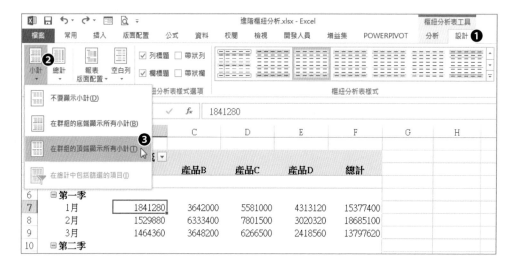

03 樞紐分析表將以粗黑字體顯示各年、季以及月份的小計值。

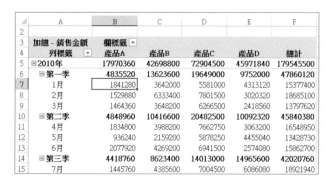

04 您點選的是「在群組的底端顯示所有小計」，將看到如下圖所示的結果。

	A	B	C	D	E	F
2						
3	加總 - 銷售金額	欄標籤 ▼				
4	列標籤 ▼	產品A	產品B	產品C	產品D	總計
5	⊟2010年					
6	⊟第一季					
7	1月	1841280	3642000	5581000	4313120	15377400
8	2月	1529880	6333400	7801500	3020320	18685100
9	3月	1464360	3648200	6266500	2418560	13797620
10	第一季 合計	4835520	13623600	19649000	9752000	47860120
11	⊟第二季					
12	4月	1834800	3988200	7662750	3063200	16548950
13	5月	936240	2159200	5878220	4455040	13428730
14	6月	2077920	4269200	6941500	2574080	15862700
15	第二季 合計	4848960	10416600	20482500	10092320	45840380
16	⊟第三季					
17	7月	1445760	4385600	7004500	6086080	18921940
18	8月	1277520	1611400	3182250	6025440	12096610
19	9月	1695480	2626400	3826250	2854080	11002210
20	第三季 合計	4418760	8623400	14013000	14965600	42020760
21	⊟第四季					
22	10月	338520	2179800	4981000	5084160	12583480
23	11月	1174800	3370000	6843000	2810880	14198680
24	12月	2353800	4485400	6936000	3266880	17042080
25	第四季 合計	3867120	10035200	18760000	11161920	43824240
26	2010年 合計	17970360	42698800	72904500	45971840	179545500

如要取消群組小計，只需在步驟 2 的**小計**清單中點選「不要顯示小計」即可。

數值的群組設定 – 依數值級距統計交易筆數

若要用數值欄位作為資料分析標的，對樞紐分析表而言，是輕而易舉的。以下圖為例，這是一份「各**銷售地區**在不同**銷售金額**區間之下的交易筆數統計表」。

這張報表有兩個重點，一是數字級距是怎麼做出來的？二是在「Σ 值」區域中要放入哪一個欄位來做計算？

	A	B	C	D	E	F
1						
2						
3	交易筆數統計	地區 ▼				
4	銷售金級距 ▼	中部	北部	東部	南部	總計
5	1-100000	23	36	2	27	88
6	100001-200000	80	169	7	145	401
7	200001-300000	84	181	9	136	410
8	300001-400000	83	160	9	130	382
9	400001-500000	74	118	8	87	287
10	500001-600000	42	74	3	75	194
11	600001-700000	34	52	1	47	134
12	700001-800000	12	29	1	29	71
13	800001-900000	1	3	2	7	13
14	總計	433	822	42	683	1980

讓我們直接從操作步驟中來了解這兩個問題：

01 開啟 \ 範例檔 \ 第 4 章範例 \ 進階樞紐分析 .xlsx\「銷售資料」工作表。

02 點選資料庫中的任一儲存格，點按**插入**索引標籤 / **表格**群組 / **樞紐分析表**；在**建立樞紐分析表**對話方塊中，所有設定均採用預設值，直接按下**確定**。

03 在**樞紐分析表欄位**清單中，分別勾選「業務單位」、「銷售地區」以及「銷售金額」三個欄位。

04 將「列」區域中的「銷售地區」標籤拖曳到「欄」區域中；將「業務單位」拖曳到「Σ 值」區域中；將「Σ 值」區域中的「銷售金額」拖曳到「列」區域中，初步完成的樞紐分析表如下圖所示。

05 點按**樞紐分析表工具 / 分析**索引標籤 / **群組**群組 / **群組選取項目**；在**群組**對話方塊中，將開始點改成「1」，其餘設定採用預設值，按下**確定**。

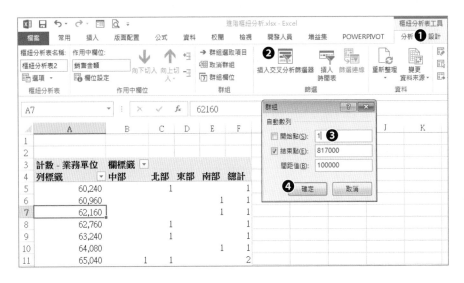

06 完成之後的報表如下圖所示。

計數 - 業務單位	欄標籤				
列標籤	中部	北部	東部	南部	總計
1-100000	23	36	2	27	88
100001-200000	80	169	7	145	401
200001-300000	84	181	9	136	410
300001-400000	83	160	9	130	382
400001-500000	74	118	8	87	287
500001-600000	42	74	3	75	194
600001-700000	34	52	1	47	134
700001-800000	12	29	1	29	71
800001-900000	1	3	2	7	13
總計	433	822	42	683	1980

Tips

• 在**筆數統計**的報表中，「Σ 值」區域中可放置任何欄位，其計算結果都相同，但是如果將數值欄丟進「Σ 值」區域中，所得到的計算結果將會是**加總後的數字**，而非以**計數**的方式來統計；不過也沒有關係，只要將計算方式調整為「項目個數」就行了。

以下圖為例，「Σ 值」區域中放置的是「銷售數量」，此時報表中看到的是加總的結果。

接著點按「Σ 值」區域中的「加總 - 銷售數量」旁邊的箭號，點選「值欄位設定」；並在**值欄位設定**對話方塊的**摘要值方式**標籤之下，點選「項目個數」，再按下**確定**。

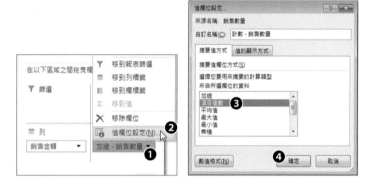

調整摘要方式之後的樞紐分析表，如下圖所示。

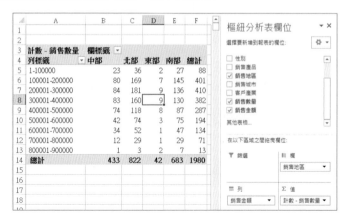

- 要取消「銷售金額」的群組設定，只要在 A 欄任一含有數字級距的儲存格中，按下滑鼠右鍵，再點選功能表中的「取消群組」即可。

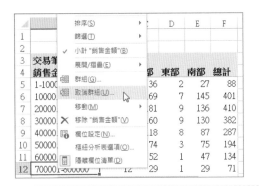

文字項目的群組設定

下圖是「各業務單位在各銷售城市的業績報表」（如下一圖），若想要將報表中**銷售城市**的項目，濃縮成為「五都」以及「其他縣市」兩大項目，而不要看到各個縣市的細部數字，使得報表內容更為精簡（如下二圖）。

要將報表中**銷售城市**的項目，做群組設定的操作步驟如下：

01 在樞紐分析表中，按住 Ctrl 鍵不放，分別點選「台中市」、「台北市」、「台南市」、「高雄市」、「新北市」，點按**樞紐分析表工具 / 分析**索引標籤 / **群組**群組 / **群組選取項目**。

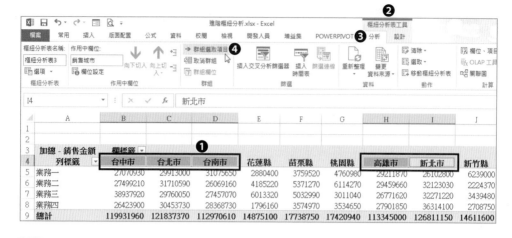

02 此時,被設定為群組的五個城市項目,會集中在報表的左方,而且在其上方會出現「資料組 1」的標籤。接著,按住 Ctrl 鍵不放,分別點選第 5 列中的其他六個城市,再點按**樞紐分析表工具** / **分析**索引標籤 / **群組**群組 / **群組選取項目**。

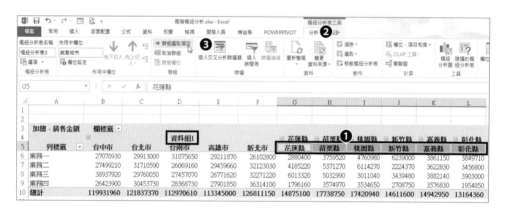

03 此時在右邊六個城市的上方,出現了「資料組 2」的標籤;分別點按一下「資料組 1」以及「資料組 2」標籤左邊的**摺疊**按鈕。

04 報表中的各個縣市名稱，立即被隱藏起來，只剩下「五都」與「其他縣市」兩個項目；再將「資料組 1」文字標籤更改成為「五都」，「資料組 2」文字標籤更改成為「其他縣市」。

	A	B	C	D
1				
2				
3	加總 - 銷售金額	欄標籤		
4		資料組1	資料組2	總計
5	列標籤			
6	業務一	143374250	25350760	168725010
7	業務二	146861650	24974760	171836410
8	業務三	155197880	25281970	180479850
9	業務四	149462310	17146210	166608520
10	總計	594896090	92753700	687649790

	A	B	C	D
1				
2				
3	加總 - 銷售金額	欄標籤		
4		五都	其他縣市	總計
5	列標籤			
6	業務一	143374250	25350760	168725010
7	業務二	146861650	24974760	171836410
8	業務三	155197880	25281970	180479850
9	業務四	149462310	17146210	166608520
10	總計	594896090	92753700	687649790

Tips

- 要展開「五都」或「其他縣市」的細部內容，請按一下「五都」或「其他縣市」文字標籤左邊的「+」號即可。

	A	B	C	D	E	F	G	H
3	加總 - 銷售金額	欄標籤						
4				五都			其他縣市	總計
5	列標籤	台中市	台北市	台南市	高雄市	新北市		
6	業務一	27070930	29913000	31075650	29211870	26102800	25350760	168725010
7	業務二	27499210	31710590	26069160	29459660	32123030	24974760	171836410
8	業務三	38937920	29760050	27457070	26771620	32271220	25281970	180479850
9	業務四	26423900	30453730	28368730	27901850	36314100	17146210	166608520
10	總計	119931960	121837370	112970610	113345000	126811150	92753700	687649790

- 要取消「五都」或「其他縣市」的群組設定，請先點按一下「五都」的群組標籤，再點按**樞紐分析表工具** / **分析**索引標籤 / **群組**群組 / **取消群組**即可。

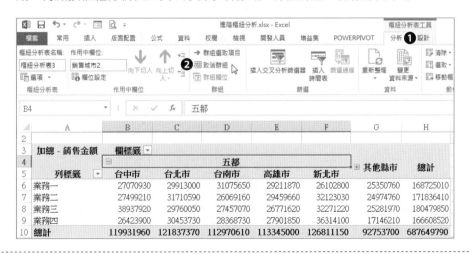

「計算加總至」與「計算總至百分比」

「計算加總至」是用來製作累加式的報表，而「計算總至百分比」則是以百分比的方式來呈現累加的結果。

例如，下一圖的彙總表是原來計算的結果；下二圖則是累加式的報表，C5 儲存格中的值，是 B5+C5 的結果，D5 儲存格中的值，又是 B5+C5+D5 的結果，依此類推；而下二圖中最後 E5 儲存格中的值，則又是 B5+C5+D5+E5 的結果，也就是原先 F5 儲存格中的總計值。

要製作累加式的報表，請參考下列步驟：

01 開啟 \ 範例檔 \ 第 4 章範例 \ 進階樞紐分析 .xlsx\「銷售資料」工作表。

02 點選資料庫中的任一儲存格，點按**插入**索引標籤 / **表格**群組 / **樞紐分析表**；在**建立樞紐分析表**對話方塊中，所有設定均採用預設值，直接按下**確定**即可。

03 在**樞紐分析表欄位**清單中，分別勾選「業務單位」、「銷售產品」以及「銷售金額」三個欄位，並將「列」區域中的「銷售產品」標籤拖曳到「欄」區域中。

04 在樞紐分析表的任一數值儲存格中，按下滑鼠右鍵，點選**值的顯示方式** / **計算加總至**或者**計算加總至百分比**，並在**值的顯示方式**對話方塊中的**基本欄位**文字方塊中選擇「銷售產品」，再按下**確定**即可。

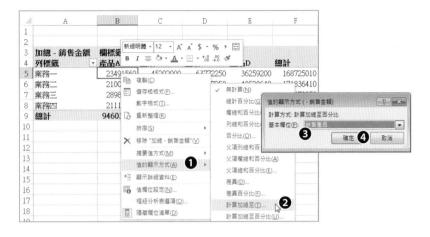

「由最小到最大排列」或「由最大到最小排列」

這是將樞紐分析表中的數字予以排名,但不會移動項目的前後順序;有兩種排列名次的方式:「由最小到最大排列」以及「由最大到最小排列」。

只需在樞紐分析表的任一數值儲存格中,按下滑鼠右鍵,點選**值的顯示方式** / **由最小到最大排列**或者**由最大到最小排列**即可。

▶ 以下圖**產品 A** 之下的四個數字為例,當您選擇「由最小到最大排列」時,最小的數字「21009720」會轉換成「1」,最大的數字「28987680」會轉換成「4」,其他各項產品也都依此規則來作名次的轉換。

▶ 當您選擇「由最大到最小排列」時,最大的數字「28987680」會轉換成「1」,最小的數字「21009720」會轉換成「4」,其他各項產品也都依此規則來作名次的轉換。

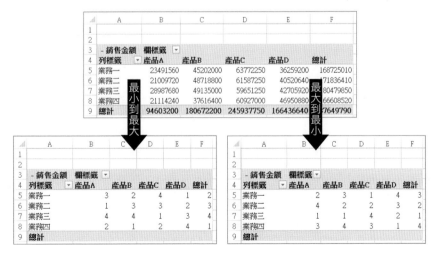

索引式的報表

「索引」可以用來顯示報表中的每一個數字，對公司業績的相對貢獻度有多大。索引值愈大，代表貢獻度愈大。「索引」的計算方式是採用綜合評比的方式，因此，報表中最大的數字，其索引值未必最高。

要做出索引式的報表很簡單，卻是難在對索引值的解讀。

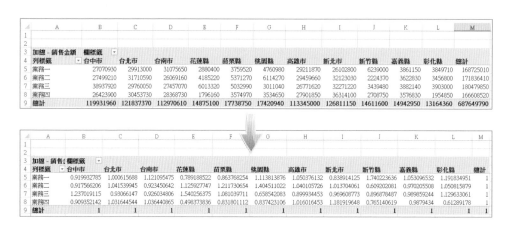

索引值的計算公式為：

((儲存格內數值)×(報表右下角的總計)) / ((列總計)×(欄總計))

以上圖的 B5 儲存格中的索引值「0.919932785」為例，它是這樣算出來的：

(27070930 * 687649790) / (119931960 * 168725010) =0.919932785

■ 對索引值的解讀

從前二圖中可以觀察到，在未轉換成索引值之前，最大的數字是在 B7 儲存格中的「38937920」，轉成索引之後的值為「1.237019115」在報表中排名第 4；而索引值最佳的是在 J5 儲存格中的「1.740223636」，其原來的數值是非常不起眼的「6239000」，在報表中幾乎排不上檯面，但是卻是索引值中最高的。

這是什麼原因呢？因為這是綜合評比之下的結果；「6239000」與其他縣市的數字比較起來，算是很小的數值，但是單就新竹縣來看，它卻是很巨大的數字，而且跟新竹縣中的其他數字比起來差距是以倍數來計。而 B7 儲存格中的「38937920」是業務一在台中市的業績，雖然它是報表中最大的數字，但是跟台中市的其他數字比起來，差距卻沒有多少，而且從數字看起來，在台中市的任何業務單位，績效都很

好，沒什麼特別突出的業務單位值得注意；而業務一在新竹縣業績「6239000」，卻是新竹縣所有業務單位表現最好的，而且非常突出，展現了該數字的相對強度，也因此得到最高的索引值。

■ 製作索引報表

`01` 開啟 \ 範例檔 \ 第 4 章範例 \ 進階樞紐分析 .xlsx\「銷售資料」工作表。

`02` 點選資料庫中的任一儲存格，點按**插入索引標籤 / 表格群組 / 樞紐分析表**；在**建立樞紐分析表**對話方塊中，所有設定均採用預設值，直接按下**確定**。

`03` 在**樞紐分析表欄位**清單中，分別勾選「業務單位」、「銷售縣市」以及「銷售金額」三個欄位，並將「列」區域中的「銷售縣市」標籤拖曳到「欄」區域中。

`04` 在樞紐分析表的任一數值儲存格中，按下滑鼠右鍵，點選**值的顯示方式 / 索引**即可。

■ 索引值在實務上的應用

索引報表產出之後，我們可以從績效獎金的發放來探討「索引」值的後續利用價值。例如，公司要發放一筆三千萬元的績效獎金，要如何發放才是最公平的？此時報表中的索引值就派上用場了：

`01` 先依前述步驟完成「索引」式的樞紐分析表（如下圖所示）。

`02` 選 取 B5:L8 儲 存 格 範 圍， 此 時， 在 Excel 狀 態 列 可 以 看 到「 加 總：43.96003453」的字樣，記下該值，並輸入到 B12 儲存格中備用。

`03` 在 C12 儲 存 格 中 輸 入「30000000」， 接 著 在 B13 儲 存 格 中 輸 入 公 式「=B5/$B$12*$C$12」，輸入完畢，按下 Enter 鍵。

	A	B	C
11			
12		43.96003453	30000000
13		=B5/$B$12*$C$12	

04 向下拖曳 B13 儲存格右下角的**填滿控點**，至 B16 儲存格；再將公式右拖曳到 L16，即完成獎金發放的計算。

	A	B	C	D	E	F	G	H	I	J	K	L	
3	加總 - 銷售金額	欄標籤											
4	列標籤	台中市	台北市	台南市	花蓮縣	苗栗縣	桃園縣	高雄市	新北市	新竹縣	嘉義縣	彰化縣	総
5	業務一	0.919932785	1.000615688	1.121095475	0.789188522	0.863768254	1.113813876	1.050376132	0.838914125	1.740223636	1.053096532	1.191834951	
6	業務二	0.917566206	1.041539945	0.923450642	1.125927747	1.211730654	1.404511022	1.040105726	1.013704061	0.609202081	0.970205508	1.050815879	
7	業務三	1.237019115	0.93066147	0.926034806	1.540256375	1.081039711	0.658542083	0.899934453	0.969608773	0.896878487	0.989859244	1.129633061	
8	業務四	0.909352142	1.031644544	1.036440865	0.498373836	0.831801112	0.837423106	1.016016453	1.181919648	0.765140619	0.9879434	0.61289178	
9	總計	1	1	1	1	1	1	1	1	1	1	1	
10													
11													
12		43.96003453	30000000										
13		627797.1309	682858.2131	765078.2038	538572.2719	589468.3184	760108.9638	716816.6335	572506.9152	1187594.815	718673.1379	813353.5132	
14		626182.0874	710786.4834	630197.8504	768375.9299	826931.0978	958491.7552	709807.7178	691790.2168	415742.677	662105.1498	717116.7337	
15		844188.9058	635118.7936	631961.3822	1051129.548	737742.6266	449414.1716	614149.5081	661697.915	612064.0011	675517.6068	770904.5771	
16		620576.4974	704033.4849	707306.6774	340109.2663	567652.7245	571489.3869	693368.2816	806586.9333	522161.0676	674210.1621	418260.6677	
17													

報表第 9 列以及 M 欄中的**總計**數字都變成了「1」，「1」代表一個基準，比 1 大的索引值，代表績效在水平之上，否則績效就是在水平之下。

索引報表的利用範圍很廣泛，「索引值」可以作為員工爭取考績或績效獎金的依據嗎？大家不妨發揮一些想像力！

4.2.5 時間表的應用

在樞紐分析表中，除了能透過日期的群組設定，快速製作**年、季、月、天**的統計資料之外，Excel 2013 另外還提供了「時間表」的功能，用來篩選特定日期區間的資料，**時間表**與交叉分析篩選器的用途有些相似，而**時間表**是專門用來做時間篩選工具。

當資料庫的日期欄位內容沒有被展現在報表中時，最適合搭配使用「時間表」來做報表的時間管理，而且能夠有效的縮小報表的篇幅。

插入時間表

下圖是「各城市在各項產品上的業績統計表」，現要為它加上**時間表**，來進行時段的篩選：

01 開啟 \ 範例檔 \ 第 4 章範例 \ 進階樞紐分析 .xlsx\「時間表的應用」工作表。點選樞紐分析表的任一儲存格，點按**樞紐分析表工具** / **分析**索引標籤 / **篩選**群組 / **插入時間表**。

02 在**插入時間表**對話方塊中，勾選「銷售日期」，按下**確定**。

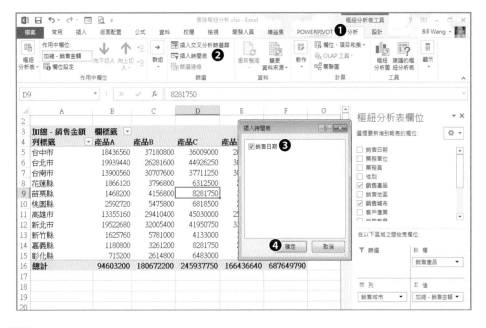

03 「時間表」方塊出現在報表之上，並且展現最後一個年度的月份**時間區塊**。

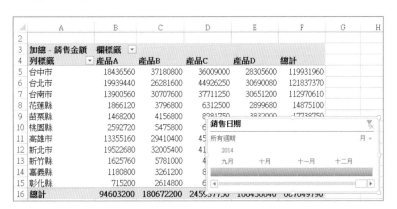

時間表的結構

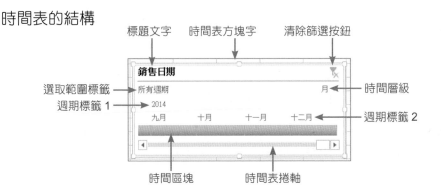

時間表的操作

針對時間表的操作方法，分述如下：

▶ 拖曳**時間表**捲軸，即可移動到您要篩選的時段。

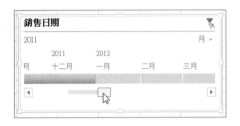

點按一下**時間層級**按鈕旁的箭號，就可以在四個時間層級（年、季、月、天）當中挑選一種來進行篩選，例如，挑選「年」的時間層級，即出現以年度為單位的**時間區塊**，點按 2011 年的**時間區塊**，向右或向左拖曳，即可擴大或縮小**時間區塊**的範圍。

▶ 若要清除時間表的篩選，請按一下**時間表**右上角的「清除篩選」按鈕。

▶ 當**時間表**蓋住您的樞紐分析表資料時，可以按住時間表的標題，將它移到適當的位置。

▶ 您可以按住**時間表**四周邊框中的小方塊，來調整時間表的大小。

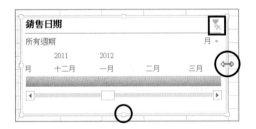

▶ 若要移除**時間表**，只要在**時間表**中的任何位置按一下，再按下 Delete 鍵。

▶ 以「年」為篩選對象的**時間表**與樞紐分析表所展現的統計數字：

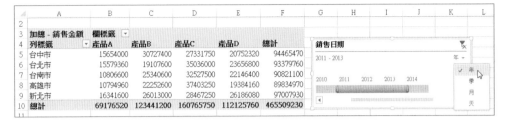

加總 - 銷售金額	欄標籤				
列標籤	產品A	產品B	產品C	產品D	總計
台中市	15654000	30727400	27331750	20752320	94465470
台北市	15579360	19107600	35036000	23656800	93379760
台南市	10806600	25340600	32527500	22146400	90821100
高雄市	10794960	22252600	37403250	19384160	89834970
新北市	16341600	26013000	28467250	26186080	97007930
總計	69176520	123441200	160765750	112125760	465509230

▶ 以「季」為篩選對象的**時間表**與樞紐分析表所展現的統計數字:

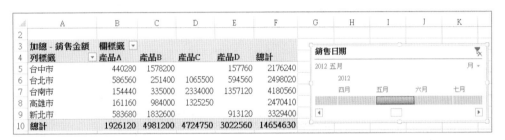

加總 - 銷售金額	欄標籤				
列標籤	產品A	產品B	產品C	產品D	總計
台中市	4784160	7318600	5132750	3721920	20957430
台北市	3447240	5147200	10863500	8514880	27972820
台南市	3827760	4291200	8606250	6700160	23425370
高雄市	1726320	6404600	9690250	3648800	21469970
新北市	5453160	6748200	6138500	6244800	24584660
總計	19238640	29909800	40431250	28830560	118410250

▶ 以「月」為篩選對象的**時間表**與樞紐分析表所展現的統計數字:

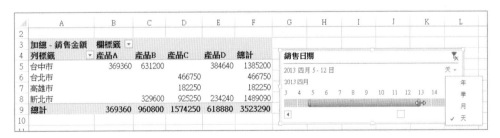

加總 - 銷售金額	欄標籤				
列標籤	產品A	產品B	產品C	產品D	總計
台中市	440280	1578200		157760	2176240
台北市	586560	251400	1065500	594560	2498020
台南市	154440	335000	2334000	1357120	4180560
高雄市	161160	984000	1325250		2470410
新北市	583680	1832600		913120	3329400
總計	1926120	4981200	4724750	3022560	14654630

▶ 以「天」為篩選對象的**時間表**與樞紐分析表所展現的統計數字:

加總 - 銷售金額	欄標籤				
列標籤	產品A	產品B	產品C	產品D	總計
台中市	369360	631200		384640	1385200
台北市			466750		466750
高雄市			182250		182250
新北市		329600	925250	234240	1489090
總計	369360	960800	1574250	618880	3523290

美化時間表

您可以改變**時間表**的配色來美化**時間表**,這會讓**時間表**看起來比較賞心悅目些; Excel 提供了 12 種「時間表樣式」來讓我們套用,也可以自訂時間表樣式。

要套用現成的時間表，操作步驟如下：

`01` 點按一下**時間表**方塊，在**時間表工具** / **選項**索引標籤 / **時間表樣式**群組之中，可以看到六種**時間表樣式**。

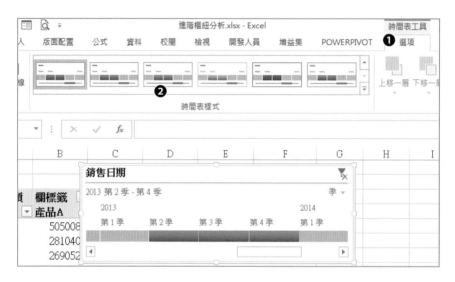

`02` 開啟**時間表樣式**清單，可以看到全部 12 種樣式，點選喜歡的**時間表樣式**即可套用到時間表中。

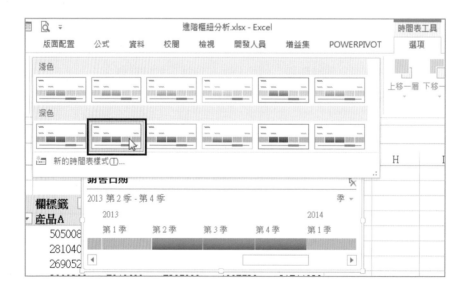

自訂時間表

如果沒有適當的時間表樣式可供選用，您可以自訂時間表樣式，下圖即為自訂的**時間表**樣式，包括了不同的文字外觀、框線以及填滿色彩。

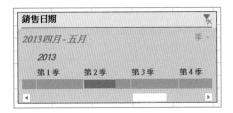

自訂時間表樣式的操作步驟如下：

01 點選**時間表樣式清單**最下方的「新的時間表樣式」。

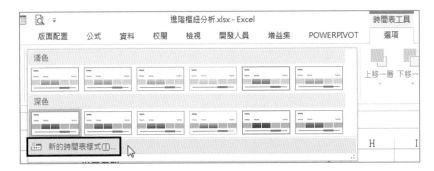

02 在**新的時間表樣式**對話方塊中，可以針對時間表中的每一個元素來自訂其格式，例如點選「標題」，再按下**格式**按鈕。

03 在**字型**標籤之下，可以針對**字型**、**字型樣式**、**大小**、**色彩**…等幾個主要項目加以設定。

04 在**外框**標籤之下，可以針對外框的**線條樣式**以及**色彩**等項目加以設定。

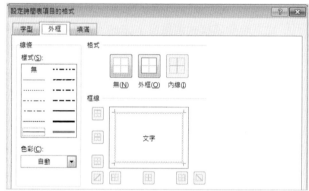

05 在**填滿**標籤之下，可以針對**填滿色彩**以及**填滿效果**等項目加以設定。

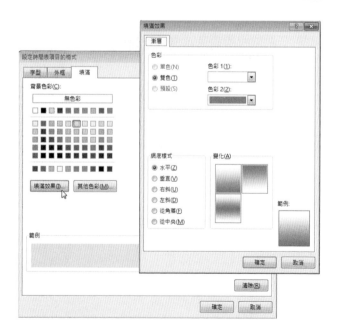

06 當您設定完成新的**時間表樣式**之後,若要檢視設定成果,可以點按一下舊的**時間表**,再點按**時間表工具 / 選項**索引標籤,在**時間表樣式**清單中就可以看到自訂的時間表了。

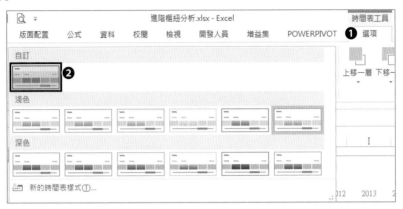

修改時間表樣式

不論在新增或修改**時間表**,我們都會面對相同的**對話方塊**內容(只有標題文字不同),來做時間表的細部設定,因此,針對該對話方塊中各個項目的用途以及這些項目在時間表中的位置,都應該要有充份的認識,才不致於改錯地方。

若要修改舊的時間表格式,請先按一下舊的**時間表**,在**時間表樣式**清單中要修改的時間表圖示上,按下滑鼠右鍵,點選「修改」。

接著，請依照下圖中的項目和下文中的用途說明，逐一修改成所需要的時間表格式即可。

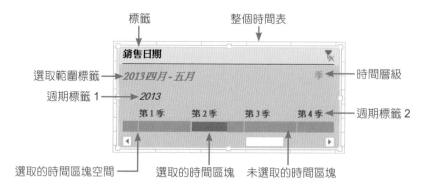

- ▶ 整個時間表：針對時間表的整體設定；可設定的內容，包括時間表中文字標籤的**字型**、時間表的**外框**以及**填滿**色彩；但是，時間表的整體設定，無法影響個別項目的設定。

- ▶ 標籤：時間表左上方的標題文字；可設定的內容，包括標題文字的**字型**、標題文字的**外框**以及標題文字背景的**填滿**色彩。

- ▶ 選取範圍標籤：位於時間表左方由上而下第二排的文字標籤；用來顯示時間的區間，僅有**字型**的外觀可以調整。

- ▶ 時間層級：位於時間表右上方；包括了年、季、月、天四個層級，一次只能顯示一個層級，僅有**字型**的外觀可以調整。

- ▶ 週期標籤 1：位於時間表左方由上而下第三排的文字標籤；用來展現時間表的年度，僅有**字型**的外觀可以調整。

- ▶ 週期標籤 2：位於時間表左方最後一排的文字標籤；僅有**字型**的外觀可以調整。

- ▶ 選取的時間區塊：在時間軸中選定的**時間區塊**；可設定的內容，包括**外框**以及**填滿**色彩。

- ▶ 未選取的時間區塊：在時間軸中未被選取的**時間區塊**；可設定的內容，包括**外框**以及**填滿**色彩。

- ▶ 選取的時間區塊空間：兩個**時間區塊**之間縫隙的**填滿**色彩。

同時使用多個時間表

我們可以在樞紐分析表中同時使用多個時間表來篩選報表，使得篩選條件能更清晰的呈現在數位儀表板之中。例如，我們以**銷售日期**欄位，分別設定「年」、「季」以及「月」三種時間表來做時間的篩選，成為如下圖所示的畫面。

其中右上方是以「年」為篩選條件的時間表，右下方是以「季」為篩選條件的時間表，而左下方則是以「月」為篩選條件的時間表。

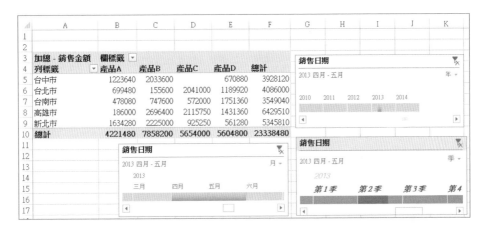

現在我們來為已完成的樞紐分析加上三個時間表，報表的需求是：利用這三個時間表所設定的篩選條件「2013 年，第 2 季，四月～五月」來統計各銷售城市在各種銷售產品上的銷售總金額。操作步驟如下：

01 開啟 \ 範例檔 \ 第 4 章範例 \ 進階樞紐分析 .xlsx\「多時間表應用」工作表。點選樞紐分析表的任一儲存格，點按**樞紐分析表工具** / **分析**索引標籤 / **篩選**群組 / **插入時間表**。

02 在**插入時間表**對話方塊中，勾選「銷售日期」核取方塊，按下**確定**。

03 重複兩次步驟 1 以及步驟 2 的動作，完成另外兩個時間表的插入，並將三個時間表移動到適當的位置，此時看到的**時間表**內容都是相同的（如下圖所示）。

04 在右上方的**時間表**中，點選**時間層級**按鈕，選擇「年」；在右方第二個時間表中，點選**時間層級**按鈕，選擇「季」。

05 在右上方的**時間表**中，點按一下「2013」時間區段；在右方第二個時間表中，點按「第 2 季」時間區段；在最下方的時間表中，拖曳**時間區段**，使其涵蓋四月～五月的範圍，成為如下圖所示的結果。

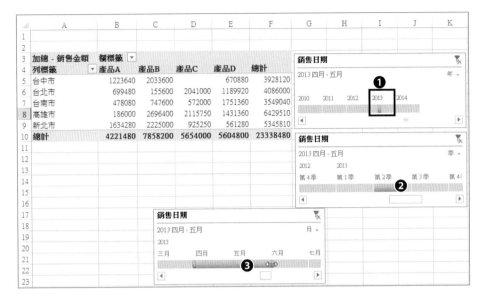

06 點選任一時間表,在**時間表樣式**清單中,選取喜歡的時間表樣式,以此方式逐
一美化三個時間表即可。

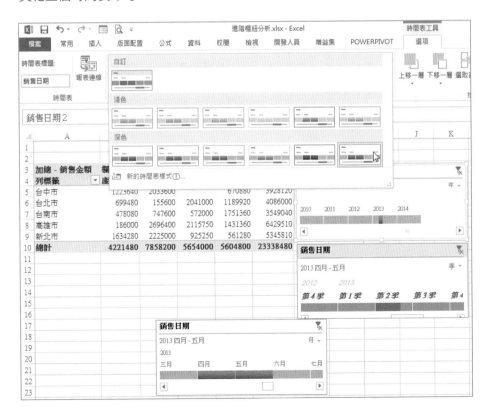

同時使用交叉分析篩選器與時間表的問題

交叉分析篩選器與時間表能不能同時使用？答案是肯定的；但是，如果您要結合交叉分析篩選器與時間表來篩選同一個日期欄位，必須先在樞紐分析表中做如下的設定：

01 點按樞紐分析表工具 / 分析索引標籤 / 樞紐分析表群組 / 選項。

02 在樞紐分析表選項對話方塊的總計與篩選標籤之下，勾選「允許每個欄位有多個篩選」，按下確定。

完成上述設定之後，我們以下圖中的樞紐分析表為例，要在其中利用銷售日期欄來同時使用交叉分析篩選器與時間表，請參考下列步驟。

01 點選樞紐分析表中的任一儲存格，點按分析索引標籤 / 篩選群組 / 插入交叉分析篩選器。

02 在插入交叉分析篩選器對話方塊中，勾選「銷售日期」，按下確定。

您也可以在**樞紐分析表欄位**清單中的「銷售日期」欄位上按下滑鼠右鍵，點選「新增為交叉分析篩選器」。

03 在**樞紐分析表欄位**清單中的「銷售日期」欄位上按下滑鼠右鍵，點選「新增為時間表」，成為如下圖所示的結果。

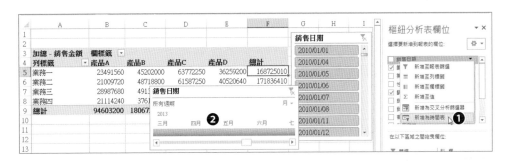

最後要特別提醒大家，針對日期欄位來同時使用**交叉分析篩選器**與**時間表**，雖然可行，但是，由於兩者之間會互相牽制，因而導致難以精準的操控時間，還是不用為宜。

4.2.6 樞紐分析表的排序

完成之後的樞紐分析表，會自動以筆劃由小到大的順序來排列項目標籤，例如業務單位會由業務一開始依序排列到業務四，這是沒問題的。但是請看下圖，其中地區的項目「台中市」、「台北市」、「台南市」、「花蓮縣」…也都是以第一個字的筆劃來排序，第一個字相同時，再用第二個字來排序，依此類推。

如果我們想由北而南，依「台北市」、「新北市」、「桃園縣」、「苗栗縣」、「新竹縣」…「高雄市」的順序來顯示報表的內容，如何調整這些地區項目的順序呢？

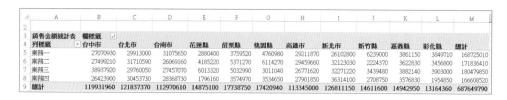

例如要由大到小排序城市名稱，第一個想到的方法是：在任一項目上（例如「新北市」）按一下右鍵，點選排序 / 從 Z 到 A 排序。

但是，「排序」選單中的「從 A 到 Z 排序」或者「從 Z 到 A 排序」都不管用，因為樞紐分析表預設的排序方式是「從 A 到 Z 排序」，當您使用「從 Z 到 A 排序」的方式，「彰化縣」會排在最前面，這當然不是我們想要的結果。

項目的最佳排序方式

在樞紐分析表中想要排出心目中的**項目**順序，最好使用**拖曳項目**的方式，來進行人工排序；您只需要拖曳銷售城市的項目到定位，即可完成排序的動作。

例如，要將「銷售城市」欄位中的「台北市」這個項目移到報表的最前面，來完成人工排序的動作，操作步驟如下：

01 開啟 \ 範例檔 \ 第 4 章範例 \ 進階樞紐分析 .xlsx\「銷售資料」工作表。

02 點選「台北市」項目標籤，在其邊框上按住左鍵，拖曳至「台中市」的左邊。

03 再依相同方式拖曳每一個銷售城市的項目到適當的位置,而每一個項目之下的五個數字,也會跟著項目標籤來移動,完成排序之後的報表,如下圖所示。

	A	B	C	D	E	F	G	H	I	J	K	L
2												
3	銷售金額統計表	欄標籤										
4	列標籤	台北市	新北市	桃園縣	新竹縣	苗栗縣	台中市	彰化縣	嘉義縣	台南市	高雄市	花蓮縣
5	業務一	29913000	26102800	4760980	6239000	3759520	27070930	3849710	3861150	31075650	29211870	2880400
6	業務二	31710590	32123030	6114270	2224370	5371270	27499210	3456800	3622830	26069160	29459660	4185220
7	業務三	29760050	32271220	3011040	3439480	5032990	38937920	3903000	3882140	27457070	26771620	6013320
8	業務四	30453730	36314100	3534650	2708750	3574970	26423900	1954850	3576830	28368730	27901850	1796160
9	總計	121837370	126811150	17420940	14611600	17738750	119931960	13164360	14942950	112970610	113345000	14875100

Tips

您也可以用相同的方式,排序 A 欄中「業務一~業務四」的項目標籤;例如要將 A8 儲存格中的項目「業務四」移到「業務一」的前面,只要在「業務四」項目的邊框上按住左鍵,拖曳至「業務一」的上方即可。

數值排序

數值的排序,原則上只能針對某一項目中的數字來排序,而其他項目的數字順序,也會受到排序項目的影響。例如,要將「台北市」項目之下的數字由大到小排序,我們可以這麼做:

01 在 C4 到 C8 中的任一儲存格中按一下右鍵,點選**排序 / 從最大到最小排序**。

02 由大到小排序完成之後,可以看到只有「台北市」項目之下的數字由大到小排列,其他項目之下的數字排列順序是亂的。

如果點選欄總計（第 9 列）中的任一個數字，當您**由大到小來排**時，可以看到第 9 列中最大的數字排在最左邊，所有第 4 列中項目的順序，也跟數字的大小左右移動。

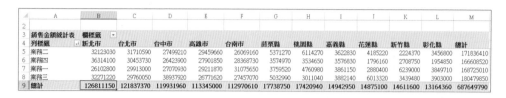

	A	B	C	D	E	F	G	H	I	J	K	L	M
3	銷售金額統計表	欄標籤											
4	列標籤	新北市	台北市	台中市	高雄市	台南市	苗栗縣	桃園縣	嘉義縣	花蓮縣	新竹縣	彰化縣	總計
5	業務二	32123030	31710590	27499210	29459660	26069160	5371270	6114270	3622830	4185220	2224370	3456800	171836410
6	業務四	36314100	30453730	26423900	27901850	28368730	3574970	3534650	3576830	1796160	2708750	1954850	166608520
7	業務一	26102800	29913000	27070930	29211870	31075650	3759520	4760980	3861150	2880400	6239000	3849710	168725010
8	業務三	29760050	29760050	38937920	26771620	27457070	5032990	3011040	3882140	6013320	3439480	3903000	180479850
9	總計	126811150	121837370	119931960	113345000	112970610	17738750	17420940	14942950	14875100	14611600	13164360	687649790

由上述的幾種排序結果來看，除了人工排序之外，滑鼠點選的位置，都會影響排序的結果。

多層次的數值排序

在實務上，常會面臨到多層次樞紐分析表的數值排序問題，多層次報表的排序會因為點選位置的不同，而會有不同的排序結果。我們可以分兩個部份來說明多層次報表的排序方式：

▶ 請開啟 \ 範例檔 \ 第 4 章範例 \ 進階樞紐分析 .xlsx\「樞紐分析表的排序」工作表。當您在左下圖 B6 儲存格中按下右鍵，點選**排序 / 從最大到最小排序**；在台北市項目之下，各個業務員的數字（如右下圖 B6~B9）是由大到小來排列的；台北市項目之下其他單位業務員的數字（如右下圖 B11~B14 的數字），也同樣會由大到小來排列。

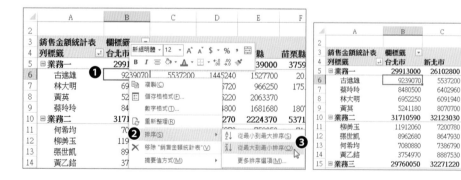

▶ 當您在左下圖 B5 儲存格中按下右鍵，點選**排序 / 從最大到最小排序**；在台北市項目之下，各個業務單位的數字（如右下圖 B5、B10、B15）是由大到小來排列的，但是，各單位業務員的數字順序（如右下圖 B6~B9、B11~B14），卻是不變的。

4.2.7 使用外部資料

以樞紐分析表的觀點來看，所謂「外部資料」，包括了 Access、Dbase、FoxPro、SQL、Oracle、Office 資料庫連線（*.odc）、資料庫查詢、OLAP 查詢、XML 檔案、文字檔或是另一個 Excel 檔案中的資料庫，您可以直接連線到這些資料庫，來完成樞紐分析表的製作。

在前述「第 3 章資料庫管理」的「3.5.1 將文字檔轉換成 Excel 資料庫」以及「3.5.2 匯入 Access 資料表」兩小節中，曾經介紹過如何將文字檔以及 Access 資料表，匯入到 Excel 的方法；所以，在此僅介紹在執行樞紐分析的過程中，如何連線到 Access 資料庫來完成樞紐分析表的建置。

下圖是準備連線的對象－ Access「北風資料庫.accdb」的「訂單」資料表內容。

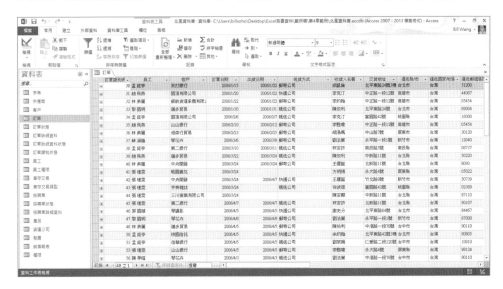

01 啟動 Excel，點按**插入**索引標籤 / **表格**群組 / **樞紐分析表**，在**建立樞紐分析表**對話方塊中，按下**選擇連線**；在**現有連線**對話方塊中，按下**瀏覽更多**。

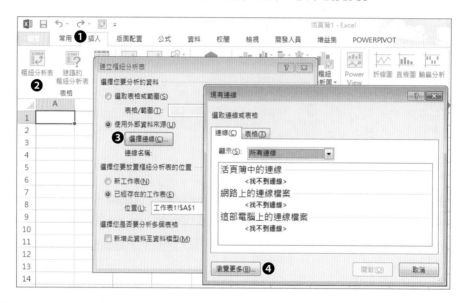

02 在**選取資料來源**對話方塊中，按下**新來源**。

03 在左下圖**資料連線精靈**對話方塊的「ODBC DSN」選項上，連按兩下左鍵；在右下圖中，點選「MS Access Database」，點按**下一步**。

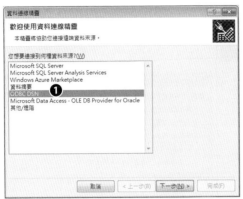 

04 在**選取資料庫**對話方塊中，找到並點選要連線的資料庫「北風資料庫 .accdb」，按下**確定**。

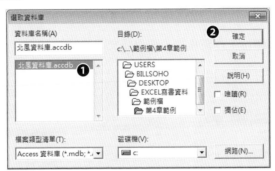

05 在**資料連線精靈**對話方塊中，點選「庫存交易」資料表，點按**下一步**。

06 在左下圖**資料連線精靈**對話方塊中，顯示 Access 連線檔案的名稱「北風資料庫 .accdb 庫存交易 .odc」，按下**完成**；接著在右下圖**建立樞紐分析表**對話方塊中，按下**確定**。

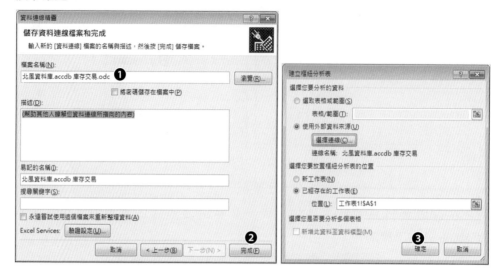

07 在**樞紐分析表欄位**工作窗格中，勾選「交易建立日期」以及「數量」，即可完成各交易日的數量統計表。

4.3 美化樞紐分析表

對於樞紐分析表的各種製作技巧有所認識之後，為了讓完成的報表有專業的外觀以及更高的可讀性，必須善用專門用來美化樞紐分析表的工具，這樣才能讓我們輕鬆做好報表美化的工作。美化樞紐分析表的工作，包括了**數值格式的設定技巧、樞紐分析表樣式的應用**以及**版面配置**的技巧。

4.3.1 數值格式的設定技巧

如何讓一堆數字更容易被解讀，數值格式的設定就變得很重要了。一般而言，數值格式的設定，須先選取數值所在的範圍，再進行格式的調整，但是樞紐分析完全不需要先選取數值範圍，只要在樞紐分析表中的任一數字上去做設定，整張報表中的數值都會跟著調整。但是，如果報表中用到兩個以上的數值欄做計算，就不能只設定一次了。

只有一種數值的格式設定

以下圖為例，報表中只有**銷售金額**一種數值，設定數值的方法就簡單多了。

`01` 開啟 \ 範例檔 \ 第 4 章範例 \ 進階樞紐分析 .xlsx\「單一數值項目」工作表。在任一數值上按下滑鼠右鍵，點選「數字格式」。

`02` 在**儲存格格式**對話方塊的**類別**清單中，點選「數值」，將小數位數設定成「0」，並勾選「使用千分位符號」，按下**確定**。

03 所有的數值格式，都採用千分位樣式的格式，報表中的數值，立即變得清晰易讀了。

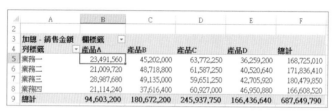

Tips

• 除了上述設定數值格式的方式之外，您也可以這麼做：

01 在樞紐分析表中任一數值上按下右鍵，點選「值欄位設定」。

02 在**值欄位設定**對話方塊中，按下**數值格式**按鈕；在**儲存格格式**對話方塊的**類別**清單中，點選「數值」，再將小數位數設定成「0」，並勾選「使用千分位符號」即可。

* 選定範圍再設定數值格式的問題

為什麼不先選取報表中的數值資料之後，再使用**常用**索引標籤 / **數值**群組中的工具來設定數值格式呢？

因為使用**常用**索引標籤 / **數值**群組的工具來設定數值格式，將導致某些數值的欄寬不夠而出現井號「#」，您必須再花時間去調整樞紐分析表的欄位寬度才行。

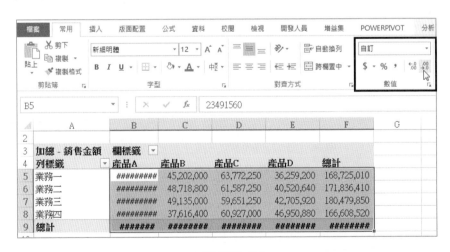

若直接在數值上按右鍵，再經由點選「數字格式」的方式去設定數值格式，數值的欄寬將會自動調整成為適當的寬度，相較之下，這才是比較有效率的做法。

兩種以上數值的格式設定

如果一張樞紐分析表中，出現了多種數值資料，就必須逐一去設定每種數值資料的格式。以下圖為例，其中包含了「交易金額」、「差異」以及「差異%」等三種數值，所以要分三次來設定數值格式，數值格式的要求如下：

▶ 「交易金額」：貨幣、不需要小數，例如「$23,491,560」。

▶ 「差異」：貨幣、不需要小數，負數要套用紅色帶括號的格式，例如正數「$1,162,650」，負數「($2,842,070)」。

▶ 「差異%」：百分比、二位小數，負數要套用紅色帶括號的格式，例如正數「3.89%」，負數「(9.50%)」。

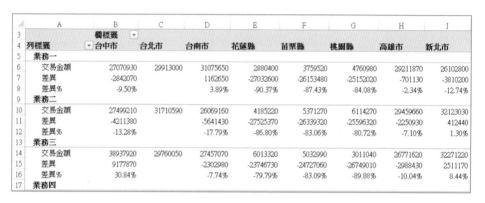

	A	B	C	D	E	F	G	H	I
3		欄標籤							
4	列標籤	台中市	台北市	台南市	花蓮縣	苗栗縣	桃園縣	高雄市	新北市
5	業務一								
6	交易金額	27070930	29913000	31075650	2880400	3759520	4760980	29211870	26102800
7	差異	-2842070		1162650	-27032600	-26153480	-25152020	-701130	-3810200
8	差異%	-9.50%		3.89%	-90.37%	-87.43%	-84.08%	-2.34%	-12.74%
9	業務二								
10	交易金額	27499210	31710590	26069160	4185220	5371270	6114270	29459660	32123030
11	差異	-4211380		-5641430	-27525370	-26339320	-25596320	-2250930	412440
12	差異%	-13.28%		-17.79%	-86.80%	-83.06%	-80.72%	-7.10%	1.30%
13	業務三								
14	交易金額	38937920	29760050	27457070	6013320	5032990	3011040	26771620	32271220
15	差異	9177870		-2302980	-23746730	-24727060	-26749010	-2988430	2511170
16	差異%	30.84%		-7.74%	-79.79%	-83.09%	-89.88%	-10.04%	8.44%
17	業務四								

多數值項目的格式設定，操作步驟如下：

01 開啟 \ 範例檔 \ 第 4 章範例 \ 進階樞紐分析 .xlsx\「多數值項目」工作表；選取 B6 儲存格（或任一「交易金額」的數字），點選快顯功能表中的「數字格式」。

02 在**儲存格格式**對話方塊的**類別**清單中，點選「貨幣」，將小數位數設定成「0」，並採用預設的「$」符號，按下**確定**。

03 設定「差異」的數值格式；選取 B7 儲存格（或任一「差異」的數字），點選快顯功能表中的「數字格式」。

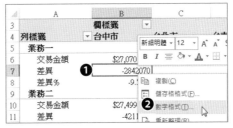

04 在**儲存格格式**對話方塊的**類別**清單中，點選「貨幣」，將小數位數設定成「0」，並採用預設的「$」符號，**負數表示方式**清單中點選紅色的「($1,234)」，按下**確定**。

05 設定「差異 %」的數值格式；選取 B8 儲存格（或任一「差異 %」的數字），點選快顯功能表中的「數字格式」。

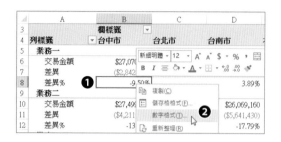

06 在**儲存格格式**對話方塊的**類別**清單中，Excel 會自動選取「百分比」，但是由於對話方塊中，沒有紅色帶括號的負值選項可供選擇，所以，請按下**類別**清單中的「自訂」。

07 在**類型**文字方塊中，輸入「0.00%;[紅色](0.00%)」，按下**確定**。

08 完成數值格式設定之後的報表部份內容，如下圖所示。

	A	B	C	D	E	F	G	H
2								
3		欄標籤						
4	列標籤	台中市	台北市	台南市	花蓮縣	苗栗縣	桃園縣	高雄市
5	業務一							
6	交易金額	$27,070,930	$29,913,000	$31,075,650	$2,880,400	$3,759,520	$4,760,980	$29,211,870
7	差異	($2,842,070)		$1,162,650	($27,032,600)	($26,153,480)	($25,152,020)	($701,130)
8	差異%	(9.50%)		3.89%	(90.37%)	(87.43%)	(84.08%)	(2.34%)
9	業務二							
10	交易金額	$27,499,210	$31,710,590	$26,069,160	$4,185,220	$5,371,270	$6,114,270	$29,459,660
11	差異	($4,211,380)		($5,641,430)	($27,525,370)	($26,339,320)	($25,596,320)	($2,250,930)
12	差異%	(13.28%)		(17.79%)	(86.80%)	(83.06%)	(80.72%)	(7.10%)
13	業務三							
14	交易金額	$38,937,920	$29,760,050	$27,457,070	$6,013,320	$5,032,990	$3,011,040	$26,771,620
15	差異	$9,177,870		($2,302,980)	($23,746,730)	($24,727,060)	($26,749,010)	($2,988,430)
16	差異%	30.84%		(7.74%)	(79.79%)	(83.09%)	(89.88%)	(10.04%)
17	業務四							

4.3.2 套用樞紐分析表樣式

剛完成的樞紐分析表，都會被套用「樞紐分析表樣式淺色 16」的相同樣式，如下圖所示：

嚴格來說，套用的報表樣式實在不怎麼樣，尤其是大型報表，整個報表內容看起來不是很專業，數值格式也需要另行設定，如果套用 Excel 其他的樞紐分析表樣式，會不會好些呢？

套用現有的樣式

要將初步完成的樞紐分析表，套上具有個人風格的樣式，可以這麼做：

01 開啟 \ 範例檔 \ 第 4 章範例 \ 美化樞紐分析表 .xlsx\「套用樞紐分析表樣式」工作表。

02 點選樞紐分析表中的任一儲存格，點按**樞紐分析表工具 / 設計**索引標籤，開啟**樞紐分析表樣式**清單，捲動清單至下方，點選「樞紐分析表樣式深色 2」的樣式，報表外觀也將同時改變。

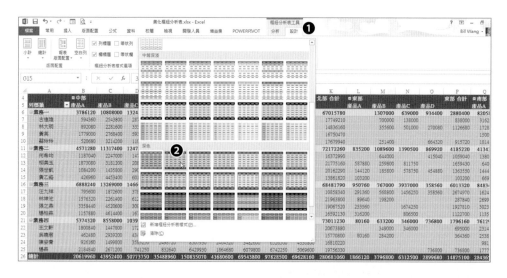

加上顏色的報表，如果以彩色列印，可要考慮到列印成本；如果以黑色或灰階來列印，印出來的效果肯定不好。因此，建議大家，除非有特殊需求，否則不要選用顏色較深的樞紐分析表樣式或者乾脆不要有任何顏色。下圖是在樞紐分析表樣式清單中點選最左方的樣式「無」之後的報表格式，若再配合下一節要介紹的樞紐分析表的「版面配置」，那就更理想了。

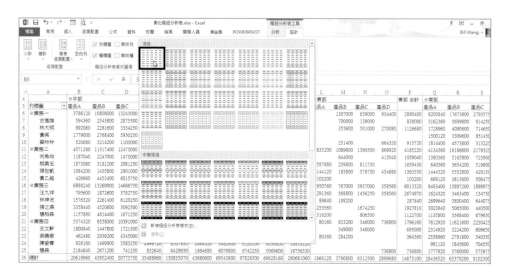

樞紐分析表樣式選項

在**樞紐分析表工具** / **設計**索引標籤 / **樞紐分析表樣式選項**群組中,有四個用來加強色彩效果的核取方塊「列標題」、「欄標題」、「帶狀列」以及「帶狀欄」。如果您當初套用的是深色的樞紐分析表樣式,這四個選項較能看出報表中某些位置的顏色變化,否則,是不會有什麼感覺的。

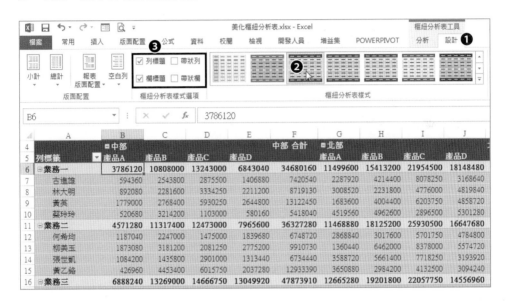

我們可以在以下的測試中,清楚的看出其中的差別。

▶ 下圖是完全不去勾選這四個項目的樞紐分析表樣式,跟上圖比較即可看出差別所在。

▶ 下圖是僅勾選「列標題」核取方塊的結果（請與上圖作比較）。

	A	B	C	D	E	F	G	H	I	J
4		⊟中部				中部 合計	⊟北部			
5	列標籤 ▼	產品A	產品B	產品C	產品D		產品A	產品B	產品C	產品D
6	⊟業務一	3786120	10808000	13243000	6843040	34680160	11499600	15413200	21954500	18148480
7	古進雄	594360	2543800	2875500	1406880	7420540	2287920	4214400	8078250	3168640
8	林大明	892080	2281600	3334250	2211200	8719130	3008520	2231800	4776000	4819840
9	黃英	1779000	2768400	5930250	2644800	13122450	1683600	4004400	6203750	4858720
10	蔡玲玲	520680	3214200	1103000	580160	5418040	4519560	4962600	2896500	5301280
11	⊟業務二	4571280	11317400	12473000	7965600	36327280	11468880	18125200	25930500	16647680
12	何希均	1187040	2247000	1475000	1839680	6748720	2868840	3017600	5701750	4784800
13	柳美玉	1873080	3181200	2081250	2775200	9910730	1360440	6462000	8378000	5574720
14	張世凱	1084200	1435800	2901000	1313440	6734440	3588720	5661400	7718250	3193920
15	黃乙鉻	426960	4453400	6015750	2037280	12933390	3650880	2984200	4132500	3094240
16	⊟業務三	6888240	13269000	14666750	13049920	47873910	12665280	19201800	22057750	14556960

▶ 下圖是同時勾選「列標題」與「欄標題」兩個核取方塊的結果（請與上圖作比較）。

▶ 下圖是同時勾選「列標題」、「欄標題」與「帶狀列」三個核取方塊的結果（請與上圖作比較）。

▶ 下圖是同時勾選四個項目「列標題」、「欄標題」、「帶狀列」與「帶狀欄」核取方塊的結果（請與上圖作比較）。

	A	B	C	D	E	F	G	H	I	J
4		⊟中部				中部 合計	⊟北部			
5	列標籤 ▼	產品A	產品B	產品C	產品D		產品A	產品B	產品C	產品D
6	⊟業務一	3786120	10808000	13243000	6843040	34680160	11499600	15413200	21954500	18148480
7	古進雄	594360	2543800	2875500	1406880	7420540	2287920	4214400	8078250	3168640
8	林大明	892080	2281600	3334250	2211200	8719130	3008520	2231800	4776000	4819840
9	黃英	1779000	2768400	5930250	2644360	13122450	1683600	4004400	6203750	4858720
10	葉玲玲	520680	3214200	1103000	580160	5418040	4519560	4962600	2896550	5301280
11	⊟業務二	4571280	11317400	12473000	7965600	36327280	11468880	18125200	25930500	16647680
12	何希均	1187040	2247000	1475000	1839680	6748720	2868840	3017600	5701750	4784800
13	柳美玉	1873080	3181200	2081250	2775200	9910730	1360440	6462000	8378000	5574720
14	張世凱	1084200	1435800	2901000	1313440	6734440	3588720	5661400	7718250	3193920
15	黃乙絡	426960	4453400	6015750	2037280	12933390	3650880	2984200	4132500	3094240
16	⊟業務三	6888240	13269000	14666750	13049920	47873910	12665280	19201800	22057750	14556960

Tips

只要點選樣式清單最下方的「新增樞紐分析表樣式」，您就可以自行設定樞紐分析表的樣式來符合個人的需求。

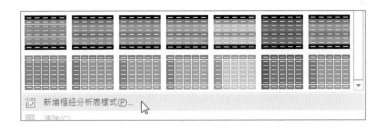

接著，在**新增樞紐分析表樣式**對話方塊中，點選**表格項目**中的選項，按下**格式**按鈕，就可以針對樣式中的「字型」、「外框」以及「填滿」等項目逐一的去設定，有興趣的朋友就請自行測試一下囉！

4.3.3 樞紐分析表版面配置

最能夠影響樞紐分析表外觀的，就是「版面配置」的設定，其中包括了「空白列」、「報表版面配置」、「總計」以及「小計」等四個設定項目；**版面配置**中的各個設定項目，大都是用在多層次報表的美化上。

多層次報表的「小計」

「小計」就是多層次報表中各層的小計值，剛完成的多層次樞紐分析表，並不會顯示各層的小計值。在 \ 範例檔 \ 第 4 章範例 \ 美化樞紐分析表 .xlsx\「報表版面配置」工作表中，我們只看到「月」的統計數字，卻看不到「年」和「季」的小計值，因而導致報表的內容不夠完整。

▲	A	B	C	D	E	F
1						
2						
3	加總 - 銷售金額	欄標籤 ▼				
4	列標籤 ▼	產品A	產品B	產品C	產品D	總計
5	⊟2010年					
6	⊟第一季					
7	1月	1841280	3642000	5581000	4313120	15377400
8	2月	1529880	6333400	7801500	3020320	18685100
9	3月	1464360	3648200	6266500	2418560	13797620
10	⊟第二季					
11	4月	1834800	3988200	7662750	3063200	16548950
12	5月	936240	2159200	5878250	4455040	13428730
13	6月	2077920	4269200	6941500	2574080	15862700

如果要顯示「年」和「季」的小計值，請點選**樞紐分析表工具** / **設計**索引標籤 / **版面配置**群組 / **小計** / **在群組的頂端顯示所有小計**即可。

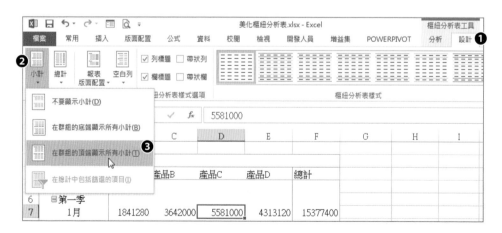

此時，「年」和「季」的小計值，會顯示在「月」統計值的上方。

	A	B	C	D	E	F
2						
3	加總 - 銷售金額	欄標籤 ▼				
4	列標籤 ▼	產品A	產品B	產品C	產品D	總計
5	⊟2010年	17970360	42698800	72904500	45971840	179545500
6	⊟第一季	4835520	13623600	19649000	9752000	47860120
7	1月	1841280	3642000	5581000	4313120	15377400
8	2月	1529880	6333400	7801500	3020320	18685100
9	3月	1464360	3648200	6266500	2418560	13797620
10	⊟第二季	4848960	10416600	20482500	10092320	45840380
11	4月	1834800	3988200	7662750	3063200	16548950

如果您在**樞紐分析表工具** / **設計**索引標籤 / **版面配置**群組 / **小計**之下點選**在群組的底端顯示所有小計**，其中「年」和「季」的小計列會加上框線，各「季」的小計值會被置於「月」的下方 ，而且需要移動到報表下方才能看到「年」的小計值（例如第 26 列中的「2010 年 合計」）。

	A	B	C	D	E	F
3	加總 - 銷售金額	欄標籤 ▼				
4	列標籤 ▼	產品A	產品B	產品C	產品D	總計
5	⊟2010年					
6	⊟第一季					
7	1月	1841280	3642000	5581000	4313120	15377400
8	2月	1529880	6333400	7801500	3020320	18685100
9	3月	1464360	3648200	6266500	2418560	13797620
10	第一季 合計	4835520	13623600	19649000	9752000	47860120
11	⊟第二季					
12	4月	1834800	3988200	7662750	3063200	16548950
13	5月	936240	2159200	5878250	4455040	13428730
14	6月	2077920	4269200	6941500	2574080	15862700
15	第二季 合計	4848960	10416600	20482500	10092320	45840380
16	⊟第三季					
17	7月	1445760	4385600	7004500	6086080	18921940
18	8月	1277520	1611400	3182250	6025440	12096610
19	9月	1695480	2626400	3826250	2854080	11002210
20	第三季 合計	4418760	8623400	14013000	14965600	42020760
21	⊟第四季					
22	10月	338520	2179800	4981000	5084160	12583480
23	11月	1174800	3370000	6843000	2810880	14198680
24	12月	2353800	4485400	6936000	3266880	17042080
25	第四季 合計	3867120	10035200	18760000	11161920	43824240
26	2010年 合計	17970360	42698800	72904500	45971840	179545500

結論是：「套用**在群組的頂端顯示所有小計**，看起來是較佳的做法」。

若要清除各層次之間的小計值（即合計值），只要點選**樞紐分析表工具** / **設計**索引標籤 / **版面配置**群組 / **小計** / **不要顯示小計**即可。

三種版面配置的應用

依據不同的需求，Excel 提供了三種不同的樞紐分析表顯示方式，其中包括了「壓縮模式」、「大綱模式」以及「列表方式」，這些顯示報表內容的方式，用在多層次的報表中，效果尤其顯著；對單層式的報而言，就看不出有什麼效果了。

■ 壓縮模式

剛完成的多層次樞紐分析表是以「壓縮模式」的方式來顯示的，下圖中的「年」、「季」和「月」的項目標籤都集中在 A 欄，這就是典型「**壓縮模式**」的報表。

對於多層次的報表而言，「壓縮模式」能夠縮減報表的寬度，以方便我們檢視或列印報表，但也有不夠大器之嫌。

	A	B	C	D	E	F
2						
3	加總 - 銷售金額	欄標籤 ▾				
4	列標籤 ▾	產品A	產品B	產品C	產品D	總計
5	⊟2010年	17970360	42698800	72904500	45971840	179545500
6	⊟第一季	4835520	13623600	19649000	9752000	47860120
7	1月	1841280	3642000	5581000	4313120	15377400
8	2月	1529880	6333400	7801500	3020320	18685100
9	3月	1464360	3648200	6266500	2418560	13797620
10	⊟第二季	4848960	10416600	20482500	10092320	45840380
11	4月	1834800	3988200	7662750	3063200	16548950
12	5月	936240	2159200	5878250	4455040	13428730
13	6月	2077920	4269200	6941500	2574080	15862700
14	⊟第三季	4418760	8623400	14013000	14965600	42020760
15	7月	1445760	4385600	7004500	6086080	18921940
16	8月	1277520	1611400	3182250	6025440	12096610
17	9月	1695480	2626400	3826250	2854080	11002210
18	⊟第四季	3867120	10035200	18760000	11161920	43824240
19	10月	338520	2179800	4981000	5084160	12583480
20	11月	1174800	3370000	6843000	2810880	14198680
21	12月	2353800	4485400	6936000	3266880	17042080

■ 大綱模式 + 空白列

對多層次的報表而言，「大綱模式」配合「空白列」的使用，是較理想的版面配置方式，大綱模式可將壓縮在 A 欄中的項目展開到不同的欄中，使得報表版面會較為寬鬆；「空白列」可在各個層次之間加上一列空白，使得報表看起來大方而且更具可讀性。

要將樞紐分析由「壓縮模式」調整成為「大綱模式」，並在每一季之後加上一列空白，以作區隔，操作步驟如下：

01 點選**樞紐分析表工具** / **設計**索引標籤 / **版面配置**群組 / **報表版面配置** / **以大綱模式顯示**。

02 點選**樞紐分析表工具** / **設計**索引標籤 / **版面配置**群組 / **空白列** / **每一項之後插入空白行**。

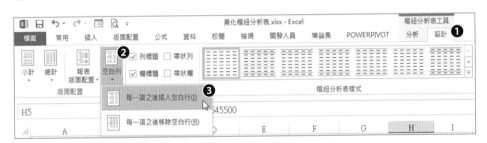

03 完成設定之後的報表如下圖所示。

	A	B	C	D	E	F	G	H
2								
3	加總 - 銷售金額			銷售產品 ▼				
4	年 ▼	季 ▼	銷售日期 ▼	產品A	產品B	產品C	產品D	總計
5	⊟2010年			17970360	42698800	72904500	45971840	179545500
6		⊟第一季		4835520	13623600	19649000	9752000	47860120
7			1月	1841280	3642000	5581000	4313120	15377400
8			2月	1529880	6333400	7801500	3020320	18685100
9			3月	1464360	3648200	6266500	2418560	13797620
10								
11		⊟第二季		4848960	10416600	20482500	10092320	45840380
12			4月	1834800	3988200	7662750	3063200	16548950
13			5月	936240	2159200	5878250	4455040	13428730
14			6月	2077920	4269200	6941500	2574080	15862700
15								
16		⊟第三季		4418760	8623400	14013000	14965600	42020760

若要清除報表中的空白行,請點選**樞紐分析表工具** / **設計**索引標籤 / **版面配置**群組 / **空白列** / **每一項之後移除空白行**即可。

■ 列表方式顯示

此種模式將會讓報表回到 Excel 2003 之前的報表格式。下圖是套用「在群組的底端顯示所有小計」和「以列表方式顯示」的結果。

請參考下列步驟，完成「以列表方式顯示」的設定，並將小計值顯示在群組項目的底端：

01 在剛完成的多層次樞紐分析表中，點選**樞紐分析表工具 / 設計**索引標籤 / **版面配置**群組 / **報表版面配置 / 以列表方式顯示**。

02 點選**樞紐分析表工具** / **設計**索引標籤 / **版面配置**群組 / **小計** / **在群組的底端顯示所有小計**即可。

Tips

- 「以列表方式顯示」的多層次樞紐分析表,「小計」的顯示方式,只能套用「在群組的底端顯示所有小計」,而「在群組的頂端顯示所有小計」在此種格式之下是沒有作用的。

- 以下圖為例,在多層次的樞紐表中,A 欄中的項目標籤「2010 年」被置於經合併儲存格之後的 A5 儲存格中,如果想要將「2010 年」的項目標籤填滿到其下空白儲存格中,請點選**樞紐分析表工具** / **設計**索引標籤 / **版面配置**群組 / **報表版面配置** / **重複所有項目標籤**。

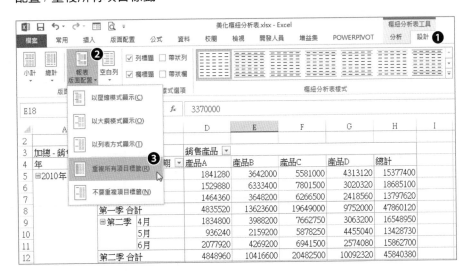

樞紐分析表中,各層次的項目標籤,都被填滿到其下的空白儲存格中。

	A	B	C	D	E	F	G	H
2								
3	加總 - 銷售金額			銷售產品 ▼				
4	年 ▼	季 ▼	銷售日期 ▼	產品A	產品B	產品C	產品D	總計
5	⊟2010年	⊟第一季	1月	1841280	3642000	5581000	4313120	15377400
6	2010年	第一季	2月	1529880	6333400	7801500	3020320	18685100
7	2010年	第一季	3月	1464360	3648200	6266500	2418560	13797620
8	2010年	第一季 合計		4835520	13623600	19649000	9752000	47860120
9	2010年	⊟第二季	4月	1834800	3988200	7662750	3063200	16548950
10	2010年	第二季	5月	936240	2159200	5878250	4455040	13428730
11	2010年	第二季	6月	2077920	4269200	6941500	2574080	15862700
12	2010年	第二季 合計		4848960	10416600	20482500	10092320	45840380
13	2010年	⊟第三季	7月	1445760	4385600	7004500	6086080	18921940
14	2010年	第三季	8月	1277520	1611400	3182250	6025440	12096610
15	2010年	第三季	9月	1695480	2626400	3826250	2854080	11002210
16	2010年	第三季 合計		4418760	8623400	14013000	14965600	42020760

若要取消填滿的項目標籤,請點選**樞紐分析表工具** / **設計**索引標籤 / **版面配置**群組 / **報表版面配置** / **不要重複項目標籤**即可。

顯示或隱藏「欄總計」與「列總計」

樞紐分析表會在報表下方自動顯示「欄總計」並在報表右方顯示「列總計」,不論「欄總計」或「列總計」,在樞紐分析表中的標籤名稱都叫作「總計」,欄與列總計可以讓我們很快的參考到各個項目最終的彙總數字。

	A	B	C	D	E	F
2						
3	加總 - 銷售金額	銷售產品 ▼				
4	業務單位 ▼	產品A	產品B	產品C	產品D	總計
5	業務一	23,491,560	45,202,000	63,772,250	36,259,200	168,725,010
6	業務二	21,009,720	48,718,800	61,587,250	40,520,640	171,836,410
7	業務三	28,987,680	49,135,000	59,651,250	42,705,920	180,479,850
8	業務四	21,114,240	37,616,400	60,927,000	46,950,880	166,608,520
9	總計	94,603,200	180,672,200	245,937,750	166,436,640	687,649,790

一般而言,只有在特殊情況之下,才會隱藏「欄總計」或「列總計」;如果不想看到報表中的「欄總計」和「列總計」,請點選**樞紐分析表工具** / **設計**索引標籤 / **版面配置**群組 / **總計** / **關閉列與欄**。

關閉「欄總計」或「列總計」之後的報表，看起來是不是有些怪異呢？

	A	B	C	D	E	F
2						
3	加總 - 銷售金額	銷售產品 ▼				
4	業務單位 ▼	產品A	產品B	產品C	產品D	
5	業務一	23491560	45202000	63772250	36259200	
6	業務二	21009720	48718800	61587250	40520640	
7	業務三	28987680	49135000	59651250	42705920	
8	業務四	21114240	37616400	60927000	46950880	
9						

點選「僅開啟欄」之後的報表，如下圖所示：

	A	B	C	D	E	F
2						
3	加總 - 銷售金額	銷售產品 ▼				
4	業務單位 ▼	產品A	產品B	產品C	產品D	
5	業務一	23491560	45202000	63772250	36259200	
6	業務二	21009720	48718800	61587250	40520640	
7	業務三	28987680	49135000	59651250	42705920	
8	業務四	21114240	37616400	60927000	46950880	
9	總計	94603200	180672200	245937750	166436640	

點選「僅開啟列」之後的報表，如下圖所示：

	A	B	C	D	E	F
2						
3	加總 - 銷售金額	銷售產品 ▼				
4	業務單位 ▼	產品A	產品B	產品C	產品D	總計
5	業務一	23491560	45202000	63772250	36259200	168725010
6	業務二	21009720	48718800	61587250	40520640	171836410
7	業務三	28987680	49135000	59651250	42705920	180479850
8	業務四	21114240	37616400	60927000	46950880	166608520
9						

點選「開啟列與欄」之後，又可回復到預設的顯示方式：

	A	B	C	D	E	F
2						
3	加總 - 銷售金額	銷售產品 ▼				
4	業務單位 ▼	產品A	產品B	產品C	產品D	總計
5	業務一	23491560	45202000	63772250	36259200	168725010
6	業務二	21009720	48718800	61587250	40520640	171836410
7	業務三	28987680	49135000	59651250	42705920	180479850
8	業務四	21114240	37616400	60927000	46950880	166608520
9	總計	94603200	180672200	245937750	166436640	687649790

4.3.4 文字標籤的對齊

在樞紐分析表中，除了數值資料之外，其餘的**欄位名稱**或者**項目名稱**都可稱之為「文字標籤」，如何置中對齊所有的文字標籤呢？尤其是多層次報表中的文字標籤，必須要考慮到垂直方向的對齊。

例如，開啟 \ 範例檔 \ 第 4 章範例 \ 美化樞紐分析表 .xlsx\「對齊文字標籤」工作表之後，其中 A5 和 B5 儲存格中的文字標籤「2010 年」與「第一季」都要對齊在儲存格正中央，也就是移至 A12 與 B6 的位置。

	A	B	C	D	E	F	G	H
3	加總 - 銷售金額			銷售產品 ▼				
4	年 ▼	季 ▼	銷售日期 ▼	產品A	產品B	產品C	產品D	總計
5	⊟2010年	⊟第一季	1月	1841280	3642000	5581000	4313120	15377400
6			2月	1529880	6333400	7801500	3020320	18685100
7			3月	1464360	3648200	6266500	2418560	13797620
8		第一季 合計		4835520	13623600	19649000	9752000	47860120
9		⊟第二季	4月	1834800	3988200	7662750	3063200	16548950
10			5月	936240	2159200	5878200	4455040	13428730
11			6月	2077920	4269200	6941500	2574080	15862700
12		第二季 合計		4848960	10416600	20482500	10092320	45840380
13		⊟第三季	7月	1445760	4385600	7004500	6086080	18921940
14			8月	1277520	1611400	3182250	6025440	12096610
15			9月	1695480	2626400	3826250	2854080	11002210
16		第三季 合計		4418760	8623400	14013000	14965600	42020760
17		⊟第四季	10月	338520	2179800	4981000	5084160	12583480
18			11月	1174800	3370000	6843000	2810880	14198680
19			12月	2353800	4485400	6936000	3266880	17042080
20		第四季 合計		3867120	10035200	18760000	11161920	43824240
21	2010年 合計			17970360	42698800	72904500	45971840	179545500

我們不能用拖曳的方式來對齊文字標籤到儲存格正中央；而必須使用下列做法，一次對齊所有的文字標籤：

01 點選樞紐分析表中的任一儲存格，再點按**樞紐分析表工具 / 分析**索引標籤 / **樞紐分析表**群組 / **選項**。

02 在**樞紐分析表選項**對話方塊中的**版面配置與格式**標籤之下，勾選「具有標籤的儲存格跨欄置中」，按下**確定**。

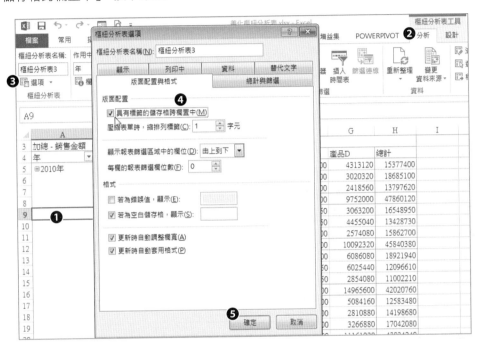

03 樞紐分析表中所有的文字標籤，都置於儲存格正中央。

	A	B	C	D	E	F	G	H
3	加總 - 銷售金額			銷售產品				
4	年	季	銷售日期	產品A	產品B	產品C	產品D	總計
5			1月	1841280	3642000	5581000	4313120	15377400
6		第一季	2月	1529880	6333400	7801500	3020320	18685100
7			3月	1464360	3648200	6266500	2418560	13797620
8		第一季 合計		4835520	13623600	19649000	9752000	47860120
9			4月	1834860	3988200	7662750	3063200	16548950
10		第二季	5月	936240	2159200	5878250	4455040	13428730
11			6月	2077920	4269200	6941500	2574080	15862700
12	2010年	第二季 合計		4848960	10416600	20482500	10092320	45840380
13			7月	1445760	4385600	7004500	6086080	18921940
14		第三季	8月	1277520	1611400	3182250	6025440	12096610
15			9月	1695480	2626400	3826250	2854080	11002210
16		第三季 合計		4418760	8623400	14013000	14965600	42020760
17			10月	338520	2179800	4981000	5084160	12583480
18		第四季	11月	1174800	3370000	6843000	2810880	14198680
19			12月	2353800	4485400	6936000	3266880	17042080
20		第四季 合計		3867120	10035200	18760000	11161920	43824240
21	2010年 合計			17970360	42698800	72904500	45971840	179545500
22			1月	1209960	2589000	5350000	2865280	12014240

4.3.5 欄位的摺疊與展開

有些多層次的大型樞紐分析表，由於篇幅過大，不論閱讀或列印都造成極大的不便；針對這一類型的報表，我們可以使用群組「摺疊」的方式，隱藏欄位中的細部項目，讓報表只顯示較高層級的項目數字，這樣可以使得樞紐分析表變得精簡、且易於閱讀和列印，當需要看到報表全貌時，再展開被摺疊的內容即可。

全部摺疊或展開

在內含「年、季、月」的群組報表中，如果只想看到以「年」的統計資料，請依下列步驟摺疊所有「季」與「月」的欄位內容：

01 開啟 \ 範例檔 \ 第 4 章範例 \ 美化樞紐分析表 .xlsx\「項目的摺疊展開」工作表。點選 A7 儲存格，在**樞紐分析表工具 / 分析**索引標籤 / **作用中欄位**群組中，點按一下紅色減號「摺疊欄位」按鈕。

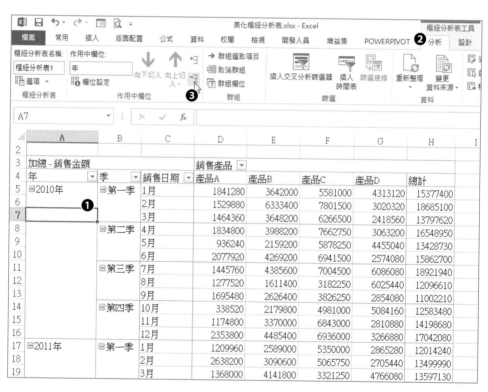

02 經過摺疊之後，只剩下年度的統計數字。

	A	B	C	D	E	F	G	H
2								
3	加總 - 銷售金額			銷售產品 ▼				
4	年 ▼	季 ▼	銷售日期 ▼	產品A	產品B	產品C	產品D	總計
5	⊞2010年			17970360	42698800	72904500	45971840	179545500
6	⊞2011年			24103800	39197000	51929000	39252480	154482280
7	⊞2012年			20799480	42134400	59285500	34575040	156794420
8	⊞2013年			24273240	42109800	49551250	38298240	154232530
9	⊞2014年			7456320	14532200	12267500	8339040	42595060
10	總計			94603200	180672200	245937750	166436640	687649790

03 若要展開所有「季」與「月」的欄位內容，請點選 A5~A9 中的任何一個年度，在**樞紐分析表工具 / 分析索引標籤 / 作用中欄位**群組中，點按一下綠色加號「展開欄位」按鈕即可。

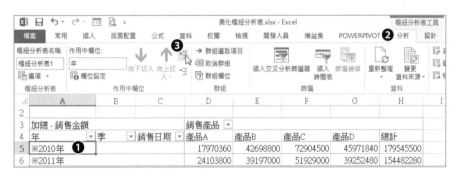

04 如果只想顯示「年」與「季」的資料，請點選 B 欄中的任何一季標籤，再按一下「摺疊整個欄位」按鈕，「月」的統計數字，立即被隱藏起來。

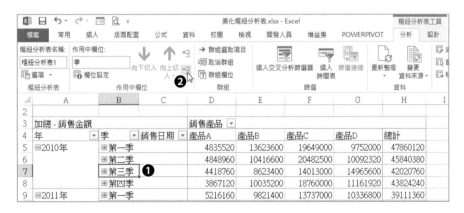

局部摺疊或展開

如果只想摺疊「2010 年」之下的「季」和「月」，而不影響其他年份和其下的所有內容，請按下 A5 儲存格「2010 年」左邊的**減號**按鈕，就可以摺疊「季」和「月」的內容，同時原來左邊的**減號**按鈕就變成了**加號**按鈕。

同樣的，如果按下 B6 儲存格「第一季」左邊的**減號**按鈕，就可摺疊第一季中各月份的內容。

	A	B	C	D	E	F	G	H
2								
3	加總 - 銷售金額			銷售產品				
4	年	季	銷售日期	產品A	產品B	產品C	產品D	總計
5	⊞2010年			17970360	42698800	72904500	45971840	179545500
6	⊟2011年	⊞第一季		5216160	9821400	13737000	10336800	39111360
7		⊟第二季	4月	1944960	3282000	5286500	2680160	13193620
8			5月	1490520	4594000	4215500	3109920	13409940
9			6月	820800	2158600	4391000	3254720	10625120
10		⊟第三季	7月	2698680	3180800	4517250	4959520	15356250
11			8月	2678040	2449400	2201250	2156640	9485330
12			9月	1709640	4759000	6548250	3436640	16453530

同時摺疊或展開各年度中的第一季內容

Excel 有另外一種方法，可以讓我們同時摺疊各年度中某一季的細部內容，例如要同時將各年度第一季中的各個月份摺疊起來，可以在 B5 儲存格（B6 或 B7 儲存格亦可）中按下右鍵，點選「展開 / 摺疊」之下的「摺疊」或「摺疊至 " 季 "」。

▲	A	B	C	D	E	F	G	H
2								
3	加總 - 銷售金額	新細明體 ▾ 12 ▾ A A $ % ,			產品B	產品C	產品D	總計
4	年 ▾	季 B I ≡ ◇ ▾ A ▾	▾ ▾ .00					
5	⊟2010年	⊟第		3642000	5581000	4313120	15377400	
6	❶	複製(C)		1529880	6333400	7801500	3020320	18685100
7		儲存格格式(F)...		1464360	3648200	6266500	2418560	13797620
8	⊟第	重新整理(R)		1834800	3988200	7662750	3063200	16548950
9				936240	2159200	5878250	4455040	13428730
10		排序(S) ▸		2077920	4269200	6941500	2574080	15862700
11	⊟第	篩選(T) ▸		1445760	4385600	7004500	6086080	18921940
12		小計 "季"(B)		1277520	1611400	3182250	6025440	12096610
13		展開/摺疊(E) ❷ ▸	◦╪ 展開(X)		3826250	2854080	11002210	
14	⊟第	群組(G)...	◦╪ 摺疊(O)		4981000	5084160	12583480	
15		取消群組(U)...	◦╪ 展開整個欄位(E)		6843000	2810880	14198680	
16			◦╪ 摺疊整個欄位(C)		6936000	3266880	17042080	
17	⊟2011年	⊟第	移動(M) ▸		5350000	2865280	12014240	
18	✕	移除 "季"(V)	摺疊至 "年"		5065750	2705440	13499990	
19	⊡	欄位設定(N)...	摺疊至 "季" ❸		3321250	4766080	13597130	
20	⊟第	樞紐分析表選項(O)...	展開至 "銷售日期"		5286500	2680160	13193620	
21		顯示欄位清單(D)	1490520	4594000		4215500	3109920	13409940

各年度第一季之下的月份資料，全都被隱藏起來。

▲	A	B	C	D	E	F	G	H
2								
3	加總 - 銷售金額			銷售產品 ▾				
4	年 ▾	季 ▾	銷售日期 ▾	產品A	產品B	產品C	產品D	總計
5	⊟2010年	⊞第一季		4835520	13623600	19649000	9752000	47860120
6		⊟第二季	4月	1834800	3988200	7662750	3063200	16548950
7			5月	936240	2159200	5878250	4455040	13428730
8			6月	2077920	4269200	6941500	2574080	15862700
9		⊟第三季	7月	1445760	4385600	7004500	6086080	18921940
10			8月	1277520	1611400	3182250	6025440	12096610
11			9月	1695480	2626400	3826250	2854080	11002210
12		⊟第四季	10月	338520	2179800	4981000	5084160	12583480
13			11月	1174800	3370000	6843000	2810880	14198680
14			12月	2353800	4485400	6936000	3266880	17042080
15	⊟2011年	⊞第一季		5216160	9821400	13737000	10336800	39111360
16		⊟第二季	4月	1944960	3282000	5286500	2680160	13193620
17			5月	1490520	4594000	4215500	3109920	13409940
18			6月	820800	2158600	4391000	3254720	10625120

若要展開所有第一季的內容，可以在 B5 儲存格中按下右鍵，點選「展開 / 摺疊」之下的「展開」或「展開整個欄位」即可。

Tips

▶ 功能區中的**減號**或**加號**按鈕,是用來全部摺疊或全部展開多層次的內容。

▶ 樞紐分析表中,各個項目左邊的**減號**或**加號**按鈕,是用來摺疊或展開某一個項目的細部內容。

▶ 快顯功能表中的「摺疊至 " 年 "」、「摺疊至 " 季 "」以及「摺疊至 " 銷售日期 "」,這三種功能的好處在於,只要選取任何層次的項目標籤,就可以執行此三種功能,不需要點選特定層次的項目標籤。

- 「摺疊至 " 年 "」:只顯示各年度的統計數字。
- 「摺疊至 " 季 "」:同時顯示所有「年」與「季」的統計數字。
- 「摺疊至 " 銷售日期 "」:同時顯示所有「年」、「季」與「月」的統計數字。

展開最底層項目的結果

我們在展開細部資料的過程中，以層次的角度來看，「年」的各個項目（2010年、2011年…）是屬於第一層的分類項目；「季」的各個項目（第一季、第二季…）是第二層的分類項目，而「銷售日期」的項目（1月、2月…）則是最後一層的分類項目，如果您在最後一層「銷售日期」的項目中再做展開的動作，報表會有什麼反應呢？

由於月份已經是最底層的分類項目，應該不能再做展開的動作；因此，樞紐分析會認為您不是真的要展開該項目，而是想要在報表中新增一個欄位。

例如，在下圖 C5 儲存格中的「1月」項目標籤上，按下右鍵，點選「展開 / 摺疊」選項之下的「展開」。

	A	B	C	D	E	F	G	H
2								
3	加總 - 銷售金額							
4	年	季	銷售日期				產品D	總計
5	2010年	第一季	1月 ❶	1841280	3642000	5581000	4313120	15377400
6			2月	33400	7801500	3020320	18685100	
7			3月	18200	6266500	2418560	13797620	
8		第二季	4月	88200	7662750	3063200	16548950	
9			5月	59200	5878250	4455040	13428730	
10			6月	59200	6941500	2574080	15862700	
11		第三季	7月	85600	7004500	6086080	18921940	
12			8月	1400	3182250	6025440	12096610	
13			9月			2854080	11002210	
14		第四季	10月			5084160	12583480	

（右鍵選單）新細明體 12 A A $ % | B I | 複製 | 儲存格格式(F)... | 重新整理(R) | 排序(S) | 篩選(T) | ✓ 小計 "銷售日期"(B) | ❷ 展開/摺疊(E) ▸ 展開(X) ❸ | 群組(G)... | 摺疊(O)

樞紐分析表中立即出現了**顯示群組資料**對話方塊，問您要將哪一個欄位新增到報表中，點選「業務單位」，按下**確定**。

新增的「業務單位」欄位，被置於月份項目的後面，成為如下圖的報表內容。

	A	B	C	D	E	F	G	H	I
2									
3	加總 - 銷售金額				銷售產品				
4	年	季	銷售日期	業務單位	產品A	產品B	產品C	產品D	總計
5	⊟2010年	⊟第一季	⊟1月	業務一	595200	1323400	1698000	105760	3722360
6				業務二	486480	1399800	667500	1822400	4376180
7				業務三	210600	918800	2245000	1754880	5129280
8				業務四	549000		970500	630080	2149580
9			1月 合計		1841280	3642000	5581000	4313120	15377400
10			⊟2月	業務一	590520	2916400	2589500	1409440	7505860
11				業務二	558600	2000200	778000	1188800	4525600
12				業務三	87240	834400	2286750		3208390
13				業務四	293520	582400	2147250	422080	3445250
14			2月 合計		1529880	6333400	7801500	3020320	18685100
15			⊟3月	業務一	299640	1168200	566000		2033840
16				業務二	603600	1113200	2982750	1226720	5926270
17				業務三	561120	568800	1556500	611200	3297620
18				業務四		798000	1161250	580640	2539890
19			3月 合計		1464360	3648200	6266500	2418560	13797620

4.4 計算欄位與計算項目

Excel 能在樞紐分析表中，透過公式的設定來產生一個來源資料庫中沒有的新欄位；也可以重新組合樞紐分析表中的欄位項目，成為報表中的新項目，以便於報表的檢視。

4.4.1 設定「計算欄位」

在樞紐分析表中透過計算公式來產生一個新的欄位，就叫作「計算欄位」。例如，在左下圖**業務員的銷售金額統計表**中，可以看出每位業務員的績效，如何能在報表中看到右下圖「5% 營業稅」以及「實際營收」兩個欄位的數字呢？

	A	B
2		
3	業務員	交易金額
4	王文軒	43,042,000
5	古進雄	46,277,690
6	何希均	40,212,470
7	吳曉君	40,950,180
8	汪九祥	32,971,480
9	林大明	39,310,750
10	林坤池	50,646,880
11	柳美玉	45,885,600
12	張之鼎	53,456,990
13	張世凱	44,014,980
14	陳姿青	38,973,890
15	黃乙銘	41,723,360
16	黃英	46,884,820
17	楊柏森	43,404,500
18	楊森	43,642,450
19	蔡玲玲	36,251,750
20	總計	687,649,790

	A	B	C	D
2				
3	業務員	交易金額	5%營業稅	實際營收
4	王文軒	43,042,000	2,152,100	40,889,900
5	古進雄	46,277,690	2,313,885	43,963,806
6	何希均	40,212,470	2,010,624	38,201,847
7	吳曉君	40,950,180	2,047,509	38,902,671
8	汪九祥	32,971,480	1,648,574	31,322,906
9	林大明	39,310,750	1,965,538	37,345,213
10	林坤池	50,646,880	2,532,344	48,114,536
11	柳美玉	45,885,600	2,294,280	43,591,320
12	張之鼎	53,456,990	2,672,850	50,784,141
13	張世凱	44,014,980	2,200,749	41,814,231
14	陳姿青	38,973,890	1,948,695	37,025,196
15	黃乙銘	41,723,360	2,086,168	39,637,192
16	黃英	46,884,820	2,344,241	44,540,579
17	楊柏森	43,404,500	2,170,225	41,234,275
18	楊森	43,642,450	2,182,123	41,460,328
19	蔡玲玲	36,251,750	1,812,588	34,439,163
20	總計	687,649,790	34,382,490	653,267,301

在樞紐分析表中新增「計算欄位」的完整做法，請參考下列操作步驟：

`01` 開啟 \ 範例檔 \ 第 4 章範例 \ 計算欄位與計算項目 .xlsx\「銷售資料」工作表。

`02` 點選資料庫中的任一儲存格，點按插入索引標籤 / 表格群組 / 樞紐分析表。在建立樞紐析表對話方塊中，所有設定均採用預設值，按下確定即可。

`03` 在樞紐分析表欄位清單中，分別勾選「業務員」以及「銷售金額」，初步完成的樞紐分析表如下圖所示。

04 點選**樞紐分析表工具** / **分析**索引標籤 / **計算**群組 / **欄位、項目和集** / **計算欄位**。

05 在**插入計算欄位**對話方塊中輸入如右圖的內容：

▶ **名稱**文字方塊：「5% 營業稅」

▶ **公式**文字方塊：「= 銷售金額 *0.05」，按下**新增**。

您也可以先將文字方塊原有內容清除，接著輸入「=」號，再點選**欄位**清單中的「銷售金額」，按下**插入欄位**，再輸入「*0.05」。

06 依步驟 5 的方式，繼續在**插入計算欄位**對話方塊中輸入如右圖的內容：

▶ **名稱**文字方塊：「實際營收」

▶ **公式**文字方塊：「= 銷售金額 -'5% 營業稅'」，按下**新增**，最後再按下**確定**。

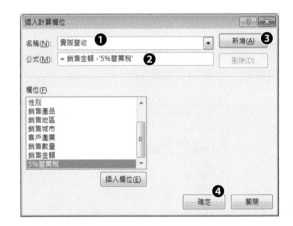

Tips

- 請注意，「'5% 營業稅'」的前後必須要有**單引號**，如果您從**欄位**清單中去點選「5% 營業稅」再按下**插入欄位**時，Excel 會自動加上**單引號**，如果是人工輸入，就必須自己輸入**單引號**。

- 原則上，欄位名稱之間的運算，是不需要加單引號的，例如「= 銷售金額 - 營業稅」，但是由於「營業稅」的前面還有個「5%」，所以必須加上單引號。也就是說，百分比「5%」作為名稱的一部份時，會影響公式的設定。

07 所有的計算欄位設定完畢之後，在**插入計算欄位**對話方塊中，按下**確定**，即可看到如右圖的結果。

列標籤 ▼	加總 – 銷售金額	加總 – 5%營業稅	加總 – 實際營收
王文軒	43042000	2,152,100	40,889,900
古進雄	46277690	2,313,885	43,963,806
何希均	40212470	2,010,624	38,201,847
吳曉君	40950180	2,047,509	38,902,671
汪九祥	32971480	1,648,574	31,322,906
林大明	39310750	1,965,538	37,345,213
林坤池	50646880	2,532,344	48,114,536
柳美玉	45885600	2,294,280	43,591,320
張之鼎	53456990	2,672,850	50,784,141
張世凱	44014980	2,200,749	41,814,231
陳姿青	38973890	1,948,695	37,025,196
黃乙銘	41723360	2,086,168	39,637,192
黃英	46884820	2,344,241	44,540,579
楊柏森	43404500	2,170,225	41,234,275
楊森	43642450	2,182,123	41,460,328
蔡玲玲	36251750	1,812,588	34,439,163
總計	687649790	34,382,490	653,267,301

08 更改欄位標籤名稱，成為如右圖的結果。

列標籤 ▼	交易金額	5%營業稅	實際營收
王文軒	43042000	2,152,100	40,889,900
古進雄	46277690	2,313,885	43,963,806
何希均	40212470	2,010,624	38,201,847

Tips

當您想要將 C3 儲存格中的文字標籤「加總 – 5% 營業稅」改成「5% 營業稅」時，會出現錯誤訊息「這個欄位名稱已存在」，那是因為**自訂的標籤名稱不能和計算欄位的名稱相同，也不能跟資料庫中的欄位名稱相同**。

所以，碰到上述這種情況時，有兩種選擇：

A. 按下 Esc 鍵放棄更改，再重新輸入另外一個欄位標籤。

B. 如果堅持要使用「5% 營業稅」的欄位標籤，可以用障眼法，在「5% 營業稅」的前面或後面按下空格鍵，加上空白字元，外表看起來就都一樣了，同時也會被 Excel 所接受，更不會再出現錯誤訊息。

4.4.2 修改或移除「計算欄位」

您可以修正計算欄位中的公式,或者刪除不要的計算欄位。如果同時更改計算欄位的名稱和公式,Excel 會視為新增一個計算欄位,原來的計算欄位依然存在。

如果不更動計算欄位的名稱,僅改變公式內容,則 Excel 會視為修改計算欄位,不會新增一個計算欄位。

例如,要將計算欄位「5% 營業稅」的名稱改成「6% 營業稅」同時也將公式由「= 銷售金額 *0.05」改成「= 銷售金額 *0.06」,再刪除原來的計算欄位「5% 營業稅」。操作步驟列舉如下:

01 點選樞紐分析表中的任一儲存格,點選樞紐分析表工具 / 分析索引標籤 / 計算群組 / 欄位、項目和集 / 計算欄位。

02 在插入計算欄位對話方塊的名稱清單中,點選「5% 營業稅」,將名稱改成「6% 營業稅」;同時將公式改成「= 銷售金額 *0.06」,按下新增。

03 在**插入計算欄位**對話方塊的**名稱**清單中,再度點選「5% 營業稅」,按下**刪除**和**確定**即可。

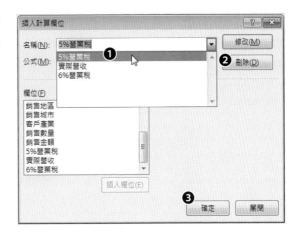

04 刪除「5% 營業稅」的計算欄位之後,回到樞紐分析表中,可以看到原來的計算欄位「5% 營業稅」消失不見了,多了一個剛才新增的計算欄位「6% 營業稅」;同時在「實際營收」欄位中,出現了「#NAME?」的錯誤訊息。

	A	B	C	D
2				
3	業務員	交易金額	實際營收	加總 - 6%營業稅
4	王文軒	43,042,000	#NAME?	2,582,520
5	古進雄	46,277,690	#NAME?	2,776,661
6	何希均	40,212,470	#NAME?	2,412,748
7	吳曉君	40,950,180	#NAME?	2,457,011
8	汪九祥	32,971,480	#NAME?	1,978,289
9	林大明	39,310,750	#NAME?	2,358,645
10	林坤池	50,646,880	#NAME?	3,038,813
11	柳美玉	45,885,600	#NAME?	2,753,136
12	張之鼎	53,456,990	#NAME?	3,207,419
13	張世凱	44,014,980	#NAME?	2,640,899
14	陳姿青	38,973,890	#NAME?	2,338,433
15	黃乙銘	41,723,360	#NAME?	2,503,402
16	黃英	46,884,820	#NAME?	2,813,089
17	楊柏森	43,404,500	#NAME?	2,604,270
18	楊森	43,642,450	#NAME?	2,618,547
19	蔡玲玲	36,251,750	#NAME?	2,175,105
20	總計	687,649,790	**#NAME?**	41,258,987

05 為了修正錯誤訊息「#NAME?」,請點選**樞紐分析表工具** / **分析**索引標籤 / **計算**群組 / **欄位、項目和集** / **計算欄位**;在**插入計算欄位**對話方塊的**名稱**清單中,點選「實際營收」,可看到錯誤公式內容「= 銷售金額 – '#NAME?'」。

06 將公式改成「=銷售金額 -'6% 營業稅 '」，按下**修改**和**確定**。

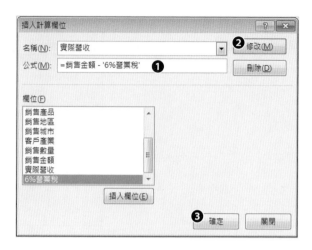

07 修正後的報表，如右圖所示。

	A	B	C	D
2				
3	業務員	交易金額	實際營收	加總 - 6%營業稅
4	王文軒	43,042,000	40,459,480	2,582,520
5	古進雄	46,277,690	43,501,029	2,776,661
6	何希均	40,212,470	37,799,722	2,412,748
7	吳曉君	40,950,180	38,493,169	2,457,011
8	汪九祥	32,971,480	30,993,191	1,978,289
9	林大明	39,310,750	36,952,105	2,358,645
10	林坤池	50,646,880	47,608,067	3,038,813
11	柳美玉	45,885,600	43,132,464	2,753,136
12	張之鼎	53,456,990	50,249,571	3,207,419
13	張世凱	44,014,980	41,374,081	2,640,899
14	陳姿青	38,973,890	36,635,457	2,338,433
15	黃乙銘	41,723,360	39,219,958	2,503,402
16	黃英	46,884,820	44,071,731	2,813,089
17	楊柏森	43,404,500	40,800,230	2,604,270
18	楊森	43,642,450	41,023,903	2,618,547
19	蔡玲玲	36,251,750	34,076,645	2,175,105
20	總計	687,649,790	646,390,803	41,258,987

4.4.3 設定計算項目

「計算項目」是針對樞紐分析表中的「項目」來做彙整的工具，也就是重新組合多個項目成為群組報表，讓報表呈現二次彙算的結果。

下圖是將**銷售城市**欄位中的**項目**「台中市」、「台北市」、「台南市」、「高雄市」、「新北市」等五個城市彙整到名為「五都」的群組項目中；另外將「花蓮縣」、「苗栗縣」、「桃園縣」、「新竹縣」、「嘉義縣」、「彰化縣」等六個縣市彙整到名為「其他縣市」的群組項目中，再隱藏其他縣市的資料，所呈現的結果。

	A	B	C	D	E	F	G	H	I	J	K	L	M
2													
3	加總 - 銷售金額	銷售城市 ▼											
4	業務單位	台中市	台北市	台南市	花蓮縣	苗栗縣	桃園縣	高雄市	新北市	新竹縣	嘉義縣	彰化縣	總計
5	業務一	27,070,930	29,913,650	31,075,650	2,880,400	3,759,520	4,760,980	29,211,870	26,102,800	6,239,000	3,861,150	3,849,710	168,725,010
6	業務二	27,499,210	31,710,590	26,069,160	4,185,220	5,371,270	6,114,270	29,459,660	32,123,030	2,224,370	3,622,830	3,456,800	171,836,410
7	業務三	38,937,920	29,760,050	27,457,070	6,013,320	5,032,990	3,011,040	26,771,620	32,271,220	3,439,480	3,882,140	3,903,000	180,479,850
8	業務四	26,423,900	30,453,730	28,368,730	1,796,160	3,574,970	3,534,650	27,901,850	36,314,100	2,708,750	3,576,830	1,954,850	166,608,520
9	總計	119,931,960	121,837,370	112,970,610	14,875,100	17,738,750	7,420,940	113,345,000	126,811,150	14,611,600	14,942,950	13,164,360	687,649,790

	A	B	C	D
2				
3	加總 - 銷售金額	銷售城市 ▼		
4	業務單位 ▼	五都	其他縣市	總計
5	業務一	143,374,250	25,350,760	168,725,010
6	業務二	146,861,650	24,974,760	171,836,410
7	業務三	155,197,880	25,281,970	180,479,850
8	業務四	149,462,310	17,146,210	166,608,520
9	總計	594,896,090	92,753,700	687,649,790

設定「計算項目」的操作步驟如下：

01 開啟 \ 範例檔 \ 第 4 章範例 \ 計算欄位與計算項目 .xlsx\「計算項目」工作表。

02 在已完成的樞紐分析表中，點選**銷售城市**的**項目**「台北市」(位於 C4 儲存格)，再點按**樞紐分析表工具** / **分析**索引標籤 / **計算**群組 / **欄位、項目和集** / **計算項目**。

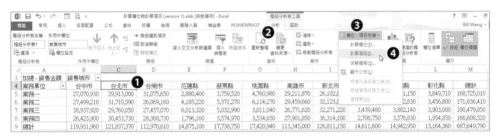

03 在**將欲計算的項目加入到"銷售城市"**對話方塊的**名稱**文字方塊中輸入「五都」；點選**項目**清單中的「台中市」，按下**插入項目**，「台中市」三個字會自動填入公式文字方塊中，再輸入「＋」號。

04 依步驟 3 的做法，將其他四個城市「台北市」、「台南市」、「高雄市」、「新北市」也加到**公式**文字方塊中，再按下**新增**。接著，繼續在**名稱**文字方塊中輸入「其他縣市」，並清除**公式**文字方塊中的內容，留下等號「=」，此時**項目**清單中是空白的（如右下圖所示）。

 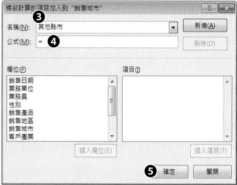

05 在**欄位**清單中的「銷售縣市」上連點兩下，**項目**清單中出現了縣市名稱，但也同時將「銷售城市」四個字帶進了**公式**文式方塊中（如左下圖所示），請將這四個字刪除。再將「花蓮縣」、「苗栗縣」、「桃園縣」、「新竹縣」、「嘉義縣」、「彰化縣」等縣市名稱加到**公式**文字方塊中（如右下圖所示），按下**新增**和**確定**。

06 樞紐分析表的右側，出現了新的項目「五都」以及「其他縣市」；點按 B3 儲存格中「銷售城市」右邊的**篩選**按鈕，在清單中只勾選「五都」和「其他縣市」兩個項目，再按下**確定**。

07 樞紐分析表中，只剩下「五都」和「其他縣市」兩個項目的統計數字。

	A	B	C	D
3	加總 - 銷售金額	銷售城市		
4	業務單位	五都	其他縣市	總計
5	業務一	143,374,250	25,350,760	168,725,010
6	業務二	146,861,650	24,974,760	171,836,410
7	業務三	155,197,880	25,281,970	180,479,850
8	業務四	149,462,310	17,146,210	166,608,520
9	總計	594,896,090	92,753,700	687,649,790

Tips

• 除了顯示「五都」和「其他縣市」兩個項目的數字之外，若想要另外將「五都」中的「台北市」與「其他縣市」中的「桃園縣」也並列在報表中，請再點按 B3 儲存格中「銷售城市」右邊的**篩選**按鈕，在清單中勾選「台北市」與「桃園縣」兩個項目，按下**確定**。

最後再將「台北市」與「桃園縣」的項目標籤，分別拖曳到「五都」和「其他縣市」兩個項目的右邊，成為如右下圖的結果。

請注意，此時報表最右欄的「總計」數字是錯的，因為「五都」與「其他縣市」中的數字，已經包含了「台北市」與「桃園縣」的數字，因此，「總計」中的數字，重複計算了「台北市」與「桃園縣」的數值。

此時，必須將「總計」欄給隱藏起來；請點選**樞紐分析表工具 / 設計**索引標籤 / **版面配置**群組 / **總計 / 僅開啟欄**。

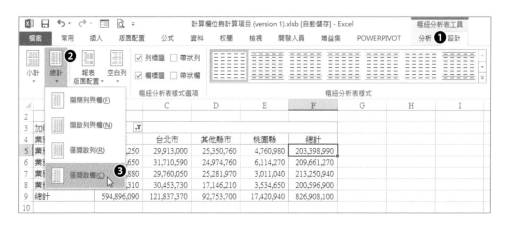

隱藏「總計」欄之後的樞紐分析表，如下圖所示。

	A	B	C	D	E	F
2						
3	加總 - 銷售金額	銷售城市				
4	業務單位	五都	台北市	其他縣市	桃園縣	
5	業務一	143,374,250	29,913,000	25,350,760	4,760,980	
6	業務二	146,861,650	31,710,590	24,974,760	6,114,270	
7	業務三	155,197,880	29,760,050	25,281,970	3,011,040	
8	業務四	149,462,310	30,453,730	17,146,210	3,534,650	
9	總計	594,896,090	121,837,370	92,753,700	17,420,940	

4.5 樞紐分析與報表整合

Excel 提供了兩種整合**客製化報表**的工具，一種叫作「合併彙算」，另一種就是「樞紐分析」，使用**樞紐分析**來整合報表的最大好處在於**還可以同時做報表的群組分類**。

下圖是「一月銷售」工作表中的客製化報表，整個活頁中有 12 張這種結構的報表。

	A	B	C	D	E	F	G	H	I	J
1		產品A	產品B	產品C	產品D	產品F	產品G	產品H	小計	
2	台北市	400,000	350,000	402,500	434,900	372,500	384,500	410,000	2,754,400	
3	新北市	352,000	308,000	354,200	382,712	327,800	338,360	360,800	2,423,872	
4	台中市	376,000	329,000	378,350	408,806	350,150	361,430	385,400	2,589,136	
5	台南市	231,600	207,600	259,260	291,142	229,740	241,548	266,640	1,727,530	
6	高雄市	300,800	263,200	302,680	327,045	280,120	289,144	308,320	2,071,309	
7	總計	1,660,400	1,457,800	1,696,990	1,844,605	1,560,310	1,614,982	1,731,160	11,566,247	
8										
9										
10										

一月銷售 | 二月銷售 | 三月銷售 | 四月銷售 | 五月銷售 | 六月銷售 | 七月銷售 | 八月銷售 | 九月銷售 | 十月銷售 ...

我們可以將這 12 張報表整合成為一張內含「上半年」、「下半年」以及「第一季」、「第二季」、「第三季」、「第四季」來分類的多層次報表（如下圖所示）。

	A	B	C	D	E	F	G	H	I	J	K
2											
3											
4	加總 - 值			欄							
5	分頁1	分頁2	列	產品A	產品B	產品C	產品D	產品F	產品G	產品H	總計
6	⊟上半年	⊟第一季	台中市	902,400	770,800	908,980	994,257	830,020	861,604	928,720	6,196,781
7			台北市	960,000	820,000	967,000	1,057,720	883,000	916,600	988,000	6,592,320
8			台南市	646,080	560,250	696,488	780,566	618,638	649,778	715,950	4,667,750
9			高雄市	721,920	616,640	727,184	795,406	664,016	689,283	742,976	4,957,425
10			新北市	844,800	721,600	850,960	930,794	777,040	806,608	869,440	5,801,242
11		第一季 合計		4,075,200	3,489,290	4,150,612	4,558,743	3,772,714	3,923,873	4,245,086	28,215,518
12		⊟第二季	台中市	1,937,152	1,604,204	1,953,799	2,169,550	1,754,031	1,833,938	2,003,742	13,256,416
13			台北市	2,060,800	1,706,600	2,078,510	2,308,032	1,865,990	1,950,998	2,131,640	14,102,570
14			台南市	1,551,782	1,308,447	1,641,307	1,846,728	1,451,102	1,527,184	1,688,858	11,015,408
15			高雄市	1,549,722	1,283,364	1,563,040	1,735,639	1,403,224	1,467,150	1,602,994	10,605,133
16			新北市	1,813,504	1,501,808	1,829,088	2,031,068	1,642,072	1,716,878	1,875,844	12,410,262
17		第二季 合計		8,912,960	7,404,423	9,065,744	10,091,017	8,116,419	8,496,148	9,303,078	61,389,789
18	上半年 合計			12,988,160	10,893,713	13,216,356	14,649,760	11,889,133	12,420,021	13,548,164	89,605,307
19	⊟下半年	⊟第三季	台中市	1,988,100	1,646,391	2,005,179	2,226,597	1,800,156	1,882,162	2,056,438	13,605,023
20			台北市	2,115,000	1,751,480	2,133,170	2,368,720	1,915,060	2,002,300	2,187,700	14,473,430
21			台南市	1,592,592	1,342,857	1,684,468	1,895,288	1,489,261	1,567,340	1,733,273	11,305,079
22			高雄市	1,590,480	1,317,112	1,604,143	1,781,278	1,440,126	1,505,730	1,645,151	10,884,020
23			新北市	1,861,199	1,541,302	1,877,189	2,084,473	1,685,253	1,762,024	1,925,175	12,736,615
24		第三季 合計		9,147,371	7,599,142	9,304,149	10,356,356	8,329,856	8,719,556	9,547,737	63,004,167
25		⊟第四季	台中市	2,579,482	2,136,140	2,601,657	2,888,939	2,335,647	2,442,055	2,668,162	17,652,082
26			台北市	2,744,130	2,272,490	2,767,720	3,073,340	2,484,730	2,597,930	2,838,470	18,778,810
27			台南市	2,066,331	1,742,312	2,185,541	2,459,076	1,932,272	2,033,577	2,248,864	14,667,973
28			高雄市	2,063,585	1,708,912	2,081,326	2,311,151	1,868,518	1,953,643	2,134,530	14,121,665
29			新北市	2,414,834	1,999,791	2,435,594	2,704,539	2,186,563	2,286,179	2,497,855	16,525,355
30		第四季 合計		11,868,362	9,859,645	12,071,838	13,437,045	10,807,730	11,313,384	12,387,881	81,745,885
31	下半年 合計			21,015,733	17,458,787	21,375,987	23,793,401	19,137,586	20,032,940	21,935,618	144,750,052
32	總計			34,003,893	28,352,500	34,592,343	38,443,161	31,026,719	32,452,961	35,483,782	234,355,359

很神奇吧！原始資料中完全沒有日期欄位，更不是一個資料庫的格式，要如何整合成如上圖般，便於檢閱內容的分類統計報表？

這是透過樞紐分析表中專門用來整合報表的「**多重彙總資料範圍**」這項工具來完成的；此項工具被隱藏在 Excel 系統中，在 Excel 功能區中是找不到的，因此我們必須依下列步驟，先找到「**多重彙總資料範圍**」這項工具，並置於**快速存取工具列**上，才能執行此項功能。

01 請開啟 \ 範例檔 \ 第 4 章範例 \ 樞紐分析與報表整合 .xlsx\「一月銷售」工作表。

02 點按 Excel **快速存取工具列**右邊的「自訂快速存取工具列」按鈕,在快顯功能表中點選**其他命令**。

03 在 Excel **選項**對話方塊中,**由此選擇命令**選擇「所有命令」;捲動清單至下方,點選「樞紐分析表與樞紐分析圖精靈」,按下**新增**,再按下**確定**。

04 點按**快速存取工具列**右邊的「樞紐分析表與樞紐分析圖精靈」圖示;在**樞紐分析表與樞紐分析圖精靈**對話方塊中,點選「多重彙總資料範圍」,再點按**下一步**。

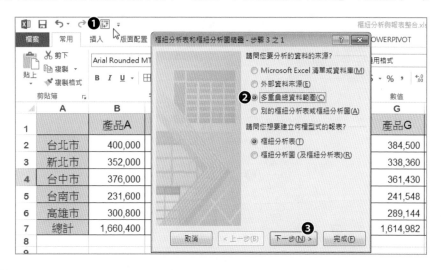

05 在**樞紐分析表與樞紐分析圖精靈**對話方塊中,點選「我會自行建立分頁欄位」,再點按**下一步**。

所謂「分頁」就是「分類」的意思,目前報表中準備設定兩個分頁,第一個分頁用來設定「上半年」以及「下半年」的分類項目;第二個分頁用來設定「第一季」、「第二季」、「第三季」、「第四季」的分類項目。

06 在下圖**您要幾個分頁欄位?**之下點選「2(2)」;在**分頁欄位的標籤是什麼?**之下的**第一欄**中輸入「上半年」,在**第二欄**中輸入「第二欄」。接著,點按**狀態列**中的「一月銷售」工作表標籤,選取 A1:H6 的範圍,在**範圍**文字方塊中會自動出現被選取的範圍「一月銷售 !$A$1:$H$6」,再按下**新增**。

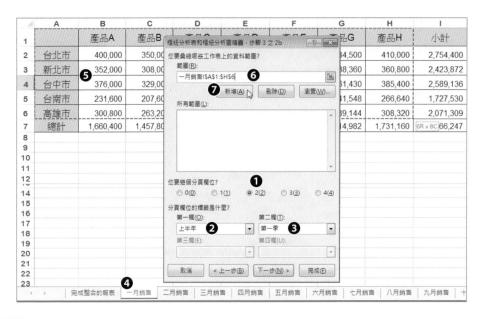

07　點按**狀態列**中的「二月銷售」工作表標籤，同樣選取 A1:H6 的範圍，在**範圍**文字方塊中會自動出現被選取的範圍「二月銷售 !$A$1:$H$6」，按下**新增**。

08　點按**狀態列**中的「三月銷售」工作表標籤，同樣選取 A1:H6 的範圍，在**範圍**文字方塊中會自動出現被選取的範圍「三月銷售 !$A$1:$H$6」，按下**新增**。

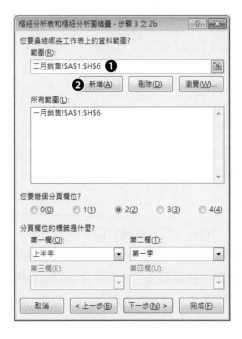

09 點按狀態列中的「四月銷售」工作表標籤，將**第二欄**中的分頁標籤改成「第二季」，按下新增。

10 再以相同方式將「五月銷售」以及「六月銷售」工作表中的相同範圍新增到**所有範圍**清單中。點按狀態列中的「七月銷售」工作表標籤，選取 A1:H6 的範圍之後，將**第一欄**中的分頁標籤改成「下半年」，再將**第二欄**中的分頁標籤改成「第三季」，按下新增。

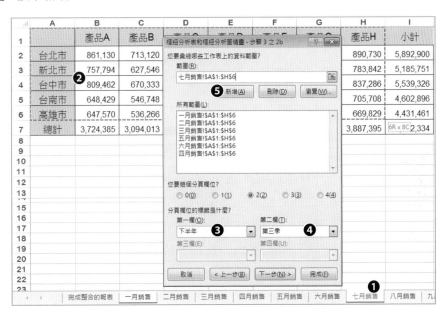

11 再以相同方式將「八月銷售」以及「九月銷售」工作表中的相同範圍新增到**所有範圍**清單中。點按**狀態列**中的「十月銷售」工作表標籤，選取 A1:H6 的範圍之後，將**第二欄**中的分頁標籤改成「第四季」，按下**新增**。

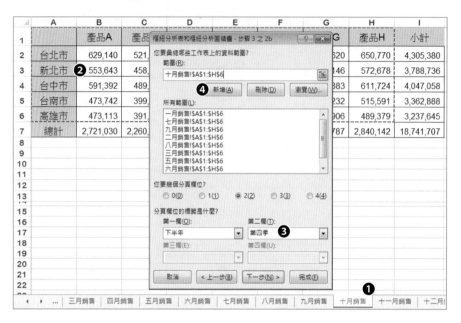

12 再以相同方式將「十一月銷售」以及「十二月銷售」工作表中的相同範圍新增到**所有範圍**清單中；接著，點按**下一步**。

如果您先前已經建立了其他的樞紐分析表，Excel 會出現如下圖的訊息，這是問您是否要以比較節省記憶體空間的方來製作樞紐分析表。此時，按下「否」即可。

13 在下圖中，Excel 問您完成的樞紐分析表要置於何處，點選「新工作表」，按下完成。

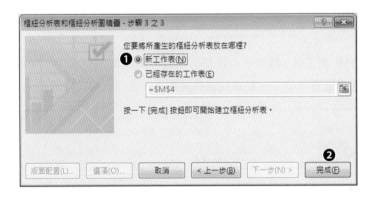

14 初步完成的報表，如下圖所示。

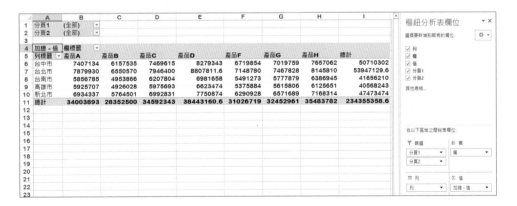

15 將**篩選**區域中的「分頁 1」與「分頁 2」向下拖曳到**列**區域中，成為如下圖的結果。

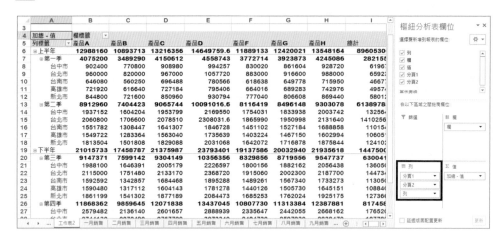

16 在**樞紐分析表工具** / **設計**索引標籤 / **樞紐分析表樣式**群組中，點選「無」的樣式；接著在**版面配置**群組中，點選**報表版面配置** / **以列表方式顯示**。

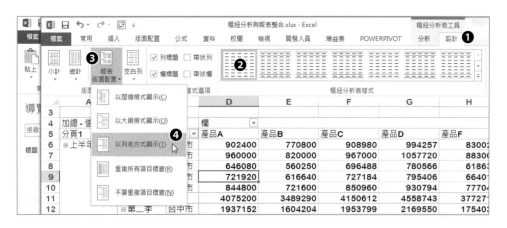

17 在 D 欄中的數字上按下滑鼠右鍵，點選**數字格式**。

	A	B	C	D	E	F	G
3							
4	加總 - 值			欄			
5	分頁1	分頁2	列	產品A	產品B	產品C	產品D
6	上半年	第一季	台中市	9024			994257
7			台北市	9600			1057720
8			台南市	6460			780566
9			高雄市	7219		727184	795406
10			新北市	8448		850960	930794
11		第一季 合計		40752		4150612	4558743
12		第二季	台中市	19371		1953799	2169550
13			台北市	20608		2078510	2308031.6
14			台南市	15517		1641307	1846728
15			高雄市	15497		1563020	1735639
16			新北市	18135		1829088	2031068
17		第二季 合計		89129		9065744	10091016.6

18 在**儲存格格式**對話方塊的**類別**清單中，點選「數值」，將小數位數設定成「0」，並勾選「使用千分位符號」，按下**確定**。

19 整合完成的報表，如下圖所示。

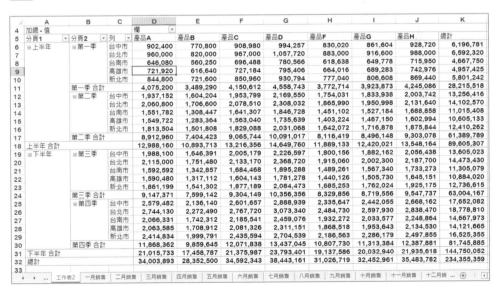

請注意，如果您從 ERP 系統按月下載當月的資料庫，並儲存在同一個檔案不同的工作表中（成為 12 張工作表），就不能使用「多重彙總資料範圍」這項工具，來整合並分析這 12 張工作表中的資料庫內容。

因為「多重彙總資料範圍」這項工具主要是用來整合**客製化報表**的，而不是用來整合分散在各處的資料庫。

因此，要整合多個小型資料庫來加以分析，您必須先將這些小型資料庫的內容，逐一複製到同一張工作表中，然後再做樞紐分析即可。

4.6 樞紐分析圖

與純數字的**樞紐分析表**相較，**樞紐分析圖**能將繁雜的數字轉換成讓我們更容易解讀的資訊；當您完成樞紐分析表之後，經由幾個簡單的步驟，就可以繪製出令人眼睛為之一亮的圖表（如下圖所示）。

樞紐分析圖與**一般圖表**之間究竟有什麼差別？我們可以這樣說，樞紐分析圖是**活的圖表**，當圖表內容要改變時，不必勞師動眾地重新繪製，只要透過**篩選**或**勾選欄位**的方式，就可以讓圖表產生各種變化，所以說，樞紐分析圖是一種很有效率的製作圖表工具。

樞紐分析圖要繪製得夠專業，還是要回歸到圖表製作的基本面，也就是必須了解每一種圖表的使用時機、細部設定以及美化技巧，本節只是點出幾個製作樞紐分析圖要點，並不會作細部設定的介紹。

可以繪製的樞紐分析圖種類，跟一般圖表差不多，但是，有兩種圖表在樞紐分析圖中是不提供的，一種是「XY 散佈圖」，另一種則是「泡泡圖」。

您可以在完成**樞紐分析表**之後，再來繪製**樞紐分析圖**，也可以直接透過資料庫來繪製**樞紐分析圖**。這兩種方法之間最大的差別在於，如果直接透過資料庫來繪製樞紐分析圖，在設定的過程中，可以同時看到樞紐分析表以及樞紐分析圖的結構，因此，也就可以同時完成**樞紐分析圖**與**樞紐分析表**。

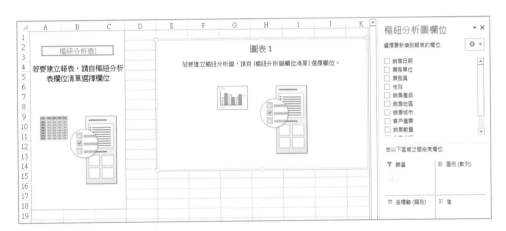

如果您在完成**樞紐分析表**之後，再來繪製**樞紐分析圖**，過程中就只能看到樞紐分析表的結構，完成之後也只能看到樞紐分析表而已。

樞紐分析圖的內容，會隨著樞紐分析表的結構變化，而跟著改變；同樣的，如果我們在樞紐分析圖上做了更動，也將會影響樞紐分析表的結構，所以兩者是共生的，如有需要，您還可以直接在樞紐分析圖中，篩選想要顯示或隱藏的資料。

4.6.1 利用樞紐分析表產生樞紐分析圖

當您完成了樞紐分析表之後，就可以依此繪製樞紐分析圖；以下圖的樞紐分析表為例（請先開啟 \ 範例檔 \ 第 4 章範例 \ 樞紐分析圖 .xlsx\「樞紐分析表 -1」工作表），請參考下列步驟，繪製一張**群組直條圖**：

01 點選樞紐分析表的任一儲存格，點按**樞紐分析表工具** / **分析**索引標籤 / **工具群組** / **樞紐分析圖**。

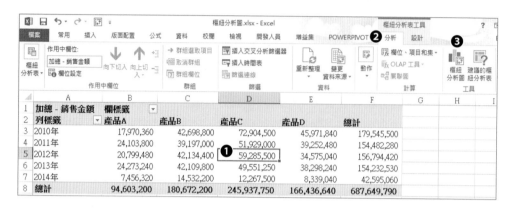

02 在**插入圖表**對話方塊中，點選「直條圖」的範本，再點選「直條圖」清單左上方的「群組直條圖」，按下**確定**。

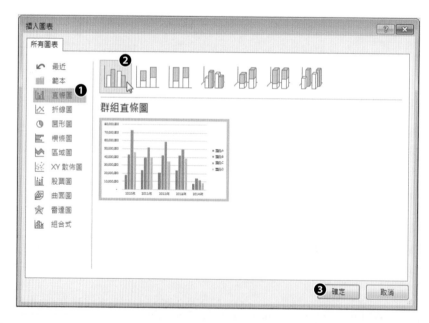

03 完成的**樞紐分析圖**，會重疊在樞紐分析表的上方。

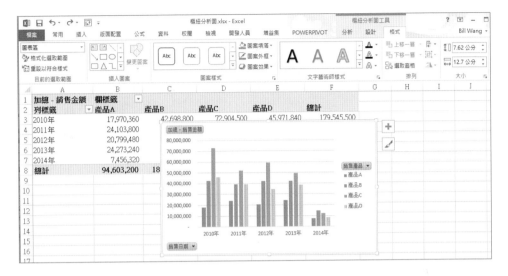

圖表中的**類別座標軸**（2010 年 ~2014 年）標籤，來自於樞紐分析表 A 欄中的**列標籤**；圖表右邊的**圖例**（產品 A~ 產品 D）標籤，則來自於樞紐分析表第 2 列中的**欄標籤**。

Tips

除了上述製作樞紐分析圖的方法之外，也可以在完成樞紐分析表之後，按下**插入**索引標籤 / **圖表**群組 / **樞紐分析圖** / **樞紐分析圖**，來繪製樞紐分析圖。

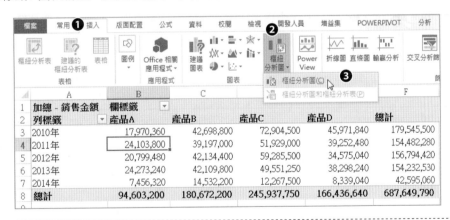

4.6.2 放大圖表與移動圖表位置

剛繪製完成的樞紐分析圖，圖形看起來有點太小的感覺，為了能讓圖表看起來更為清晰且容易操控，可以將圖表放大或者移動到一張新的工作表中。

放大圖表

點選樞紐分析圖，在**樞紐分析圖工具 / 格式**索引標籤 / **大小**群組中，利用按鈕調整圖表的高度與寬度，或者直接拖曳圖表四周的小方塊來放大或縮小圖表。

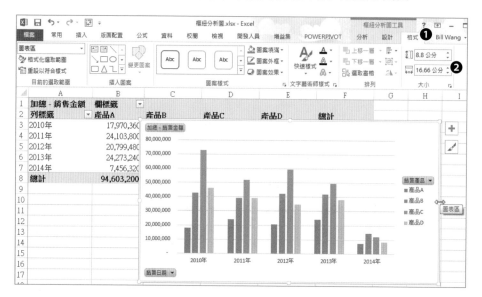

若希望能夠等比例的調整圖表的高度和寬度，請在**樞紐分析圖工具 / 格式**索引標籤 /**大小**群組右下方的**對話方塊啟動器**上按一下；接著，勾選**圖表區格式**工作窗格中的「鎖定長寬比」核取方塊。以後不論您調整圖表的高度或寬度，圖表都會等比例的放大或縮小。

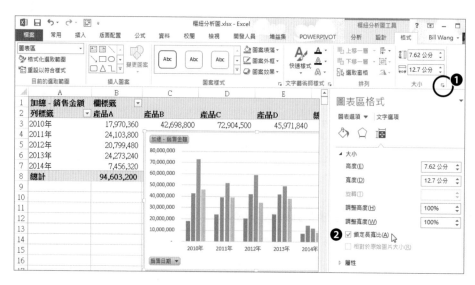

移動圖表位置

若要將圖表移到新工作表中,請先點選樞紐分析圖,再點按**樞紐分析圖工具 / 設計**索引標籤 / **位置**群組 / **移動圖表**。

接著,在**移動圖表**對話方塊的**新工作表**文字方塊中輸入工作表名稱「各年度業績比較」,按下**確定**。

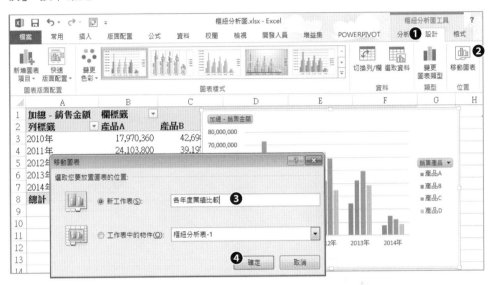

被移動到「各年度業績比較」工作表中的樞紐分析圖,如下圖所示。

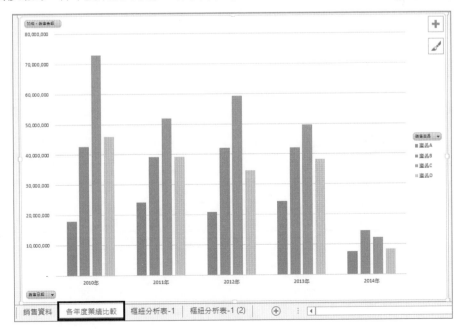

若要將圖表移回「樞紐分析表 -1」工作表中，請按一下圖表，再點按**樞紐分析圖工具** / **設計**索引標籤 / **位置群組** / **移動圖表**。接著，在**移動圖表**對話方塊的**工作表中的物件**文字方塊中，選擇「樞紐分析表 -1」工作表，按下**確定**即可。

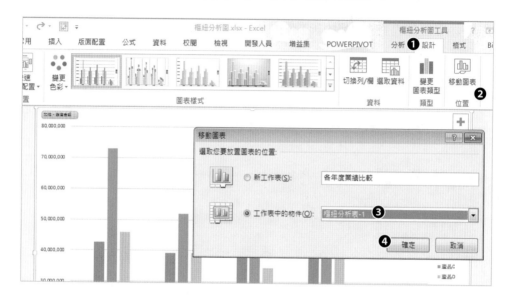

4.6.3　篩選樞紐分析圖

在樞紐分析圖中，可以看到圖表左下方**類別座標軸**的欄位**篩選**按鈕「銷售日期」以及圖表右上方**圖例**的欄位**篩選**按鈕「銷售產品」，我們可以透過**篩選**按鈕過濾掉不想看的圖表內容。

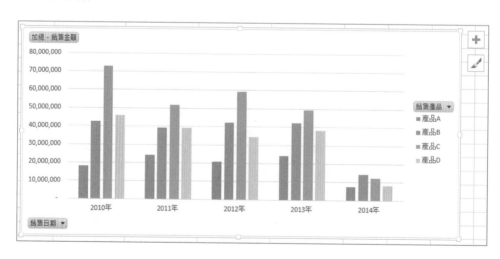

例如只想看到「2011 年~2013 年」的圖表內容，請點按一下「銷售日期」**篩選**按鈕，在清單中取消勾選不要的年度，按下**確定**。

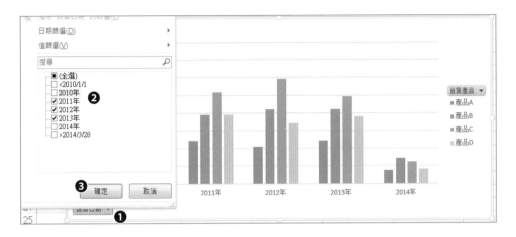

篩選過後的圖表，只剩下三個年度的內容，圖表上方的樞紐分析表，A 欄中的**列標籤**，也只剩下三個年度，因此您篩選了圖表，樞紐分析表也會同步調整；如果有需要，也可以用相同的方式篩選「銷售產品」欄位中的產品。

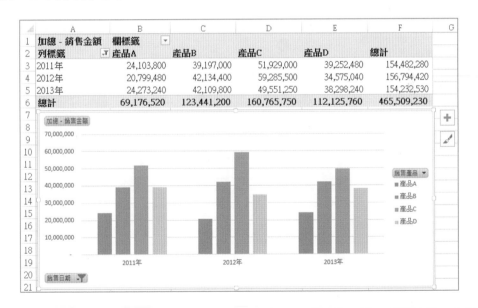

想要取消圖表中所有的篩選，請點按一下圖表左下方「銷售日期」**篩選**按鈕，在清單中勾選「全選」，或者點選「清除 " 銷售日期 " 的篩選」，再按下**確定**即可。

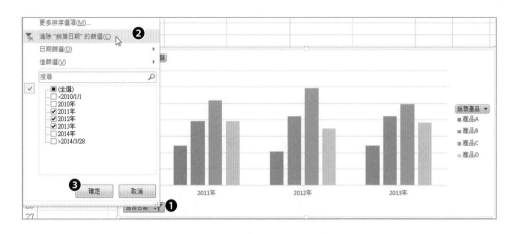

Tips

您可以自行決定在圖表中要不要顯示**篩選**按鈕。例如,您不想在圖表中看到「銷售日期」的**篩選**按鈕,請先點按一下圖表,並在**樞紐分析圖欄位**清單中的「銷售日期」列標籤上按一下,點選「在圖表上隱藏座標軸欄位按鈕」。

圖表左下方**類別座標軸**的欄位**篩選**按鈕「銷售日期」立即消失不見；要恢復顯示被隱藏的「銷售日期」**篩選**按鈕，請在**樞紐分析圖欄位**清單中點選「在圖表上顯示座標軸欄位按鈕」即可。

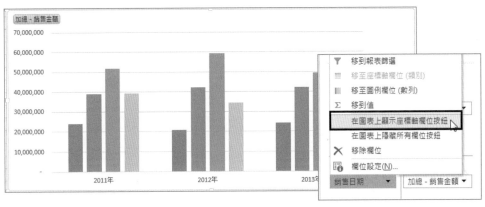

4.6.4 對調類別座標軸與圖例的位置

這是一種調整**圖表觀察重點**的方法，左下圖是原始的樞紐分析圖，以「年度」作為**類別座標軸**，以「銷售產品」作為**圖例**，所以，這是以「年度」為觀察重點的圖表。

現在想要以「銷售產品」為觀察的重點，所以我們要將**產品名稱**當作類別座標軸的標籤，以「年度」當作**圖例**，成為如右下圖的結果。

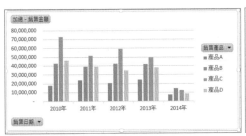
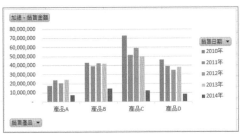

調整的方法很簡單，請先點選要調整的圖表，點按**樞紐分析圖工具** / **設計**索引標籤 / **資料**群組中的**切換列** / **欄**，即可對調「銷售日期」與「銷售產品」在圖表中位置，成為如右上圖的結果。

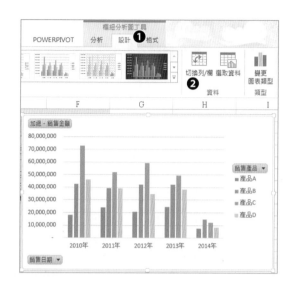

4.6.5 變更圖表類型

針對已完成的樞紐分析圖，可以依需要改變圖表類型，例如要將圖表由「群組直條圖」改成「橫條堆疊圖」，以方便觀察總量的比較。可以這麼做：

`01` 點按**樞紐分析圖工具** / **設計**索引標籤 / **類型**群組 / **變更圖表類型**；在**變更圖表類型**對話方塊中，點選**所有圖表**之下的「橫條圖」，再點選上方「堆疊橫條圖」的圖示，按下**確定**。

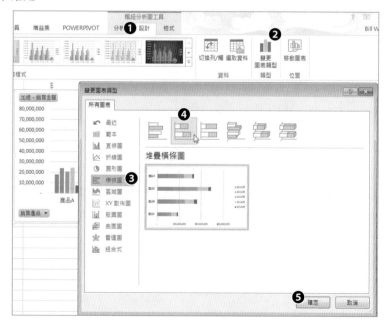

02 變更成為「橫條堆疊圖」之後的圖表，如下圖所示。

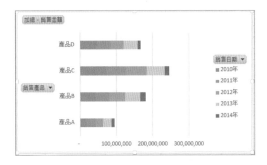

4.6.6 美化樞紐分析圖

美化樞紐分析圖的目的，是要讓圖表看起來更專業；美化圖表的工具包括了**新增圖表項目**、**快速版面配置**、**圖表樣式**以及**變更色彩**等四種功能。

增加圖表項目

可以在圖表中增減的元素，包括了：「座標軸」、「座標軸標題」、「圖表標題」、「資料標籤」、「運算列表」、「誤差線」、「格線」、「圖例」以及「趨勢線」等九個項目；在此僅針對「圖表標題」、「資料標籤」、「運算列表」三個項目的用途和設定方法加以說明。

■ 圖表標題

這是圖表中必備的元素之一，點按**樞紐分析圖工具** / **設計**索引標籤 / **圖表版面配置**群組 / **新增圖表項目** / **圖表標題** / **圖表上方**；在圖表中央上方會出現「圖表標題」文字方塊，直接在其中輸入標題文字即可。

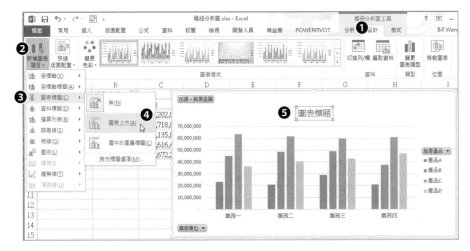

如要進一步的調整圖表標題的字型、文字背景色彩、外框、樣式…等等，請在圖表標題文字方塊中，按下滑鼠右鍵，即可在選單中點選要調整的項目。

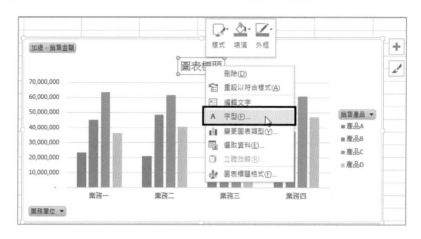

■ 資料標籤

用來將數值加到直條圖中，以便清楚的呈現每一直條圖背後的實際數字。點按**樞紐分析圖工具** / **設計**索引標籤 / **圖表版面配置**群組 / **新增圖表項目** / **資料標籤** / **終點外側**；在圖表直條圖的上方，會出現相關的數字；如果要取消**資料標籤**，只要點選「無」即可。

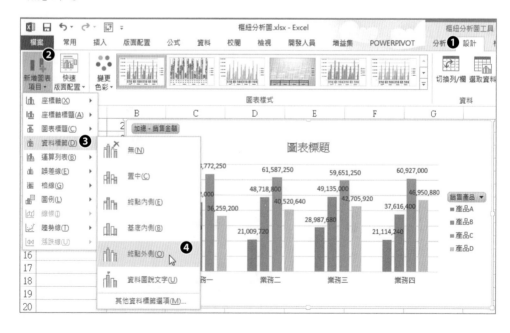

您可以試著指向選單中的其他選項，圖表中資料標籤的位置也將會同步展示。

■ 運算列表

用來將樞紐分析表的內容加到圖表的下方，以方便圖與表之間的對照。點按**樞紐分析圖工具** / **設計**索引標籤 / **圖表版面配置**群組 / **新增圖表項目** / **運算列表** / **有圖例符號**。

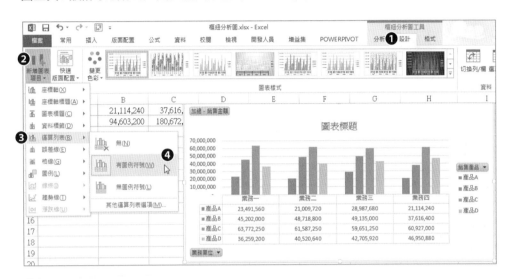

由於上圖選取的是「有圖例符號」，因此**運算列表**中的產品名稱與右邊的圖例有重複的嫌疑；因此可以刪除圖例，請在圖例上按下右鍵，點選**刪除**即可。

Tips

設定**圖表項目**時，可以直接按下圖表外側右上方的「圖表項目」按鈕（＋號），再透過**圖表項目**清單中的選項，逐一設定圖表中的每一個細部項目。

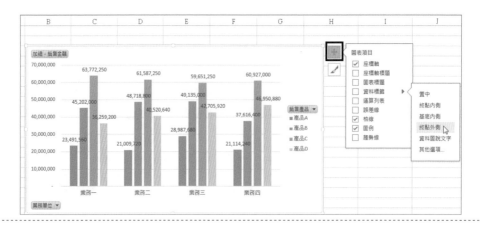

快速版面配置

使用前述「增加圖表項目」的功能來美化圖表，必須逐一的完成相關項目的設定。針對初步完成的樞紐分析圖，Excel 提供了可以快速美化圖表的工具－「快速版面配置」。

「快速版面配置」提供了 11 種圖表格式，名為「版面配置 1」到「版面配置 11」，剛產生的樞紐分析圖，會自動套用「版面配置 1」的配置方式。點按**樞紐分析圖工具 / 設計**索引標籤 / **圖表版面配置**群組 / **快速版面配置**，即可在清單中點選適當的版面配置。

以下從「版面配置 2」起到「版面配置 6」，列舉五種不同版面配置的圖表內容，以供參考。

■ 版面配置 2

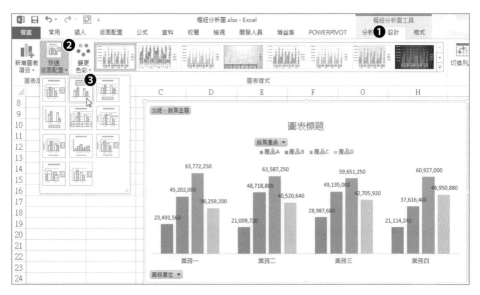

■ 版面配置 3

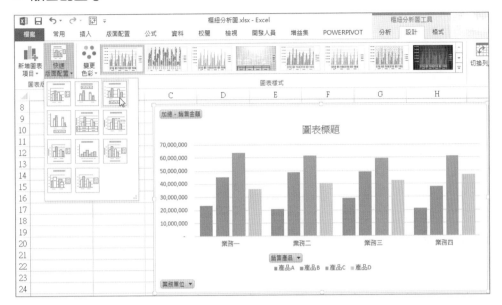

■ 版面配置 4

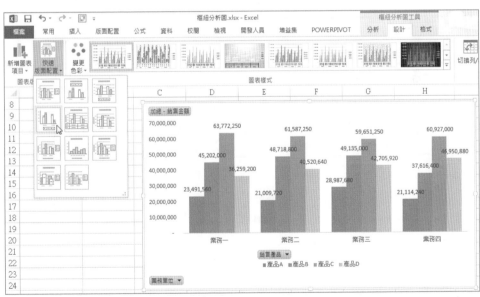

■ 版面配置 5

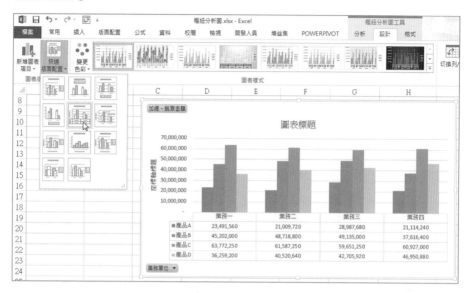

■ 版面配置 6

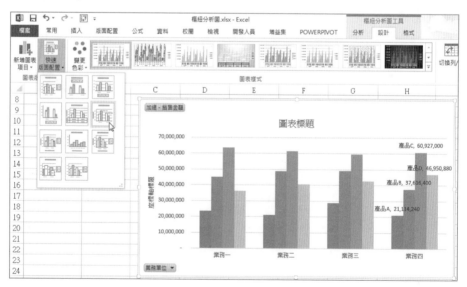

套用樞紐分析圖樣式

圖表中所需要的項目設定完畢之後，還可以透過「樞紐分析圖樣式」，讓圖表顯得更光彩奪目。「樞紐分析圖樣式」包含了十四種的樞紐分析樣式。在**樞紐分析圖工具 /設計**索引標籤 / **圖表樣式**群組中，點選樣式清單中的圖示即可。

在此僅列舉幾種比較特別的樣式，以供參考。

■ 樣式 2

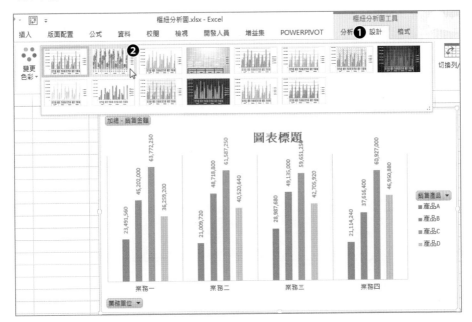

■ 樣式 3

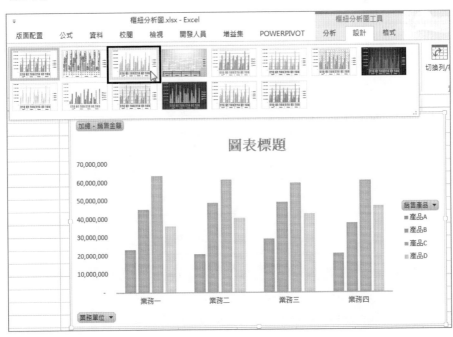

■ 樣式 4

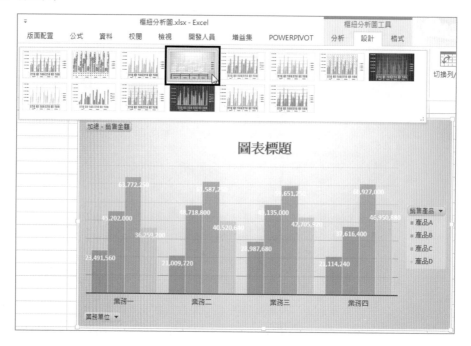

■ 樣式 7

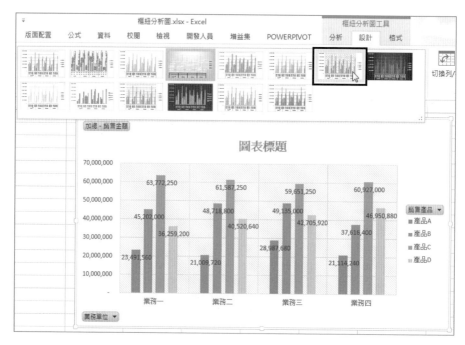

■ 樣式 8

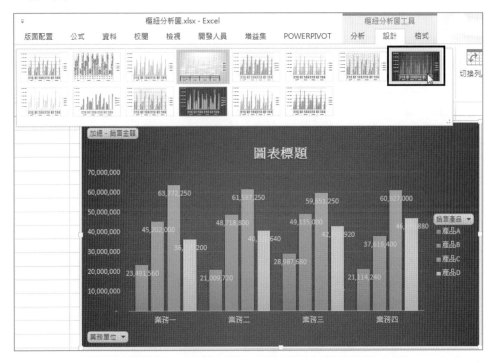

Tips

套用**樞紐分析表樣式**的另外一種方法：按下圖表右上方的「圖表樣式」按鈕（一支筆的圖示），再點選清單中的圖表樣式即可。

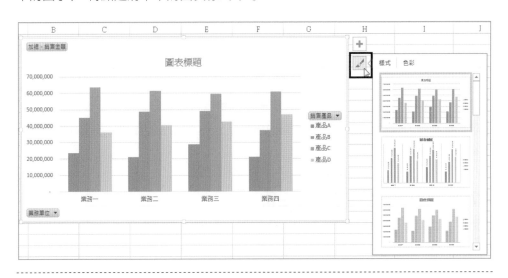

變更色彩

套用樞紐分析圖樣式之後，如果對於圖表中的配色不是很滿意，您可以在**樞紐分析圖工具** / **設計**索引標籤 / **圖表樣式**群組中，點選「變更色彩」清單中的色彩選項，即可改變圖表的配色。

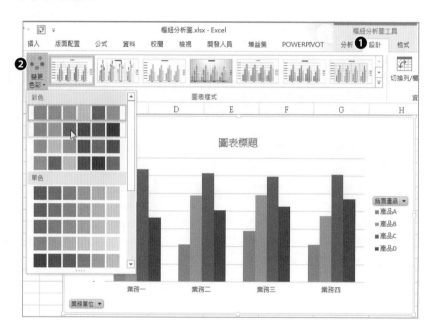

4.7 更新樞紐分析表

樞紐分析表的更新，要分兩種層面來探討，一種是更動資料庫中的記錄（更動任何欄位中的資料），產生的更新問題；另一種是新增記錄到資料庫所產生的更新問題。

當您製作了很多個不同性質的樞紐分析表，碰到資料庫記錄更動時（包括更改、新增或刪除記錄），能不能一次更新所有的樞紐分析表？現在我們就來討論這些問題，看看有什麼解決方案。

4.7.1 更動資料庫記錄的更新

當您更動資料庫的內容時，Excel 並不會自動更新樞紐分析表，您必須在樞紐分析表的任一儲存格中按下滑鼠右鍵，點選**重新整理**（或者按下**樞紐分析表工具** / **分析**索引標籤 / **資料**群組 / **重新整理**），才能更新樞紐分析表，否則將得到錯誤的內容。

如果更動了資料庫內容，卻又忘了重新整理樞紐分析表，那麼列印出來的報表內容將會是錯的。

其實在樞紐分析表的操作選項中，有一項功能勉強算得上是**具有自動更新的能力**。設定的方法如下：

01 製作完成樞紐分析表之後，點按**樞紐分析表工具** / **分析索引標籤** / **樞紐分析表群組** / **選項**。

02 在**樞紐分析表選項**對話方塊中，勾選**資料**標籤之下的「檔案開啟時自動更新」核取方塊，按下**確定**。

完成「檔案開啟時自動更新」的設定之後，先別太高興，Excel 並不保證一定有效。讓這項功能有效的前提是「必須重新開檔」，如果沒有做重新開檔的動作，此項功能依然是無效的。

所以，結論是：**請養成沒事就去按一下「重新整理」的習慣吧！**

4.7.2 新增資料庫記錄的更新

對於舊的樞紐分析表而言，新增加的資料庫記錄，其中的數字絕對不會反映在樞紐分析表中，除非透過一些方法和技巧，再配合**重新整理**才有可能。為什麼呢？我們來看看下圖，當您在資料庫中按下**插入 / 樞紐分析表**時，在**建立樞紐分析表**對話方塊的**表格 / 範圍**文字方塊中，看到的是「銷售資料 !$A$1:$J$1981」，其中「銷售資料 !」可以解讀作「在**銷售資料**工作表裡面的」，「$A$1:$J$1981」是指 Excel 已將資料庫範圍釘死在「A1:J1981」的範圍中。

因此，當您在資料庫的第 1982 列新增記錄時，由於已經是在「$A$1:$J$1981」的範圍之外，所以，新資料的數字將無法反映在已完成的樞紐分析表中，就算按下**重新整理**，也不會有任何更新的動作發生。

我們可以透過「**清單**」、「**函數**」與「**重做**」等三種方式，來解決新增資料庫記錄之後的樞紐分析表更新問題。

使用「清單」解決更新的問題

在製作樞紐分析表之前，我們可以先將 Excel 資料庫轉換成為「清單」，再行製作樞紐分析表，就可以在新增資料庫記錄之後，更新您舊有的樞紐分析表。

如果不了解什麼是「清單」，建議您務必先參考「第 3 章資料庫管理」中的「3-1 清單的觀念和應用」中的說明。

以下將介紹，如何從**資料庫**轉**清單**開始，到新增記錄以及樞紐分析表的更新，一系列完整的操作步驟。

`01` 開啟 \ 範例檔 \ 第 4 章範例 \ 更新樞紐分析表 .xlsx\「銷售資料」工作表。

`02` 點選資料庫中的任一儲存格，點按**常用**索引標籤 / **格式**群組 / **格式為表格**，點選清單中的任何樣式。在**格式為表格**對話方塊中，按下**確定**。

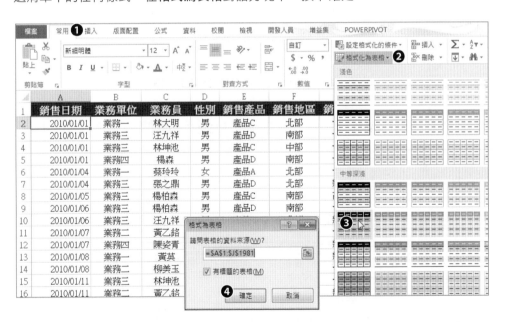

`03` 點選資料庫中的任一儲存格，點按**插入**索引標籤 / **表格**群組 / **樞紐分析表**。在**建立樞紐分析表**對話方塊的**表格** / **範圍**文字方塊中，出現了「表格 1」的字樣，而非原先的「銷售資料 !$A$1:$J$1981」，按下**確定**。

04 在**樞紐分析表欄位**工作窗格中,勾選「業務單位」以及「銷售金額」,完成樞紐分析表的製作。

由於本例只是用來測試樞紐分析表的更新,所以僅用最簡單的架構完成樞紐分析表的製作。

05 回到資料庫所在的「銷售資料」工作表,在資料庫最下方 1982 列的位置,新增一筆記錄。

	A	B	C	D	E	F	G	H	I	J
1973	2014/03/21	業務四	王文軒	男	產品A	中部	台中市	化工	1,750	210,000
1974	2014/03/21	業務一	黃英	男	產品B	南部	高雄市	教育	961	192,200
1975	2014/03/21	業務一	蔡玲玲	女	產品B	中部	台中市	金融	2,737	547,400
1976	2014/03/24	業務二	何希均	男	產品C	中部	台中市	汽車	2,300	575,000
1977	2014/03/25	業務一	黃英	男	產品A	北部	台北市	紡織	1,160	139,200
1978	2014/03/25	業務三	林坤池	男	產品B	北部	台北市	金融	2,153	430,600
1979	2014/03/26	業務一	林大明	男	產品D	南部	高雄市	電子	909	145,440
1980	2014/03/27	業務四	陳愛青	女	產品B	中部	台中市	紡織	2,127	425,400
1981	2014/03/27	業務四	吳曉君	女	產品D	中部	台中市	紡織	1,193	190,880
1982	2014/03/28	業務四	王文軒	男	產品A	中部	台中市	化工	2,830	339,600

06 回到樞紐分析表中，按下滑鼠右鍵，點選**重新整理**，原先 B7 儲存格中**業務四**的數字「166608520」更新成為「1666948120」的數字。

從以上的做法得到的結論是「製作樞紐分析表之前，最好能透過「**格式為表格**」的功能，將**資料庫**轉成**清單**，以方便新增資料庫記錄之後，樞紐分析表的更新」。但是，請別忘了，最後還是要按下**重新整理**才會有更新的效果。

使用「函數」解決更新的問題

另一種能讓新增的資料庫記錄反映在樞紐分析表的方法，就是透過**函數**和**名稱**的綜合應用，來隨時自動偵測資料庫的大小，當資料庫中的**欄位**或**記錄**有變動時，就可藉由**重新整理**的方式來更新樞紐分析表的內容。

首先，必須使用 Offset 函數來建立**名稱**，Offset 函數大致有兩種用途，第一種用途是用來**擷取指定範圍中的資料**；第二種用途是用來**界定資料範圍**。

定義**名稱**的操作步驟如下：

01 開啟 \ 範例檔 \ 第 4 章範例 \ 更新樞紐分析表 .xlsx\「**銷售資料**」工作表；點按**公式**索引標籤 / **已定義之名稱**群組 / **定義名稱**。

02 在**新名稱**對話方塊中，輸入如下的內容，並按下**確定**：

名稱：「Sale_database」。

參照到：「=OFFSET($A$1,,,COUNTA($A:$A),COUNTA($1:$1))」

完成**名稱**的建立之後，我們要利用**名稱**「sale_database」配合**樞紐分析表**的設定，建置一份「各業務單位在各項產品上的銷售金額統計表」，來測試它的更新能力。請依下列步驟建置樞紐分析表：

`01` 點選資料庫中的任一儲存格，點按**插入**索引標籤 / **表格**群組 / **樞紐分析表**。在**建立樞紐析表**對話方塊的**表格** / **範圍**文字方塊中，輸入「sale_database」，按下**確定**。

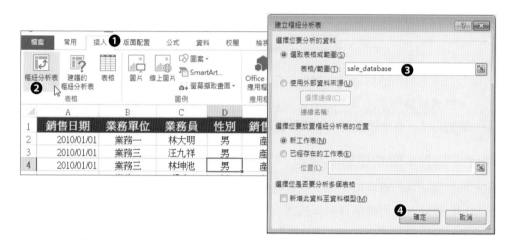

`02` 在**樞紐分析表欄位**清單中，分別勾選「業務單位」、「銷售產品 」以及「銷售金額」三個欄位，將「銷售產品 」欄位置於「欄」區域中，成為如下圖的結果。

03 請注意，上圖 B8 儲存格中的數字是「21114240」，現在我們在資料庫中 1982 列的位置，新增一筆**業務四**在**產品** A 的銷售資料。

	A	B	C	D	E	F	G	H	I	J
1	銷售日期	業務單位	業務員	性別	銷售產品	銷售地區	銷售城市	客戶產業	銷售數量	銷售金額
1977	2014/03/25	業務一	黃英	男	產品A	北部	台北市	紡織	1,160	139,200
1978	2014/03/25	業務三	林坤池	男	產品B	北部	台北市	金融	2,153	430,600
1979	2014/03/26	業務一	林大明	男	產品D	南部	高雄市	電子	909	145,440
1980	2014/03/27	業務四	陳奕青	女	產品A	中部	台中市	紡織	2,127	425,400
1981	2014/03/27	業務四	吳曉君	女	產品D	中部	台中市	紡織	1,193	190,880
1982	2014/03/31	業務四	王文軒	男	產品A	中部	台中市	化工	3,600	576,000

回到樞紐分析表中，按下滑鼠右鍵，點選**重新整理**，原先 B8 儲存格中**業務四**的數字「21114240」更新成為「21690240」的數字。

	A	B	C	D	E	F
1						
2						
3	加總 - 銷售金額	欄標籤				
4	列標籤	產品A	產品B	產品C	產品D	總計
5	業務一	23491560	45202000	63772250	36259200	168725010
6	業務二	21009720	48718800	61587250	40520640	171836410
7	業務三	28987680	49135000	59651250	42705920	180479850
8	業務四	21690240	37616400	60927000	46950880	167184520
9	總計	95179200	180672200	245937750	166436640	688225790

Tips

▶ 用函數設定名稱來自動偵測資料庫大小，是很有效率做法。但是，要注意的是：「**在資料庫的右方及下方，不能有其他的表格存在，否則「Offset」函數會誤判資料庫的範圍**」。

▶ Offset 函數的使用說明

Offset 是一個非常好用而且有效率的函數，官方對此函數描述的譯文為：「傳回根據所指定列數及欄數之儲存格或儲存格範圍之範圍的參照。傳回的參照可以是單一儲存格或一個儲存格範圍。您可以指定要傳回的列數和欄數。」

看得一頭霧水吧？這完全是翻譯上的問題；簡單的說，Offset 函數主要用來**擷取指定範圍中的資料**或者**界定資料範圍**。

函數原型：OFFSET(reference, rows, cols, [height], [width])

中文描述：OFFSET(起始位置 , 位移的列數 , 位移的欄數 ,[幾列的高度],[幾欄的寬度])

我們在定義名稱時，用到這樣的函數設定：

=OFFSET($A$1,,,COUNTA($A:$A),COUNTA($1:$1))

第一個引數：$A$1 表示資料庫的起始位置是從 A1 儲存格開始，此處**必須是絕對位址**。

第二個引數：向下或向上移動的列數。此處省略不打，只用一個逗號「,」來表示跳過設定，也就是不向下或向上移動 A1 的位置。如果公式打成「=OFFSET($A$1,1,……)」就表示資料庫的起始位置從 A1 向下移動 1 列，A2 就變成了資料庫的起始位置；正值代表向下移動，負值代表向上移動。

第三個引數：數值資料，指向右或向左移動的欄數。此處省略不打，只用一個逗號「,」來表示跳過設定，也就是不向右或向左移動 A1 的位置。如果公式打成「=OFFSET($A$1,,1,……)」就表示資料庫的起始位置從 A1 向右移動 1 欄，B1 就變成了資料庫的起始位置；正值代表向右移動，負值代表向左移動。

第四個引數：數值資料，指資料庫有幾列的高度，也就是資料庫有幾筆記錄（含欄位名稱）。如果公式打成「=OFFSET($A$1,,,100,……)」，就表示連同**欄位名稱**那一列在內，資料庫共有 100 列的高度。但是資料庫中，每天都可能有新的資料登錄進來，因此不能用固定的數字「100」來表示資料庫的高度，必須讓它自動偵測資料庫的列高，所以就用「COUNTA($A:$A)」來幫我們偵測 A 欄中有幾列的資料。於是公式就成為了：「=OFFSET($A$1,,,COUNTA($A:$A)…」。

COUNTA 函數是用來計算指定的範圍中，非空白的儲存格有幾個。因此 COUNTA($A:$A) 可以幫我們偵測 A 欄中有幾列不是空白，如果回傳「1981」那就表示連同欄位名稱那一列在內，資料庫共有「1981」列的高度；要注意的是 COUNTA($A:$A) 必須使用**絕對位址**。

第五個引數：數值資料，指資料庫有幾欄的寬度。如果公式打成「=OFFSET($A$1,,,COUNTA($A:$A) ,10,……)」，就表示資料庫共有 10 個欄位的寬度。同樣的，資料庫欄位也有可能會增減，所以此處也不能用固定的數字「10」，而必須用 COUNTA($1:$1) 來偵測第一列中有幾個非空白的儲存格，若傳回「12」，就代表資料庫有 12 個欄位。於是公式就成為了「=OFFSET($A$1,,,COUNTA($A:$A),COUNTA($1:$1))」

▶ 在建置名稱「Sale_database」時，輸入的公式會自動加上工作表名稱「銷售資料
!」使得公式成為如下結果：「=OFFSET(銷售資料 !$A$1,,,COUNTA(銷售資料
!$A:$A),　COUNTA(銷售資料 !$1:$1))」

▶ 為什麼公式「=OFFSET($A$1,,,COUNTA($A:$A),COUNTA($1:$1))」要使用絕對
位址？因為在設定名稱時，若使用相對位址來輸入公式「=OFFSET(A1,,,COUN
TA(A:A),COUNTA(1:1))」，稍後當您檢查名稱中的公式時，將看到公式亂掉的結
果，導致名稱無法使用。
=OFFSET(銷售資料 !XFA1046599,,,COUNTA(銷售資料 !XFA:XFA),COUNTA(
銷售資料 !1046599:1046599))

「重做」樞紐分析表

如果您經常在用樞紐分析表來做資料分析，而且對樞紐分析表的各種技巧非常熟
練，在此要告訴您的是「重新製作樞紐分析表」才是面對報表更新的最佳處理方
式，因為重做樞紐分析表只要花數十秒就可完成。

很意外吧！前面介紹了種種更新樞紐分析表的方法和技巧，到頭來卻是用「重做」
樞紐分析表的方式來作結尾。其實在諸多 Excel 使用技巧中，用最簡單的方法和工
具來解決問題，才是最有效率的做法，不知各位是否同意？

要注意的是，重做樞紐分析表的前提是您必須「**對樞紐分析表的各種技巧非常熟
練**」，否則還是請參考本書中的方法來更新您的樞紐分析表吧！

chapter 05

函數的效率

在使用函數之前，一定要先了解以下兩個觀念：

▶ 位址的觀念（請參考「2.8 位址的觀念和應用技巧」）
▶ 名稱的觀念（請參考「2.9 名稱的觀念和應用技巧」）

搞懂這兩個觀念之後，當我們在設定公式時，可以讓公式變得更精簡而且容易解讀。本章介紹函數的方式，不同於傳統工具書的寫法，主要以實務例子導出函數的用法，並可能同時列舉幾種解法。

單一的函數往往無法解複雜的問題，同一個範例中或許也會結合其他函數或工具來解題，讀者可以自由選擇適合自己的方法來完成報表的公式設定；企業報表千變萬化，本章列舉的範例，不可能滿足每一種報表的需求，主要是希望能用簡單的方法來解複雜的問題。所以，非不得已，範例中的公式中也盡量避免使用複雜的邏輯設定函數，希望透過這樣的方式，能讓大家更有意願來使用函數。

5.1 函數在報表統計彙算上的應用

經常用來計算報表的函數不外乎加總 SUM、平均 AVERAGE、計數 COUNT、排名 RANK……這些熟到不行的函數，看起來很簡單的函數，碰到報表資料不依規則來輸入時，就會產生錯誤的計算結果；因此，本節僅針對計算上常遇到的問題來作探討，而非跟統計學相關問題的探討。

5.1.1 計算平均的問題

在實務上有三個和計算平均相關的函數：AVERAGE、AVERAGEA、AVERAGEIF，比較常用的是 AVERAGE，可用在各式報表的平均計算，AVERAGEIF 稱作**條件式平均函數**，適合用在資料庫的分析上。

AVERAGE

雖然是簡單的函數 AVERAGE，但是必須弄清楚它的用法和注意事項，否則稍不小心即可能產生錯誤，AVERAGE 的語法如下：

AVERAGE(value1, value2, ...)

▶ AVERAGE 最多可用到 255 個引數；引數可以是常數、名稱、儲存格位址、套疊的公式、邏輯值 TRUE 或 FALSE，儲存格中的 TRUE 將會被視為 1，FALSE 將會被視為 0。

▶ 儲存格內若為**文字**或**空白文字**（按空格鍵產生的空白），一律不納入計算。

▶ 沒有輸入任何東西的空白儲存格，不予計算。

▶ 儲存格內若為錯誤值（例如 #N/A）或無法轉換成數字的文字（例如：「100」打成「'100」，計算結果同樣會產生錯誤。

請開啟 \ 範例檔 \ 第 5 章範例 \ 5.1.1 計算平均的問題 .xlsx\「AVERAGE+AVERAGEA」工作表。

以下圖為例，當您選取 E2:E11 儲存格，輸入「= AVERAGE(B2:D2)」按下 Ctrl+Enter 之後，請注意紅字的部份，例如 E6 的「64.0」，它忽略了 C6 的空白，所以就採取了「=(64+64)/2」的計算方式；而上方 E3 中的「41.3」是將 C3 中的「0」也計算在平均之內，因此就採取了「=(52+0+72)/3」的計算方式，這也就印證了前述的計算規則了。

	A	B	C	D	E
1	員工姓名	第一次考評	第二次考評	第三次考評	平均考評
2	林大明	93	80	84	85.7
3	張世凱	52	0	72	41.3
4	汪九祥	81	74	89	81.3
5	何希均	91	60	71	74.0
6	林坤池	64		64	64.0
7	蔡玲玲	92	96	94	94.0
8	趙偉柏	90	84	78	84.0
9	陳姿青	67	72	66	68.3
10	王文軒	95		98	96.5
11	黃乙銘	86	75	70	77.0

下圖 E16 中的「41.3」是將 C16 中的「FALSE」也計算在平均之內，因此就採取了「=(52+0+72)/3」的計算方式；如果 C16 中是「TRUE」，那麼就會採取「=(52+1+72)/3」的計算方式，而會得到另一個數字。

再來看 E19 的「#N/A」，因為 C19 裡面是錯誤訊息「#N/A」，所以計算結果就跟著 E19 來顯示「#N/A」。

至於 E23 中的「49.0」，是因為 B23 中的「95」左上方有個小綠點，那表示這是文字，可能是當初輸入時加上了一撇成為了「'95」，因此被視為文字，所以就會採取「=(0+98)/2」的計算方式（C23 的空白會被忽略），而得到了「49.0」。此時，可以在有小綠點的儲存格中按一下，打開智慧標籤，點選「轉換成數字」即可完成正確的計算。

	A	B	C	D	E
14	員工姓名	第一次考評	第二次考評	第三次考評	平均考評
15	林大明	93	80	84	85.7
16	張世凱	52	FALSE	72	41.3
17	汪九祥	81	74	89	81.3
18	何希均	91	60	71	74.0
19	林坤池	64	#N/A	64	#N/A
20	蔡玲玲	92	96	94	94.0
21	趙偉柏	90	84	78	84.0
22	陳姿青	67	72	66	68.3
23	王文軒	95		98	49.0
24	黃乙銘	86	75	70	77.0

	A	B	C
14	員工姓名	第一次考評	第二...
15	林大明	93	8...
16	張世...		數值儲存成文字
17	汪九...		轉換成數字(C)
18	何希...		關於這個錯誤的說明(H)
19	林坤...		忽略錯誤(I)
20	蔡玲...		在資料編輯列中編輯(F)
21	陳姿...		錯誤檢查選項(O)...
22	陳姿...		
23	王文		95

Tips

- 如果數值是 0 就一定要輸入 0，千萬不要不打東西，否則會造成計算的錯誤。
- 帶有綠點的數字，一定要轉換成為數值，才能正確的計算。
- 如果要將內含文字或錯誤訊息的儲存格（如左下圖）排除在計算之外，成為如右下圖的結果。請在 E27 儲存格中，輸入下列公式，並按下 Ctrl+Shift+Enter 三個鍵，再向下填滿公式即可。
  =AVERAGE(IF(ISNUMBER(B27:D27),B27:D27,""))

	A	B	C	D	E
26	員工姓名	第一次考評	第二次考評	第三次考評	平均考評
27	林大明	93	80	84	85.7
28	張世凱	52	#N/A	72	#N/A
29	汪九祥	81	74	89	81.3
30	何希均	91	60	71	74.0
31	林坤池	64	請假	64	64.0
32	蔡玲玲	92	96	94	94.0
33	趙偉柏	90	84	78	84.0
34	陳姿青	67	72	66	68.3
35	王文軒	95	出差	98	96.5
36	黃乙銘	86	75	70	77.0

	A	B	C	D	E
26	員工姓名	第一次考評	第二次考評	第三次考評	平均考評
27	林大明	93	80	84	85.7
28	張世凱	52	#N/A	72	62.0
29	汪九祥	81	74	89	81.3
30	何希均	91	60	71	74.0
31	林坤池	64	請假	64	64.0
32	蔡玲玲	92	96	94	94.0
33	趙偉柏	90	84	78	84.0
34	陳姿青	67	72	66	68.3
35	王文軒	95	出差	98	96.5
36	黃乙銘	86	75	70	77.0

- 只要點選內含公式的儲存格，按下功能鍵 F2，即可在儲存格中編輯公式。

■ 公式說明

▶ 這是一個**陣列公式**，請別忘了要按下 Ctrl+Shift+Enter 三個鍵才能執行。

▶ ISNUMBER(B27:D27)：判斷 B27:D27 中的每一個儲存格是否為數值。

▶ IF(ISNUMBER(B27:D27),B27:D27,"")：如果 B27:D27 中的內容為數值，就採用該數值來作計算，否則就忽略該儲存格的內容，「""」表示忽略該儲存格，而不是當作 0 來看。

▶ AVERAGE(IF(ISNUMBER(B27:D27),B27:D27,""))：依前述的判斷結果，完成平均值計算。執行完畢之後，公式的前後會套上大括號成為如下的結果：{=AVERAGE(IF(ISNUMBER(B27:D27),B27:D27,""))}。

AVERAGEA

這個函數主要用於計算非空白儲存格中的平均值。

AVERAGEA 會將文字納入計算中，而 AVERAGE 不會將文字納入計算；左下圖是用 AVERAGE 來計算的結果，右下圖則是用 AVERAGEA 計算的結果，一看就知道兩者的差異。

	A	B	C	D	E
26	姓名	平時考	期中考	期末考	總平均
27	林大明	93	80	84	85.7
28	張世凱	36	#N/A	72	#N/A
29	汪九祥	81	74	89	81.3
30	何希均	91	60	71	74.0
31	林坤池	64	請假	64	64.0
32	蔡玲玲	92	96	94	94.0
33	趙偉柏	90	84	78	84.0
34	陳姿青	67	72	66	68.3
35	王文軒	95	公假	98	96.5
36	黃乙銘	86	75	70	77.0

	A	B	C	D	E
26	姓名	平時考	期中考	期末考	總平均
27	林大明	93	80	84	85.7
28	張世凱	36	#N/A	72	#N/A
29	汪九祥	81	74	89	81.3
30	何希均	91	60	71	74.0
31	林坤池	64	請假	64	42.7
32	蔡玲玲	92	96	94	94.0
33	趙偉柏	90	84	78	84.0
34	陳姿青	67	72	66	68.3
35	王文軒	95	公假	98	64.3
36	黃乙銘	86	75	70	77.0

AVERAGEIF

AVERAGEIF 是用來計算符合準則條件的平均值，對於**資料庫**欄位的計算尤其有用，很適合用來分析資料。但是 AVERAGEIF 只能針對**單一條件**作平均計算，所以，條件一複雜就不適合用 AVERAGEIF 來分析資料了。

一般而言，單獨使用 AVERAGEIF，其功用不大，若能配合其他工具來整合應用，更能發揮此函數的威力。其語法如下：

原型：AVERAGEIF(range, criteria, [average_range])

說明：AVERAGEIF(用來判斷的範圍 , 準則 , [用來做平均計算的範圍])

■ AVERAGEIF 函數的引數說明

▶ range：用來判斷的範圍。可以是整欄範圍 (B:B)、名稱 (" 業務單位 ")、或是選定的儲存格範圍。

▶ criteria：準則條件。依此規則進行計算，可以是數字、運算式、儲存格參照或文字。 例如，準則可以用 32、"32"、">32"、"apples" 或 B4 等方式來表示。

▶ average_range：用來計算平均值的範圍。此為非必要的引數，如果省略，Excel 會參考與 range 相同的範圍來計算。

■ AVERAGEIF 函數的運作規則

▶ 用來做平均計算範圍（average_range）中的儲存格，若有空白，則 AVERAGEIF 會忽略該儲存格。

▶ 用來判斷的範圍（range）其中的儲存格，若有任一空白或文字，AVERAGEIF 會傳回 #DIV/0! 的錯誤值；若其中沒有符合準則的儲存格，則 AVERAGEIF 也會傳回 #DIV/0! 的錯誤值。

▶ 準則（criteria）中的儲存格內容若為空白，則 AVERAGEIF 會將其視為 0 值。

▶ 可以在準則中使用萬用字元、問號「？」和星號「＊」。問號可比對任一字元；星號可比對不限長度的字元。

▶ average_range 與 range 的大小及形狀不必相同，AVERAGEIF 會以最大的範圍，作為其計算的範圍，其規則列舉如下表：

RANGE 的範圍	AVERAGE_RANGE 的範圍	實際計算的範圍
B2:B6	C2:C6	C2:C6
B2:B6	C2:C4	C2:C6
B2:C5	C2:D5	C2:D5
B2:C5	C2:D3	C2:D5

■ 實務範例

我們以資料庫分析的角度來看 AVERAGEIF 在實務上的應用，初步的構想是透過下拉式選單來讓單調的 AVERAGEIF 變成靈活的函數，當我們在下圖 K1 中的下拉式選單中選定某一銷售地區時，L1 儲存格中的數字也同時跟著改變。

■ 操作步驟

01 請開啟 \ 範例檔 \ 第 5 章範例 \ 5.1.1 計算平均的問題 .xlsx\「AVERAGEIF」工作表。

02 建立資料庫各欄的**名稱**。點選資料庫中任意儲存格，按下 Ctrl+A，點按**公式** / **已定義之名稱**群組 / **從選取範圍建立**；接著在**以選取範圍建立名稱**對話方塊中，勾選「頂端列」，按下**確定**。

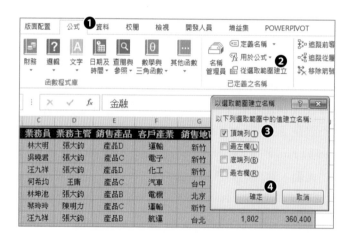

03 使用進階篩選，挑出銷售地區欄中不重複的城市，置於 N1 儲存格（註：挑出不重複資料的做法，請參考**第 3 章資料庫管理**「3.4.2 進階篩選」一節中，有關「進階篩選之三 — 挑出不重複的資料內容」的詳細說明）。

04 點選 K1 儲存格，點按**資料**索引標籤 / **資料工具**群組 / **資料驗證**。

05 在**資料驗證**對話方塊中，點選**儲存格內允許**方塊中的「清單」，點按一下**來源**文字方塊，再選取 N2:N9 的儲存格範圍，按下**確定**。

06 在 K1 儲存格的下拉式選單中，點選「新竹」；接著在 L1 儲存格中輸入公式「=AVERAGEIF(銷售地區 ,K1, 銷售金額)」，按下 Enter。

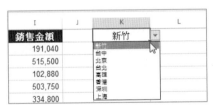

07 當您在 K1 儲存格中切換到不同的城市時，L1 儲存格中的數字也透過 AVERAGEIF 函數來重新計算。

K	L
台北	254,180

這樣看起來，AVERAGEIF 函數是否就不再那麼單調了呢？

Tips

設定 AVERAGEIF 函數中的引數時，您可以在**公式索引標籤 / 已定義之名稱群組 / 用於公式**之下，點選清單中的名稱，這樣可以避免手誤的情況發生。

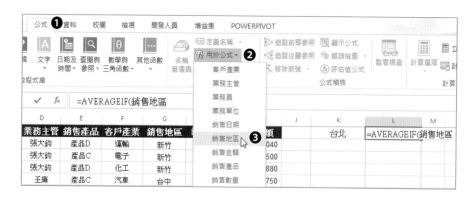

更多元化的準則設定，請參考下表：

準則要求	函數設定
1 月 5 日當天的平均銷售金額	=AVERAGEIF(銷售日期 ,"2010/1/5", 銷售金額)
台北及台中的平均銷售金額	=AVERAGEIF(銷售地區 ," 台 ?", 銷售金額)
銷售金額在 30 萬以上的平均銷售金額	=AVERAGEIF(銷售金額 ,">300000")
林姓業務員的平均銷售金額	=AVERAGEIF(業務員 ," 林 *", 銷售金額)

5.1.2 加權計算的效率

在計算學生成績或員工績效的過程中，往往需要參考**加權比重**來完成計算；以下圖為例，傳統計算平均分數的方法，只要先選取 E6:E15 的範圍，再輸入「=AVERAGE(B6:D6)」，按下 Ctrl+Enter 即可完成平均分數的計算。但是，如果要參考 A2:C2 的分數比重來做計算時，公式就要打成「=B6*A2+C6*B2+D6*C2」，如果有 20 種不同的評等和對應的權重呢？那公式豈不是要寫得很長嗎？因此，也就產生了建置公式的效率問題。

	A	B	C	D	E
1	第一次考評	第二次考評	年終考評		
2	20%	30%	50%		
3					
4			員工績效考評		
5	員工姓名	第一次考評	第二次考評	年終考評	平均
6	林大明	93	80	84	
7	張世凱	52	46	72	
8	汪九祥	81	74	89	
9	何希均	91	60	71	
10	林坤池	64	35	46	
11	蔡玲玲	92	96	94	
12	趙偉柏	90	84	78	
13	陳姿青	67	60	66	
14	王文軒	95	88	98	
15	黃乙銘	86	75	70	

Excel 提供了兩個函數 SUMPRODUCT 以及 MMULT 來幫我們很有效率地解決加權計算上的問題，兩個函數的名稱都叫作「矩陣相乘」，就是將兩組數字分別對乘之後再相加。

SUMPRODUCT 與 MMULT 函數的語法

由於兩組函數的語法完全相同，所以特別合併在一起說明。

原型：SUMPRODUCT(array1, [array2], [array3], ...)

       MMULT(array1, [array2], [array3], ...)

說明：SUMPRODUCT(第一組數字 , 第二組數字……)

       MMULT(第一組數字 , 第二組數字……)

■ 函數的引數說明

▶ array1：要對乘的第一組數字，這是必需的引數，可以是**儲存格範圍**、**名稱**或者常數陣列 {1,2,3,4,5}。

▶ array2、array3：最多可有 255 個陣列範圍。

SUMPRODUCT 與 MMULT 的運作規則

▶ 如果只有第一組引數 array1，SUMPRODUCT 與 MMULT 會將第一組引數中的數字都加在一起，等同執行 SUM 的結果。

▶ 兩組以上的引數，才會產生對乘再相加的效果。兩組以上的引數，其範圍必須對稱，例如有三個考試分數，就必須有三個加權比重；否則將傳回 #VALUE! 的計算結果。

▶ 如果引數的範圍中含有 0 或文字，都將被視為 0 來計算。

SUMPRODUCT 與 MMULT 的使用時機

▶ **SUMPRODUCT**：**權重**和**分數**的排列**方向相同**時，就必須使用此函數。例如下圖左表 A2:C2 的**權重**與 B6:D6 的**分數**都是橫排；而下圖右表 H1:H3 的**權重**與 H7:H9 的**分數**都是直排。

	第一次考評	第二次考評	年終考評	平均
	20%	30%	50%	

員工績效考評

員工姓名	第一次考評	第二次考評	年終考評	平均
林大明	93	80	84	
張世凱	52	46	72	
汪九祥	81	74	89	
何希均	91	60	71	
林坤池	64	35	46	
蔡玲玲	92	96	94	
趙偉柏	90	84	78	
陳姿青	67	60	66	
王文軒	95	88	98	
黃乙銘	86	75	70	

第一次考評	20%
第二次考評	30%
年終考評	50%

員工姓名	林大明	張世凱	汪九祥	何希均	林坤池	蔡玲玲	趙偉柏	陳姿青	王文軒	黃乙銘
第一次考評	93	52	81	91	64	92	90	67	95	86
第二次考評	80	46	74	60	35	96	84	60	88	75
年終考評	84	72	89	71	46	94	78	66	98	70
平均										

請開啟 \ 範例檔 \ 第 5 章範例 \ 5.1.2 加權計算的效率 .xlsx\「SUMPRODUCT」工作表。

當**權重**與**分數**水平排列時（如上圖左表），請先選取 E6:E15 的範圍，再輸入「=SUMPRODUCT($A$2:$C$2,B6:D6)」，按下 Ctrl+Enter 即可完成平均分數的計算。

當**權重**與**分數**垂直排列時（如上圖右表），請先選取 H10:Q10 的範圍，再輸入「=SUMPRODUCT($H$1:$H$3,H7:H9)」，按下 Ctrl+Enter 即可完成平均分數的計算。

▶ MMULT：**權重**與**分數**的排列**方向不同**時，就必須使用此函數。例如下圖左表 B1:B3 的**權重**是直排，而 B6:D6 的**分數**卻是橫排；而下圖右表 H2:J2 的**權重**是橫排，而 H5:H7 的**分數**卻是直排。

請開啟 \ 範例檔 \ 第 5 章範例 \ 5.1.2 加權計算的效率 .xlsx\「MMULT」工作表。

第一次考評	20%
第二次考評	30%
年終考評	50%

員工績效考評

員工姓名	第一次考評	第二次考評	年終考評	平均
林大明	93	80	84	
張世凱	52	46	72	
汪九祥	81	74	89	
何希均	91	60	71	
林坤池	64	35	46	
蔡玲玲	92	96	94	
趙偉柏	90	84	78	
陳姿青	67	60	66	
王文軒	95	88	98	
黃乙銘	86	75	70	

	第一次考評	第二次考評	年終考評	
	20%	30%	50%	

員工姓名	林大明	張世凱	汪九祥	何希均	林坤池	蔡玲玲	趙偉柏	陳姿青	王文軒	黃乙銘
第一次考評	93	52	81	91	64	92	90	67	95	86
第二次考評	80	46	74	60	35	96	84	60	88	75
年終考評	84	72	89	71	46	94	78	66	98	70
平均										

上圖左表的加權計算，請先選取 E6:E15 的範圍，再輸入「=MMULT($B$1:$B$3, B6:D6)」，按下 Ctrl+Enter 即可完成平均分數的計算。

上圖右表的加權計算，請先選取 H8:Q8 的範圍，再輸入「=MMULT($H$2:$J$2, H5:H7)」，按下 Ctrl+Enter 即可完成平均分數的計算。

SUMPRODUCT 的計算效率

SUMPRODUCT 是一個很有效率的函數，它不但可以計算多個陣列之間的乘積和，還可以用在資料分析的邏輯判斷上，前一小節介紹了它的基本用法，下圖則是實務應用的另外一個例子。

請開啟 \ 範例檔 \ 第 5 章範例 \ 5.1.2 加權計算的效率 .xlsx\「加總的效率」工作表。

不同的商品有不同的運費標準，如何能以最有效率的方法，計算出各種商品的總運費？相信任何人都可以用土法煉鋼的方式來完成計算，例如，要計算**電腦**的總運費，可以這麼設定公式：「=B4*E4+B5*E5+B6*E6 ……」，如果有 100 種商品和 100 個運送地點，那公式要怎麼設定呢？又是老問題，樣本數一大，就產生了公式設定的效率問題，土法煉鋼固然可以，但是容易打錯公式，且除錯困難。

類似下表的計算，最佳方法應該就是使用 SUMPRODUCT 函數了。

	A	B	C	D	E	F	G
1							
2	運送地點	運送數量			運費單價(NT$)		
3		電腦	服飾	機具	電腦	服飾	機具
4	北京	905	661	716	$ 2,230	$ 2,400	$ 1,990
5	東京	343	611	495	$ 1,680	$ 1,450	$ 1,000
6	首爾	617	834	490	$ 2,210	$ 2,300	$ 2,480
7	馬尼拉	394	840	807	$ 1,980	$ 1,660	$ 1,830
8	新德里	844	936	293	$ 1,190	$ 1,150	$ 1,640
9	曼谷	704	355	574	$ 3,180	$ 4,250	$ 5,200
10							
11		運費合計	電腦	服飾	機具		
12							

■ 設定公式

點選 C12 儲存格，輸入「=SUMPRODUCT(B4:B9,E4:E9)」，按下 Enter 鍵，再向右自動填滿公式到 E12 即可。

C12 | =SUMPRODUCT(B4:B9,E4:E9)

	A	B	C	D	E	F	G
1							
2	運送地點	運送數量			運費單價(NT$)		
3		電腦	服飾	機具	電腦	服飾	機具
4	北京	905	661	716	$ 2,230	$ 2,400	$ 1,990
5	東京	343	611	495	$ 1,680	$ 1,450	$ 1,000
6	首爾	617	834	490	$ 2,210	$ 2,300	$ 2,480
7	馬尼拉	394	840	807	$ 1,980	$ 1,660	$ 1,830
8	新德里	844	936	293	$ 1,190	$ 1,150	$ 1,640
9	曼谷	704	355	574	$ 3,180	$ 4,250	$ 5,200
10							
11		運費合計	電腦	服飾	機具		
12			$7,981,160	$8,370,100	$8,077,170		

由於 C12 儲存格的公式「=SUMPRODUCT(B4:B9,E4:E9)」是用相對位元址的設定方式,所以向右複製公式時,就會自動完成**服飾**與**機具**兩種商品的運費合計。

5.1.3 條件式加總與統計

這裡介紹的條件式函數包括了 SUMIF 以及 COUNTIF 等兩個常用函數。至於功能更強大的統計分析函數 SUMIFS 以及 COUNTIFS 以及陣列函數,將會移到**資料庫分析**一節中去作介紹。

提到資料分類統計,大家馬上就會想到**小計**與**樞紐分析**。但是**小計**與**樞紐分析**是專門用來統計分析**資料庫**的,面對客製化的報表格式,這兩個工具往往都派不上用場。

函數最大的優勢在於能夠滿足客製化報表格式的需求,尤其當您面對的資料並非資料庫的型式,對函數的倚賴程度就更深了;因此,實務上我們必須了解這些與資料分類統計相關的函數,才能正面迎戰客製化的報表格式。

SUMIF 與 COUNTIF 是資料的分類統計中最重要的函數之一,在此將會以資料庫以及客製化報表兩種不同形式的資料,來做實務應用的解析。

SUMIF 或 COUNTIF 的計算效率

由於 COUNTIF 只比 SUMIF 函數少一個引數,而且引數的用法幾乎完全相同,所以將這兩個函數合併在一起說明。

原型:SUMIF(range, criteria, [sum_range])
說明:SUMIF(比對的範圍 , 比對條件 , [加總的範圍])

原型:COUNTIF(range ,criteria)
說明:COUNTIF (比對的範圍 , 比對條件)

■ **函數的引數說明**

▶ range:比對的範圍,這是必需的引數。可以是**儲存格範圍**、**名稱**或者陣列。

▶ criteria:比對條件,這是必需的引數。其形式可以是數字、運算式、儲存格位元址、文字、日期以及函數。 例如,可以將條件設定為 2000、">=2000"、C3、" 臺北市 "、">2014/3/1" 或者 ">="&AVERAGE(C:C)。

▶ sum_range：加總的範圍，這是非必需的引數。若**比對的範圍**與**加總的範圍**指的是同一個範圍，可省略這個引數。

▶ 在**比對條件**中，除了數字之外，其他任何類型的**比對條件**，都必須加上雙引號，例如「">=2000"」。

▶ 可以在 criteria 中使用萬用字元**問號**「?」和**星號**「*」。例如「" 台 ?」或者「台 *」。

▶ sum_range 與 range 範圍的大小和形狀可以不相同，但實務上都會選取相同大小的範圍。

■ 實務應用

以下圖為例，列舉 SUMIF 以及 COUNTIF 的公式設定範例。

	A	B	C	D	E	F	G	H	I
1	銷售日期	業務部門	業務員	業務主管	銷售產品	客戶產業	銷售地區	銷售數量	銷售金額
2	2010/01/01	業務一	林大明	張大鈞	產品D	運輸	新竹	1,194	191,040
3	2010/01/01	業務一	吳曉君	張大鈞	產品C	電子	新竹	2,062	515,500
4	2010/01/04	業務一	汪九祥	張大鈞	產品D	化工	新竹	643	102,880
5	2010/01/04	業務四	何希均	王庸	產品C	汽車	台中	2,015	503,750
6	2010/01/04	業務一	林坤池	張大鈞	產品B	電機	北京	1,674	334,800
7	2010/01/05	業務二	蔡玲玲	陳明力	產品C	運輸	新竹	2,530	632,500
8	2010/01/05	業務一	汪九祥	張大鈞	產品B	航運	台北	1,802	360,400
9	2010/01/05	業務一	林大明	張大鈞	產品D	交通	台中	2,776	444,160
10	2010/01/05	業務四	何希均	王庸	產品A	汽車	北京	2,326	279,120
11	2010/01/05	業務一	吳曉君	張大鈞	產品A	運輸	高雄	1,140	136,800

應用範例	說明
=SUMIF(I:I,">500000")	I 欄大於 500000 的總和。
=SUMIF(銷售地區 ," 台 *",I:I)	銷售地區欄是 " 台 " 字開頭，計算其 I 欄的總和。
=SUMIF(H:H,">2000",I:I)	銷售數量在 2000 以上的銷售總金額。
=SUMIF(I:I,">" & K1,H:H)	I 欄大於 K1 儲存格中數字的總銷售數量。
=COUNTIF(業務員 ," 王文軒 ")	計算業務員王文軒的記錄筆數。
=COUNTIF(銷售金額 ,">500000")	銷售金額在 500000 以上的記錄筆數。
=COUNTIF(A:A,"<=2010/7/1")	A 欄的日期在 2010/7/1(含) 之前的記錄筆數。

| 實作之一 | 資料庫的加總和計數

請開啟 \ 範例檔 \ 第 5 章範例 \ 5.1.3 條件式加總與統計 .xlsx\「實作之一」工作表。

在下圖兩千多筆的資料庫中，如果要統計每位業務員歷年的成交金額以及成交筆數的數字，使用 SUMIF 以及 COUNTIF 是最有效率的方法之一。

	A	B	C	D	E	F	G	H	I	J	K	L	M
1	銷售日期	業務部門	業務員	業務主管	銷售產品	客戶產業	銷售地區	銷售數量	銷售金額			成交金額	成交筆數
2	2010/01/01	業務一	林大明	張大鈞	產品D	運輸	新竹	1,194	191,040		王文軒		
3	2010/01/01	業務一	吳曉君	張大鈞	產品C	電子	新竹	2,062	515,500		古進雄		
4	2010/01/04	業務一	汪九祥	張大鈞	產品D	化工	新竹	643	102,880		何希均		
5	2010/01/04	業務四	何希均	王庸	產品C	汽車	台中	2,015	503,750		吳曉君		
6	2010/01/04	業務一	林坤池	張大鈞	產品B	電機	北京	1,674	334,800		李玲娟		
7	2010/01/05	業務二	蔡玲玲	陳明力	產品C	運輸	新竹	2,530	632,500		汪九祥		
8	2010/01/05	業務一	汪九祥	張大鈞	產品B	航運	台北	1,802	360,400		林大明		
9	2010/01/05	業務一	林大明	張大鈞	產品D	交通	台中	2,776	444,160		林坤池		
10	2010/01/05	業務四	何希均	王庸	產品A	汽車	北京	2,326	279,120		張世凱		
11	2010/01/05	業務一	吳曉君	張大鈞	產品A	運輸	高雄	1,140	136,800		陳姿青		
12	2010/01/05	業務二	趙偉柏	陳明力	產品A	金融	高雄	3,112	373,440		黃乙銘		
13	2010/01/06	業務二	陳姿青	陳明力	產品A	傳播	台中	2,313	277,560		楊柏森		
14	2010/01/06	業務二	楊柏森	陳明力	產品B	電機	高雄	1,502	300,400		趙偉柏		
15	2010/01/06	業務二	趙偉柏	陳明力	產品D	機械	高雄	1,222	195,520		蔡玲玲		

■ 操作步驟

`01` 選取 L2:L15 儲存格範圍，輸入「=SUMIF(C:C,K2,I:I)」，按下 Ctrl+ Enter 鍵。

`02` 選取 M2:M15 儲存格範圍，輸入「=COUNTIF(C:C,K2)」，按下 Ctrl+ Enter 鍵，即可看到如下圖右方的計算結果。

C	D	E	F	G	H	I	J	K	L	M
業務員	業務主管	銷售產品	客戶產業	銷售地區	銷售數量	銷售金額			成交金額	成交筆數
林大明	張大鈞	產品D	運輸	新竹	1,194	191,040		王文軒	64643620	182
吳曉君	張大鈞	產品C	電子	新竹	2,062	515,500		古進雄	55838530	167
汪九祥	張大鈞	產品D	化工	新竹	643	102,880		何希均	70366520	203
何希均	王庸	產品C	汽車	台中	2,015	503,750		吳曉君	71319310	200
林坤池	張大鈞	產品B	電機	北京	1,674	334,800		李玲娟	58104420	173
蔡玲玲	陳明力	產品C	運輸	新竹	2,530	632,500		汪九祥	56707960	167
汪九祥	張大鈞	產品B	航運	台北	1,802	360,400		林大明	54577540	165
林大明	張大鈞	產品D	交通	台中	2,776	444,160		林坤池	50777190	143
何希均	王庸	產品A	汽車	北京	2,326	279,120		張世凱	54543040	153
吳曉君	張大鈞	產品A	運輸	高雄	1,140	136,800		陳姿青	51343160	150
趙偉柏	陳明力	產品A	金融	高雄	3,112	373,440		黃乙銘	59218100	174
陳姿青	陳明力	產品A	傳播	台中	2,313	277,560		楊柏森	56038660	159
楊柏森	陳明力	產品B	電機	高雄	1,502	300,400		趙偉柏	62162960	176
趙偉柏	陳明力	產品D	機械	高雄	1,222	195,520		蔡玲玲	56869900	158

如果您曾經建立各欄的**名稱**，就可以將公式改成「=SUMIF(業務員 ,K2, 銷售金額)」以及「=COUNTIF(業務員 ,K3)」。

| 實作之二 | 客製化報表的隔欄加總

請開啟 \ 範例檔 \ 第 5 章範例 \ 5.1.3 條件式加總與統計 .xlsx \「實作之二」工作表。

下表是用來統計上半年各個科目中**預算**和**實際支出**的金額，以 N3 儲存格中的公式為例，依照傳統的公式設定方式，上半年的**預算**公式應為「=SUM(B3,D3,F3,H3,J3,L3)」或者「＝B3+D3+F3+H3+J3+L3」。如果時間拉長到一年或更多年份時，公式就會變得非常冗長，萬一再打錯儲存格位址，就會產生難以發現的錯誤了。

這種類型報表的公式設定，最有效率的方法就是使用 SUMIF 來自動判斷，哪一個金額是屬於**預算**，哪一個金額是屬於**實際支出**，再將其做累加的動作，這樣的好處是「絕對不會發生手誤打錯儲存格位址的現象」，而且還可以不必擔心各月份中**預算**和**實際支出**兩欄的排列順序是否一致。

科目	一月 預算	一月 實際支出	二月 預算	二月 實際支出	三月 預算	三月 實際支出	四月 預算	四月 實際支出	五月 預算	五月 實際支出	六月 預算	六月 實際支出	上半年合計 預算	上半年合計 實際支出
水電費	34,380	32,530	34,110	30,345	21,150	19,875	26,820	22,515	14,085	13,380	28,440	27,015		
利息	125,550	112,950	220,950	183,300	243,450	219,000	55,350	47,550	273,150	229,350	241,200	197,700		
呆帳損失	120,150	114,000	117,000	98,250	332,100	295,500	297,450	264,600	287,550	247,200	276,300	248,550		
保險費	206,100	206,100	206,100	206,100	206,100	206,100	206,100	206,100	206,100	206,100	206,100	206,100		
差旅費	189,900	157,500	62,100	54,000	257,850	242,250	45,000	42,000	110,700	10,800	25,200	23,100		
租金	93,150	86,550	135,450	120,450	255,600	214,650	288,000	236,100	141,750	127,500	345,150	317,400		
規費	41,400	34,350	128,250	105,150	31,950	26,700	85,950	79,800	244,800	195,750	221,850	190,650		
教育訓練	137,700	115,650	233,550	217,200	165,150	140,250	51,750	41,850	307,800	300,900	61,200	60,000		
電話費	297,900	256,050	293,400	246,450	40,050	31,950	264,600	230,100	102,150	84,750	261,450	248,250		
廣告費	145,800	116,550	309,600	272,400	100,800	81,600	331,200	284,700	138,600	110,850	125,100	113,700		
文具用品	124,875	114,825	14,400	12,900	38,250	36,300	87,975	71,250	106,650	95,925	133,650	110,925		
薪資	1,641,600	1,641,600	1,641,600	1,641,600	1,641,600	1,641,600	1,641,600	1,641,600	1,641,600	1,641,600	1,641,600	1,641,600		
雜項	229,500	215,700	272,250	255,900	216,000	187,800	223,650	203,400	58,050	51,000	42,300	34,650		
小計	3,388,005	3,204,355	3,668,760	3,444,045	3,550,050	3,343,575	3,605,445	3,371,565	3,632,985	3,315,105	3,609,540	3,419,640		

在此準備同時完成**預算**和**實際支出**兩個不同欄位的金額統計，計算公式的方法如下：

選取 N3:O16 的範圍，輸入公式「=SUMIF($B$2:$M$2,N$2,$B3:$M3)」，按下 Ctrl+Enter 鍵即可完成計算。

SUM ‖ × ✓ fx =SUMIF($B$2:$M$2,N$2,$B3:$M3)

科目	一月 預算	一月 實際支出	二月 預算	二月 實際支出	三月 預算	三月 實際支出	四月 預算	四月 實際支出	五月 預算	五月 實際支出	六月 預算	六月 實際支出	上半年合計 預算	上半年合計 實際支出
水電費	34,380	32,530	34,110	30,345	21,150	19,875	26,820	22,515	14,085	13,380	28,440	27,015	$B3:$M3)	145,660
利息	125,550	112,950	220,950	183,300	243,450	219,000	55,350	47,550	273,150	229,350	241,200	197,700	1,159,650	989,850
呆帳損失	120,150	114,000	117,000	98,250	332,100	295,500	297,450	264,600	287,550	247,200	276,300	248,550	1,430,550	1,268,100
保險費	206,100	206,100	206,100	206,100	206,100	206,100	206,100	206,100	206,100	206,100	206,100	206,100	1,236,600	1,236,600
差旅費	189,900	157,500	62,100	54,000	257,850	242,250	45,000	42,000	110,700	10,800	25,200	23,100	690,750	529,650
租金	93,150	86,550	135,450	120,450	255,600	214,650	288,000	236,100	141,750	127,500	345,150	317,400	1,259,100	1,102,650
規費	41,400	34,350	128,250	105,150	31,950	26,700	85,950	79,800	244,800	195,750	221,850	190,650	754,200	632,400
教育訓練	137,700	115,650	233,550	217,200	165,150	140,250	51,750	41,850	307,800	300,900	61,200	60,000	957,150	875,850
電話費	297,900	256,050	293,400	246,450	40,050	31,950	264,600	230,100	102,150	84,750	261,450	248,250	1,259,550	1,097,550
廣告費	145,800	116,550	309,600	272,400	100,800	81,600	331,200	284,700	138,600	110,850	125,100	113,700	1,151,100	979,800
文具用品	124,875	114,825	14,400	12,900	38,250	36,300	87,975	71,250	106,650	95,925	133,650	110,925	505,800	442,125
薪資	1,641,600	1,641,600	1,641,600	1,641,600	1,641,600	1,641,600	1,641,600	1,641,600	1,641,600	1,641,600	1,641,600	1,641,600	9,849,600	9,849,600
雜項	229,500	215,700	272,250	255,900	216,000	187,800	223,650	203,400	58,050	51,000	42,300	34,650	1,041,750	948,450
小計	3,388,005	3,204,355	3,668,760	3,444,045	3,550,050	3,343,575	3,605,445	3,371,565	3,632,985	3,315,105	3,609,540	3,419,640	21,454,785	20,098,285

■ 公式說明

=SUMIF($B$2:$M$2,N$2,$B3:$M3)

第一個引數：$B$2:$M$2，是指比對的**範圍**，必須是絕對位址。若採用**相對位址** B2:M2，當您按下 Ctrl+Enter 時，N4 儲存格中的公式就會因為向下位移而變成了「=SUMIF(B3:M3,……)」的錯誤結果；此時 O3 儲存格中的公式，也因為向右位移而變成了「=SUMIF(C3:N3,……)」的錯誤結果。

第二個引數：N$2 是指準則條件，必須是鎖定第 2 列的混合位址。因為 N$2 中的「預算」兩個字，是用來到 $B$2:$M$2 去比對的條件，如果採用相對

位址 N2，當公式向下自動填滿時，「SUMIF($B$2:$M$2,N2……)」就變成了「SUMIF($B$2:$M$2,N3……)」的錯誤結果；為什麼不打成 $N$2 呢？如果用絕對位址 $N$2，當公式向右自動填滿時，參照的準則條件卻依然停在 N2 中的「預算」兩個字上，而不會拿 O2 中的「實際支出」當作準則條件來做判斷。

第三個引數：$B3:$M3，是指**加總的範圍**，必須是鎖定 B:M 欄的混合位址，如果採用相對位址，當公式向右自動填滿時，公式就會由「=SUMIF($B$2:$M$2,N$2, B3:M3)」變成了「=SUMIF($B$2:$M$2,N$2,C3:N3)」。

| 實作之三 | 客製化報表的隔列加總

當報表的排列方式改變時，一樣可以使用 SUMIF 來完成數字的統計。以下圖為例，費用的科目在報表的上方，而**月份**在報表的左方，與前一張報表的排列方式剛好相反，這樣要如何設定公式呢？

請開啟 \ 範例檔 \ 第 5 章範例 \ 5.1.3 條件式加總與統計 .xlsx \ 「實作之三」工作表。

A	B	C	D	E	F	G	H	I	J	K	L	M	N	O	P
	科目	水電費	利息	呆帳損失	保險費	差旅費	租金	規費	教育訓練	電話費	廣告費	文具用品	薪資	雜項	小計
一月 預算		34,380	125,550	120,150	206,100	189,900	93,150	41,400	137,700	297,900	145,800	124,875	1,641,600	229,500	3,388,005
實際支出		32,530	112,950	114,000	206,100	157,500	86,550	34,350	115,650	256,050	116,550	114,825	1,641,600	215,700	3,204,355
二月 預算		34,110	220,950	117,000	206,100	62,100	135,450	128,250	233,550	293,400	309,600	14,400	1,641,600	272,250	3,668,760
實際支出		30,345	183,300	98,250	206,100	54,000	120,450	105,150	217,200	246,450	272,400	12,900	1,641,600	255,900	3,444,045
三月 預算		21,150	243,450	332,100	206,100	257,850	255,600	31,950	165,150	40,050	100,800	38,250	1,641,600	216,000	3,550,050
實際支出		19,875	219,000	295,500	206,100	242,250	214,650	26,700	140,250	31,950	81,600	36,300	1,641,600	187,800	3,343,575
四月 預算		26,820	55,350	297,450	206,100	45,000	288,000	85,950	51,750	264,600	331,200	87,975	1,641,600	223,650	3,605,445
實際支出		22,515	47,550	264,600	206,100	42,000	236,100	79,800	41,850	230,100	284,700	71,250	1,641,600	203,400	3,371,565
五月 預算		14,085	273,150	287,550	206,100	110,700	141,750	244,800	307,800	102,150	138,600	106,650	1,641,600	58,050	3,632,985
實際支出		13,380	229,350	247,200	206,100	10,800	127,500	195,750	300,900	84,750	110,850	95,925	1,641,600	51,000	3,315,105
六月 預算		28,440	241,200	276,300	206,100	25,200	345,150	221,850	61,200	261,450	125,100	133,650	1,641,600	42,300	3,609,540
實際支出		27,015	197,700	248,550	206,100	23,100	317,400	190,650	60,000	248,250	113,700	110,925	1,641,600	34,650	3,419,640
合計 預算															
實際支出															

其實，當我們有了清楚的**位址觀念**之後，不管報表採用何種排列方式，都不會成為問題的，設定公式的方式如下：

選取 C14:P15 的範圍，輸入公式「=SUMIF($B$2:$B$13,$B14,C$2:C$13)」，按下Ctrl+Enter 鍵即可完成計算。

SUM				▼	×	✓	fx	=SUMIF($B$2:$B$13, $B14, C$2:C$13)							
A	B	C	D	E	F	G	H	I	J	K	L	M	N	O	P
	科目	水電費	利息	呆帳損失	保險費	差旅費	租金	規費	教育訓練	電話費	廣告費	文具用品	薪資	雜項	小計
一月 預算		34,380	125,550	120,150	206,100	189,900	93,150	41,400	137,700	297,900	145,800	124,875	1,641,600	229,500	3,388,005
實際支出		32,530	112,950	114,000	206,100	157,500	86,550	34,350	115,650	256,050	116,550	114,825	1,641,600	215,700	3,204,355
二月 預算		34,110	220,950	117,000	206,100	62,100	135,450	128,250	233,550	293,400	309,600	14,400	1,641,600	272,250	3,668,760
實際支出		30,345	183,300	98,250	206,100	54,000	120,450	105,150	217,200	246,450	272,400	12,900	1,641,600	255,900	3,444,045
三月 預算		21,150	243,450	332,100	206,100	257,850	255,600	31,950	165,150	40,050	100,800	38,250	1,641,600	216,000	3,550,050
實際支出		19,875	219,000	295,500	206,100	242,250	214,650	26,700	140,250	31,950	81,600	36,300	1,641,600	187,800	3,343,575
四月 預算		26,820	55,350	297,450	206,100	45,000	288,000	85,950	51,750	264,600	331,200	87,975	1,641,600	223,650	3,605,445
實際支出		22,515	47,550	264,600	206,100	42,000	236,100	79,800	41,850	230,100	284,700	71,250	1,641,600	203,400	3,371,565
五月 預算		14,085	273,150	287,550	206,100	110,700	141,750	244,800	307,800	102,150	138,600	106,650	1,641,600	58,050	3,632,985
實際支出		13,380	229,350	247,200	206,100	10,800	127,500	195,750	300,900	84,750	110,850	95,925	1,641,600	51,000	3,315,105
六月 預算		28,440	241,200	276,300	206,100	25,200	345,150	221,850	61,200	261,450	125,100	133,650	1,641,600	42,300	3,609,540
實際支出		27,015	197,700	248,550	206,100	23,100	317,400	190,650	60,000	248,250	113,700	110,925	1,641,600	34,650	3,419,640
合計 預算		C2:C$13)	1,159,650	1,430,550	1,236,600	690,750	1,259,100	754,200	957,150	1,259,550	1,151,100	505,800	9,849,600	1,041,750	21,454,785
實際支出		145,660	989,850	1,268,100	1,236,600	529,650	1,102,650	632,400	875,850	1,097,550	979,800	442,125	9,849,600	948,450	20,098,285

在本範例的公式中，有關位址問題的說明，請參考前一個範例中類似的說明。

5.1.4 次數統計

面對資料庫來作**次數統計**的函數，包括了 FREQUENCY、COUNTIF、COUNTIFS、COUNT、COUNTA 等常用的計數函數，當然還可以用其他函數和技巧間接地計算次數、人數或者資料筆數。

本節特別針對 FREQUENCY、COUNTIF、COUNTIFS 這三個函數的實務應用方法作一介紹。

FREQUENCY 在計數上的應用

FREQUENCY 一般稱作「頻率」函數，主要是用來統計**在一定的組距條件**之下，發生的次數，必須配合數值型態的「**組距**」來完成資料庫欄位的次數統計。由於 FREQUENCY 本身是一個陣列函數，設定的過程中，必須特別注意，一不小心就會得到錯誤的計算結果。

原型：FREQUENCY(data_array, bins_array)
說明：FREQUENCY (資料範圍 , 組距)

■ **函數的引數說明**

▶ data_array：資料陣列，用來比對的資料範圍，可以是儲存格範圍、名稱，或者如下圖 I:I 的整欄範圍。

▶ bins_array：組距，內含級距設定的數值範圍，例如下圖 L2:L10 的數值級距，數值級距之間可以是不規則的。

	A	B	C	G	H	I	J	K	L	M
1	銷售日期	業務部門	業務員	銷售地區	銷售數量	銷售金額			金額級距	成交筆數
2	2010/01/01	業務一	林大明	新竹	1,194	191,040		(0-100000)	100,000	
3	2010/01/01	業務一	吳曉君	新竹	2,062	515,500		(100001-200000)	200,000	
4	2010/01/04	業務一	汪九祥	新竹	643	102,880		(200001-300000)	300,000	
5	2010/01/04	業務四	何希均	台中	2,015	503,750		(300001-400000)	400,000	
6	2010/01/04	業務一	林坤池	北京	1,674	334,800		(400001-500000)	500,000	
7	2010/01/05	業務二	蔡玲玲	新竹	2,530	632,500		(500001-600000)	600,000	
8	2010/01/05	業務一	汪九祥	台北	1,802	360,400		(600001-700000)	700,000	
9	2010/01/05	業務一	林大明	台中	2,776	444,160		(700001-800000)	800,000	
10	2010/01/05	業務四	何希均	北京	2,326	279,120		(800001-900000)	900,000	
11	2010/01/05	業務一	吳曉君	高雄	1,140	136,800				
12	2010/01/05	業務二	趙偉柏	高雄	3,112	373,440				

■ 設定公式

請開啟 \ 範例檔 \ 第 5 章範例 \ 5.1.4 次數統計 .xlsx\「FREQUENCY」工作表。

FREQUENCY 是一個陣列函數，必須依照下列方式來設定公式並完成計算：

`01` 先選取要計算的範圍，例如下圖中 M2:M10 的範圍。

`02` 輸入「=FREQUENCY(I:I,L2:L10)」之後，先按住 Ctrl+Shift，再按下 Enter 鍵。

	C	G	H	I	J	K		L	M	N
1	業務員	銷售地區	銷售數量	銷售金額				金額級距	成交筆數	
2	林大明	新竹	1,194	191,040		(0-100000)		100,000	=FREQUENCY(I:I,L2:L10)	
3	吳曉君	新竹	2,062	515,500		(100001-200000)		200,000		
4	汪九祥	新竹	643	102,880		(200001-300000)		300,000		
5	何希均	台中	2,015	503,750		(300001-400000)		400,000		
6	林坤池	北京	1,674	334,800		(400001-500000)		500,000		
7	蔡玲玲	新竹	2,530	632,500		(500001-600000)		600,000		
8	汪九祥	台北	1,802	360,400		(600001-700000)		700,000		
9	林大明	台中	2,776	444,160		(700001-800000)		800,000		
10	何希均	北京	2,326	279,120		(800001-900000)		900,000		
11	吳曉君	高雄	1,140	136,800						
12	趙偉柏	高雄	3,112	373,440						

`03` 完成計算的結果，如下圖所示。

	K	L	M
1		金額級距	成交筆數
2	(0-100000)	100,000	101
3	(100001-200000)	200,000	484
4	(200001-300000)	300,000	495
5	(300001-400000)	400,000	460
6	(400001-500000)	500,000	335
7	(500001-600000)	600,000	238
8	(600001-700000)	700,000	160
9	(700001-800000)	800,000	80
10	(800001-900000)	900,000	17

請注意，絕對不可以先在 M2 儲存格中設定公式，再向下填滿公式，這樣將會得到累加的錯誤計算結果：

	K	L	M
1		金額級距	成交筆數
2	(0-100000)	100,000	101
3	(100001-200000)	200,000	585
4	(200001-300000)	300,000	1080
5	(300001-400000)	400,000	1540
6	(400001-500000)	500,000	1875
7	(500001-600000)	600,000	2113
8	(600001-700000)	700,000	2273
9	(700001-800000)	800,000	2353
10	(800001-900000)	900,000	2370

COUNTIF 在計數上的應用

曾在前面介紹過的 COUNTIF 函數，通常都是用在單一準則條件上的數量統計，同樣是成交筆數統計，若要用 COUNTIF 來解，公式要如何設定呢？原則上要用兩個 COUNTIF 之間的數字差來完成成交筆數的統計。

01 請開啟 \ 範例檔 \ 第 5 章範例 \ 5.1.4 次數統計 .xlsx\「COUNTIF 進階應用」工作表。

02 將 L1 儲存格中的「金額級距」四個字刪掉並輸入 0，以免造成公式的誤判。

03 在 M2 儲存格中，輸入「=COUNTIF(I:I,"<="&L2)-COUNTIF(I:I,"<="&L1)」，按下 Enter 鍵，再向下填滿公式到 M10 儲存格，即可完成各金額級距之間的成交筆數統計。

	H	I	J	K	L	M	N	O	P
1	銷售數量	銷售金額			0	成交筆數			
2	1,194	191,040		(0-100000)	100,000	=COUNTIF(I:I,"<="&L2)-COUNTIF(I:I,"<="&L1)			
3	2,062	515,500		(100001-200000)	200,000	484			
4	643	102,880		(200001-300000)	300,000	495			
5	2,015	503,750		(300001-400000)	400,000	460			
6	1,674	334,800		(400001-500000)	500,000	335			
7	2,530	632,500		(500001-600000)	600,000	238			
8	1,802	360,400		(600001-700000)	700,000	160			
9	2,776	444,160		(700001-800000)	800,000	80			
10	2,326	279,120		(800001-900000)	900,000	17			
11	1,140	136,800							
12	3,112	373,440							

■ 公式說明

▶ =COUNTIF(I:I,"<="&L2)：「I:I」表示到**銷售金額**欄去計算合於準則條件的資料筆數；引數「"<="&L2」，表示用 "<=" 串接 L2 儲存格中的數字，所以引數就變成了「"<=100000"」，整個公式成為「COUNTIF(I:I,"<=100000")」，因此可解讀作「到 I 欄去計算**銷售金額**小於或等於 100000 的資料筆數」。

▶ 後面的 COUNTIF(I:I,"<="&L1)：「"<="&L1」，表示用 "<=" 串接 L1 儲存格中的數字，所以引數就變成了「"<=0"」，公式成為「COUNTIF(I:I, "<=0")」，可解讀作「到 I 欄去計算**銷售金額**小於或等於 0 的資料筆數」。

▶ 前後的兩個 COUNTIF 相減，就可計算出介於某個金額區間的成交筆數，因此將公式「=COUNTIF(I:I,"<="&L2)-COUNTIF(I:I,"<="&L1)」向下填滿，即可計算出各個金額級距之間的成交筆數統計。

COUNTIFS 在計數上的應用

COUNTIFS 是非常有用的資料統計分析的函數,最多可以設定 127 個準則條件。所以,它比 COUNTIF 要強大得多,而且可以完全取代 COUNTIF 函數。過去面對條件複雜的資料分析時,往往必須使用陣列函數或者透過複雜邏輯才能寫出來的公式,由於 COUNTIFS 和 SUMIFS 兩個函數的出現,大大地減輕了寫複雜公式的負擔,讓資料分析變得更容易。

原型:COUNTIFS(criteria_range1, criteria1, [criteria_range2, criteria2]…)

說明:COUNTIFS(第 1 個條件比對的範圍 , 第 1 個條件 , [第 2 個條件比對的範圍 , 第 2 個條件]…………)

■ 函數的引數說明

▶ criteria_range1:第 1 個條件比對的範圍,必要的引數。可以是 I:I 的範圍或者**名稱「銷售金額」**。

▶ criteria1:第 1 個條件,可以是數字、文字、運算式、儲存格位址。 例如,條件可以表示為 100000、">=100000"、L2、" 新竹 ",此為必要的引數。

▶ criteria_range2, criteria2, ...: 第 2 個條件比對的範圍以及第 2 個組條件,此為非必要的引數,最多可以設定多達 127 組條件。

▶ 請注意,所有準則條件比對的範圍大小都必須一致。

▶ 當用到兩個以上的比對條件時,各條件之間必須同時吻合,COUNTIFS 才會予以統計。

▶ 在**比對條件**中,除了數字和儲存格位址之外,其他任何類型的比對條件,都必須加上**雙引號**,例如「">=100000"」。

▶ 可以在 criteria 中使用萬用字元,例如問號「?」和星號「*」。

■ 設定公式

01 請開啟 \ 範例檔 \ 第 5 章範例 \ 5.1.4 次數統計 .xlsx\「COUNTIFS」工作表。

02 首先要注意的是,下圖的 L1 儲存格中必須輸入 0,不能是空白或文字,這點和 COUNTIF 稍有不同。如果不輸入 0,M2 儲存格中將會得到錯誤的統計結果。

03 在 M2 儲存格中輸入「=COUNTIFS(I:I,">"&L1,I:I,"<="&L2)」按下 Enter 鍵。

04 自 M2 向下填滿公式,即可完成成交筆數統計。

	G	H	I	J	K	L	M	N	O
1	銷售地區	銷售數量	銷售金額			0	成交筆數		
2	新竹	1,194	191,040		(0-100000)	100,000	=COUNTIFS(I:I,">"&L1,I:I,"<="&L2)		
3	新竹	2,062	515,500		(100001-200000)	200,000	484		
4	新竹	643	102,880		(200001-300000)	300,000	495		
5	台中	2,015	503,750		(300001-400000)	400,000	460		
6	北京	1,674	334,800		(400001-500000)	500,000	335		
7	新竹	2,530	632,500		(500001-600000)	600,000	238		
8	台北	1,802	360,400		(600001-700000)	700,000	160		
9	台中	2,776	444,160		(700001-800000)	800,000	80		
10	北京	2,326	279,120		(800001-900000)	900,000	17		
11	高雄	1,140	136,800						
12	高雄	3,112	373,440						

■ 公式說明

=COUNTIFS(I:I,">"&L1,I:I,"<="&L2)

第一個引數：I:I，是指第 1 個比對的**範圍**，如果打成 I2:I2371，就必須是**絕對位址** $I$2:$I$2371。若採用**相對位址** I2:I2371，當您向下複製公式時，**比對的範圍**就變成了 I3:I2372，而產生錯誤。

第二個引數：「">"&L1」是指第 1 個比對範圍的**準則條件**，不能直接打成「">L1"」，因為它會被視為**字串**而非**運算式**；所以必須將「">"」與「L1」隔開，中間再用連接符號「&」連接在一起，使其成為「">"&L1」，Excel 會解讀成為「">0"」。

第三個引數：I:I，是指第 2 個比對的**範圍**。

第四個引數：「"<="&L2」，是指第 2 個比對範圍的**準則條件**，其原理和**第二個引數**的說明相同；Excel 會將「"<="&L2」解讀成為「"<100000"」。

不同級距格式的解法

如果金額的組距，分開成三欄來建置（例如下圖 K2:M10），一樣可以用 FREQUENCY、COUNTIF 以及 COUNTIFS 三個函數來統計成交筆數。

請開啟 \ 範例檔 \ 第 5 章範例 \ 5.1.4 次數統計 .xlsx\「不同級距格式」工作表。

	G	H	I	J	K	L	M	N
1	銷售地區	銷售數量	銷售金額		金額級距			成交筆數
2	新竹	1,194	191,040		0	~	100,000	
3	新竹	2,062	515,500		100001	~	200,000	
4	新竹	643	102,880		200001	~	300,000	
5	台中	2,015	503,750		300001	~	400,000	
6	北京	1,674	334,800		400001	~	500,000	
7	新竹	2,530	632,500		500001	~	600,000	
8	台北	1,802	360,400		600001	~	700,000	
9	台中	2,776	444,160		700001	~	800,000	
10	北京	2,326	279,120		800001	~	900,000	
11	高雄	1,140	136,800					
12	高雄	3,112	373,440					

■ 使用 FREQUENCY 的做法

選取 N2:N10 的範圍；輸入「=FREQUENCY(I:I,M2:M10)」，再按下 Ctrl+Shift+Enter 三個鍵，即可完成成交筆數統計。

■ 使用 COUNTIF 的做法

在 N2 儲存格中，輸入「=COUNTIF(I:I,"<="&M2)-COUNTIF(I:I,"<"&K2)」，按下 Enter 鍵，再向下填滿公式到 N10 儲存格即可。

■ 使用 COUNTIFS 的做法

在 N2 儲存格中，輸入「=COUNTIFS(I:I,">="&K2,I:I,"<="&M2)」，按下 Enter 鍵，再向下填滿公式到 N10 儲存格即可。

三個計數函數的效率比較

以上介紹了 FREQUENCY、COUNTIF 以及 COUNTIFS 三個函數，針對成交筆數統計的範例來看，哪一個函數最簡潔有力？看起來，應該就是 FREQUENCY 了，您同意嗎？

原因在於，面對有固定級距的計數統計，是 FREQUENCY 的強項。但是，面對更複雜的資料庫統計分析時，反而可能會是 COUNTIFS 以及 SUMIFS 這一類的函數，而不是 FREQUENCY 了。

任何報表絕對不會只有一種解法，也不會只有某一個函數能用，在各種公式的設定方法中，若能達到「最簡潔、最省時省力、最容易解讀」的目的，並且「只要設定一格的公式，就能一體適用在整張報表的計算上」，這才是真正有效率的公式。

所以說，每一個函數都有其專長和強項，面對不同的報表格式，就有不同的解法；因此，想要充份發揮函數的使用效率，就是要「多看、多寫、多請教高手以及應用在實務上」。

5.1.5 排名的兩個新函數

RANK 是早期 Excel 用來排名的函數，使用非常簡單，到了 Excel 2010 又推出了 RANK.EQ 和 RANK.AVG 兩個函數，其中 RANK.EQ 等同於 RANK 函數的用法，而 RANK.AVG 則能提高對重複值的排名精確度。

RANK.EQ 與 RANK 碰到相同分數，會給予相同的排名順序。例如，有兩個 92.7 的分數，其排名順序都是 4，下一個分數的排名就是 6，而沒有順序為 5 的排名。

RANK.AVG 碰到相同分數，會給予兩個名次平均數的排名順序。例如，有兩個 92.7 的分數，本來其排名順序都是 4，但是 RANK.AVG 會將排名定為兩個 4.5 的順序，也就沒有順序為 4、5 的排名，而下一個分數的排名就是 6。

由於這三個函數的語法完全相同，僅以 RANK.EQ 來說明其內容。

原型：RANK.EQ(number,ref,[order])，RANK.AVG(number,ref,[order])，RANK
　　　(number,ref,[order])

說明：　RANK.EQ (用來排名的數字 , 參照範圍 , [排序的方式])

■ 函數的引數說明

▶ number：用來排名的數字。一般是指儲存格位址的參照，例如 E2。

▶ ref：一組數值陣列的範圍，例如 E2:E41，非數值的內容將會被忽略。

▶ order：排名的方式。0 或省略表示最高分者排在第一位，最低分者排位在最後。1 或任意數字表示最低分者排在第一位，最高分者排位在最後。

實務應用

請開啟 \ 範例檔 \ 第 5 章範例 \ 5.1.5 排名函數 .xlsx\「排名」工作表。

在下圖中，分別使用了 RANK.EQ、RANK.AVG 以及 RANK 三個函數來作排名的比較，我們可以清楚的看出來這三個函數不同之處。

其中 G:I 欄中的公式，是一般正常的排名方式，沒有用到最後一個引數 [order]；J:L 欄的公式，則用到最後一個引數 [order] 來作反向排序。

	A	B	C	D	E	G	H	I	J	K	L
1	姓名	國文	英文	數學	平均	RANK.EQ	RANK.AVG	RANK	RANK.EQ	RANK.AVG	RANK
2	王重德	95	99	98	98.0	1	1	1	40	40	40
3	林玉堂	95	100	96	97.0	2	2	2	39	39	39
4	蔡仁豪	93	94	94	93.7	3	3	3	38	38	38
5	林森和	92	93	93	92.7	4	4.5	4	36	36.5	36
6	楊銘哲	91	96	91	92.7	4	4.5	4	36	36.5	36
7	張藍方	87	97	93	92.3	6	6	6	35	35	35
8	林鵬翔	98	83	95	92.0	7	7	7	34	34	34
9	何承宗	90	89	89	89.3	8	8	8	33	33	33
10	黃智揚	95	92	80	89.0	9	9.5	9	31	31.5	31
11	王俊達	87	93	87	89.0	9	9.5	9	31	31.5	31
12	張景松	81	93	91	88.3	11	11	11	30	30	30
13	張志輝	87	88	87	87.3	12	12	12	29	29	29

■ 設定六種排名公式

1. 在 G2 儲存格輸入「=RANK.EQ(E2,$E$2:$E$41)」，按下 Enter 鍵，再向下填滿公式即可。

2. 在 H2 儲存格輸入「=RANK.AVG(E2,$E$2:$E$41)」，按下 Enter 鍵，再向下填滿公式即可。

3. 在 I2 儲存格輸入「=RANK(E2,$E$2:$E$41)」，按下 Enter 鍵，再向下填滿公式即可。

4. 在 J2 儲存格輸入「=RANK.EQ(E2,$E$2:$E$41,1)」，按下 Enter 鍵，再向下填滿公式即可。

5. 在 K2 儲存格輸入「=RANK.AVG(E2,$E$2:$E$41,1)」，按下 Enter 鍵，再向下填滿公式即可。

6. 在 L2 儲存格輸入「=RANK(E2,$E$2:$E$41,1)」，按下 Enter 鍵，再向下填滿公式即可。

5.1.6 SUMIFS 與 COUNTIFS 在資料分析上的應用

使用 SUMIFS 是很好的選擇。它完全不必使用類似下圖 K1:O2 中的準則設定，能夠自行將條件加入到引數中來完成資料的分析和彙算。

以下圖為例，我們準備用 SUMIFS 和 COUNTIFS 來完成相同格式和條件的**銷售金額**和**成交筆數統計表**。

	A	B	C	D	E	F	G	H	I	J	K	L	M	N	O
1	銷售日期	業務部門	業務員	業務主管	銷售產品	客戶產業	銷售地區	銷售數量	銷售金額		銷售日期	銷售日期	業務員	銷售產品	銷售地區
2	2010/01/01	業務一	林大明	張大鈞	產品D	運輸	新竹	1,194	191,040		>=2012/1/1	<=2012/12/31			台*
3	2010/01/01	業務一	吳曉君	張大鈞	產品C	電子	新竹	2,062	515,500						
4	2010/01/04	業務一	汪九祥	張大鈞	產品D	化工	新竹	643	102,880						
5	2010/01/04	業務四	何希均	王庸	產品C	汽車	台中	2,015	503,750				產品A	產品B	產品C	產品D
6	2010/01/04	業務二	林坤池	張大鈞	產品B	電機	北京	1,674	334,800		王文軒				
7	2010/01/05	業務二	蔡玲玲	陳明力	產品C	運輸	新竹	2,530	632,500		古進雄				
8	2010/01/05	業務一	汪九祥	張大鈞	產品B	航運	台北	1,802	360,400		何希均				
9	2010/01/05	業務一	林大明	張大鈞	產品D	交通	台中	2,776	444,160		吳鐵君				
10	2010/01/05	業務四	何希均	王庸	產品A	汽車	北京	2,326	279,120		李玲娟				
11	2010/01/05	業務二	吳曉君	張大鈞	產品A	運輸	高雄	1,140	136,800		汪九祥				
12	2010/01/05	業務二	趙偉柏	陳明力	產品A	金融	高雄	3,112	373,440		林大明				
13	2010/01/06	業務二	陳姿青	陳明力	產品A	傳播	台中	2,313	277,560		林坤池				
14	2010/01/06	業務二	楊柏森	陳明力	產品B	電機	高雄	1,502	300,400		張世凱				
15	2010/01/06	業務二	趙偉柏	陳明力	產品D	機械	高雄	1,222	195,520		陳姿青				
16	2010/01/07	業務一	林大明	張大鈞	產品B	化工	高雄	1,917	383,400		黃乙銘				
17	2010/01/07	業務一	趙偉柏	張大鈞	產品D	印刷	台北	1,233	147,960		楊柏森				
18	2010/01/07	業務三	黃乙銘	邱美芬	產品D	電子	台中	742	118,720		趙偉柏				
19	2010/01/07	業務三	張世凱	邱美芬	產品B	食品	北京	2,338	467,600		蔡玲玲				

只要是針對資料庫的分析，首先要建立資料庫各欄的名稱，以方便公式的設定。請先開啟\範例檔\第 5 章範例\ 5.1.6 函數與資料庫分析 .xlsx\「SUMIFS 實務應用」工作表。

01 點選資料庫中的任一儲存格，按下 Ctrl+A 選取整個資料庫。

02 點按公式索引標籤 / **已定義之名稱**群組 / **從選取範圍建立**，並在**以選取範圍建立名稱**對話方塊中，勾選「頂端列」，按下**確定**。

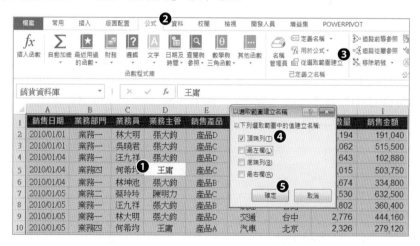

03 在 M6 儲存格輸入「=SUMIFS(銷售金額 , 業務員 ,$K6, 銷售產品 ,L$5, 銷售日期 ,">=2012/1/1", 銷售日期 ,"<=2012/12/31", 銷售地區 ," 台 *")」，按下 Enter 鍵。

	I	J	K	M	N	O	P	W	X
	銷售金額		銷售日期	業務員	銷售產品	銷售地區			
	191,040		>=2012/1/1			台*			
	515,500								
	102,880								
	503,750			產品B	產品C	產品D			
	334,800		王文軒	=SUMIFS(銷售金額,業務員,$K6,銷售產品,L$5,銷售日期,">					
	632,500		古進雄	=2012/1/1",銷售日期,"<=2012/12/31",銷售地區,"台*")					
	360,400		何希均						
	444,160		吳驍君						
	279,120		李玲娟						
	136,800		汪九祥						

04 自 M6 儲存格向下及向右填滿公式，即可看到如下圖 SUMIFS 的計算結果。

	產品A	產品B	產品C	產品D
王文軒	72,480	921,200	1,001,500	1,498,880
古進雄	1,013,280	1,046,000	1,145,500	797,440
何希均	259,560	513,400	977,000	1,190,720
吳驍君	415,920	1,000,000	3,902,250	1,681,760
李玲娟	1,306,200	1,149,200	2,721,250	964,480
汪九祥	1,234,080	1,443,600	3,581,000	747,840
林大明	116,040	237,600	-	1,762,720
林坤池	324,840	1,739,000	151,250	2,390,560
張世凱	-	1,228,600	1,091,000	1,270,880
陳姿青	797,520	1,725,800	2,196,750	660,480
黃乙銘	433,800	2,799,600	1,326,500	1,016,000
楊柏森	-	-	-	-
趙偉柏	1,177,920	1,599,800	1,896,250	1,198,880
蔡玲玲	393,000	794,800	2,379,500	627,520

05 若要計算交易筆數，請在「COUNTIFS 實務應用」工作表中的 M6 儲存格中輸入「=COUNTIFS(業務員 ,$K6, 銷售產品 ,L$5, 銷售日期 ,">=2012/1/1", 銷售日期 ,"<=2012/12/31", 銷售地區 ," 台 *")」，按下 Enter 鍵，自 M6 儲存格向下及向右填滿公式，即可看到如下圖 COUNTIFS 的計算結果。

	產品A	產品B	產品C	產品D
王文軒	1	3	3	7
古進雄	4	2	3	3
何希均	1	2	2	4
吳驍君	3	2	7	6
李玲娟	6	2	6	4
汪九祥	4	4	7	3
林大明	1	1	-	7
林坤池	1	5	1	9
張世凱	-	4	2	5
陳姿青	5	4	4	2
黃乙銘	2	8	3	3
楊柏森	-	-	-	-
趙偉柏	5	4	3	4
蔡玲玲	2	2	5	2

■ 公式說明

▶ =SUMIFS(銷售金額 , 業務員 ,$K6, 銷售產品 ,L$5, 銷售日期 ,">=2012/1/1", 銷售日期 ,"<=2012/12/31", 銷售地區 ," 台 *")

銷售金額：此為**名稱**，意指要加總的欄位；也可以打成「$I$2:$I$2371」，必須是絕對位址，以免公式向右及向下填滿時，產生位移的現象。

業務員：此為**名稱**，第 1 個條件比對的範圍，也可以打成「$C&2:$C$2371」，必須是絕對位址。

$K6：第 1 個條件，用 K6 儲存格中的內容（王文軒）當作比對的條件，必須是鎖住 K 欄的混合位址，以免公式向右填滿時，產生位移現象。

銷售產品：此為**名稱**，第 2 個條件比對的範圍，也可以打成「$E$2:$E$2371」。

L$5：第 2 個條件，用 L5 儲存格中的內容（產品 A）當作比對的條件，必須是鎖住第 5 列的混合位址，以免公式向下填滿時，產生位移現象。

銷售日期：此為**名稱**，第 3 個條件比對的範圍，也可以打成「$A$2:$A$2371」，必須是絕對位址。

">=2012/1/1"：第 3 個條件。

銷售日期：此為**名稱**，第 4 個條件比對的範圍，也可以打成「$A$2:$A$2371」，必須是絕對位址。

"<=2012/12/31"：第 4 個條件。

銷售地區：為**名稱**，第 5 個條件比對的範圍，也可以打成「$G$2:$G$2371」，必須是絕對位址。

" 台 *"：第 5 個條件。

▶ =COUNTIFS(業務員 ,$K6, 銷售產品 ,L$5, 銷售日期 ,">=2012/1/1", 銷售日期 ,"<=2012/12/31", 銷售地區 ," 台 *")

由於 COUNTIFS 只比 SUMIFS 少了第一個引數，其餘引數完全相同，因此請參考前述 SUMIFS 的説明。

Tips

函數中引數用到的名稱，最好不要用人工的方式輸入，有時會發生打錯字導致無法計算的現象，最好用下列方法來插入名稱：

輸入公式「=SUMIFS(」之後，在**公式**索引標籤 / **已定義之名稱**群組 / **用於公式**的清單中，點選「銷售金額」即可將此名稱插入到公式中。

SUMIFS+ 運算列表的實務應用

前面小節介紹的是利用 SUMIFS 獨立完成條件式加總的計算，如果想要配合運算列表的功能來完成計算，公式應該怎麼設定呢？其實很簡單，例如，我們要製作每位業務員在 2012 年，針對各種產品的銷售金額統計表，請參考下列操作步驟：

01 請先開啟 \ 範例檔 \ 第 5 章範例 \ 5.1.6 函數與資料庫分析 .xlsx\「SUMIFS 運算列表」工作表，建置完成如下圖右方 W3:AA17 的報表架構。

02 點選資料庫中的任一儲存格，按下 Ctrl+A 選取整個資料庫。

03 點按**公式**索引標籤 / **已定義之名稱**群組 / **從選取範圍建立**，並在**以選取範圍建立名稱**對話方塊中，勾選「頂端列」，按下**確定**。

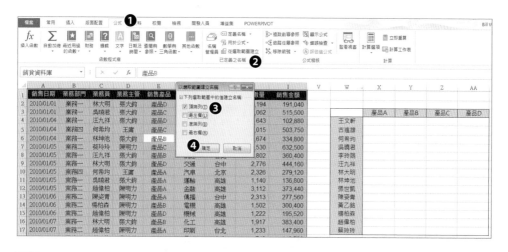

04 在 W3 儲存格中輸入公式「=SUMIFS(銷售金額 , 業務員 ,W2, 銷售產品 ,W1, 銷售日期 ,">=2012/1/1", 銷售日期 ,"<=2012/12/31", 銷售地區 ," 台 *")。

05 選取 W3:AA17 儲存格範圍，點按**資料**索引標籤 / **資料工具**群組 / **模擬分析**，在**運算列表**對話方塊中的**列變數儲存格**方塊中點按一下，點選 W1 儲存格；在**欄變數儲存格**方塊中點按一下，點選 W2 儲存格，按下**確定**。

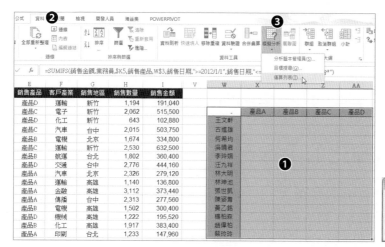

06 完成之後的銷售金額統計表如下圖所示。

	=SUMIFS(銷售金額,業務員,W2,銷售產品,W1,銷售日期,">=2012/1/1",銷售日期,"<=2012/12/31",銷售地區,"台*")

H	I	V	W	X	Y	Z	AA	AB	AC
銷售數量	**銷售金額**								
1,194	191,040								
2,062	515,500			產品A	產品B	產品C	產品D		
643	102,880		王文軒	72,480	921,200	1,001,500	1,498,880		
2,015	503,750		古進雄	1,013,280	1,046,000	1,145,500	797,440		
1,674	334,800		何希均	259,560	513,400	977,000	1,190,720		
2,530	632,500		吳曉君	415,920	1,000,200	3,902,250	1,681,760		
1,802	360,400		李玲娟	1,306,200	1,149,200	2,721,250	964,480		
2,776	444,160		汪九祥	1,234,080	1,443,600	3,581,000	747,840		
2,326	279,120		林大明	116,040	237,600	-	1,762,720		
1,140	136,800		林坤池	324,840	1,739,000	151,250	2,390,560		
3,112	373,440		張世凱	-	1,228,600	1,091,000	1,270,880		
2,313	277,560		陳姿青	797,520	1,725,800	2,196,750	660,480		
1,502	300,400		黃乙銘	433,800	2,799,600	1,326,500	1,016,000		
1,222	195,520		楊柏森						
1,917	383,400		越偉柏	1,177,920	1,599,800	1,896,250	1,198,880		
1,233	147,960		蔡玲玲	393,000	794,800	2,379,500	627,520		

■ W3 儲存格中的公式說明

=SUMIFS(銷售金額 , 業務員 ,W2, 銷售產品 ,W1, 銷售日期 ,">=2012/1/1", 銷售日期 , "<=2012/12/31", 銷售地區 ," 台 *")

公式中的紅字 W2 以及 W1 是最應該注意之處。運算列表在執行時，會將**列變數**（產品 A、產品 B ……）帶到一指定的儲存格（W1）中去配合公式交叉計算；也會將**欄變數**（王文軒、古進雄……）帶到另一指定的儲存格（W2）中去配合公式交叉計算，這兩個儲存格必須由我們自己來指定，而這兩個儲存格的位置可以是工作表中任意兩個空白儲存格，因此，我們在此公式中指定的兩個儲存格就是 W1 以及 W2。

5.2 報表自動化的函數應用

雖然**下拉式選單**可以協助資料的輸入，但是未必每一種報表都適合使用下拉式選單的方式來輸入資料。因此，除了下拉式選單之外，實務上最常用的自動化方式，就是透過**查詢函數**來填入想要的資料；在報表自動化輸入資料的過程中，**查詢函數**也的確扮演著舉足輕重的角色。

查詢函數被 Excel 歸類在「檢視與參照」的函數類別中，常用的查詢函數包括了 VLOOKUP、HLOOKUP、LOOKUP、INDEX+MATCH、OFFSET，本節將針對重要且常用的函數來作介紹。

實務上會因為查詢條件或報表格式的不同而使用不同的查詢函數，我們將逐一介紹這些常用查詢函數的使用時機和技巧，俾便讀者能熟練應用在實務上。

我們會使用函數的原型作為解決問題的主軸，盡量避免函數還要經過複雜的加工，才能處理資料的查詢比對。

5.2.1 VLOOKUP 的應用－簡易查表

VLOOKUP 是實務上最常使用的查詢函數之一，在一般報表的查表作業中，都會用到這個函數，但是面對不同的查詢對象，VLOOKUP 未必都能直接解決查表上的問題，這是我們必須事先要了解到的。

VLOOKUP 的語法

原型：VLOOKUP(lookup_value, table_array, col_index_num, [range_lookup])
說明：VLOOKUP(用來比對的資料 , 被比對的資料範圍 , 指定的欄位 ,[比對的方式])

■ 函數的引數說明

▶ lookup_value：查詢值，即用來比對的資料。 可以是「" 產品 A"」或「100」或儲存格位址「E2」。

▶ table_array：表格陣列，即**被比對的資料範圍**，可以是儲存格位址（例如「I3:J6」），也可以是名稱（例如「對照表」）。

▶ col_index_num：指定的欄位，是指「要找的資料，在**被比對資料範圍**中的第幾個欄位」，必須用人工輸入 2、3、4…的數字，一般都是從 2 起跳，不可能輸入 1，因為第 1 欄中，一定是被比對的資料欄，而非要回傳的資料欄。

▶ range_lookup：比對的方式，為邏輯值 FALSE 或 TRUE，非必要的引數。如果要採取嚴格的比對方式，就請輸入 FALSE（或 0）表示**完全符合**，VLOOKUP 將會傳回精確值；如果要用較寬鬆的比對方式，就請輸入 TRUE（或 1，或省略不打），就表示**大約符合**，VLOOKUP 將會傳回小於或等於**查詢值**的近似值，但是，被比對的資料必須**由小到大排序**。

下圖是一個資料庫「單價」欄位的輸入，希望能根據 E 欄中的銷售產品名稱，到右方 I3:J6 的**對照表**去找到並自動填入各產品對應的單價。

	A	B	C	D	E	F	G	H	I	J
1	銷售日期	業務員	業務部門	性別	銷售產品	銷售數量	單價			
2	2014/3/1	王文軒	業務三	男	產品C	1,880			產品名稱	單價
3	2014/3/2	古進雄	業務一	男	產品B	3,260			產品A	768
4	2014/3/3	何希均	業務一	男	產品C	680			產品B	1,235
5	2014/3/7	吳曉君	業務一	男	產品A	2,160			產品C	1,150
6	2014/3/8	李玲娟	業務三	男	產品A	870			產品D	1,680
7	2014/3/8	汪九祥	業務三	男	產品D	1,750				
8	2014/3/9	林大明	業務四	男	產品A	940				
9	2014/3/9	林坤池	業務一	男	產品B	1,180				
10	2014/3/10	張世凱	業務三	男	產品C	550				
11	2014/3/11	陳姿青	業務四	男	產品D	1,450				

01 開啟 \ 範例檔 \ 第 5 章範例 \ 5.2 重要的查詢函數 .xlsx\「VLOOKUP 簡易查表」工作表。

02 建立被比對資料的名稱。選取 I3:J6 的範圍，點按公式索引標籤 / 已定義之名稱群組 / 定義名稱，在新名稱對話方塊中輸入「對照表」，按下確定。

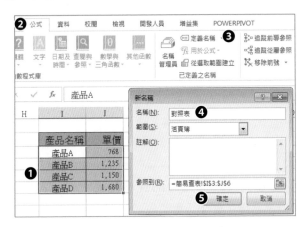

03 在 G2 儲存格中輸入「=VLOOKUP(E2, 對照表 ,2,FALSE)」，按下 Enter 鍵。

	E	F	G	H	I	J
	銷售產品	銷售數量	單價			
	產品C	1,880	=VLOOKUP(E2,對照表,2,FALSE)			單價
	產品B	3,260			產品A	768
	產品C	680			產品B	1,235
	產品A	2,160			產品C	1,150
	產品A	870			產品D	1,680

04 向下填滿公式，即可看到如圖的結果。

	E	F	G	H	I	J
	銷售產品	銷售數量	單價			
	產品C	1,880	1,150		產品名稱	單價
	產品B	3,260	1,235		產品A	768
	產品C	680	1,150		產品B	1,235
	產品A	2,160	768		產品C	1,150
	產品A	870	768		產品D	1,680
	產品D	1,750	1,680			
	產品A	940	768			
	產品B	1,180	1,235			
	產品C	550	1,150			
	產品D	1,450	1,680			

■ 公式說明

=VLOOKUP(E2, 對照表 ,2,FALSE)

▶ 第一個引數「E2」：用 E2 儲存格中的「產品 C」去作比對。

▶ 第二個引數「對照表」：這是事先建立好的**名稱**，為**被比對的資料範圍**，也可以直接輸入 I3:J6。

▶ 第三個引數「2」：要找的單價是在對照表的第 2 欄中。

▶ 第四個引數「FALSE」：產品名稱必須**完全符合**對照表中的名稱，也可以打「0」（零）。

▶ Excel 會用 lookup_value（查詢值）與**被比對的資料範圍**中第 1 欄的內容去作比對。如果找不到相同的值，將會傳回錯誤值 #N/A。

▶ 必須預先建立**被比對的資料範圍**（I2:J6），而且最少要有兩欄以上的內容，第 1 欄中必須是**被比對的資料**；第 2 欄則是**要回傳的資料**。

▶ 如果 range_lookup 為 FALSE 或 0，而且 lookup_value 為文字型態的資料，就可以使用萬用字元 問號「?」或星號「*」。

5.2.2 LOOKUP 的應用－簡易查表

當被比對的資料不是在對照表第 1 欄的位置（如下圖 I2:J6 的對照），VLOOKUP 將回傳 #N/A 的錯誤值，您可能會問：「實務上不可能用這樣的欄位順序來建置對照表呀！豈不是自找麻煩？」。其實，我們常會用別人做好的報表來當作查詢的對象，別人報表中的欄順序，我們是無法掌控的，因為我們不能隨便去更動他人報表欄位的順序，所以才可能會發生這樣的清況。

此時 VLOOKUP 函數就不能用了，下圖即是當 J 欄中的產品名稱被置於對照表的第 2 欄時（第 1 欄是**單價**），VLOOKUP 產生的錯誤值 #N/A。

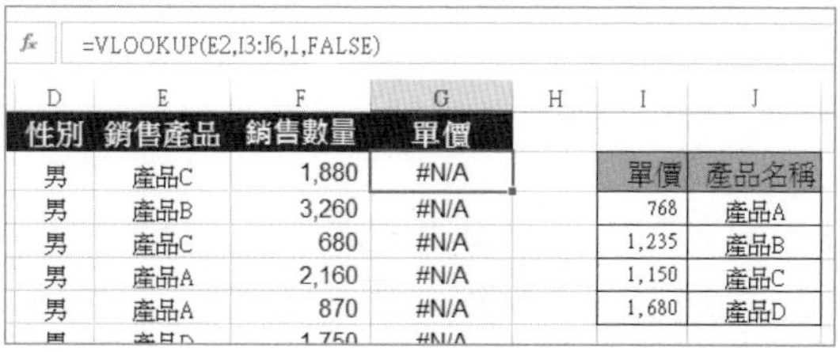

取而代之的將會是 LOOKUP 或者 INDEX+MATCH；本節要介紹的是 LOOKUP 在此情況下的用法。

LOOKUP 有向量式與陣列式兩種用法。微軟並不建議我們使用陣列式來查詢資料，是什麼原因呢？其實陣列式的用法並不困難，但是我們也實在看不出來陣列式用法的好處在哪裡。所以我們僅針對向量式的用法加以說明。

LOOKUP（向量式）函數的語法

原型：LOOKUP(lookup_value, lookup_vector, [result_vector])

說明：LOOKUP (查詢值 , 查詢向量 , [結果向量])

■ 函數的引數說明

▶ lookup_value：查詢值，即用來比對的資料；可以是數字、文字、邏輯值、名稱或儲存格位址。

▶ lookup_vector：查詢向量，即被比對的範圍；必須是單欄或單列的範圍。請注意，lookup_vector 必須以遞增排序，否則將傳回錯誤值。

▶ result_vector：結果向量，即提供回傳資料的範圍，必須是單欄或單列的範圍。result_vector 範圍的大小必須與 lookup_vector 相同。本引數在原型中是屬於選擇性的，但是實務上一定會用到此引數，而非選擇性的用法。

▶ LOOKUP 會傳回小於或等於 lookup_value 的最大值。

了解 LOOKUP 的語法之後，請開啟 \ 範例檔 \ 第 5 章範例 \ 5.2 重要的查詢函數 .xlsx\「LOOKUP 簡易查表」工作表。

我們在下圖 G2 儲存格輸入「=LOOKUP(E2,$J$3:$J$6,$I$2:$I$6)」，按下 Enter 鍵，再向下填滿公式即可。

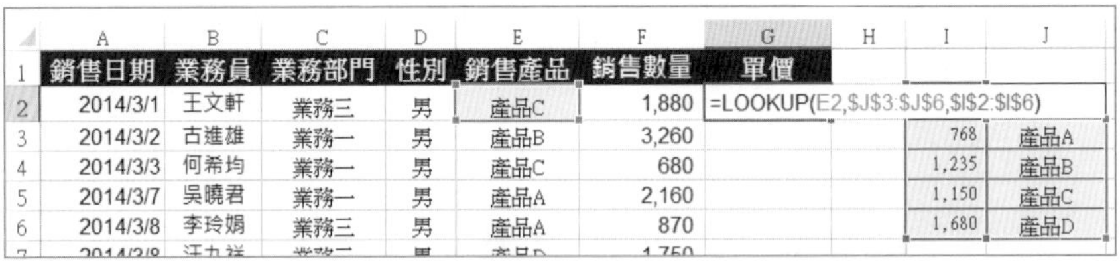

	A	B	C	D	E	F	G	H	I	J
1	銷售日期	業務員	業務部門	性別	銷售產品	銷售數量	單價			
2	2014/3/1	王文軒	業務三	男	產品C	1,880	=LOOKUP(E2,$J$3:$J$6,$I$2:$I$6)			
3	2014/3/2	古進雄	業務一	男	產品B	3,260			768	產品A
4	2014/3/3	何希均	業務一	男	產品C	680			1,235	產品B
5	2014/3/7	吳曉君	業務一	男	產品A	2,160			1,150	產品C
6	2014/3/8	李玲娟	業務三	男	產品A	870			1,680	產品D
7	2014/3/9	汪九祥	業務二	男	產品B	1,750				

此處要注意的是 I3:I6 的數字一定要由小到大排序，LOOKUP 才會帶出正確的結果。一般而言，實務上除非因為 VLOOKUP 無法應付查詢的需求，否則是不會用 LOOKUP 來執行查表作業的。

VLOOKUP 與 LOOKUP 共同的問題

當面對「有級距的數值比對，而且確認被比對的數字已經**由小到大排序**」時，不論 VLOOKUP 或者 LOOKUP 都可以用來完成查詢的工作。以下圖為例，A 欄中是由小到大排列的數字，此時要依據 D2 中的「850000」到 A2:B12 的範圍中，查詢其對應的獎金比例。在 E2 儲存格中使用下列兩種公式之一，都可以正確找到對應的獎金比例 4.5%：

=VLOOKUP(D2,A2:B12,2)

=LOOKUP(D2,A2:A12,B2:B12)

▲	A	B	C	D	E	F
1	業績標準	獎金比例		業績	獎金比例	獎金
2	99999	0.0%		850000		
3	100000	1.0%				
4	200000	1.5%				
5	300000	2.0%				
6	400000	2.5%				
7	500000	3.0%				
8	600000	3.5%				
9	700000	4.0%				
10	800000	4.5%				
11	900000	5.0%				
12	1000000	5.5%				

看起來上述的查詢公式都沒有問題，但是，如果 A 欄中的數字是由大到小排序時，不論 VLOOKUP 或者 LOOKUP 傳回 0 值的錯誤結果，下圖就是這樣的情況。

▲	A	B	C	D	E	F
14						
15	業績標準	獎金比例		業績	獎金比例	獎金
16	1000000	5.5%		850000	0	
17	900000	5.0%				
18	800000	4.5%				
19	700000	4.0%				
20	600000	3.5%				
21	500000	3.0%				
22	400000	2.5%				
23	300000	2.0%				
24	200000	1.5%				
25	100000	1.0%				
26	99999	0.0%				

為什麼會變成 0 的結果呢？面對「大約符合」式的查詢，A 欄中的數字必須由小到大排序，所以，當此二函數拿 D2 中的 850000 去和 A 欄中的數字比對時，第一個碰到的數字就是 1000000，而它們認定 A 欄中的數字是由小到大排序方式，因此當它們碰到的第一個比對數字是 1000000，就認為不必再向下比對了，於是就去比對 A16 上一格的數字，由於 A15 中是文字「業績標準」，會被視為 0，其右邊 B15 中

也是文字「獎金比例」，也會被視為 0；因此，VLOOKUP 或者 LOOKUP 就會擷取 B15 儲存格中的 0，並傳回到 E16 儲存格中。

5.2.3 INDEX+MATCH 函數的威力

面對**由大到小排序**而且**有級距數字**的比對，最常用的解法，應該就是使用 INDEX+MATCH 來解了，MATCH 負責定位，INDEX 負責抓資料。

MATCH 是重要的函數，單獨使用這個函數意義不大，一般都會結合其他查詢函數來使用，才能發揮 MATCH 和查詢函數的威力。INDEX 更是報表自動化不可缺少的函數，它能搭配 MATCH 來抓取單欄中的資料，也可以抓取大範圍或多範圍中的資料。

請開啟 \ 範例檔 \ 第 5 章範例 \ 5.2 重要的查詢函數 .xlsx\「有級距的數值查詢」工作表。

MATCH 函數

MATCH 會比對儲存格範圍（範圍：工作表上的兩個或多個儲存格。範圍中的儲存格可以相鄰或不相鄰）中的指定項目，並傳回該項目位於儲存格範圍中的第幾列。

原型：MATCH(lookup_value, lookup_array, [match_type])
說明：MATCH(查詢值 , 被比對的陣列 , 比對的方式)

■ 函數的引數說明

▶ lookup_value：查詢值，即用來比對的資料。可以是數字、文字、邏輯值、名稱或儲存格位址。

▶ lookup_array：被比對的資料範圍，lookup_value 會到此範圍中去做比對。

▶ match_type：有三種表示方法。「0」、「1」或「-1」，如果省略此引數，MATCH 會採用「1」的預設值。

- 「0」：lookup_array 不需要排序，會找到與 lookup_value 完全相同的值。
- 「1」：lookup_array 必須由小到大排序，會找到小於或等於 lookup_value 的值。
- 「-1」：lookup_array 必須由大到小排序，會找到大於或等於 lookup_value 的值。

以下圖為例，想要知道「850000」是在 A16:A26 範圍中的第幾列。在 E16 儲存格中輸入公式「=MATCH(D16,A16:A26,-1)」，按下 Enter 即可傳回「2」，表示「850000」是在 A16:A26 範圍中的第 2 列。

由於 A16:A26 範圍中的數字是由大到小排列，所以最後一個引數使用了「-1」，
MATCH 會拿 850000 與 A16:A26 範圍中的數字比對，直到找到大於或等於 850000
的數字為止，因此就會停在 900000 這個數字上，而 900000 是在 A16:A26 範圍中的
第二列，所以得到「2」的回傳值。

如果只是得到「2」的回傳值，是沒有太大意義的，但是，如果再配合 INDEX 一起
來擷取特定的資料，回傳值「2」就變得很有用處了。

INDEX 函數

INDEX 會傳回指定範圍中，某一列或某一欄中的值；一般而言，INDEX 會依據
MATCH 函數傳回的列數或欄數，擷取單欄或多欄中的資料。

原型：INDEX(array, row_num, [column_num])
說明：INDEX(陣列 , 列數 ,[欄數])

■ 函數的引數說明

▶ array：陣列，可以是儲存格範圍或者名稱，INDEX 會在此範圍中擷取資料，例
如「=INDEX(B16:B26, ……)」。

▶ row_num： 列 數，INDEX 要 擷 取 的 值 在 array 中 第 幾 列。 例 如「=INDEX
(B16:B26, 5)」表示要擷取 B16:B26 中第 5 列的值，如果 array 只包含單欄的範
圍，就可以省略下一個引數 column_num。

▶ column_num：列數，INDEX 要擷取的資料在 array 中第幾欄。如果 array 只包含
單列的範圍，就可以省略上一個引數 row_num。例如「=INDEX(B3:H3, ,3)」表
示要擷取 B3:H3 中第 3 欄的值。

▶ 如果同時使用了 row_num 與 column_num，表示 INDEX 面對的是一個多欄多列的範圍；此時 INDEX 會傳回 row_num 與 column_num 交集儲存格中的值。例如「=INDEX(B3:H15,5 ,3)」表示要擷取 B3:H15 中第 5 列與第 3 欄的交集，即 D7 儲存格中的值。

如果要擷取大範圍中整列的資料，可以使用「=INDEX(B3:H15,5 ,)」表示要擷取 B3:H15 範圍中的第 5 列資料。但必須遵循**陣列公式**的規則：

1. 選取與 B3:H15 相同欄數的空白列，輸入公式「=INDEX(B3:H15,5 ,)」。
2. 按下 Ctrl+Shift+Enter，即可擷取 B3:H15 範圍中的第 5 列的資料。

了解 INDEX 的用法以後，再搭配 MATCH 函數，就可以輕鬆解決有級距數字的排序問題了。此時只要在下圖 F16 儲存格中輸入公式「=INDEX(B16:B26 ,MATCH(D16,A16:A26,-1))」，再按下 Enter 鍵，即可得到「0.05」的獎金比例，最後再將 0.05 改成「5.0%」的格式即可。

	A	B	C	D	E	F	G	H	P
14									
15	業績標準	獎金比例		業績	在第幾列	獎金比例			
16	1000000	5.5%		850000	2	=INDEX(B16:B26,MATCH(D16,A16:A26,-1))			
17	900000	5.0%							
18	800000	4.5%							
19	700000	4.0%							
20	600000	3.5%							
21	500000	3.0%							
22	400000	2.5%							
23	300000	2.0%							
24	200000	1.5%							
25	100000	1.0%							
26	99999	0.0%							

公式的演化過程如下：
=INDEX(B16:B26,MATCH(D16,A16:A26,-1))
=INDEX(B16:B26,2))
=5.0%

INDEX+MATCH－動態查表

這是一個多欄多列資料查詢的例子，我們可以從這個範例中，看到 INDEX 搭配 MATCH 的完整用法。

現在想要利用 B1 儲存格中的「台北市」以及 B2 儲存格中的「差旅費」，從「2014年第 1 季各地區費用明細表」找到對應的費用金額，並填入到 B3 儲存格中；同時希望能在 B1 以及 B2 儲存格中透過下拉式選單的切換，在 B3 儲存格中自動帶出對應的費用金額。

	A	B	C	D	E	F	G	H
1	地區	台北市						
2	科目	差旅費						
3	費用							
4								
5			2014年第1季各地區費用明細表					
6		台北市	新北市	桃園縣	台中市	台南市	高雄市	總計
7	員工薪資	16,890	7,000	8,330	17,220	3,810	23,700	76,950
8	辦公室租金	7,670	11,150	21,040	23,700	11,670	28,410	103,640
9	水電費	28,300	28,070	17,410	22,070	11,590	23,410	130,850
10	保險費	16,960	14,560	10,260	19,110	2,850	17,110	80,850
11	電話費	24,520	24,150	3,300	21,780	8,410	21,520	103,680
12	辦公用品	20,560	2,370	6,300	14,480	17,560	22,000	83,270
13	教育訓練	11,330	19,220	13,590	4,260	25,330	5,040	78,770
14	差旅費	15,630	5,110	21,220	3,700	9,110	2,070	56,840
15	交際費	23,410	10,560	12,630	27,070	20,150	18,260	112,080
16	雜項支出	18,890	22,410	17,780	18,410	4,780	3,480	85,750
17	廣告費	12,000	25,480	8,300	27,260	11,410	10,300	94,750
18	利息費用	10,330	18,190	20,040	4,560	22,480	19,850	95,450
19	費用總額	206,490	188,270	160,200	203,620	149,150	195,150	1,102,880

■ 操作步驟

我們將經由建立下拉式選單以及設定公式兩個步驟來完成自動化查詢的設計。

01 請開啟 \ 範例檔 \ 第 5 章範例 \ 5.2 重要的查詢函數 .xlsx\「動態查表」工作表。

02 點選 B1 儲存格，點按資料索引標籤 / 資料工具群組 / 資料驗證。

03 在資料驗證對話方塊中，點選儲存格內允許方塊中的「清單」，點按一下來源文字方塊，選取 B6:G6 的範圍，按下確定。

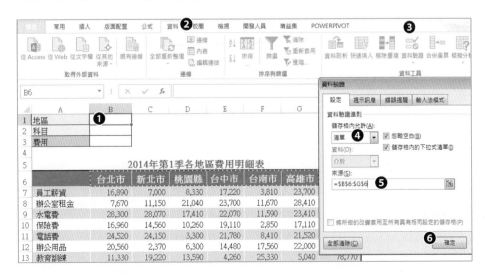

04 點選 B2 儲存格，點按**資料**索引標籤 / **資料工具**群組 / **資料驗證**。

05 在**資料驗證**對話方塊中，點選**儲存格內允許**方塊中的「清單」，點按一下**來源**文字方塊，選取 A7:A18 的範圍，按下**確定**。

06 分別在 B1 以及 B2 **選單中**，選取「台北市」與「教育訓練」項目。

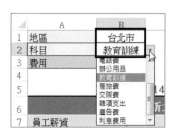

07 在 B3 儲存格中輸入公式「=INDEX(B7:G18,MATCH(B2,A7:A18,0),MATCH(B1,B6:G6,0))」，按下 Enter 鍵即可。以後只要透過 B1 及 B2 儲存格中的選單，就可以輕鬆地查閱不同地區的各項費用了。

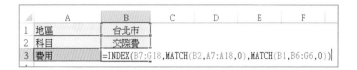

■ 公式說明

=INDEX(B7:G18,MATCH(B2,A7:A18,0),MATCH(B1,B6:G6,0))

▶ 第一個引數 B7:G18：請 INDEX 到此範圍中擷取數字。

▶ 第二個引數 MATCH(B2,A7:A18,0)：利用 B2 儲存格中的「交際費」到 A7:A18 的範圍中作比對，並傳回「交際費」在該範圍中第幾列的位置（傳回值為 7）。

▶ 第三個引數 MATCH(B1,B6:G6,0)：利用 B1 儲存格中的「台北市」到 B6:G6 的範圍中作比對，並傳回「台北市」在該範圍中第幾列的位置（傳回值為 1）。

▶ 最後公式變成了「=INDEX(B7:G18,7,1)」，INDEX 就會到 B7:G18 範圍中第 7 列第 1 欄的位置擷取數字。

INDEX+MATCH－重複資料的查詢

我們曾在第 3 章介紹過 DGET 函數面對重複資料時的比對與資料擷取。重複資料的查詢，往往是查詢函數的罩門，就算能解決問題，也要套用複雜的邏輯才能完成公式的設定，這對一般的使用者而言，總是有些難度存在。除了 DGET 函數之外，另外一個較簡單的方法就是使用 INDEX+MATH 再配合**陣列公式**的執行方式，來解決重複資料的比對問題。

請開啟 \ 範例檔 \ 第 5 章範例 \ 5.2 重要的查詢函數 .xlsx\「重複資料的查詢」工作表。以下圖為例，要拿 E2 與 F2 儲存格中的「B01」、「QA003」去跟 A 欄與 B 欄中的重複資料去作比對，以便找到 C 欄中的代碼。

	A	B	C	D	E	F	G
1	類別	資料	代碼		查詢類別	查詢資料	代碼查詢結果
2	A01	QA001	134		B01	QA003	
3	A01	QA002	568				
4	A01	QA003	107				
5	A01	QA004	438				
6	B01	QA001	612				
7	B01	QA002	636				
8	B01	QA003	905				
9	B01	QA004	852				
10	B01	QA005	118				
11	B01	QA006	846				
12	B01	QA007	130				
13	B01	QA008	181				
14	C01	QA001	301				
15	C01	QA002	445				

面對這樣的資料比對，我們可以在 G1 儲存格中輸入 =INDEX(C:C,MATCH(E2&F2, A:A&B:B,0))，按下 Ctrl+Shift+Enter 即可。

| G2 | | | ▼ | : | × | ✓ | fx | {=INDEX(C:C,MATCH(E2&F2,A:A&B:B,0))} |

▲	A	B	C	D	E	F	G	H
1	類別	資料	代碼		查詢類別	查詢資料	代碼查詢結果	
2	A01	QA001	134		B01	QA003	905	
3	A01	QA002	568					
4	A01	QA003	107					
5	A01	QA004	438					
6	B01	QA001	612					
7	B01	QA002	636					
8	B01	QA003	905					
9	B01	QA004	852					

■ 公式說明

=INDEX(C:C,MATCH(E2&F2,A:A&B:B,0))

▶ 第一個引數 C:C：到 C 欄中去擷取數字。

▶ 第二個引數 MATCH(E2&F2,A:A&B:B,0)：其中的「E2&F2」是將 E2 儲存格中的「B01」與 F2 儲存格中的「QA003」串接在一起使其成為「B01QA003」的長字串，再去跟「A:A&B:B」（A 欄串接 B 欄）的結果去作比較，再傳回所在位置的列數（傳回值為 7）。

▶ 必須按下 Ctrl+Shift+Enter 三個鍵，公式才能順利執行，INDEX 也才會逐筆的比對 A 欄串接 B 欄內容，如果只是按下 Enter，將回傳錯誤值「#VALUE!」。

▶ 執行之後的公式會成為「{=INDEX(C:C,MATCH(E2&F2,A:A&B:B,0))}」的結果，公式的前後都會套上大括號 { }。

多重範圍查表

絕大多數的查表作業，都是針對單一對照表的查找，在實務上也會看到多對照表的查找。以下圖為例，左邊的對照表是**平日售價**的表單，右邊則是**週末售價**的表單，不同時間有不同的折扣。

現在想要根據 E10、F10、G10 三個儲存格中的條件找到對應的產品售價，並希望三個條件的內容以**下拉式選單**的方式來呈現。當我們在 E10 儲存格中的選單中選取「週末售價」以及在 F10、G10 兩個儲存格中選取不同的賣場和產品時，在 H10 儲存格中就會依此條件自動顯示下圖右邊對照表中的某一個價格；如果在 E10 儲存格的選單中選取「平日售價」以及在 F10、G10 兩個儲存格中選取不同的賣場和產品時，在 H10 儲存格中就會依此條件自動顯示下圖左邊對照表中的某一個價格。

⊿	A	B	C	D	E	F	G	H	I	J	K	L	M
1		平日售價							週末售價				
2		A賣場	B賣場	C賣場	D賣場	E賣場			A賣場	B賣場	C賣場	D賣場	E賣場
3	產品A	6,000	5,800	5,700	6,500	5,600		產品A	4,800	4,640	4,560	5,200	4,480
4	產品B	4,200	4,300	4,000	4,500	4,150		產品B	3,360	3,440	3,200	3,600	3,320
5	產品C	3,000	2,990	3,300	3,100	3,500		產品C	2,400	2,392	2,640	2,480	2,800
6	產品D	2,100	1,990	2,000	2,350	2,200		產品D	1,680	1,592	1,600	1,880	1,760
7	產品E	3,650	3,700	3,550	3,500	3,450		產品E	2,920	2,960	2,840	2,800	2,760
8													
9													
10					週末售價	A賣場	產品C						

■ 操作步驟

要完成上述的設定，需包含下列幾個主要的設定項目：

▶ 設定 E10、F10、G10 三個儲存格中的下拉式選單。

▶ 分別建立**平日售價**和**週末售價**兩個表單的名稱。

▶ 使用 INDEX、MATCH 兩個函數來完成公式的設定。

01 開啟 \ 範例檔 \ 第 5 章範例 \ 5.2 重要的查詢函數 .xlsx\「多重範圍查表」工作表，點選 E10 儲存格，點按**資料**索引標籤 / **資料工具**群組 / **資料驗證**。

02 在**資料驗證**對話方塊中，點選**儲存格內允許**方塊中的「清單」，點按一下**來源**文字方塊，輸入「平日售價 , 週末售價」，按下**確定**。

03 點選 F10 儲存格，點按**資料**索引標籤 / **資料工具**群組 / **資料驗證**。

04 在**資料驗證**對話方塊中，點選**儲存格內允許**方塊中的「清單」，點按一下**來源**文字方塊，選取 B2:F2 的範圍，按下**確定**。

05 點選 G10 儲存格，點按**資料**索引標籤 / **資料工具**群組 / **資料驗證**。

06 在**資料驗證**對話方塊中，點選**儲存格內允許**方塊中的「清單」，點按一下**來源**文字方塊，選取 A3:A7 的範圍，按下**確定**。

07 選取 B3:F7 的範圍，點按**公式**索引標籤 / **已定義之名稱**群組 / **定義名稱**。在**新名稱**對話方塊中輸入名稱「平日售價」，按下**確定**。

08 選取 I3:M7 的範圍，點按**公式**索引標籤 / **已定義之名稱**群組 / **定義名稱**。在**新名稱**對話方塊中輸入名稱「週末售價」，按下**確定**。

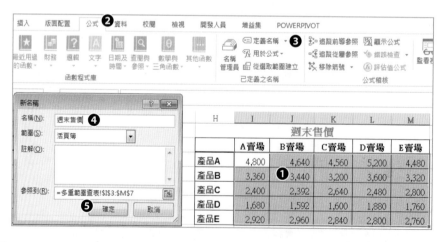

09 點選 H10 儲存格，輸入公式「=INDEX((平日售價 , 週末售價),MATCH(G10,H3:H7,0),MATCH(F10,I2:M2,0),IF(E10=" 平日售價 ",1,2))」，按下 Enter 鍵即可，爾後只要透過 E10、F10、G10 三個儲存格中的下拉式選單，就可以在兩個對照表之間，輕鬆查找所需的價格了。

	平日售價						週末售價				
	A賣場	B賣場	C賣場	D賣場	E賣場			A賣場	B賣場	C賣場	D賣場	E賣場
產品A	6,000	5,800	5,700	6,500	5,600		產品A	4,800	4,640	4,560	5,200	4,480
產品B	4,200	4,300	4,000	4,500	4,150		產品B	3,360	3,440	3,200	3,600	3,320
產品C	3,000	2,990	3,300	3,100	3,500		產品C	2,400	2,392	2,640	2,480	2,800
產品D	2,100	1,990	2,000	2,350	2,200		產品D	1,680	1,592	1,600	1,880	1,760
產品E	3,650	3,700	3,550	3,500	3,450		產品E	2,920	2,960	2,840	2,800	2,760

週末售價　D賣場　產品C　2480
平日售價
週末售價

■ INDEX 的第二種用法

本範例使用的是 INDEX 第二種用法（第一種用法請參考前面「5.2.3 INDEX+ MATCH 函數的威力」中針對 INDEX 引數的說明）。

原型：INDEX(reference, row_num, [column_num], [area_num])
說明：INDEX(參照的區域 , 列數 ,[欄數],[第幾個區域])

▶ reference：一個或多個參照的區域。如果是多個不連續的範圍，這些範圍的前後，必須加上小括號。如果參照的區域只有一個範圍，那麼用法就和 Array 的方式相同。

▶ row_num：INDEX 要擷取的值在 reference 中第幾列。

▶ column_num　INDEX 要擷取的值在 reference 中第幾欄。

area_num：參照的是幾個區域。以數字 1、2、3… 來表示，如果省略此引數，INDEX 會採用預設值 1。例如公式 =INDEX((平日售價 , 週末售價),3,2,1)) 表示要 INDEX 到第 1 個對照表「平日售價」（B3:F7）區域中的第 3 列第 2 欄去擷取數字。

■ 公式說明

=INDEX((平 日 售 價 , 週 末 售 價),MATCH(G10,H3:H7,0),MATCH(F10,I2:M2,0),IF (E10=" 平日售價 ",1,2))

▶ 第一個引數「(平日售價 , 週末售價)」：是指兩個不連續的**參照區域**，這裡用的是名稱，也可以打成「(B3:F7,I3:M7)」，兩個區域之間要用逗號隔開。

▶ 第二個引數「MATCH(G10,H3:H7,0)」：用 MATCH 到**參照區域**中去定位，將會傳回**參照區域**中對應的**列數**。

▶ 第三個引數「MATCH(F10,I2:M2,0)」：用 MATCH 到**參照區域**中去定位，將會傳回**參照區域**中對應的**欄數**。

▶ 第四個引數「IF(E10=" 平日售價 ",1,2)」：用 IF 來判斷，**參照區域**是在第 1 個區域（平日售價）或者第 2 個區域（週末售價）。

5.2.4 VLOOKUP+INDIRECT 展現威力

尚未提到陣列公式的觀念時，可能會覺得 VLOOKUP 不是太完美的查表函數，因為它有排序上的問題，以及面對兩度空間資料的查詢，VLOOKUP 總是有點應付不過來，尤其對於多範圍的兩度空間查表，更是如此。

但是如果面對單維度的多範圍查表，VLOOKUP+INDIRECT 的效率可不比 INDEX+MATCH 來得差！

以下圖為例，要用 VLOOKUP 依 B 中不同的獎別，自動到「董事長獎」或者「基本獎」兩個不同的獎項對照表中，找到該獎品的價值；此種查詢，就可以用 SUM 搭配 INDIRECT 函數來完成查表作業。

■ 操作步驟

`01` 開啟 \ 範例檔 \ 第 5 章範例 \ 5.2 重要的查詢函數 .xlsx\「VLOOKUP+INDIRECT」工作表。

`02` 建立名稱：選取 G2:H5 的範圍，建立名為「董事長獎」的名稱。

`03` 建立名稱：選取 G8:H11 的範圍，建立名為「基本獎」的名稱。

`04` 在 E2 儲存格中輸入「=VLOOKUP(D2,INDIRECT(B2),2,FALSE)」，按下 Enter，再向下填滿公式即可。

	A	B	C	D	E	F	G	H
1	得獎者姓名	獎別	部門	抽中獎品	價值		董事長獎	
2	王文軒	基本獎	業務三	獎品C	1,500		獎品A	5,000
3	古進雄	董事長獎	業務一	獎品B	8,000	❶	獎品B	8,000
4	何希均	基本獎	業務二	獎品C	1,500		獎品C	20,000
5	吳曉君	基本獎	業務一	獎品A	1,000		獎品D	35,000
6	李玲娟	基本獎	業務三	獎品A	1,000			
7	汪九祥	董事長獎	業務三	獎品D	35,000		基本獎	
8	林大明	基本獎	業務四	獎品A	1,000		獎品A	1,000
9	林坤池	基本獎	業務一	獎品B	1,200	❷	獎品B	1,200
10	張世凱	董事長獎	業務三	獎品C	20,000		獎品C	1,500
11	陳姿青	基本獎	業務四	獎品D	2,000		獎品D	2,000

5.3 小數處理函數

如果在財報中常看到因為小數問題所產生的後遺症，自己做的數字統計就是跟別人不一樣，數字始終不合，卻找不到問題所在，檢查來源資料又都沒有問題，這究竟是怎麼一回事？

大部份的問題都是來自於進位的方式出現不一致的情況，反倒不是公式出了問題，所以企業部門之間若能採用相同的小數進位或捨位的方式，大都可以避免因小數處理所生的問題。所以，在實務上應該要掌握幾個重要的小數處理函數，其中包括了 INT、ROUND、ROUNDUP、ROUNDDOWN、CEILING。

小數處理函數用法雖然都很簡單，但必須掌握使用的時機，在此將同時列舉其語法和常用的幾種做法。

5.3.1 ROUND 依指定的小數位數進位

依指定的小數位數來進位，並將數字四捨五入。

原型：ROUND (number, num_digits)
說明：ROUND(數值 , 小數位數)

■ 引數說明

▶ number：要處理的數值。

▶ num_digits：指定的小數位數。使用數值 0、1、2、⋯-1、-2⋯來表示；0 代表取整數；1 代表保留 1 位小數位；-1 代表讓個位數歸 0，其餘依此類推。

▶ ROUND 會自動四捨五入進位。

■ 應用範例

=ROUND (100.36, 0) =100

=ROUND (100.36, 1) =100.4

=ROUND (100.475, 2) =100.48

=ROUND (21.5, -1) =20

=ROUND (1123, -3) =1000

5.3.2 ROUNDUP 無條件進位

依指定的小數位數，將數值無條件進位。

原型：ROUNDUP (number, num_digits)

說明：ROUNDUP(數值 , 小數位數)

■ 引數說明

與 ROUND 相同。

■ 應用範例

= ROUNDUP (100.31, 1) =100.4

= ROUNDUP (100.425, 0) =101

= ROUNDUP (21.5, -1) =30

= ROUNDUP (1123, -3) = 2000

99 顆蘋果 6 個一盒，需要幾個包裝盒？

=ROUNDUP (99/6, 0) =17

5.3.3 ROUNDDOWN 無條件捨位

依指定的小數位數，將數值無條件捨位。

原型：ROUNDDOWN (number,num_digits)

說明：ROUNDDOWN(數值 , 小數位數)

■ 引數說明

與 ROUND 相同。

■ 應用範例

=ROUNDDOWN (100.999,0)=100

=ROUNDDOWN (100.999, 1) =100.9

=ROUNDDOWN (21.5, -1) =20

=ROUNDDOWN (1123, -3) = 1000

■ INT 取整數

以不進位的方式捨去所有的小數。

原型：INT (number)

説明：INT(數值)

■ 應用範例

=INT (100.9) = 100

=INT (100.012) = 100

5.3.4 實務應用

了解幾個小數函數的基本用法之後，我們以下圖中的台幣與美元之間的換算為例，來比較不同小數處理函數之間的差異；請開啟 \ 範例檔 \ 第 5 章範例 \ 5.3 小數處理 .xlsx\「小數進位」工作表。

	A	B	C	D	E	F	G	H	I
1	數量	單價(台幣)	單價(美元)	總價(台幣)	總價(美元)	ROUND	ROUNDUP	ROUNDDOWN	INT
2	1,847	302	10.136	557,794	18,721.060581	18,721.0	18,722.0	18,721.0	18,721.0
3	5,441	214	7.182	1,164,374	39,079.509985	39,080.0	39,080.0	39,079.0	39,079.0
4	2,250	236	7.921	531,000	17,821.782178	17,822.0	17,822.0	17,821.0	17,821.0
5	2,129	175	5.873	372,575	12,504.614868	12,505.0	12,505.0	12,504.0	12,504.0
6	3,195	92	3.088	293,940	9,865.413660	9,865.0	9,866.0	9,865.0	9,865.0
7	5,362	237	7.954	1,270,794	42,651.250210	42,651.0	42,652.0	42,651.0	42,651.0
8	3,880	308	10.337	1,195,040	40,108.743078	40,109.0	40,109.0	40,108.0	40,108.0
9	2,296	299	10.035	686,504	23,040.912905	23,041.0	23,041.0	23,040.0	23,040.0
10	5,161	136	4.565	701,896	23,557.509649	23,558.0	23,558.0	23,557.0	23,557.0
11	4,848	153	5.135	741,744	24,894.915254	24,895.0	24,895.0	24,894.0	24,894.0
12	4,166	214	7.182	891,524	29,921.933210	29,922.0	29,922.0	29,921.0	29,921.0
13	5,392	283	9.498	1,525,936	51,214.499077	51,214.0	51,215.0	51,214.0	51,214.0
14	5,504	320	10.740	1,761,280	59,113.274039	59,113.0	59,114.0	59,113.0	59,113.0
15	4,488	303	10.169	1,359,864	45,640.677966	45,641.0	45,641.0	45,640.0	45,640.0
16	4,712	163	5.471	768,056	25,778.016446	25,778.0	25,779.0	25,778.0	25,778.0
17					463,914.113106	463,915.0	463,921.0	463,906.0	463,906.0
18						ROUND	ROUNDUP	ROUNDDOWN	INT
19					先加總再處理	463,914.0	463,915.0	463,914.0	463,914.0

圖中 E 欄是經過匯率計算的美元數字，右邊 F:I 欄都是針對 E 欄中的數字使用不同小數函數處理的結果，重點在於下方第 17 列藍色部份的數字與第 19 列黃色部份的數字之間的比較。我們可以很清楚的看出來，兩種顏色數字之間的差別；才不過十幾個數字就有這樣大的差異，如果資料量更大，累計的誤差也就更可觀了。所以，如果我們有必要採用相同的小數處理方式，如此一來，各部門之間的報表數字就會一致了。

第 17 列藍色部份的數字與第 19 列黃色部份的數字之間，為什麼會有如此大的差別呢？主要原因在於**處理小數之後再加總**或者是**加總之後再處理小數**，兩者之間處理小數的方法說明如下：

■ 處理小數之後再加總

F2:I16 中的數字都是先將 E 欄中的數字透過 ROUND、ROUNDUP、ROUNDDOWN 以及 INT 等函數來處理過之後得到的結果，並於 F17:I17（藍色範圍）中用 SUM 相加。

■ 加總之後再處理小數

至於黃色範圍 F19:I19 中的數字，都是利用 E17 的數字（先加總過 E2:E16 的數字），配合 ROUND、ROUNDUP、ROUNDDOWN 以及 INT 等函數來處理過之後得到的結果。

因此，可以得知，報表之間數字的差異，往往都是因為處理小數的先後順序，以及使用的函數不同所造成。所以，只要訂出一種符合需求的計算策略，供各部門遵循，就可以避免計算結果的差異了。

5.3.5 CEILING 倍數進位

企業 HR 部門針對年資的計算，常會碰到小數進位的問題。因為計算年資時，不滿半年要算半年的年資，超過半年不滿一年則要算成一年的年資，例如年資為 10.2 年時就要進位成 10.5 的年資，而 17.6 年就要進位成 18 年的年資，這種小數進位的方式，可用 CEILING 函數來處理。

原型：CEILING (number, significance)
說明：CEILING (數值 , 倍數基準)

CEILING 會傳回進位後的數字，進位到最接近倍數基準的數字。

■ 引數說明

▶ number：要處理的數值。
▶ significance：要捨入的倍數基準。

■ 應用範例

▶ 不論引數 number 為正值或負值，都是以絕對值增大的方向向上捨入。如果 number 是 significance 的倍數，則不進行捨入。例如：
=CEILING(15.2,3)=18
=CEILING (15, 3)=15 或 =CEILING (8.8, 2.2)=8.8

▶ 如果 number 和 significance 都為負值，則對值按遠離 0 的方向進行向下捨入。例如：=CEILING(-15.2,-3)= -18 或 =CEILING(-21,-5)=-25

▶ 如果 number 為負值，significance 為正值，將會按朝向 0 的方向進行向上捨入。例如：=CEILING(-15.2,3)= -15

5.3.6 CEILING 實務應用範例

如果想要知道員工自到職日期至今天為止的工作年資，以下圖 C2 儲存格的公式為例，可以寫成「=(TODAY()-C2)/365」，但是我們必須依照「不滿半年要算半年，超過半年不滿一年要算一年」的規則來調整計算的結果。

請開啟 \ 範例檔 \ 第 5 章範例 \ 5.3 小數處理 .xlsx\「CEILING 與年資計算」工作表。

	A	B	C	D
1	員工	到職日期	算到今天的年資	實際年資
2	員工A	2000/03/01	14.1	=CEILING(C2,0.5)
3	員工B	1988/12/15	25.4	25.5
4	員工C	2005/08/06	8.7	9.0
5	員工D	2010/07/14	3.8	4.0
6	員工E	2008/01/15	6.3	6.5

選取 D2:D6 的儲存格範圍，再輸入「=CEILING(C2,0.5)」，按下 Ctrl+Enter 鍵，即可完成年資的調整。

如果覺得分成兩欄來處理缺乏效率，您可省掉 D 欄的設定，直接在 C2 儲存格中，將公式寫成「=CEILING((TODAY()-C2)/365,0.5)」即可。

■ 公式說明

=CEILING((TODAY()-C2)/365,0.5)

▶ 第一個引數 TODAY()-C2：用 TODAY 函數抓到當天日期，再減掉到職日期，就可以得到工作總天數；除以 365 天之後，就可以求得工作年數。

▶ 第二個引數 0.5：以最接近 0.5 的倍數來進位。

5.4 函數在文字處理上的應用

Excel 提供了很多文字處理的函數，本節僅針對實務上常會遇到的文字處理問題，作一說明，並歸納成以下三個與文字函數相關的主題：

▶ 長字串的分割
▶ 文字的串接
▶ 文字的替換

5.4.1 長字串的分割

長字串的分割與拆解，會面臨到兩種字串的格式，一種是「字串之間有固定的分隔符號」，另外一種是「字串之間沒有固定的分隔符號」，這兩種分割方式不太一樣，以下將針對這兩種不同字串格式的分割作一說明。

有固定分隔符號的字串分割

實務上常用的「固定分隔符號」包括了：Tab 鍵、空白字元、逗號、分號、井號或其他分隔字元，下圖 A 欄數字與文字之間就是以**空白字元**來分隔。

分割字串的方法和使用的函數絕對不會只有一種，在此僅介紹實務上常用的手法。以右下圖 D 欄中的會計科目為例，若要將其中的數字和文字分割成兩欄，分別置於 E 欄與 F 欄之中，我們可以透過「資料剖析」或者文字函數來完成字串的分割，成為右下圖的結果。

	A	B	C	D	E	F
1	使用資料剖析			使用文字函數		
2	科目			科目	科目代號	科目名稱
3	1 資產			1 資產		
4	1-12 流動資產			1-12 流動資產		
5	110 現金			110 現金		
6	1101 庫存現金			1101 庫存現金		
7	1102 在途現金			1102 在途現金		
8	1103 零用金			1103 零用金		
9	111 銀行存款			111 銀行存款		
10	1110 銀行存款			1110 銀行存款		
11	1130 有價證券			1130 有價證券		
12	114 應收款項			114 應收款項		
13	1140 應收款項			1140 應收款項		
14	1141 應收票據			1141 應收票據		
15	1142 應收帳款			1142 應收帳款		
16	1143 備抵呆帳			1143 備抵呆帳		
17	120-123 存貨			120-123 存貨		
18	1200 存貨			1200 存貨		
19	1211 製成品			1211 製成品		

D	E	F
使用文字函數		
科目	科目代號	科目名稱
1 資產	1	資產
1-12 流動資產	1-12	流動資產
110 現金	110	現金
1101 庫存現金	1101	庫存現金
1102 在途現金	1102	在途現金
1103 零用金	1103	零用金
111 銀行存款	111	銀行存款
1110 銀行存款	1110	銀行存款
1130 有價證券	1130	有價證券
114 應收款項	114	應收款項
1140 應收款項	1140	應收款項
1141 應收票據	1141	應收票據
1142 應收帳款	1142	應收帳款
1143 備抵呆帳	1143	備抵呆帳
120-123 存貨	120-123	存貨
1200 存貨	1200	存貨
1211 製成品	1211	製成品

■ 使用資料剖析分割字串

資料剖析是專門用來分割內含固定分隔符號的長字串,或者用來轉換文字檔格式的資料庫,使其成為標準資料庫格式的內容。

請參考分割字串的操作步驟:

`01` 開啟 \ 範例檔 \ 第 5 章範例 \ 5.4 文字函數 .xlsx\「固定分隔符號字串分割」工作表。

`02` 選取 A3:A19 的儲存格範圍,點按**資料**索引標籤 \ **資料工具**群組 \ **資料剖析**;在**資料剖析精靈**對話方塊中,直接點按**下一步**。

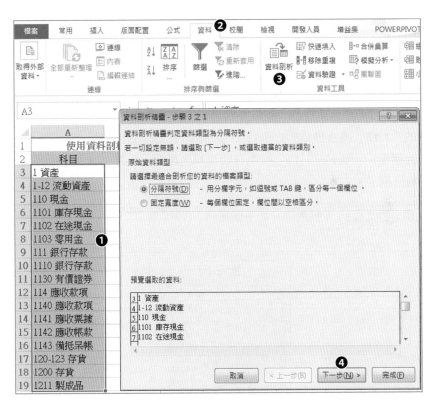

03 在左下圖**步驟 3 之 2** 對話方塊中，勾選「空格」核取方塊，按下**下一步**；接著在右下圖**步驟 3 之 3** 對話方塊中，點選「文字」，按下**完成**。

請注意：在**步驟 3 之 3** 對話方塊中，點選「文字」的目的，主要是針對 A4 儲存格中的字串「1-12」來做處理的，如果不點選「文字」而維持預設的選項「一般」，分割之後的「1-12」將會變成「1 月 12 日」，而非我們需要的「1-12」，原因是 Excel 在分割的過程中，會將「1-12」視為日期資料，點選「文字」之後，就不會將「1-12」視為日期了。

04 完成分割之後的 A 欄內容，如下圖所示。

	A	B
1	使用資料剖析	
2	科目	
3	1	資產
4	1-12	流動資產
5	110	現金
6	1101	庫存現金
7	1102	在途現金
8	1103	零用金
9	111	銀行存款
10	1110	銀行存款
11	1130	有價證券
12	114	應收款項
13	1140	應收款項
14	1141	應收票據
15	1142	應收帳款
16	1143	備抵呆帳
17	120-123	存貨
18	1200	存貨
19	1211	製成品

■ 使用文字函數分割字串

用來分割字串的函數，要看個人使用的習慣而定，常用的函數包括了：LEN、LENB、LEFT、RIGHT、MID、FIND 等函數。我們以下圖 D6 儲存格中的字串「1101 庫存現金」為例，分別說明這幾個常用函數的使用方法。

	D	E	F
1	使用文字函數		
2	科目	科目代號	科目名稱
3	1 資產		
4	1-12 流動資產		
5	110 現金		
6	1101 庫存現金		
7	1102 在途現金		

▶ LEN：傳回字串的長度（字元數）。

語法：LEN (text)

用法：LEN (D6)= 9（傳回 D6 儲存格中字串的長度 9）

▶ LENB：以 1 個中文字元算作 2 個英文字元的方式，傳回字串的長度。

語法：LENB (text)

用法：LENB (D6)= 13（傳回 D6 儲存格中字串的長度 13）

▶ LEFT：從字串左邊擷取指定的字數。

語法：LEFT(text, [num_chars])

用法：LEFT (D6,4)= "1101"（擷取 D6 儲存格最左邊的 4 個字元 "1101"）

▶ RIGHT：從字串右邊擷取指定的字數。

語法：RIGHT(text, [num_chars])

用法：RIGHT (D6,4)=" 庫存現金 "（擷取 D6 儲存格最右邊的 4 個字元「庫存現金」）

▶ MID：從字串的第幾個字開始擷取指定的字數。

語法：MID(text, start_num, num_chars)

用法：MID (D6,6,2)=" 庫存 "（從 D6 儲存格中第 6 個字起，擷取 2 個字元「庫存」）

▶ FIND：傳回指定字元在字串中第幾個字的位置。

語法：FIND(find_text, within_text, [start_num])

用法：FIND (" ",D6)= 5（空白字元位於 D6 儲存格中，第 5 個字的位置）

■ 設定公式

請分別在 E3 以及 F3 儲存格中輸入下列公式：

E3：LEFT(D3,FIND(" ",D3)-1)

F3：RIGHT(D3,LEN(D3)-FIND(" ",D3))

向下填滿公式之後，即可看到如下圖的結果：

	D	E	F
1		使用文字函數	
2	科目	科目代號	科目名稱
3	1 資產	1	資產
4	1-12 流動資產	1-12	流動資產
5	110 現金	110	現金
6	1101 庫存現金	1101	庫存現金
7	1102 在途現金	1102	在途現金
8	1103 零用金	1103	零用金
9	111 銀行存款	111	銀行存款
10	1110 銀行存款	1110	銀行存款
11	1130 有價證券	1130	有價證券
12	114 應收款項	114	應收款項
13	1140 應收款項	1140	應收款項
14	1141 應收票據	1141	應收票據
15	1142 應收帳款	1142	應收帳款
16	1143 備抵呆帳	1143	備抵呆帳
17	120-123 存貨	120-123	存貨
18	1200 存貨	1200	存貨
19	1211 製成品	1211	製成品

■ 公式說明

=LEFT(D3,FIND(" ",D3)-1)

▶ FIND(" ",D3)-1：用 FIND 找到 D3 儲存格中的空白字元所在的位置，將會傳回 2，再減去空白本身的長度 1，所以 FIND(" ",D3)-1=2-1=1。

▶ =LEFT(D3,1)：擷取 D3 儲存格最左邊的 1 個字元，所以將會傳回「1」，就是 D3 中的科目編號。

=RIGHT(D3,LEN(D3)-FIND(" ",D3))

▶ LEN(D3)-FIND(" ",D3)：將 D3 儲存格中字串的長度 4 減去 D3 儲存格中空白字元的位置 2，表示要擷取 D3 儲存格中最右邊的 2 個字元。

▶ =RIGHT(D3,LEN(D3)-FIND(" ",D3))= RIGHT(D3,2)=" 資產 "

Tips

如果想要檢查儲存格中的公式設定（如下圖所示），請點按公式索引標籤 / 公式稽核群組 / **顯示公式**，即可將所有的公式展現出來，再點按一次**顯示公式**即可取消公式的顯示。

無固定分隔符號的字串分割

實務上常會碰到**沒有固定分隔符號，而且字串長度不等**的字串，此時分割字串所用的函數中，函數 LENB 就很有用了；LENB 是將中文字元長度乘以 2，若再減掉 LEN 所計算出來的字串長度，得到的就是字串中**中文字的個數**。

開啟 \ 範例檔 \ 第 5 章範例 \ 5.4 文字函數 .xlsx\「無固定分隔符號字串分割」工作表。以下圖 A 欄中的會計科目為例，字串之間是沒有分隔符號的，公式的設定方法如下，並向下填滿公式即可。

B2：=LEFT(A2,LEN(A2)-(LENB(A2)-LEN(A2)))
C2：=RIGHT(A2,LENB(A2)-LEN(A2))

	A	B	C
1	會計科目	科目代號	科目名稱
2	1資產	1	資產
3	1-12流動資產	1-12	流動資產
4	110現金	110	現金
5	1101庫存現金	1101	庫存現金
6	1102在途現金	1102	在途現金
7	1103零用金	1103	零用金
8	111銀行存款	111	銀行存款
9	1110銀行存款	1110	銀行存款
10	1130有價證券	1130	有價證券
11	114應收款項	114	應收款項

■ 公式說明

=LEFT(A2,LEN(A2)-(LENB(A2)-LEN(A2)))

▶ LENB(A2)-LEN(A2)：LENB(A2) 傳回的字串長度為 5（中文字元乘以 2），LEN(A2) 傳回的字串長度為 3（中文和英數都視為 1 個字元），兩者相減得到 2，就是中文字元的字數。

▶ LEN(A2)-(LENB(A2)-LEN(A2))：再用 LEN(A2)=3 減掉中文字數 2，最後得到 1。

▶ =LEFT(A2,LEN(A2)-(LENB(A2)-LEN(A2)))：=LEFT(A2,1)="1"，最後利用 LEFT 從 A2 儲存格中擷取 1 個字元，就可得到科目編號「1」了。

5.4.2 文字的串接與格式設定

既能夠分割字串，當然也能串接文字。串接字串的方法，最簡單的就是用字串串接符號「&」（唸作 and）來連接儲存格內容；另外一種方法，是使用函數 CONCATENATE 來串接資料，兩者做出來的結果將會完全相同。

「&」與「CONCATENATE 函數」的應用

CONCATENATE 最多可以串接 255 個字串，其語法如下：

CONCATENATE(text1, [text2], ...)

任何經過串接的資料，不管是使用字串串接符號「&」或者函數 CONCATENATE 來串接資料，最後結果都將成為文字的格式。

請開啟 \ 範例檔 \ 第 5 章範例 \ 5.4 文字函數 .xlsx\「字串串接」工作表。

例如下圖中 D 欄的內容，是利用「&」與函數「CONCATENATE」兩種不同的方法來串接兩個字串所得到的結果：

D 欄中的結果，看起來都一樣，對吧！所以，相較之下，似乎用「&」來串接字串比較簡單些。

	A	B	C	D
1			用[&] 符號串接	
2	字串1	字串2	公式	串接之後的結果
3	1110	銀行存款	=A3&B3	1110銀行存款
4				
5	9000	2560	=A5&C5	90002560
6				
7	製表日期	2014/5/1	=A7&"："&C7	製表日期41760
8				
9			用CONCATENATE函數串接	
10	字串1	字串2	公式	串接之後的結果
11	1110	銀行存款	=CONCATENATE(A11,B11)	1110銀行存款
12				
13	9000	2560	=CONCATENATE(A13,B13)	90002560
14				
15	製表日期	2014/5/1	=CONCATENATE(A15,"：",B15)	製表日期：41760

比較特別的是 D7 以及 D15 儲存格中的結果「製表日期：41760」，由於中間多了一個冒號「：」，所以需要用到兩個「&」符號，公式就成了「=A7&"："&C7」以及「=CONCATENATE(A15,"：",B15)」。

另外，日期資料「2014/5/1」被串接之後，竟然變成了數字「41760」，而不是原來的日期格式，這是什麼原因呢？只要日期資料與別的資料串接，Excel 就一定會將日期轉換算成天數來呈現，因為從 1900/1/1 到 2014/5/1 一共經過了 41760 天，所以我們才會看到 41760 這個數字（有關 Excel 日期資料的說明，請參考「5.6 函數在日期處理上的應用」）。

要如何才能顯示正確的結果「製表日期：2014/5/1」呢？我們必須透過另外一個文字函數「TEXT」來做資料格式的轉換，才能得到想要的日期格式。

TEXT 函數與格式設定

TEXT 函數在實務上應用廣泛，它是專門用來將數值或日期轉換成文字並套用指定格式的函數，也可以說它是一個**客製化數值或日期格式**的函數。

■ TEXT 函數的語法

原型：TEXT(value，format_text)
說明：TEXT(數值 , 數字格式)

其中 format_text(數字格式) 必須套用雙引號「" "」。

■ 使用範例

請 開 啟 \ 範 例 檔 \ 第 5 章範 例 \ 5.4 文 字 函 數 .xlsx\「TEXT 函 數 」 工 作 表，並請參考下表中的公式設定，以及最後顯示的結果：

	A	B	C
1	數值	公式	顯示結果
2	85000	=TEXT(A2,"#,##0.0")	85,000.0
3	85000	=TEXT(A3,"$ #,##0")	$ 85,000
4	85000	=TEXT(A4,"新台幣 #,##0 元整")	新台幣 85,000 元整
5	85000	=TEXT(A5,"#,##0,")	85
6	85000	=TEXT(A6,"0%")	8500000%
7	26.75	=TEXT(A7,"0 ?/?")	26 3/4
8	2014/5/1 18:30:45	=TEXT(A8,"ee年mm月dd日")	103年05月01日
9	2014/5/1 18:30:45	=TEXT(A9,"yyyy年mm月dd日 aaa")	2014年05月01日 週四
10	2014/5/1 18:30:45	=TEXT(A10,"yyyy年mm月dd日 aaaa")	2014年05月01日 星期四
11	2014/5/1 18:30:45	=TEXT(A11,"hh:mm:ss")	18:30:45
12	2014/5/1 18:30:45	=TEXT(A12,"h:mm am/pm")	6:30 pm
13	2014/5/1 18:30:45	=TEXT(A13,"mmmm d dddd yyyy")	May 1 Thursday 2014
14	2014/5/1 18:30:45	=TEXT(A14,"g e年m月d日")	民國 103年5月1日
15	2014/5/1 18:30:45	=TEXT(A15,"ggg e年m月d日")	中華民國 103年5月1日

■ 可套用的格式說明

原則上可套用的數值格式或日期格式，可參考自訂

儲存格格式中的設定，但是，不能使用通配字元中的星號「＊」，也不能設定文字色彩（例如：[紅色]）。

m	將月份顯示為數字。
mm	將月份顯示為兩位數字。
mmm	將月份顯示為英文月份縮寫（Jan~Dec）。
mmmm	顯示完整英文月份（January ~December）。
mmmmm	將月份顯示為單一英文字母（J~D）。
d	將日期顯示為數字。
dd	將日期顯示為兩位數字。
ddd	將星期顯示為英文縮寫（Sun~ Sat）。
dddd	顯示完整英文星期（Sunday~Saturday）。
yy	將年份顯示為西元兩位數字。
yyyy	將年份顯示為西元四位數字。
e	將年份顯示為中華民國的年份數字。
g	顯示「民國」。

ggg	顯示「中華民國」。
aaa	顯示中文週幾（週一、週二、週三……）。
aaaa	顯示中文星期幾（星期一、星期二、星期三……）。
h	將小時顯示為數字。
[h]	顯示小時數超過 24 的數字。
hh	將小時顯示為兩位數字。格式中若包含 AM 或 PM，則會依照 12 小時制來顯示小時，否則小時將以 24 小時制表示。
m	將分鐘顯示為數字。 m 或 mm 必須緊接在 h 或 hh 代碼之後，或緊接在 ss 之前，否則 Excel 會顯示月份，而不是分鐘。
[m]	顯示分鐘數超過 60 的數字。
mm	將分鐘顯示為兩位數字。
s	將秒鐘顯示為數字。
[s]	顯示秒數超過 60 的數字。
ss	將秒鐘顯示為兩位數字。
AM/PM、am/pm、A/P、a/p	使用 12 小時制來顯示小時。上午的時間會在最後面加上 AM、am、A 或 a；下午的時間會在最後面加上 PM、pm、P 或 p。

在前一小節中，針對**字串**連接日期資料所產生的錯誤（如下圖中 D7 與 D15 儲存格的內容），現在就可以配合 TEXT 函數來顯示正確的日期格式了。

	A	B	C	D
1			用[&] 符號串接	
2	**字串1**	**字串2**	**公式**	**串接之後的結果**
3	1110	銀行存款	=A3&B3	1110銀行存款
4				
5	9000	2560	=A5&C5	90002560
6				
7	製表日期	2014/5/1	=A7&"："&C7	製表日期41760
8				
9			用CONCATENATE函數串接	
10	**字串1**	**字串2**	**公式**	**串接之後的結果**
11	1110	銀行存款	=CONCATENATE(A11,B11)	1110銀行存款
12				
13	9000	2560	=CONCATENATE(A13,B13)	90002560
14				
15	製表日期	2014/5/1	=CONCATENATE(A15,"：",B15)	製表日期：41760

在 D7 中輸入「=A7&"："&TEXT(B7,"YYYY/MM/DD")」。

在 D15 中輸入「=CONCATENATE(A15,"：",TEXT(B15,"YYYY/MM/DD"))」。

經過套用 TEXT 函數之後，在下圖 D7 與 D15 儲存格中，即可看到正確的日期格式：

	A	B	C	D
1			用[&]符號串接	
2	字串1	字串2	公式	串接之後的結果
3	1110	銀行存款	=A3&B3	1110銀行存款
4				
5	9000	2560	=A5&C5	90002560
6				
7	製表日期	2014/5/1	=A7&"："&TEXT(B7,"YYYY/MM/DD")	製表日期：2014/05/01
8				
9			用CONCATENATE函數串接	
10	字串1	字串2	公式	串接之後的結果
11	1110	銀行存款	=CONCATENATE(A11,B11)	1110銀行存款
12				
13	9000	2560	=CONCATENATE(A13,B13)	90002560
14				
15	製表日期	2014/5/1	=CONCATENATE(A15,"：",TEXT(B15,"YYYY/MM/DD"))	製表日期：2014/05/01

5.4.3 文字的替換

在信用卡帳單中看到像「4311XXXXXXXX7856」或是像「4311○○○○○○○○7856」這樣的卡號，這是將原來卡號中間的八個數字替換成特殊字元，以維護客戶的隱私。在 Excel 要怎麼做呢？

這又分成兩種情況，一種是「4311600374497856」這種格式的卡號（如下圖左邊 B 欄中的卡號）；另一種則是「4311-6003-7449-7856」中間夾有「-」連接符號的卡號（如下圖右邊 G 欄中的卡號），這兩種不同格式的卡號，處理方式是不一樣的。

對於第一種格式的卡號，可以用函數 REPLACE 來將卡號「4311600374497856」改變成為「4311XXXXXXXX7856」的結果；而對於中間夾有「-」連接符號的卡號「4311-6003-7449-7856」，反倒可以使用前面章節介紹過的文字函數 LEFT、RIGHT 再加上字串串接符號「&」，就可以完成替換的工作了。

	A	B	C	D	E	F	G	H	I
1	交易日期	信用卡卡號	卡別	刷卡金額		交易日期	信用卡卡號	卡別	刷卡金額
2	2014/03/18	4311600374497850	VISA	1,480		2014/03/18	4311-6003-7449-7856	VISA	1,480
3	2014/03/29	4311694641159950	VISA	4,121		2014/03/29	4311-6946-4115-9957	VISA	4,121
4	2014/03/05	5408998199189270	MASTER	7,068		2014/03/05	5408-9981-9918-9277	MASTER	7,068
5	2014/02/04	5408501241298620	MASTER	7,277		2014/02/04	5408-5012-4129-8625	MASTER	7,277
6	2014/01/19	5408399765934340	MASTER	9,404		2014/01/19	5408-3997-6593-4341	MASTER	9,404
7	2014/03/27	4311400546705580	VISA	5,900		2014/03/27	4311-4005-4670-5585	VISA	5,900
8	2014/02/18	4311289829713300	VISA	1,379		2014/02/18	4311-2898-2971-3303	VISA	1,379
9	2014/01/18	4311516085487790	VISA	7,704		2014/01/18	4311-5160-8548-7799	VISA	7,704
10	2014/01/26	5408152783826380	MASTER	4,621		2014/01/26	5408-1527-8382-6387	MASTER	4,621

■ REPLACE 函數的語法

原型：REPLACE(old_text, start_num, num_chars, new_text)

說明：REPLACE(舊字串 , 起始位置 , 字串長度，新字串)

■ 引數說明

old_text：原來的舊字串。

start_num：從舊字串的第幾個字開始取代。

num_chars ：要取代的字數。

new_text ：新字元的內容。

無連接符號的文字替換

我們必須在一空白的範圍中設定公式，再將取代完成的結果，複製回 B 欄中。

`01` 開啟 \ 範例檔 \ 第 5 章範例 \ 5.4 文字函數 .xlsx\「文字的替換」工作表。

`02` 在 B12 儲存格中輸入公式「=REPLACE(B2,5,8,"XXXXXXXX")」，再依原資料筆數向下填滿公式，如左下圖所示。

`03` 接著，按下 Ctrl+C，再到 B2 儲存格，點按**檔案**索引標籤 / **貼上** / **值**，再將 B12 以下的內容刪除即可，如右下圖所示。

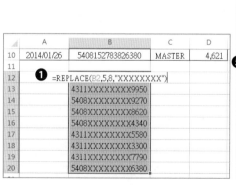

有連接符號的文字替換

針對連接符號的文字，不能直接用 REPLACE 函數來做文字的替換。由於只是取代字串中間固定長度的數字，所以我們改用函數 LEFT、RIGHT 以及串接符號「&」，即可完成字串的取代。

01 在 G12 儲存格中輸入「=LEFT(G2,4)&"-XXXX-XXXX-"&RIGHT(G2,4)」，再依原資料筆數向下填滿公式。

02 按下 Ctrl+C，再到 G2 儲存格，點按**檔案**索引標籤 / **貼上** / **值**，再將 G12 以下的內容刪除即可。

	F	G	H	I
1	交易日期	信用卡卡號	卡別	刷卡金額
2	2014/03/18	4311-6003-7449-7856	VISA	1,480
3	2014/03/29	4311-6946-4115-9957	VISA	4,121
4	2014/03/05	5408-9981-9918-9277	MASTER	7,068
5	2014/02/04	5408-5012-4129-8625	MASTER	7,277
6	2014/01/19	5408-3997-6593-4341	MASTER	9,404
7	2014/03/27	4311-4005-4670-5585	VISA	5,900
8	2014/02/18	4311-2898-2971-3303	VISA	1,379
9	2014/01/18	4311-5160-8548-7799	VISA	7,704
10	2014/01/26	5408-1527-8382-6387	MASTER	4,621
11				
12		=LEFT(G2,4)&"-XXXX-XXXX-"&RIGHT(G2,4)		

■ 公式說明

=LEFT(G2,4)&"-XXXX-XXXX-"&RIGHT(G2,4)

▶ LEFT(G2,4)：擷取 G2 儲存格左邊四個數字。

▶ &"-XXXX-XXXX-"：串接「-XXXX-XXXX-」這組字串。

▶ &RIGHT(G2,4)：串接 G2 儲存格最右邊四個數字。

5.5 函數在邏輯判斷上的應用

Excel 提供了大約 20 個邏輯函數，主要用來協助其他函數做適當的判斷，單獨使用的意義不大，因此很少有單獨使用的時候。所有的邏輯函數都會傳回 TRUE 或者 FALSE 來表示判斷的條件是否成立。本節僅介紹實務上必用的幾個邏輯函數 IF、AND、OR、IFERROR，其他的邏輯函數包括了 TRUE、FALSE、NOT 以及一些「IS」開頭的函數（例如：ISERROR、ISNA、ISNUMBER），這些函數的用法都很簡單，請自行參酌使用。

5.5.1 多條件判斷 IF+AND

IF 是最常用的條件判斷函數，也是透過邏輯比對之後，再決定要採取何種處理方式。IF 函數的語法：

原型：IF(logical_test, [value_if_true], [value_if_false])
說明：IF(邏輯測試 ,[條件成立採用這個值]，[否則採用這個值])

如果是多重條件的判斷，可以用巢狀 IF 來處理，最多可以套用 64 層的 IF；實務上太多層次的巢狀 IF，設定的過程將花費很多時間，因而顯得很沒有效率；通常面對大量條件的判斷時，都會用查詢函數 VLOOKUP、CHOOSE 或者 INDEX 來代替 IF 函數。

以下圖為例，想要依據 4 次測驗成績，在 G 欄中訂出成績的評等，以及在 H 欄備註中，顯示不及格次數的訊息。

	A	B	C	D	E	F	G	H
1	學號	第1次測驗	第2次測驗	第3次測驗	第4次測驗	總平均	評等	備註
2	A1401	92.0	90.0	96.0	94.0	93.0	A+	
3	A1402	90.0	95.0	91.0	95.0	92.8	A+	
4	A1403	95.0	88.0	90.0	92.0	91.3	A	
5	A1404	85.0	83.0	89.0	92.0	87.3	B	
6	A1405	50.0	46.0	61.0	63.0	55.0	E	2次測驗不及格
7	A1406	93.0	88.0	85.0	82.0	87.0	B	
8	A1407	84.0	81.0	88.0	89.0	85.5	B	
9	A1408	56.0	48.0	62.0	44.0	52.5	E	3次測驗不及格
10	A1409	92.0	79.0	82.0	88.0	85.3	B	
11	A1410	79.0	85.0	82.0	77.0	80.8	B	
12	A1411	73.0	70.0	75.0	83.0	75.3	C	
13	A1412	79.0	77.0	73.0	70.0	74.8	C	
14	A1413	33.0	25.0	42.0	48.0	37.0	F	4次測驗不及格
15	A1414	82.0	66.0	62.0	68.0	69.5	D	
16	A1415	66.0	62.0	55.0	75.0	64.5	D	1次測驗不及格

評等的條件如下表所示：

評等	條件
A+	四次測驗都要在 90 分（含）以上
A	總平均在 90 分（含）以上
B	總平均在 80-89 分之間
C	總平均在 70-79 分之間
D	總平均在 60-69 分之間
E	總平均在 50-59 分之間
F	總平均在 0-49 分之間

設定 G（評等）欄的公式

01 開啟 \ 範例檔 \ 第 5 章範例 \ 5.5 條件判斷與邏輯函數 .xlsx\「IF+AND+COUNTIF」工作表。

02 在 G2 儲存格中輸入下列之公式，再向下填滿公式即可：

=IF(AND(B2>=90,C2>=90,D2>=90,E2>=90),"A+",IF(F2>=90,"A",IF(F2>=80,"B",IF(F2>=70,"C",IF(F2>=60,"D",IF(F2>=50,"E","F"))))))

■ AND 函數

用來判斷多種條件是否同時成立，多種條件若同時成立即傳回 TRUE，任何一組條件不成立即傳回 FALSE。其語法為：

原型：AND(logical1, [logical2], ...)
說明：AND(第一組條件 ,[第二組條件],……) ，例如 =AND(B2>80,C2>80)。

■ 公式說明

▶ IF(AND(B2>=90,C2>=90,D2>=90,E2>=90),"A+")：如果 B2:E2 中的四次測驗都在 90 分以上，就填入 "A+"，否則……。

▶ IF(F2>=90,"A",)：如果 F2 儲存格中的分數是在 90 分以上，就填入 "A"，否則……。

▶ 要特別注意括號對稱的問題，原則上套用了幾層的 IF，公式最右邊的括號就要與 IF 的個數相同，例如公式中套疊了 6 個 IF，最右邊的括號要有 6 個。

設定 H（備註）欄的公式

在 H2 儲存格中輸入下列之公式，再向下填滿公式即可：
= IF(COUNTIF(B2:E2,"<60")=0,"",COUNTIF(B2:E2,"<60")&" 次測驗不及格 ")

■ 公式說明

▶ COUNTIF(B2:E2,"<60")=0,""：如果 COUNTIF 沒有發現不及格的分數，就不做處理。

▶ COUNTIF(B2:E2,"<60")&" 次測驗不及格 "：用 COUNTIF 取得不及格分數的次數再串接字串 " 次測驗不及格 "，作為其反應的訊息。

5.5.2 帳齡分析 IF+AND

以下圖為例，若要將 E 欄中的**發票金額**依據**票期**的天數，分別提列到 I2:H2 對應天數之下的儲存格中，例如票期介於 0-30 天者，提列到 I 欄中；票期介於 31-60 天者，提列到 J 欄中，其餘依此類推，最後再於 I20:M20 中完成發票金額的合計。

	A	B	C	D	E	F	G	H	I	J	K	L	M
1								帳齡分析					
2	年	月	日	公司名稱	發票金額	票期	支付日期	0	30	60	90	180	360
3	104	1	12	統寶光電	$ 106,340	60							
4	104	1	21	無線電訊公司	$ 50,200	240							
5	104	1	25	欣欣無線通訊	$ 106,270	30							
6	104	2	6	鞠水軒食品	$ 56,310	90							
7	104	2	18	寬達食品有限公司	$ 121,720	75							
8	104	3	1	全球食品	$ 96,980	180							
9	104	3	7	嘉美樂公司	$ 149,640	60							
10	104	4	5	大潤發	$ 115,760	90							
11	104	4	16	特力屋	$ 149,370	270							
12	104	4	18	家樂福	$ 97,840	360							
13	104	4	22	普盛貿易公司	$ 71,880	90							
14	104	4	23	大世界網咖	$ 62,480	90							
15	104	4	26	新舞台	$ 132,730	30							
16	104	5	2	新象貿易公司	$ 79,240	180							
17	104	5	5	金石資訊	$ 124,880	60							
18	104	5	8	金金電腦公司	$ 111,570	90							
19	104	5	17	順發貿易公司	$ 100,740	30							
20							合計						

	A	B	C	D	E	F	G	H	I	J	K	L	M
1								帳齡分析					
2	年	月	日	公司名稱	發票金額	票期	支付日期	0	30	60	90	180	360
3	103	7	31	統寶光電	$ 106,340	60				106,340			
4	103	7	2	無線電訊公司	$ 50,200	240							50,200
5	103	7	28	欣欣無線通訊	$ 106,270	30			106,270				
6	103	8	24	鞠水軒食品	$ 56,310	90					56,310		
7	103	8	30	寬達食品有限公司	$ 121,720	75					121,720		
8	103	9	22	全球食品	$ 96,980	180						96,980	
9	103	9	11	嘉美樂公司	$ 149,640	60				149,640			
10	103	10	5	大潤發	$ 115,760	90					115,760		
11	103	10	21	特力屋	$ 149,370	270							149,370
12	103	10	2	家樂福	$ 97,840	360							97,840
13	103	10	25	普盛貿易公司	$ 71,880	90					71,880		
14	103	10	30	大世界網咖	$ 62,480	90					62,480		
15	103	10	22	新舞台	$ 132,730	30			132,730				
16	103	11	30	新象貿易公司	$ 79,240	180						79,240	
17	103	11	30	金石資訊	$ 124,880	60				124,880			
18	103	11	26	金金電腦公司	$ 111,570	90					111,570		
19	103	11	24	順發貿易公司	$ 100,740	30			100,740				
20							合計		339,740	380,860	539,720	176,220	297,410

■ 設定公式

01 開啟 \ 範例檔 \ 第 5 章範例 \ 5.5 條件判斷與邏輯函數 .xlsx\「金額提列」工作表。

02 在 I3 儲存格中輸入下列公式，再向下及向右填滿公式：

=IF(AND($F3>H$2,$F3<=I$2),$E3,"")

03 在 I20 儲存格中輸入公式「=SUM(I3:I19)」，再向右複製公式到 M20 即可。

■ 公式說明

▶ =IF(AND($F3>H$2,$F3<=I$2),$E3,"")：如果 F3 中的票期天數大於 0 而且小於等於 30 天，就將 E3 儲存格中的發票金額，填入 I3 儲存格中；否則就不要做任何回應。

▶ 此公式並不困難，但是必須具備清楚的**位址觀念**。

5.5.3 IFERROR 在公式中的應用

在執行公式的過程中，常會出現以下的錯誤值：「#N/A、#VALUE!、#REF!、#DIV/0!、#NUM!、#NAME? 或者 #NULL!」；在實務上，公式會回傳這種錯誤值的原因，未必是公式本身設定錯誤，很大部份是來源資料上的錯誤，只要修正資料內容，錯誤值自然會消失。在修正資料之前，若想要隱藏這些錯誤值，以免影響報表的美觀，就可以在公式的最外層套上 IFERROR，並以**指定的回傳值**，來取代這些錯誤值的反應。

由於 IFERROR 可以判斷大部份的公式錯誤值，所以在實務上就不太會去使用諸如 ISERROR、ISNA…等邏輯函數了。

■ IFERROR 的語法

原型：IFERROR(value, value_if_error)

說明：IFERROR(如果公式沒有產生錯誤值就傳回公式的執行結果，否則就填入指定的值)

IFERROR 實務應用

以下圖為例，在 G 欄中設定公式「=VLOOKUP(E2,$I$3:$J$6,2,0)」，如果遇到 E 欄中有空白或者對照表中沒有的產品名稱，就會出現 #N/A 的錯誤值。

	A	B	C	D	E	F	G	H	I	J
1	銷售日期	業務員	業務部門	性別	銷售產品	銷售數量	單價		產品名稱	單價
2	2014/6/1	林大明	業務三	男	產品C	1,880	1,150		產品A	768
3	2014/6/2	張世凱	業務一	男	產品B	3,260	1,235		產品B	1235
4	2014/6/3	汪九祥	業務一	男		680	#N/A		產品C	1150
5	2014/6/7	何希均	業務一	男	產品A	2,160	768		產品D	1680
6	2014/6/8	林坤池	業務三	男	產品A	870	768			
7	2014/6/8	蔡玲玲	業務三	男	產品D	1,750	1,680			
8	2014/6/9	趙偉柏	業務四	男	產品W	940	#N/A			
9	2014/6/9	陳姿青	業務一	男	產品B	1,180	1,235			
10	2014/6/10	王文軒	業務三	男	產品C	550	1,150			
11	2014/6/11	黃乙銘	業務四	男	產品D	1,450	1,680			

此時就可以在 VLOOKUP 函數之前加上 IFERROR，使得公式成為：

=IFERROR(VLOOKUP(E2,$I$3:$J$6,2,0),"")

這個公式的意思是說：如果 VLOOKUP 找不到資料時，就回傳一虛字元（看不見的字元），否則就填入找到的單價。

公式執行之後，可以看到原來的錯誤值就消失了：

	A	B	C	D	E	F	G
							=IFERROR(VLOOKUP(E2,$I$3:$J$6,2,0),"")
1	銷售日期	業務員	業務部門	性別	銷售產品	銷售數量	單價
2	2014/6/1	林大明	業務三	男	產品C	1,880	1,150
3	2014/6/2	張世凱	業務一	男	產品B	3,260	1,235
4	2014/6/3	汪九祥	業務一	男		680	
5	2014/6/7	何希均	業務一	男	產品A	2,160	768
6	2014/6/8	林坤池	業務三	男	產品A	870	768
7	2014/6/8	蔡玲玲	業務三	男	產品D	1,750	1,680
8	2014/6/9	趙偉柏	業務四	男	產品W	940	
9	2014/6/9	陳姿青	業務一	男	產品B	1,180	1,235
10	2014/6/10	王文軒	業務三	男	產品C	550	1,150
11	2014/6/11	黃乙銘	業務四	男	產品D	1,450	1,680

5.6 函數在日期處理上的應用

本節中將介紹日期格式的轉換、年資計算、推算到期日期、工時計算等相關日期函數的應用。

5.6.1 日期格式的轉換

報表中的日期資料如果不是西元的日期格式時（例如 2014/7/1），在作日期的推估或計算時，將會帶來一些麻煩。所以，我們必須針對各種客製化的日期格式處理方式有所了解，以免「小問題帶來大困擾」。

三欄日期資料的處理

有些 Excel 使用者在輸入日期資料時，喜歡將年、月、日分開來打成三欄的日期格式，如下圖所示：

	A	B	C	D	E	F
1	年	月	日	發票金額	票期	支付日期
2	103	7	31	$ 106,340	60	
3	103	7	2	$ 50,200	240	
4	103	7	28	$ 106,270	30	
5	103	8	24	$ 56,310	90	
6	103	8	30	$ 121,720	75	
7	103	9	22	$ 96,980	180	
8	103	9	11	$ 149,640	60	

這樣的日期格式會造成日期處理上的麻煩，在推算 F 欄的**支付日期**時，還必須用 DATE 函數去將年、月、日三個數字轉換成為可以計算的日期資料，如果一開始就以西元格式（例如 2014/7/2）來輸入日期資料，就可以省掉許多麻煩。

■ DATE 的語法

原型：DATE(year,month,day)

說明：DATE(西元年 , 月 , 日)

■ 設定轉換公式

所以，若要在前圖 F2 儲存格中設定支付日期的公式，就必須如此設定：

`01` 請開啟 \ 範例檔 \ 第 5 章範例 \ 5.6 日期函數的應用 .xlsx\「日期格式轉換 -1」工作表。

`02` 在 F2 儲存格中輸入「=DATE(A2+1911,B2,C2)+E2 」，再將公式向下填滿即可。

其中「A2+1911」是要將民國年份轉成西元年份，最後看到的結果如下圖所示。

	A	B	C	D	E	F
1	年	月	日	發票金額	票期	支付日期
2	103	7	31	$ 106,340	60	2014/09/29
3	103	7	2	$ 50,200	240	2015/02/27
4	103	7	28	$ 106,270	30	2014/08/27
5	103	8	24	$ 56,310	90	2014/11/22
6	103	8	30	$ 121,720	75	2014/11/13
7	103	9	22	$ 96,980	180	2015/03/21
8	103	9	11	$ 149,640	60	2014/11/10

Tips

如果是為了遷就客製化報表的格式必須將年、月、日分成三欄，建議您還是先在 A 欄之前插入新欄，輸入西元日期之後，再用 YEAR、MONTH、DAY 三個函數，將西元日期拆解成年、月、日成三欄，如下圖所示，最後再隱藏 A 欄即可（詳見 \ 範例檔 \ 第 5 章範例 \ 5.6 日期函數的應用 .xlsx\「日期格式轉換 -2」工作表）。

	A	B	C	D	E	F	G
1	日期	年	月	日	發票金額	票期	支付日期
2	2014/07/31	103	7	31	$ 106,340	60	2014/09/29
3	2014/07/02	103	7	2	$ 50,200	240	2015/02/27
4	2014/07/28	103	7	28	$ 106,270	30	2014/08/27
5	2014/08/24	103	8	24	$ 56,310	90	2014/11/22
6	2014/08/30	103	8	30	$ 121,720	75	2014/11/13
7	2014/09/22	103	9	22	$ 96,980	180	2015/03/21
8	2014/09/11	103	9	11	$ 149,640	60	2014/11/10

此時上圖中的公式設定就變成了：

B2 儲存中的公式：= YEAR (A2) -1911

C2 儲存中的公式：= MONTH (a2)

D2 儲存中的公式：= DAY (A2)

E2 儲存中的公式：= A2+F2

文字格式的日期處理

如果您的日期打成了「'2014/7/1」或者「'2014-7-1」（**請注意，日期前面有一撇「'」**）。我們都知道，任何資料前面加上一撇，都會被 Excel 視為文字；文字資料理論上是不能用來計算的；但是，日期卻是例外，照樣可以加減，例如我們用「'2014/7/1」加上 60，就可以得到正確的日期「2014/8/30」；如果使用 YEAR 函數抽取文字「'2014/7/1」中的年份，一樣可以得到正確的「2014」。

所以，原則上**文字格式的「'2014/7/1」或者「'2014-7-1」是不需要轉換的**，如果一定要轉換，可以使用 DATEVALUE 函數來作轉換：

詳見 \ 範例檔 \ 第 5 章範例 \ 5.6 日期函數的應用 .xlsx\「日期格式轉換 -3」工作表。

	A	B
1	核發日期	
2	2014-7-1	=DATEVALUE(A2)
3	2014-05-25	2014/05/25
4	2014/6/12	2014/06/12
5	2014/05/01	2014/05/01

■ DATEVALUE 的語法

DATEVALUE 函數會將文字格式的日期轉換成 Excel 正確的日期序列值。

原型：DATEVALUE(date_text)

説明：DATEVALUE(文字格式的日期)

但是，如果是「13-12 月 -12」或者「2014.7.1」的文字格式，那就必須透過「資料剖析」或者利用其他函數來處理了；如果使用 DATEVALUE 來做轉換，將會出現如右圖的錯誤值「#VALUE!」。

	A	B
1	核發日期	
2	13-12月-12	=DATEVALUE(A2)
3	2014.7.1	#VALUE!
4	15-8月 -09	#VALUE!
5	08-11月-10	#VALUE!
6	17-9月 -11	#VALUE!

特殊日期格式的處理

如果日期資料中夾有**文字**和**空白**，例如下圖 D2 儲存格中的「13-12 月 -13」，就必須用函數來作日期格式的處理了。

由於「13-12 月 -13」中包括了「-」以及中文字「月」，所以，先要用到擷取字串的函數 RIGHT、MID、LEFT；再用文字轉數值的函數 VALUE 以及替換字元的函數 SUBSTITUTE（將中文字「月」給刪除掉），最後再用 DATE 函數來將數字組合成西元的日期格式。

在 E2 儲存格中輸入下列公式，並向下填滿公式：

=DATE(VALUE(RIGHT(D2,2))+2000,VALUE(MID(SUBSTITUTE(D2,"月"," "),4,2)),VALUE(LEFT(D2,2)))

	D	E
1	核發日期	
2	13-12月-13	
3	10-1月 -14	
4	15-8月 -10	
5	08-11月-12	
6	17-9月 -11	
7	08-11月-13	
8	28-5月 -14	

	D	E
1	核發日期	轉換完成
2	13-12月-13	2013/12/13
3	10-1月 -14	2014/1/10
4	15-8月 -10	2010/8/15
5	08-11月-12	2012/11/8
6	17-9月 -11	2011/9/17
7	08-11月-13	2013/11/8
8	28-5月 -14	2014/5/28

■ 公式說明

▶ VALUE(RIGHT(D2,2))+2000：擷取 D2 儲存格中最右邊兩個字「"13"」，再用 VALUE 轉換成數值「13」，再加上「2000」，最後回傳數值「2013」。

▶ VALUE(MID(SUBSTITUTE(D2,"月"," "),4,2))：先用 SUBSTITUTE 函數將中文字「"月"」給刪除掉，於是 D2 中的字串就由「13-12 月 -13」變成了「13-12 -13」；再用 MID 函數從「13-12 -13」中的第 4 個字開始，擷取 2 個字元，於是得到了「"12"」的月份數字，最後再用 VALUE 將「"12"」轉換成數值「12」。

▶ VALUE(LEFT(D2,2))：擷取 D2 儲存格中最左邊兩個字「"13"」，再用 VALUE 轉換成數值「13」。

▶ 最後用 DATE 函數將前述三個數值「2013」、「12」、「13」組合成為「=DATE(2013,12,13)」，執行完畢就成為了「2013/12/13」的日期格式。

5.6.2 年資計算

計算工作的年數、月數、天數

請先開啟 \ 範例檔 \ 第 5 章範例 \ 5.6 日期函數的應用 .xlsx\「年資計算 -1」工作表。

下圖工作表是要計算三位員工從到職日起到今天為止，一共工作了幾年幾個月又幾天？此時可使用 DATEDIF 函數來完成年數月數以及天數的計算。

	A	B	C	D
1	年資計算(計算到今天)			
2	到職日期	年數	月數	日數
3	1988/7/16			
4	2006/8/1			
5	2009/3/15			

■ DATEDIF 函數語法

DATEDIF 函數 Excel 並未提供求助說明，其語法如下：

原型：DATEDIF(start_date,end_date,unit)

說明：DATEDIF(開始日期 , 結束日期 , 回傳資料的類型)

start_date：起始日期，例如 2000/2/1。

end_date：結束日期，例如 2014/7/1。

unit：回傳資料的類型，需加上雙引號 ""，包括下列幾種資料類型代碼：

▶ "Y"：總年數。

▶ "M"：總月數。

▶ "D"：總天數。

▶ "YM"：扣除年之後的月數。

▶ "MD"：扣除年、月之後的天數。

▶ "YD" 扣除月之後的天數。

完整的使用方式，請參考下圖：

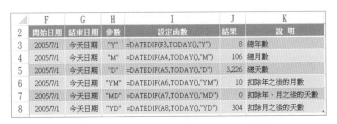

	F	G	H	I	J	K
2	開始日期	結束日期	參數	設定函數	結果	說 明
3	2005/7/1	今天日期	"Y"	=DATEDIF(F3,TODAY(),"Y")	8	總年數
4	2005/7/1	今天日期	"M"	=DATEDIF(A4,TODAY(),"M")	106	總月數
5	2005/7/1	今天日期	"D"	=DATEDIF(A5,TODAY(),"D")	3,226	總天數
6	2005/7/1	今天日期	"YM"	=DATEDIF(A6,TODAY(),"YM")	10	扣除年之後的月數
7	2005/7/1	今天日期	"MD"	=DATEDIF(A7,TODAY(),"MD")	0	扣除年、月之後的天數
8	2005/7/1	今天日期	"YD"	=DATEDIF(A8,TODAY(),"YD")	304	扣除月之後的天數

假設今天日期是 2014/5/1，因此，公式設定如下：

B3：=DATEDIF (A3, TODAY (),"Y")

C3：=DATEDIF (A3, TODAY (),"YM")

D3：=DATEDIF (A3, TODAY (),"MD")

再將公式向下填滿即可。

	A	B	C	D
1	年資計算(計算到今天)			
2	到職日期	年數	月數	日數
3	1988/7/16	25	9	15
4	2006/8/1	7	9	0
5	2009/3/15	5	1	16

■ TODAY() 函數的說明

TODAY 是一個沒有引數的函數，它可以回傳當天的電腦系統日期。

以 B3 儲存格中的公式為例，配合 TODAY 函數的執行過程如下所示：

假設今天日期是 2014/5/1

=DATEDIF (A3, TODAY (),"Y")= DATEDIF (1988/7/16, 2014/5/1,"Y")

=((2014/7/1)-(1988/7/16))/365=25

Tips

TODAY() 和 NOW() 都是回傳當日日期，兩者究竟有何不同，我們從兩個函數回傳的日期資料看不出有任何差別，但是，日期後面加上時間資料之後，就有明顯的不同了。

TODAY() 和 NOW() 兩個函數之間的差別在於：TODAY 是從當天 0 時 0 分開始起算；而 NOW 則是採用當下的時間（請參考下圖所示），因此，使用這兩個函數時，要特別小心。

	E	F
10	只顯示日期	
11	TODAY()	2014/5/1
12	NOW()	2014/5/1
13	顯示日期和時間	
14	TODAY()	2014/5/1 0:00
15	NOW()	2014/5/1 21:55

計算工作年資

前述 DATEDIF 函數不論使用哪一種參數，回傳的值都無法直接用來計算實際的年資，因為不論是計算**退休年資**或**勞健保年資**都有「不滿半年算半年，超過半年不滿一年算一年」的規定。因此必須用傳統的計算方法，再配合 CEILING 函數來完成小數的自動進位處理。

請先開啟 \ 範例檔 \ 第 5 章範例 \ 5.6 日期函數的應用 .xlsx\「年資計算 -2」工作表。

分別在下圖 C3 與 D3 儲存格中，設定如下的公式，再向下填滿公式即可：
C3：=(TODAY()-B2)/365
D3：=CEILING(C2,0.5)

	A	B	C	D
1	員工	到職日期	算到今天的年資	實際年資
2	員工A	1988/12/15	25.39	25.5
3	員工B	2000/03/01	14.18	14.5
4	員工C	2005/08/06	8.74	9.0
5	員工D	2008/01/15	6.3	6.5
6	員工E	2010/07/14	3.8	4.0

有關年資計算的詳細解說，請參考本章「5.3.6 CEILING 實務應用範例」中的介紹，本節中不再重複列舉說明文字。

5.6.3 推算到期日

有三個常用來推算**到期日**的函數，分別是 WORKDAY、EDATE 以及 EOMONTH，其用途分述如後。

WORKDAY －推算指定工作天數之後的到期日

若要推算從 2014/7/1 開始 40 個工作天之後的到期日，可使用 WORKDAY 函數來作計算，WORKDAY 會扣除**週六、週日**和**特別假**。

■ WORKDAY **的語法**

原型：WORKDAY (start_date, days, [holidays])
說明：WORKDAY (開始日期 , 工作天數 , [特別假])

■ 引數說明

▶ start_date：開始日期。

▶ days：扣除週六和週日的工作天數，可使用**負值**來代表過去的日期。

▶ holidays：指**國定假日**、**特別假**，可以是包含日期的儲存格範圍。

■ 實務範例

請先開啟 \ 範例檔 \ 第 5 章範例 \ 5.6 日期函數的應用 .xlsx\「推算到期日」工作表，以下圖為例，要求得從 2014/7/1 開始 40 個工作天之後的到期日，在 C5 儲存格中輸入公式「=WORKDAY(C4,C3,A4:A5)」，即可得到「2014/8/28」的到期日。

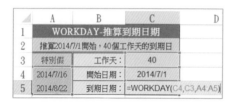

如果要從**到期日期**回推出**開始日期**，就可使用負值的工作天來計算。

例如，要從到期日期 2014/8/28 回推 40 個工作天，以求得開始日期；請先在 G3 儲存格中輸入「-40」，並在 G4 儲存中輸入公式「=WORKDAY(G5,G3,E4:E5)」即可求得開始日期「2014/7/1」。

EDATE －推算指定工作天數之後的到期日

原型：EDATE(start_date, months)

説明：EDATE(開始日期 , 月份數)

傳回開始日期之前或之後，經過月份數的同一天日期。

▶ start_date：開始日期。如果用人工輸入此引數，必須配合 DATE 函數來輸入，例如「DATE (2014,7,1)」，表示 2014 年 7 月 1 日。

▶ months：開始日期之前或之後的月份數。正值表示未來日期，負值表示過去日期。

■ 實務範例

請先開啟 \ 範例檔 \ 第 5 章範例 \ 5.6 日期函數的應用 .xlsx\「推算到期日」工作表。

以下圖為例，想要在 D10 儲存格中，推算出六個月之後的今天日期，請在 D10 儲存中輸入公式「=EDATE(B10,6)」即可得到「2014/11/3」的結果。

請注意，B10 儲存格中的日期是用 TODAY 函數取得的，所以，在練習的過程中，您看到的將會是當天日期，而不會是「2014/5/3」。

EOMONTH －推算指定月數之後的當月最後一天的日期

原型：EOMONTH(start_date, months)
說明：EOMONTH(開始日期 , 月份數)

傳回指定之月數之前或之後，當月最後一天的日期。

▶ start_date：開始日期。如果用人工輸入此引數，可以使用「DATE (2014,7,1)」、「"2014/7/1"」或者「TODAY()」的方式來輸入。

▶ months：開始日期之前或之後的月份數。正值表示未來日期，負值表示過去日期。

■ 實務範例

請先開啟 \ 範例檔 \ 第 5 章範例 \ 5.6 日期函數的應用 .xlsx\「推算到期日」工作表。

以下圖為例，想要在 D10 儲存格中，推算出六個月之後的今天日期，請在 D14 儲存中輸入公式「=EOMONTH(B14,3)」即可得到「2014/10/31」的結果。

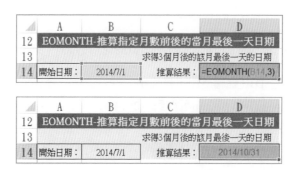

5.6.4　工時計算

出勤時間的計算，本來是很簡單的事，但是，在實務上卻經常遇到令我們困擾的計算結果。以下圖為例，C2 儲存格的公式「=B2-A2」可以求得出勤時間，看起來沒什麼問題，但是，當我們將公式向下填滿之後，卻看到奇怪的結果（請開啟 \ 範例檔 \ 第 5 章範例 \ 5.6 日期函數的應用 .xlsx\「工時計算」工作表）。

	A	B	C	D
1	上班	下班	出勤時間	出勤小時數
2	08:00	17:00	=B2-A2	
3	09:00	18:00		
4	21:00	6:00		

因為此時 C4 儲存格中出現了一堆井號「##########」，一般而言，儲存格中會出現井號是因為欄寬不夠；但是，當我們拉大欄寬之後，看到的卻是更多的「#」，並沒有顯示出正確的出勤時間。

	A	B	C
1	上班	下班	出勤時間
2	08:00	17:00	09時00分
3	09:00	18:00	09時00分
4	21:00	6:00	##############

問題發生的原因

這究竟是怎麼回事呢？曾經看過有人用複雜的公式，將井號轉換成正確的出勤時間，如此功力，的確令人佩服。但是，這個問題的根源在於「**時間格式打錯**」，只要時間格式打對，就不會有井號出現的問題，也就更不需要使用複雜的邏輯來解這種問題了。

由於 Excel 在 1900 年的日期系統中，不允許使用負值的日期或時間；所以，當用「6:00」減去「21:00」的時侯，就會出現負值的結果，Excel 也因此以一堆井號「#######」來表示錯誤的結果。

時間資料的打法

如果是跨日的時間，**在時間的前面一定要加上日期**，或者一開始就養成良好的習慣，不管是不是跨日的時間，在時間的前面全部都加上日期，雖然有點麻煩，但卻是最穩當的。

所以，當我們在 A4 與 B4 儲存格中分別輸入「2014/6/1 21:00」及「2014/6/2 6:00」之後，C4 儲存格中的出勤時間立刻正常的顯示出來。

	A	B	C	D
1	上班	下班	出勤時間	出勤小時數
2	08:00	17:00	09時00分	
3	09:00	18:00	09時00分	
4	2014/6/1 21:00	2014/6/2 6:00	09時00分	

需要注意的是：

▶ **日期**與**時間**之間，一定要空一格，例如：「2014/6/1 21:00」。
▶ 如果不要看到時間前面的日期，可自訂儲存格格式，只顯示時間即可。

將出勤時間轉換成小時數

C 欄中的出勤時間，只是一個「時間」不是「時數」，所以必須經過轉換成「小時數」之後，才能用來乘上時薪，完成當日薪資的計算。

假設上班中間，有一小時的休息時間，所以實際出勤時間要扣掉一小時，才是真正的上班時間，因此，我們可以在 D2 儲存格中輸入這樣的公式：「=C2/"1:00"-1」。

	A	B	C	D
1	上班	下班	出勤時間	出勤小時數
2	08:00	17:00	09時00分	=C2/"1:00"-1
3	09:00	18:00	09時00分	
4	2014/6/1 21:00	2014/6/2 6:00	09時00分	

向下填滿公式，即可看到如下圖的結果：

	A	B	C	D
1	上班	下班	出勤時間	出勤小時數
2	08:00	17:00	09時00分	8
3	09:00	18:00	09時00分	8
4	2014/6/1 21:00	2014/6/2 6:00	09時00分	8

■ 公式說明

公式：=C2/"1:00"-1

▶ C2/"1:00"：用 C2 中的時間除以 "1:00"，可將**時間轉換成小時數**。

▶ C2/"1:00"-1：「-1」是扣掉上班中間休息的 1 個小時。

5.7 函數在貸款分析上的應用

Excel 提供了 80 個以上的財務函數，在此不必一一列舉，跟我們切身相關的財務函數，大部份都和向銀行貸款有關，如能了解這幾個跟貸款相關的函數，爾後在向銀行貸款之前，雖然銀行的官網上幾乎都會提領試算的功能，但自己可以用本節介紹的幾個函數，做更詳盡的試算和比較，再跟銀行業務員洽談時，更能掌握先機，取得對自己最有利的貸款方式。

5.7.1 計算本利和－ PMT

這是在貸款分析上必用的函數之一，主要用來計算每期攤還的本利和。

PMT 函數的語法

原型：PMT(rate, nper, pv, [fv], [type])

說明：PMT(利率 , 期數 , 貸款金額 , [現金餘額], [期初或期末])

■ 引數說明

▶ rate：貸款利率，計算每月還款時，如果是年利率就要除以 12。

▶ nper：貸款的總期數。

▶ pv：現值總額，也就是貸款金額。

► fv：可省略。是指最後一次付款完成後，所能獲得現金餘額。如果省略 fv，則視為 0。

► type：可省略。是指還款的時間點。以數字 0 或 1 來表示，0 或略代表期末還款；1 代表期初還款。

PMT 函數的單一用法

以下圖為例，4000000 的貸款金額，為期 20 年，年利率 2.36%，我們可以用下列公式完成每月還款金額的計算：「=PMT(B3/12,B2,B1)」。請開啟 \ 範例檔 \ 第 5 章範例 \ 5.7 貸款分析 .xlsx\「本利和」工作表。

	A	B
1	貸款金額	4,000,000
2	期數	240
3	利率	2.36%
4	每期付款	=PMT(B3/12,B2,B1)

	A	B
1	貸款金額	4,000,000
2	期數	240
3	利率	2.36%
4	每期付款	-20924.3624

計算的結果是負值，若要得到正值，只要修正公式成為「=PMT(B3/12,B2,-B1)」，就可以得到正值的結果。

	A	B
1	貸款金額	4,000,000
2	期數	240
3	利率	2.36%
4	每期付款	20924.3624

財務函數的引數往往有正、負號的問題，有一個簡單的方法可以用來決定使用負號的時機：凡是要付錢給別人的計算公式，就要加上負號「-」，否則就不要加負號。負號的位置多半放在跟金額有關的引數上，例如「=PMT(B3/12,B2,-B1)」，其中 B1 中的數字就是貸款金額，也可以放在公式的開頭，例如「= - PMT(B3/12,B2,B1)」。

實務範例－「公式 + 二維陣列」的解法

二維陣列提供了一種很有效率的計算方式，尤其用在 Excel **資料分析**上，更能突顯其價值，在實務上，**二維陣列**配合貸款分析的手法，能夠讓您更輕鬆的取得更多樣化的分析數據。

為什麼叫作「二維陣列」？以下圖 D1:I14 的表格來看，要在**不同貸款金額**以及**不同期數**兩種條件之下完成每期付款的分析表，在這樣的表格中，內含兩種排列在不同方向的變數，在 D 欄中的貸款金額，就是「欄變數」；在第 1 列中的貸款期數，就是「列變數」，由於這兩種變數架構出**兩度空間**的報表格式，計算的結果，也會被置於兩種變數的中間，因此這種計算方式，就被稱作「二維陣列的計算」。

■ 二維陣列計算前的準備工作

01 建置如下圖 A1:B4 的表格，輸入相關的數字；並在 B4 儲存格中輸入公式「=PMT(B3/12,B2,-B1)」，執行之後得到每期付款的數字「20,924」。

02 建置如 D1:I14 的表格，在 D1 儲存格中輸入「=B4」。這樣做的目的是因為在二維陣列的計算中，必須在列變數與欄變數交集的儲存格中（也就是 D1）輸入用來計算的公式，而我們在 D1 儲存格中輸入「=B4」的意思是向 B4 儲存格借用其中的公式「=PMT(B3/12,B2,-B1)」來用，這樣就不必在 D1 儲存格中重新打一遍公式了。

	A	B	C	D	E	F	G	H	I
1	貸款金額	$4,000,000			120	180	240	300	360
2	期數	240		2,000,000					
3	利率	2.36%		2,500,000					
4	每期付款	20,924		3,000,000					
5				3,500,000					
6				4,000,000					
7				4,500,000					
8				5,000,000					
9				5,500,000					
10				6,000,000					
11				6,500,000					
12				7,000,000					
13				7,500,000					
14				8,000,000					

■ 實務範例

請開啟 \ 範例檔 \ 第 5 章範例 \ 5.7 貸款分析 .xlsx\「貸款分析 (二維陣列)」工作表。

01 選取 D1:I14 的儲存格範圍，點按**資料**索引標籤 / **資料工具**群組 / **模擬分析** / **運算列表**。

02 點按一下**運算列表**對話方塊中的**列變數儲存格**文字方塊，點選 B2 儲存格；接著再點按一下**欄變數儲存格**文字方塊，點選 B1 儲存格，最後按**確定**。

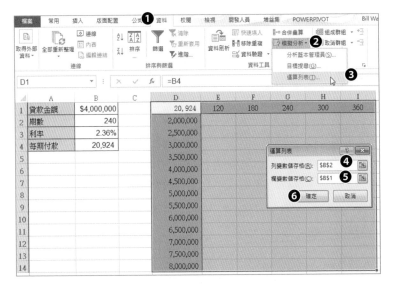

03 按下**確定**之後，即可看到計算的結果。

	A	B	C		D	E	F	G	H	I
1	貸款金額	$4,000,000			20, 924	120	180	240	300	360
2	期數	240			2,000,000	18,727	13,204	10,462	8,832	7,758
3	利率	2.36%			2,500,000	23,409	16,505	13,078	11,040	9,697
4	每期付款	20,924			3,000,000	28,090	19,807	15,693	13,248	11,636
5					3,500,000	32,772	23,108	18,309	15,456	13,576
6					4,000,000	37,454	26,409	20,924	17,664	15,515
7					4,500,000	42,136	29,710	23,540	19,872	17,455
8					5,000,000	46,817	33,011	26,155	22,080	19,394
9					5,500,000	51,499	36,312	28,771	24,288	21,333
10					6,000,000	56,181	39,613	31,387	26,496	23,273
11					6,500,000	60,863	42,914	34,002	28,704	25,212
12					7,000,000	65,544	46,215	36,618	30,912	27,152
13					7,500,000	70,226	49,516	39,233	33,120	29,091
14					8,000,000	74,908	52,818	41,849	35,328	31,030

Tips --

* 為什麼步驟 2 中的**列變數儲格**是 B2，**欄變數儲存格**是 B1 ？

  這是因為 D1 儲存格中的公式是「=B4」，而 B4 儲存格中的公式又是「=PMT(B3/12,B2,-B1)」；而**列變數儲存格**與**欄變數儲存格**指定的位置，一定要與公式「=PMT(B3/12,B2,-B1)」中的**期數**以及**貸款金額**數字所在的位置相吻合，這樣 Excel 才會將 D 欄中不同的金額與第 2 列中不同的期數，輪流帶到「=PMT(B3/12,B2,-B1)」中去做運算。

若要讓二維陣列的貸款分析表變得更靈活，可將 B3 儲存格中的利率「2.36%」設定成為利率的下拉式選單，如下圖所示。

爾後，當您選擇不同利率時，陣列中的數字也會同步重新計算。

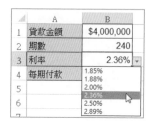

設定下拉式選單的步驟：

01 點選 B3 儲存格，點按**資料**索引標籤 / **資料工具**群組 / **資料驗證**。

02 在**資料驗證**對話方塊的**儲存格內允許**文字方塊中點選「清單」；在來源文字方塊中輸入「1.85%,1.88%,2.00%,2.36%,2.50%,2.89%」(每種利率之間，以逗號分隔)，再按下**確定**即可。

5.7.2 計算各期本金及利息

PMT 能計算出每月還款的本利和，如果想知道其中究竟利息佔多少？本金又佔多少？就可以利用 IPMT 與 PPMT 兩個函數來一窺究竟。

IPMT 與 PPMT 的語法

■ IPMT 的語法

原型：IPMT(rate, per, nper, pv, [fv], [type])

說明：IPMT(利率 , 第幾期 , 總期數 , 貸款金額 , [現金餘額], [期初或期末])

在定期、定額及固定利率的條件之下，傳回某期付款中的利息金額。

■ 引數說明

▶ rate：貸款利率，計算每月還款時，如果是年利率就要除以 12。

▶ per：第幾期，必須介於 1 到 nper 之間。

▶ nper：貸款的總期數。

▶ pv：現值總額，也就是貸款金額。

▶ fv：可省略。是指最後一次付款完成後，所能獲得現金餘額。 如果省略 fv，則
   視為 0。

▶ type：可省略。是指還款的時間點。以數字 0 或 1 來表示，0 或略代表期末還
   款；1 代表期初還款。

■ PPMT 的語法

原型：PPMT(rate, per, nper, pv, [fv], [type])

說明：PPMT(利率 , 第幾期 , 總期數 , 貸款金額 , [現金餘額], [期初或期末])

在定期、定額及固定利率的條件之下，傳回某期付款中的本金金額。

由於 PPMT 與 IPMT 的引數完全相同，此處不再列舉 PPMT 引數的說明。

實務範例：純公式的解法

請開啟 \ 範例檔 \ 第 5 章範例 \ 5.7 貸款分析 .xlsx\「各期貸款攤還 -1」工作表。

我們在 B4 儲存格中已經用 PMT 函數計算出：4000000 的貸款金額，為期 20 年，
年利率 2.36% 的每月付款額為「20,924」。現在想要知道還款的前 12 期當中，各期
付出的利息和本金分別是多少？在這個範例中，我們將介紹純公式的解法。

	A	B	C	D	E	F	G
1	貸款金額	4,000,000		期數	利息	本金	每期還款
2	總期數	240		1			
3	利率	2.36%		2			
4	每期付款	20,924		3			
5				4			
6				5			
7				6			
8				7			
9				8			
10				9			
11				10			
12				11			
13				12			

■ 設定公式

E2：=IPMT ($B$3/12, D2, $B$2,-$B$1)

F2：=PPMT ($B$3/12, D2, $B$2,-$B$1)

G2：=SUM (E2:F2)

執行公式之後，將此三個儲存格中的公式向下複製即可看到如下圖的結果：

	A	B	C	D	E	F	G
1	貸款金額	4,000,000		期數	利息	本金	每期還款
2	總期數	240		1	7,867	13,058	20,924
3	利率	2.36%		2	7,841	13,083	20,924
4	每期付款	20,924		3	7,815	13,109	20,924
5				4	7,789	13,135	20,924
6				5	7,764	13,161	20,924
7				6	7,738	13,187	20,924
8				7	7,712	13,213	20,924
9				8	7,686	13,239	20,924
10				9	7,660	13,265	20,924
11				10	7,634	13,291	20,924
12				11	7,608	13,317	20,924
13				12	7,581	13,343	20,924

■ 公式說明

=IPMT ($B$3/12, D2, $B$2,-$B$1)

▶ $B$3/12：利率 /12，必須將年利率除以 12，才能取得每月還款的實質利率；「$B$3」設定成**絕對位址**，是為了向下複製公式時，避免位址會跑掉。

▶ D2：第 1 期的期數。

▶ $B$2：貸款總期數，設定成**絕對位址**，是為了向下複製公式時，避免位址會跑掉。

▶ -$B$1：貸款金額，加上負號「-」，是為了取得正值的計算結果。

=PPMT ($B$3/12, D2, $B$2,-$B$1)

▶ 由於只有命令名稱不同，其餘引數說明與 IPMT 完全相同，因此不再贅述，請自行參考 IPMT 的公式說明。

實務範例：「公式 + 一維陣列」的解法

此種方法也是在實務上經常被使用的手法，基本上有三個操作步驟：

`01` 建立能夠配合**運算列表**操作的資料格式。

`02` 設定計算公式。

`03` 在**運算列表**的功能中，完成**欄變數**的設定。

請開啟 \ 範例檔 \ 第 5 章範例 \ 5.7 貸款分析 .xlsx\「各期貸款攤還 -2」工作表。

本範例中的表格格式與前範例的表格相較，其不同之處在於：

▶ 多了 A5 儲存格中的文字「第幾期」以及 B5 儲存格中的數值「1」。

▶ 計算利息、本金與每期還款的公式，打在第 E2:G2 的位置。

E2：=IPMT ($B$3/12, D2, $B$2,-$B$1)

F2：=PPMT ($B$3/12, D2, $B$2,-$B$1)

G2：=SUM (E2:F2)

	A	B	C	D	E	F	G
1	貸款金額	4,000,000		期數	利息	本金	每期還款
2	總期數	240			7,867	13,058	20,924
3	利率	2.36%		1			
4	每期付款	20,924		2			
5	第幾期	1		3			
6				4			
7				5			
8				6			
9				7			
10				8			
11				9			
12				10			
13				11			
14				12			

■ 設定「運算列表」中的欄變數

`01` 選取 D2:G14 的範圍。

2. 點按**資料**索引標籤 / **資料工具**群組 / **模擬分析** / **運算列表**。

3. 點按一下**運算列表**對話方塊中的**欄變數儲存格**文字方塊,點選 B5 儲存格,按下
   確定。

4. 隨即看到完成的運算結果。

Tips

當您在**運算列表**對話方塊中的**欄變數儲存格**文字方塊,點選 B5 儲存格,其目的是請 Excel 輪流將 D2:D14 儲存格中的期數,帶到 B5 儲存格,再配合 E2:G2 中的公式,完成各期**利息**、**本金**以及**每期還款**的計算。

為什麼叫作「一維陣列」呢?因為在上圖 D1:G14 的表格中,只有 D 欄中的期數在作變化(1~12),而 D 欄中的期數就被稱作「**欄變數**」;而只有一種變數的計算,就叫作「一維陣列」的計算。

實務範例:退休計劃

Frank 計劃在 10 年之後退休,目前 Frank 在銀行的存款有 5,000,000 元,他想在退休時,能讓銀行的存款達到 10,000,000 元,在投資報酬率為 3% 的條件下,Frank 每年應再存入多少錢,才能達到此一目標?

使用函數:PMT (rate, nper, pv, [fv], [type])

■ 引數的對應說明

▶ rate(利率):3% – 投資報酬率

▶ nper(期數):10 – 10 年之後退休

▶ pv(年金現值):5000000 – 目前銀行的存款

▶ fv(期末餘額):10000000 – 預計 10 年後領回的金額

所以每年期末還需存入銀行:=PMT (3%, 10,-5000000,10000000)
= -286,153 元(負值代表現金流出)

實務範例:保險金支付

Tony 購買一保險合約,需要按月支付定額保費,Tony 希望在 20 年後能領回1000000 元保費,假設保費年利率為 3%,每月期末繳付保險費,請問 Tony 每月應繳付多少錢的保費?

使用函數:PMT (rate, nper, pv, [fv], [type])

■ 引數的對應說明

▶ rate（利率）：3% – 保費年利率

▶ nper（期數）：20 – 20 年後領回

▶ pv（年金現值）：0

▶ fv（期末餘額）：1000000 – 預計 20 年後領回的金額

　所以每月期末需繳保費：=PMT (3%/12, 20*12, 0, 1000000)

　= -3,045.98 元

5.8　陣列公式的觀念和應用

5.8.1　陣列的觀念

談到**陣列公式**，就要先了解「陣列」的觀念。當我們在儲存格中輸入任何形式的資料時，除非做了保護工作表的設定，否則任何資料都可以輕易的更改或刪除。

有沒有什麼方法，可以讓我們輸人資料之後，不必設定工作表的保護，就能不讓資料被局部的更改或刪除？只有一種方法能做到，那就是使用陣列的方式輸入資料。例如，「**要在 C1:E3 的範圍中同時輸入 1~9 的數字，並且先天就受到保護，輸入的數字不能做局部的更改或刪除，只接受全部數字的刪除**」。此時，我們可以用以下的方式來建立資料內容：

請參考 \ 範例檔 \ 第 5 章範例 \ 5.8 陣列公式的觀念和應用 .xlsx\「陣列的觀念」工作表

01 選取 C1:E3 的儲存格範圍，直接輸入「={1,2,3;4,5,6;7,8,9}」。

02 輸入完畢時，按下 **Ctrl+Shift+Enter** 三個鍵（先按住 **Ctrl+Shift** 不放，再按 **Enter** 鍵），即完成陣列資料的輸入。

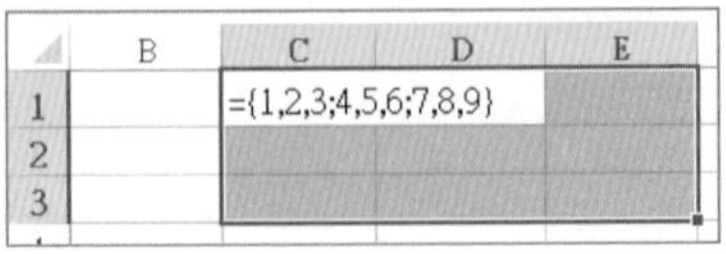

如果輸入非數值資料，可以打成：「={" 台北 "," 台中 "," 高雄 "；100,200,300; "2014/7/1","2014/7/2","2014/7/3"}」。

當您針對 C2 儲存格按下 Delete 鍵來刪除它時，就會看到警示的訊息，此時只有按 Esc 鍵放棄刪除一途了。

所以，陣列資料輸入的格式，以公式「={1,2,3;4,5,6;7,8,9}」為例，須遵循以下的規定：

▶ 必須以大括號「{ }」包住資料內容。

▶ 選取範圍中的儲存格數目，要與公式中的資料數目對稱。

▶ {1,2,3;4,5,6;7,8,9} 其中的「1,2,3」將被置於選取範圍中的第 1 列；「4,5,6」將被置於選取範圍中的第 2 列；「7,8,9」將被置於選取範圍中的第 3 列。

▶ {1,2,3;4,5,6;7,8,9} 中的逗號「,」代表向右位移儲存格；所以「1,2,3」會被置於 C1:E1 的三個儲存格中。

▶ {1,2,3;4,5,6;7,8,9} 中的分號「;」代表換列，就是打在下一列的意思，如果全部用逗號「,」沒有用任何分號，代表這 9 個數字都會打在同一列之中。

▶ 如果要讓數字垂直排成一行，請輸入「={1;2;3;4;5;6;7;8;9}」，數字之間全部以分號隔開。

陣列公式的妙用

實務上如果用下列的方式輸入資料，豈不是太沒有效率了：

「={" 台北 "," 台中 "," 高雄 " ; 100,200,300 ; "2014/7/1","2014/7/2","2014/7/3"}」

那只是一種陣列應用的概念，不大可能用這樣的方式來建置報表；通常會將陣列的概念應用在函數之中，使得函數變身成為威力強大的資料統計分析工具。

我們先開啟 \ 範例檔 \ 第 5 章範例 \ 5.8 陣列公式的觀念和應用 .xlsx\「陣列公式的妙用 -1」工作表。舉例來說：

要在下圖中針對 2370 筆銷售資料，統計前五大銷售金額的總和，傳統的做法可能要用六個步驟來處理：

01　在 E2 儲存格中輸入公式「=LARGE(B:B,1)」，找出 B 欄第一大的金額。

02　在 E3 儲存格中輸入公式「=LARGE(B:B,2)」，找出 B 欄第二大的金額。

03 在 E4 儲存格中輸入公式「=LARGE(B:B,3)」，找出 B 欄第三大的金額。

04 在 E5 儲存格中輸入公式「=LARGE(B:B,4)」，找出 B 欄第四大的金額。

05 在 E6 儲存格中輸入公式「=LARGE(B:B,5)」，找出 B 欄第五大的金額。

06 利用 SUM 加總上述五個金額。

	A	B	C	D	E	F
1	銷售日期	銷售金額				
2	2010/01/01	191,040		第一大金額	817,000	=LARGE(B:B,1)
3	2010/01/01	515,500		第二大金額	816,750	=LARGE(B:B,2)
4	2010/01/04	102,880		第三大金額	816,250	=LARGE(B:B,3)
5	2010/01/04	503,750		第四大金額	812,000	=LARGE(B:B,4)
6	2010/01/04	334,800		第五大金額	811,750	=LARGE(B:B,5)
7	2010/01/05	632,500				
8	2010/01/05	360,400		加總的結果	4,073,750	=SUM(E2:E6)
9	2010/01/05	444,160				

比較好的寫法是在 E2 儲存格中輸入：「=LARGE(B:B,ROW(1:1))」，再向下複製公式，這樣就不必辛苦的去改每個公式中的最後一個引數「1、2、3、4、5」了。

	A	B	C	D	E	F
1	銷售日期	銷售金額				
2	2010/01/01	191,040		第一大金額	817000	=LARGE(B:B,ROW(1:1))
3	2010/01/01	515,500		第二大金額	816750	=LARGE(B:B,ROW(2:2))
4	2010/01/04	102,880		第三大金額	816250	=LARGE(B:B,ROW(3:3))
5	2010/01/04	503,750		第四大金額	812000	=LARGE(B:B,ROW(4:4))
6	2010/01/04	334,800		第五大金額	811750	=LARGE(B:B,ROW(5:5))
7	2010/01/05	632,500				
8	2010/01/05	360,400		加總的結果	4,073,750	=SUM(E2:E6)

■ 函數說明

LARGE 函數：

原型：LARGE(array, k)

說明：LARGE(資料範圍 , 第幾大)，傳回範圍中第 K 個最大值。

如果範圍中有 10 個數字，則 LARGE(array,1) 將傳回最大值，而 LARGE(array,10) 將傳回最小值。

ROW 函數：

原型：ROW([reference])

說明：ROW([要取得列號的儲存格或儲存格範圍])

▶ 如果 reference 被省略，則 ROW 會引用目前的儲存格位址。

▶ 如果 reference 為一個儲存格範圍，將傳回最左上方儲存格的列號。

公式	說明	傳回值
=ROW( )	傳回目前儲存格 A2 的列號	2
=ROW(C10)	傳回 C10 儲存格的列號	10
=ROW(G1:H4)	傳回 G1 儲存格的列號	1
=ROW(1:1)	傳回第 1 列的列號	1

■ 公式說明

▶ ROW(1:1)：會傳回 1，公式向下複製時會變成 ROW(2:2)、ROW(3:3)……，也將分別傳回 2、3、………。

▶ 於是執行的公式就變成了 =LARGE(B:B,ROW(1:1))=LARGE(B:B,1)=817000

看過上面的公式之後，大家一定會覺得很沒有效率，因為要經過六個步驟來處理不是太複雜的計算；而且如果要統計前 50 大或前 500 大的銷售金額，公式寫起來豈不冗長而嚇人？所以，**當我們面對大量資料的處理時，就會產生「效率」上的問題。**

■ 陣列公式的寫法

如果**銷售金額**欄的資料在沒有排序的情況下，要如何簡化前 5 大金額的統計公式呢？甚至是前 50 大或前 500 大銷售金額的加總問題呢？毫無疑問的，就是使用陣列公式。本來分五次才寫成的公式「=LARGE(B:B,1)…… =LARGE(B:B,5)」，可以改成下列簡短的寫法：

=SUM(LARGE(B:B,{1,2,3,4,5}))

其中的重點在於第二個引數 {1,2,3,4,5}，在大括號中寫下前幾大的數字，就可以輕易的統計出前五大銷售金額的總和；此一陣列公式運作的方式說明如下：

▶ Excel 會先執行 LARGE 函數。

▶ 而 LARGE 函數會依「{1,2,3,4,5}」的指示執行五次，用來挑出前五大的數字，並將這些數字逐一寫進電腦記憶體中加以保存。

▶ 最後再用 SUM 函數，將記憶體中的五個數字加總，得到最後的結果。

▶ 只需按下 Enter 鍵即可執行公式。

■ 更有效率的公式寫法

前述的陣列公式「=SUM(LARGE(B:B,{1,2,3,4,5}))」用來加總前五大的金額，並無不妥之處，但是，若要加總前 500 大的銷售金額，公式就要寫成：

=SUM (LARGE(B:B,{1,2,3,4,5··············,500}))

再怎麼看，都是沒有效率的寫法，更好的寫法可以是：

=SUM (LARGE(B:B,ROW(1:500)))

但是，這樣的公式必須按下 Ctrl+Shift+Enter 才能正確的執行。

	C	D	E	F
10				
11		加總前5大金額的陣列公式：		=SUM(LARGE(B:B,{1,2,3,4,5}))
12				4,073,750
13				
14		加總前500大金額的陣列公式		=SUM(LARGE(B:B,ROW(1:500)))
15				308,023,240

■ 公式說明

=SUM (LARGE(B:B,ROW(1:500)))

▶ LARGE(B:B,ROW(1:500))：Excel 會反覆執行此公式五百次，從第 1 大的數字開始，一直抓到第 500 大的數字才會停止，同時逐一將這 500 個數字儲存到電腦記憶體中。

▶ SUM(LARGE(B:B,ROW(1:500)))：加總由 LARGE(B:B,ROW(1:500)) 抓到的前 500 個最大的數字。

▶ 執行此公式時，一定要按下 Ctrl+Shift+Enter 三個鍵。

5.8.2 陣列公式在條件判斷與加總上的應用

請先開啟 \ 範例檔 \ 第 5 章範例 \ 5.8 陣列公式的觀念和應用 .xlsx\「陣列公式 - 實務 1」工作表。

這是一個醫師看診人數統計的實務例子，下圖第 1 列黃色部份，是當月的日期編號（1-31），第 6 列則是每日看診人數，現在要將每日超過 20 人次的部份加總起來，例如有四天的看診人數分別是「26」、「23」、「21」、與「22」，於是就要這麼計算：
(26-20)+(23-20) +(21-20) +(22-20)=6+3+1+2=12。

	A	B	C	D	E	F	G	H	I	J	K	L	M	N	O	P	Q	R	S	T	U	V	W	X	Y	Z	AA	AB	AC	AD	AE	AF	AG	AH
1	A醫生	1	2	3	4	5	6	7	8	9	10	11	12	13	14	15	16	17	18	19	20	21	22	23	24	25	26	27	28	29	30	31	合計	超標人數
2	OPD早	8	7	14			8	2	7	8	9	25			5	5	7	2	10	5		14	7	4	6	8	6								
3	OPD午						9								9					5															
4	OPD晚								12							13							14												
5	超音波	2		1						2		1					1				1	2	3			1									
6	OPD早+健檢	10	7	15	0	8	2	7	10	9	26	0	5	5	8	2	10	6	15	16	10	4	23	8	7	12	21	22	8	11	0	0	287	12

看起來很簡單，但是全醫院有數十位醫師的資料需要統計，因此絕對不能用**目視**＋**心算**的方式來完成計算，更不能擺個計算機在旁邊敲敲打打（Excel 就白用了）。

傳統公式帶來的後遺症

因此，醫院的行政人員就以下列公式來完成 31 天數據的判斷與加總：

=IF(B9>20,B9-20,0)+IF(C9>20,C9-20,0)+IF(D9>20,D9-20,0)+IF(E9>20,E9-20,0)+IF(F9>20,F9-20,0)+IF(G9>20,G9-20,0)+IF(H9>20,H9-20,0)+IF(I9>20,I9-20,0)+IF(J9>20,J9-20,0)+IF(K9>20,K9-20,0)+IF(L9>20,L9-20,0)+IF(M9>20,M9-20,0)+IF(N9>20,N9-20,0)+IF(O9>20,O9-20,0)+IF(P9>20,P9-20,0)+IF(Q9>20,Q9-20,0)+IF(R9>20,R9-20,0)+IF(S9>20,S9-20,0)+IF(T9>20,T9-20,0)+IF(U9>20,U9-20,0)+IF(V9>20,V9-20,0)+IF(W9>20,W9-20,0)+IF(X9>20,X9-20,0)+IF(Y9>20,Y9-20,0)+IF(Z9>20,Z9-20,0)+IF(AA9>20,AA9-20,0)+IF(AB9>20,AB9-20,0)+IF(AC9>20,AC9-20,0)+IF(AD9>20,AD9-20,0)+IF(AE9>20,AE9-20,0)+IF(AF9>20,AF9-20,0)

大家都看得出來，這種逐日判斷的公式寫法並沒有錯，但是卻太沒效率了。您想想看，如果院方要修正人數統計的規則：「每天看診人數要超出 25 人才能累計超出的人數」，此時公式就要修改 62 處來將「20」改成「25」，那豈不是太耗費時間和精神了？因此，建置這樣的公式，完全沒有任何效率可言。

陣列公式的效率

如果能使用**陣列公式**，上述公式的效率問題立即迎刃而解；陣列公式最大的優點在於：「**公式簡潔、邏輯清楚、容易修改**」。所以，公式可以這麼打：

=SUM((B6:AE6>20)*(B6:AE6-20))

再按下 Ctrl+Shift+Enter 即可完成計算，若要將公式中的「20」改成「25」也只要改兩個地方就行了，各位看看，效率上的差別有多大？

■ 公式說明

=SUM((B6:AE6>20)*(B6:AE6-20))

▶ (B6:AE6>20)：這是用來作邏輯判斷的語法，由於執行公式時按下了 Ctrl+Shift+Enter，Excel 會到 B6:AE6 的範圍去逐一判斷其中的數值有沒有「>20」，如果大於 20 就傳回 TRUE 否則就傳回 FALSE，於是就會產生 31 個 TRUE 或者 FALSE，而 TRUE 會被視為 1，FALSE 會被視為 0，這些 31 個的 1 或 0 會被暫存在電腦記憶體中。

▶ (B6:AE6-20)：Excel 會到 B6:AE6 的範圍去將每一個數字減去 20，並將減完的 31 個數字，逐一暫存在電腦記憶體中。

▶ 此時電腦記憶體中就產生了兩組陣列資料，第一組陣列資料中包含有 31 個「1」或「0」的數值；第二組陣列資料則包含了 31 個減完「20」之後的數值。

▶ SUM((B6:AE6>20)*(B6:AE6-20))：Excel 將兩組陣列中的數值互相對乘，任何數值與 0 對乘，會得到 0 的結果；與 1 對乘則會得到原來的數值，於是 31 個「1」或「0」與另 31 個扣掉「20」之後的數字對乘，又會在記憶體中產生了 31 個「0」或「大於 0」的數字；Excel 最後才會用 SUM 將這 31 個數字加總，來完成計算得到了「12」。

▶ 執行公式「=SUM((B6:AE6>20)*(B6:AE6-20))」時，當我們按下 Ctrl+Shift+Enter 之後，公式的外觀將成為「{=SUM((B6:AE6>20)*(B6:AE6-20))}」，公式的外圍將會套上大括號。

▶ 請參考公式「=SUM((B6:AE6>20)*(B6:AE6-20))」的執行流程示意圖：

	A	B	C	D	E	F	G	H	I	J	K	L	M	R	S	V	W	X	Y	Z	AA	AB
1	A醫生	1	2	3	4	5	6	7	8	9	10	11	12	17	18	21	22	23	24	25	26	27
2	OPD早	8	7	14		8	2	7	8	9	25			5		4	6	8	6			
3	OPD午								9					9								
4	OPD晚							12								14						
5	超音波	2		1					2			1		1					1			
6	OPD早+健檢	10	7	15	0	8	2	7	10	9	26	0	5	6	15	4	23	8	7	12	21	22
7																						
8	B6:AF6>20	FALSE	FALSE	FALSE	FALSE	FALSE	FALSE	FALSE	FALSE	FALSE	TRUE	FALSE	FALSE	FALSE	FALSE	FALSE	TRUE	FALSE	FALSE	FALSE	TRUE	TRUE
9	B6:AF6-20	-10	-13	-5	-20	-12	-18	-13	-10	-11	6	-20	-15	-14	-5	-16	3	-12	-13	-8	1	2
10	(B6:AF6>20)*(B6:AF6-20)	0	0	0	0	0	0	0	0	0	6	0	0	0	0	0	3	0	0	0	1	2
11																						
12					12 =SUM(B10:AF10)																	

5.8.3 陣列公式在資料庫分析上的應用

函數是**資料庫分析**的重要工具之一，大多數的函數在其原型的用法上，往往不大能夠用來處理複雜條件的資料分析問題，而必須套疊其他函數來使用；這樣的結果，一方面會導致公式過於冗長，二方面也會讓一般的使用者不易理解，以致難以應用在實務上。

將**陣列**的觀念帶進函數之後，函數隨即化身成為**陣列公式**，整個情況就完全改觀了。面對龐大資料庫的分析，**陣列公式**的最大好處，就是能夠使用單一函數來解決複雜的**邏輯判斷**和**資料分析**問題！這也就完全顛覆了我們對於「特定函數解決特定問題」的刻板印像。

實務應用

請先開啟 \ 範例檔 \ 第 5 章範例 \ 5.8 陣列公式的觀念和應用 .xlsx\「陣列公式 - 實務2」工作表。

在這個例子中，針對內含 2370 筆記錄的資料庫，已經先用**樞紐分析**做出 K1:P7 的「各業務部門在各項產品上的銷售金額統計表」，現在我們要利用單一函數「SUM」在 K11:O15 的位置，完成相同內容統計表的計算。

	A	B	C	E	H	I	J	K	L	M	N	O
1	銷售日期	業務部門	業務員	銷售產品	銷售數量	銷售金額		銷售金額統計表	銷售產品 ▾			
2	2010/01/01	業務一	林大明	產品D	1,194	191,040		業務部門 ▾	產品A	產品B	產品C	產品D
3	2010/01/01	業務一	吳曉君	產品C	2,062	515,500		業務一	33,346,320	64,600,200	83,615,000	51,820,480
4	2010/01/04	業務一	汪九祥	產品D	643	102,880		業務二	31,199,520	60,122,000	81,385,000	53,708,160
5	2010/01/04	業務四	何希均	產品C	2,015	503,750		業務三	20,193,600	49,147,600	57,867,750	42,390,720
6	2010/01/04	業務一	林坤池	產品B	1,674	334,800		業務四	29,093,160	46,384,000	71,591,000	46,046,400
7	2010/01/05	業務二	蔡玲玲	產品C	2,530	632,500		總計	113,832,600	220,253,800	294,458,750	193,965,760
8	2010/01/05	業務一	汪九祥	產品B	1,802	360,400						
9	2010/01/05	業務一	林大明	產品D	2,776	444,160						
10	2010/01/05	業務四	何希均	產品A	2,326	279,120				使用陣列解析		
11	2010/01/05	業務一	吳曉君	產品A	1,140	136,800			產品A	產品B	產品C	產品D
12	2010/01/05	業務二	趙偉柏	產品A	3,112	373,440		業務一				
13	2010/01/06	業務二	陳姿青	產品B	2,313	277,560		業務二				
14	2010/01/06	業務二	楊柏森	產品B	1,502	300,400		業務三				
15	2010/01/06	業務二	趙偉柏	產品D	1,222	195,520		業務四				

其中包含下列兩個主要步驟：

01　建立資料庫各欄的名稱。

02　使用 SUM 函數完成陣列公式的設定。

■ 操作步驟

`01` 點按資料庫內的任一儲存格，按下 Ctrl+A 選取整個資料庫範圍。

`02` 點按公式索引標籤 / **已定義之名稱**群組 / **從選取範圍建立**，在**以選取範圍建立名稱**對話方塊中選「頂端列」，按下**確定**。

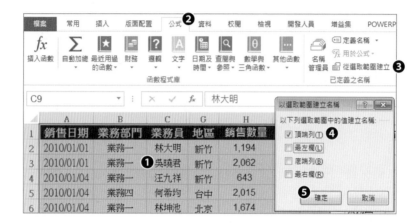

`03` 在 L12 儲存格中輸入公式「=SUM((業務部門 =$K12)*(銷售產品 =L$11)* 銷售金額)」。

	J	K	L	M	N	O
10				使用陣列解析		
11			產品A	產品B	產品C	產品D
12		業務一	=SUM((業務部門=$K12)*(銷售產品=L$11)*銷售金額			
13		業務二				
14		業務三				
15		業務四				

`04` 按下 Ctrl+Shift+Enter，再向下和向右填滿公式，即可看到如下圖的結果。

	J	K	L	M	N	O
10				使用陣列解析		
11			產品A	產品B	產品C	產品D
12		業務一	33,346,320	64,600,200	83,615,000	51,820,480
13		業務二	31,199,520	60,122,000	81,385,000	53,708,160
14		業務三	20,193,600	49,147,600	57,867,750	42,390,720
15		業務四	29,093,160	46,384,000	71,591,000	46,046,400
16						

執行完畢的公式其外觀將成為「{=SUM((業務部門 =$K12)*(銷售產品 =L$11)* 銷售金額)}」，與下圖右上方的**樞紐分析表**比對之後，可以了解兩者的計算結果，是完全相同的。

	A 銷售日期	B 業務部門	C 業務員	E 銷售產品	H 銷售數量	I 銷售金額	J	K	L	M	N	O
1	銷售日期	業務部門	業務員	銷售產品	銷售數量	銷售金額		銷售金額統計表	銷售產品 ▾			
2	2010/01/01	業務一	林大明	產品D	1,194	191,040		業務部門 ▾	產品A	產品B	產品C	產品D
3	2010/01/01	業務一	吳曉君	產品C	2,062	515,500		業務一	33,346,320	64,600,200	83,615,000	51,820,480
4	2010/01/04	業務一	汪九祥	產品D	643	102,880		業務二	31,199,520	60,122,000	81,385,000	53,708,160
5	2010/01/04	業務四	何希均	產品C	2,015	503,750		業務三	20,193,600	49,147,600	57,867,750	42,390,720
6	2010/01/04	業務一	林坤池	產品B	1,674	334,800		業務四	29,093,160	46,384,000	71,591,000	46,046,400
7	2010/01/05	業務二	蔡玲玲	產品D	2,530	632,500		總計	113,832,600	220,253,800	294,458,750	193,965,760
8	2010/01/05	業務一	汪九祥	產品B	1,802	360,400						
9	2010/01/05	業務一	林大明	產品D	2,776	444,160			使用陣列解析			
10	2010/01/05	業務四	何希均	產品A	2,326	279,120			產品A	產品B	產品C	產品D
11	2010/01/05	業務一	吳曉君	產品A	1,140	136,800		業務一	33,346,320	64,600,200	83,615,000	51,820,480
12	2010/01/05	業務一	趙偉柏	產品C	3,112	373,440		業務二	31,199,520	60,122,000	81,385,000	53,708,160
13	2010/01/06	業務二	陳奕青	產品A	2,313	277,560		業務三	20,193,600	49,147,600	57,867,750	42,390,720
14	2010/01/06	業務二	楊柏森	產品B	1,502	300,400		業務四	29,093,160	46,384,000	71,591,000	46,046,400
15	2010/01/06	業務二	趙偉柏	產品D	1,222	195,520						

■ 陣列公式說明

=SUM((業務部門 =$K12)*(銷售產品 =L$11)* 銷售金額)

▶ (業務部門 =$K12)：請注意，要加上小括號。用來判斷資料庫第 1 筆記錄的業
務部門欄位內容是否等於「業務一」？如果是，就傳回 TRUE（TRUE 將被視為
1），否則就傳回 FALSE（FALSE 將被視為 0）。

▶ (銷售產品 =L$11)：請注意，要加上小括號。用來判斷資料庫第 1 筆記錄的銷
售產品欄位內容是否等於「產品 A」？如果是，就傳回 TRUE（TRUE 將被視為
1），否則就傳回 FALSE（FALSE 將被視為 0）。

▶ 銷售金額：這是真正用來加總的欄位，前面兩個引數只是用來做邏輯判斷。

▶ (業務部門 =$K12)*(銷售產品 =L$11)* 銷售金額：我們以資料庫中的第 1 筆記錄
來作比對，配合整組引數一起來看公式執行時的轉化過程，就很清楚了。

	A 銷售日期	B 業務部門	C 業務員	E 銷售產品	H 銷售數量	I 銷售金額
1	銷售日期	業務部門	業務員	銷售產品	銷售數量	銷售金額
2	2010/01/01	業務一	林大明	產品D	1,194	191,040
3	2010/01/01	業務一	吳曉君	產品C	2,062	515,500
4	2010/01/04	業務一	汪九祥	產品D	643	102,880

公式執行時，針對第 1 筆記錄的公式轉化過程：

(業務部門 =$K12)*(銷售產品 =L$11) * 銷售金額」

= (" 業務一 "=" 業務一 ")*(" 產品 D"=" 產品 A") * 191040

= (TRUE)*(FALSE)*191040

= 1 * 0 * 191040

=0

最後計算得到的「0」，會被置於記憶體中，等待 2370 筆記錄逐一完成邏輯判斷和計算，就會產生 2370 個「0」或「非 0」的數值。

這只是針對「業務一」和「產品 A」的計算方式；當將陣列公式向下及向右複製時，因為整張報表有四個業務部門和四種不同的產品，所以 Excel 判斷和計算的次數將會達到 2370*4*4=37920 次，這只是一個小型資料庫範例，如果面對更龐大的來源資料，以及更複雜的邏輯處理時，Excel 計算的次數將會是很可觀的；但是，不必擔心，電腦的速度是很快的，我們不會有任何太慢的感覺。

▶ SUM((業務部門 =$K12)*(銷售產品 =L$11)* 銷售金額)：加總 SUM 的引數回傳到記憶體中的 2370 個計算結果。

Tips

- 除了 SUM 之外，還可以使用 SUMPRODUCT 函數來設定陣列公式，可以得到相同的計算結果：
  =SUMPRODUCT((業務部門 =$K12)*(銷售產品 =L$11)* 銷售金額)
- 如果要利用陣列公式完成「各業務部門在各項產品上的**交易筆數統計表**」，可以寫成下列的公式，再按下 Ctrl+Shift+Enter 即可：
  =SUM((業務部門 =$K12)*(銷售產品 =L$11))
  與**加總**不同之處在於少了最後一個引數「* 銷售金額」。
- 您可以使用下列方式，設定更複雜的條件。例如，除了原來的**業務部門**和**銷售產品**的條件之外，還要加上下列條件：
  1. **銷售日期**要介於「2010/7/1~2010/9/30」之間
  2. 單筆**銷售金額**要在 500000 以上
  公式可以寫成：
  =SUM((業務部門 =$K12)*(銷售產品 =L$11)*(銷售日期 >=DATE(2010,7,1)) *(銷售日期 <=DATE(2010,9,30))* (銷售金額 >500000)* 銷售金額)

什麼樣的陣列公式要按下 Ctrl+Shift+Enter？

面對陣列公式，在什麼情況下要按下 Enter 鍵，什麼情況下又要按下 Ctrl+Shift+Enter 鍵，才能正確的執行公式？這是很多人心中的疑問。

基本上，在公式中使用的**陣列**可分為「常數陣列」與「儲存格陣列」兩種不同的形式，執行方式也有所不同，分別說明如後。

■ 單獨使用「常數陣列」

以下幾種輸入陣列的方式，都屬於**常數陣列**的範圍：

={"2014/7/1"," 台北市 ",500}　由左至右填入資料的陣列

={"2014/7/1";" 台北市 ";500}　由上而下填入資料的陣列

={100,200;TRUE,FALSE;"NEW","OLD"}　第一列的兩格填入 100 及 200，第二列的兩格填入 TRUE 及 FALSE，第三列的兩格填入 "NEW" 及 "OLD"。

如果單獨以**常數陣列**的方式輸入資料，而沒有搭配任何函數來使用，以上三種陣列在輸入之後就一定要按下 Ctrl+Shift+Enter，其輸入的方式為：

`01` 選取要輸入陣列資料的範圍 。

`02` 輸入陣列資料，例如「={"2014/7/1"," 台北市 ",500}」。

`03` 按下 Ctrl+Shift+Enter。

■ 搭配公式使用「常數陣列」

如果「常數陣列」搭配函數來使用，執行公式時，可以直接按下 Enter 鍵。

例如：=SUM(LARGE(B:B,{1,2,3,4,5}))

這種公式的特徵在於：「常數陣列」及其大括號是打在函數的裡面。

■ 儲存格陣列

遇到內含**儲存格陣列**的公式，一定要按下 Ctrl+Shift+Enter 才能正確執行，而且執行完畢之後，會在公式左右兩側加上大括號。

例如：

執行前：=SUM((業務部門 =$K12)*(銷售產品 =L$11)* 銷售金額)

執行後：{=SUM((業務部門 =$K12)*(銷售產品 =L$11)* 銷售金額)}

執行前：=SUM((B6:AE6>20)*(B6:AE6-20))

執行後：{=SUM((B6:AE6>20)*(B6:AE6-20))}

第一列公式中的 $K12 是**儲存格位址**，「業務部門」是**名稱**，只要陣列公式裡有**儲存格位址**和**名稱**在其中，就屬於**儲存格陣列**，就一定要按下 Ctrl+Shift+Enter 才能正確執行。

同樣的，在第二列的公式中，出現了 B6:AE6 的儲存格範圍，所以，也是一個**儲存格陣列**的計算，必須按下 Ctrl+Shift+Enter 才能正確執行。

陣列公式的特殊用法

如果要統計下圖 2370 筆資料中，銷售金額大於 500000 的資料有幾筆？

	A	B	C	D	E	F
1	銷售金額		銷售金額大於500000的資料筆數：			
2	191,040					
3	515,500					
4	102,880					
5	503,750					
6	334,800					
7	632,500					
8	360,400					
9	444,160					
10	279,120					
11	136,800					
12	373,440					

當然，計算的方法會有很多種，以陣列公式來看，我們可以用這樣的公式：
=SUM((銷售金額 >500000)*1)

按下 Ctrl+SHIFT+Enter，可以得到 495 這個數字，代表有 495 筆銷售金額是在 500000 以上的資料。

其中最後一個引數「*1」是筆數統計的打法，為什麼要加上「*1」的語法呢？不能省掉不打嗎？沒錯！如果只打成「=SUM((銷售金額 >500000))」，按下 Ctrl+SHIFT+Enter 時，將會得到「0」結果。

為什麼會這樣呢？因為「(銷售金額 >500000)」的邏輯判斷會傳回 TRUE 或 FALSE，但是如果只有此一種判斷條件，TRUE 和 FALSE 是不會被轉成「0」或「1」的，因此 Excel 會將 TRUE 和 FALSE 視為文字來處理，而得到 0 的加總結果。

公式中如果要省掉最後面「*1」而仍能正確完成計數統計的話，公式可以寫成：「=SUM(- -(**銷售金額** >500000))」，也就是在「(銷售金額 >500000)」前面加上兩個減號「--」，就可以得到正確的計算結果。

在公式中使用兩個減號「--」表示要將邏輯值 TRUE 或 FALSE 轉換成「1」或「0」，所以，陣列公式中連續兩個減號的用途，是用在**邏輯值的轉換**。

5.9 動態陣列函數

從 Microsoft 365 訂閱（即 Office 365 訂閱）開始，微軟提供了大幅提升函數建置效率的「動態陣列」函數，過去須要按下 CTRL+SHIFT+ENTER 三個鍵才能執行的陣列公式，現在只現在只要按下 ENTER 鍵就可以順利的執行了。

姑且不論「動態陣列」函數的威力如何強大，Microsoft 365 已將普通公式澈底的融入了動態陣列的之中，以九九乘法表的公式為例，以往必須具備「混合位址」的清楚觀念，才能有效率的將公式填滿到其他儲存格；而沒有「混合位址」觀念的使用者就必須修正每一欄或每一列的公式，才能得到正確的結果，否則將會因為公式錯位而天下大亂。

下圖是傳統九九乘法表的混合位址公式：=$A2&B$1

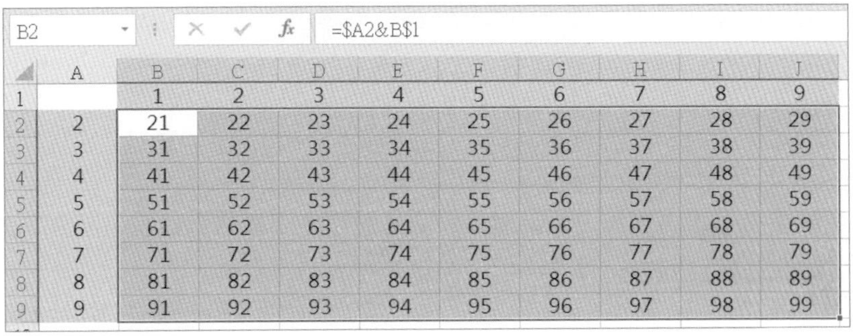

B2	▼	⋮	×	✓	fx	=$A2&B$1			
◢	A	B	C	D	E	F	G	H	I	J
1		1	2	3	4	5	6	7	8	9
2	2	21	22	23	24	25	26	27	28	29
3	3	31	32	33	34	35	36	37	38	39
4	4	41	42	43	44	45	46	47	48	49
5	5	51	52	53	54	55	56	57	58	59
6	6	61	62	63	64	65	66	67	68	69
7	7	71	72	73	74	75	76	77	78	79
8	8	81	82	83	84	85	86	87	88	89
9	9	91	92	93	94	95	96	97	98	99

「動態陣列」的觀念帶入公式的好處在於，不需要具備混合位址的觀念，也可以順利的完成公式的建置，而且公式完全不需要經由複製就能自動計算完整張表格，對函數的初學者而言，不再需要花太多時間去瞭解位址的觀念，因而簡化了函數的設定過程。

下圖就是「動態陣列」形式的公式，只要在 B2 儲存格中輸入公式「=A2:A9*B1:J1」，就可以計算所有儲存格的數字，而未必要用陣列函數來做計算：

B2		▼	⋮	×	✓	*fx*	=A2:A9*B1:J1		

▲	A	B	C	D	E	F	G	H	I	J
1		1	2	3	4	5	6	7	8	9
2	2	2	4	6	8	10	12	14	16	18
3	3	3	6	9	12	15	18	21	24	27
4	4	4	8	12	16	20	24	28	32	36
5	5	5	10	15	20	25	30	35	40	45
6	6	6	12	18	24	30	36	42	48	54
7	7	7	14	21	28	35	42	49	56	63
8	8	8	16	24	32	40	48	56	64	72
9	9	9	18	27	36	45	54	63	72	81

XLOOKUP 函數的價值在於「單一函數就可以解決所有查找的問題，不需要在面對不同的查表情境時，頻繁的更換不同的函數來因應，更不需要隨時注意「絕對位址」、「相對位址」「混合位址」帶來的問題。」

本章節將介紹 FILTER、RANDARRAY、SEQUENCE、SORT、SORTBY、UNIQUE 以及 XLOOKUP 等七個動態陣列函數在實務上的應用。

5.9.1 Filter

這是一個效率很高的擷取資料表內容的函數，過去我們必須使用「資料 \ 進階篩選」才能篩選出想要的資料，或者經由 Offset 之類的函數將資料篩選出來，而 Filter 函數卻能讓我們輕鬆地建立條件準則，篩選想要的所有資料。

■ 語法

=FILTER (array, include, [if_empty])

■ 引數說明

▶ array – 要篩選的範圍或陣列。

▶ include – 布林陣列，篩選的條件。

▶ [if_empty] – 找不到符合條件的資料時，回傳的訊息，這是非必要引數。

FILTER 函數會根據設定的條件，過濾整個資料表，再將合乎條件的資料回傳到特定的區域，這種回傳的結果稱為「溢出（spill）」。

引數 array 可以是選定的範圍或是經過命名的表格；引數 include 可以是單一條條或者多重條件，倘若沒有符合條件的資料，將回傳錯誤訊息「#CALC!」，如果不想看

到此錯誤訊息，可以在第三個引數 [if_empty] 中輸入「無此資料」，儲存格中就不會顯示錯誤訊息，而以「無此資料」四個字來取代。

FILTER 的結果是動態的，當資料表中的數據有所更動，FILTER 的結果將自動更新。

實務應用之一：單一條件的篩選

以下圖的資料表為例，其中包含了六個欄位（銷售日期、業務部門、業務員、銷售產品、銷售地區、銷售金額）。

接著設計 J1 儲存格的**下拉式選單**，目的在於可以透過選單中的銷售產品名稱來改變 FILTER 函數的結執行結果：

1. 複製 D1:D21 中的資料到 P1 儲存格。
2. 使用「資料 \ 移除重複」，得到 P1:P7 中不重複的銷售產品名稱。
3. 點選 J1 儲存格，點按「資料 \ 驗證」。
4. 點選「儲存格內允許」方塊中的「清單」。
5. 點按一下「來源」方塊，選取 P2:P7 的範圍，按下**確定**。

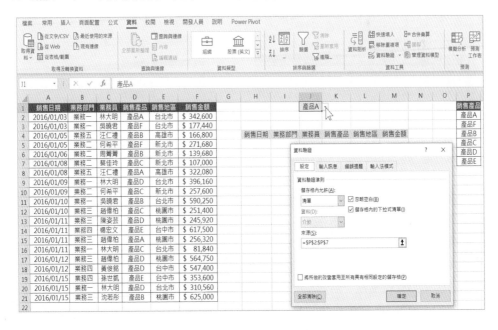

現在要將「產品 A」的銷售資料全部篩選出來，並置於 H5 開始的儲存格中，接著在儲存格 H5 輸入以下列公式：

=FILTER(A2:F21,D2:D21=J1)

按下 Enter 鍵，即可看到下圖 H5:M7 的溢出資料。

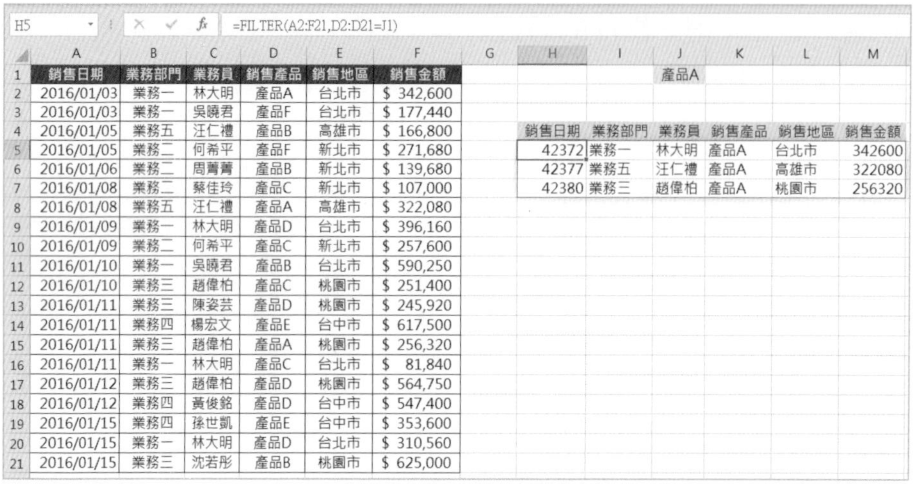

若在 J1 的下拉式選單中，選擇「產品 D」，隨即可以到不同的篩選結果：

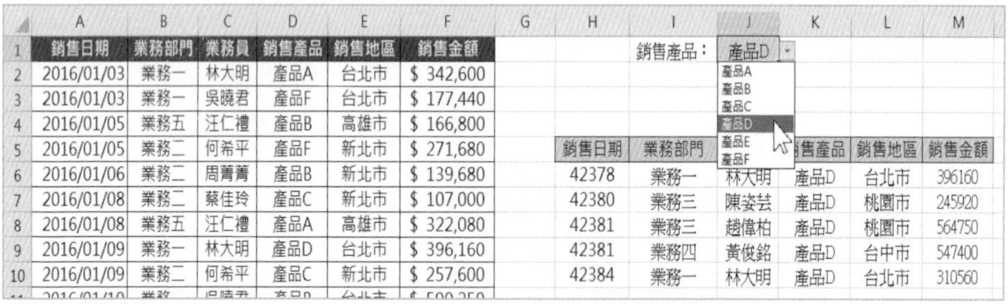

▶ 篩選出來的日期資料，會被轉成數值，只要調回日期格式即可；銷售金額欄中的貨幣格式也會被轉成通用格式，再調成為貨幣格式即可。

▶ 如果沒有 J1 的下拉式選單，H5 儲存格中的公式可以打成：

=FILTER(A2:F21,D2:D21=" 產品 A")

▶ 篩選出來的資料稱為「溢出」的資料，會以藍色框線包住。

▶ 我們只能針對 H5 儲存格中的公式來做更正的動作，其他溢出範圍中的公式是灰色不能被刪除或更動的。

▶ 要刪除溢出的資料，只要刪除 H5 存格中的公式，所有溢出的資料都會被刪除掉。

▶ 如果沒有符合條件的產品名稱，例如「產品 S」，輸入的公式執行時，就會看到如下圖的錯誤訊息「#CALC!」：

=FILTER(A2:F21,D2:D21=" 產品 S")

	A	B	C	D	E	F	G	H	I	J	K	L	M
1	銷售日期	業務部門	業務員	銷售產品	銷售地區	銷售金額				產品A			
2	2016/01/03	業務一	林大明	產品A	台北市	$ 342,600							
3	2016/01/03	業務一	吳曉君	產品F	台北市	$ 177,440							
4	2016/01/05	業務五	汪仁禮	產品B	高雄市	$ 166,800		銷售日期	業務部門	業務員	銷售產品	銷售地區	銷售金額
5	2016/01/05	業務二	何希平	產品F	新北市	$ 271,680		#CALC!					
6	2016/01/06	業務二	周菁菁	產品B	新北市	$ 139,680							

若要排除此錯誤訊息，可以加上第三個 [if_empty] 的引數，成為如下的公式：

=FILTER(A2:F21,D2:D21=" 產品 S"," 無此資料")

H5 儲存格中就不會顯示「#CALC!」錯誤訊息，而會以「無此資料」四個字來呈現。

H5		✕	✓	fx	=FILTER(A2:F21,D2:D21="產品S","無此資料")								
	A	B	C	D	E	F	G	H	I	J	K	L	M
1	銷售日期	業務部門	業務員	銷售產品	銷售地區	銷售金額				產品A			
2	2016/01/03	業務一	林大明	產品A	台北市	$ 342,600							
3	2016/01/03	業務一	吳曉君	產品F	台北市	$ 177,440							
4	2016/01/05	業務五	汪仁禮	產品B	高雄市	$ 166,800		銷售日期	業務部門	業務員	銷售產品	銷售地區	銷售金額
5	2016/01/05	業務二	何希平	產品F	新北市	$ 271,680		無此資料					
6	2016/01/06	業務二	周菁菁	產品B	新北市	$ 139,680							
7	2016/01/08	業務二	蔡佳玲	產品C	新北市	$ 107,000							

如果找不到資料又想以空白來替代”無此資料”四個字，只要將第三個引數改成連續兩個雙引號即可：

=FILTER(A2:F21,D2:D21=" 產品 S","")

▶ 如果溢出資料所 . 在的位置本來就有資料存在，例如 M6 儲存格中的「100」，輸入公式之後，就會看到如下圖的錯誤訊息「# 溢位 !」：

H5		✕	✓	fx	=FILTER(A2:F21,D2:D21=J1)								
	A	B	C	D	E	F	G	H	I	J	K	L	M
1	銷售日期	業務部門	業務員	銷售產品	銷售地區	銷售金額				產品A			
2	2016/01/03	業務一	林大明	產品A	台北市	$ 342,600							
3	2016/01/03	業務一	吳曉君	產品F	台北市	$ 177,440							
4	2016/01/05	業務五	汪仁禮	產品B	高雄市	$ 166,800		銷售日期	業務部門	業務員	銷售產品	銷售地區	銷售金額
5	2016/01/05	業務二	何希平	產品F	新北市	$ 271,680		#溢位!					
6	2016/01/06	業務二	周菁菁	產品B	新北市	$ 139,680		(Ctrl) ▾					100
7	2016/01/08	業務二	蔡佳玲	產品C	新北市	$ 107,000							

此時只要將例如 M6 儲存格中的 100 刪除掉，公式就可以正常執行了。

如果直接在溢出資料的範圍中，用人工的方式輸入任何數據，也會看到「#溢位！」的錯誤訊息，刪除人工輸入的數據，就可以恢復正常的結果。

實務應用之二：多重條件的篩選

如果要使用兩個以上的條件來進行篩選，例如：除了要將「產品 D」做為篩選條件之外，還必須加上銷售金額大於 300000 以上的條件，此時公式可以寫成：

=FILTER(A2:F21,(D2:D21=J1)*(F2:F21>=300000))

或者

=FILTER(A2:F21,(D2:D21="產品 D")*(F2:F21>=300000))

	A	B	C	D	E	F	G	H	I	J	K	L	M
1	銷售日期	業務部門	業務員	銷售產品	銷售地區	銷售金額			銷售產品：	產品D			
2	2016/01/03	業務一	林大明	產品A	台北市	$ 342,600							
3	2016/01/03	業務一	吳曉君	產品F	台北市	$ 177,440							
4	2016/01/05	業務五	汪仁禮	產品B	高雄市	$ 166,800		銷售日期	業務部門	業務員	銷售產品	銷售地區	銷售金額
5	2016/01/05	業務二	何希平	產品F	新北市	$ 271,680		42378	業務一	林大明	產品D	台北市	396160
6	2016/01/06	業務二	周菁菁	產品B	台北市	$ 139,680		42381	業務三	趙偉柏	產品D	桃園市	564750
7	2016/01/08	業務三	蔡佳玲	產品C	新北市	$ 107,000		42381	業務四	黃俊銘	產品D	台中市	547400
8	2016/01/08	業務五	汪仁禮	產品A	高雄市	$ 322,080		42384	業務一	林大明	產品D	台北市	310560
9	2016/01/09	業務一	林大明	產品D	台北市	$ 396,160							
10	2016/01/09	業務二	何希平	產品C	新北市	$ 257,600		=FILTER(A2:F21,(D2:D21=J1)*(F2:F21>300000))					
11	2016/01/10	業務一	吳曉君	產品B	台北市	$ 590,250		=FILTER(A2:F21,(D2:D21="產品D")*(F2:F21>300000))					
12	2016/01/10	業務三	趙偉柏	產品C	桃園市	$ 251,400							
13	2016/01/11	業務三	陳姿芸	產品D	桃園市	$ 245,920							
14	2016/01/11	業務四	楊宏文	產品E	台中市	$ 617,500							
15	2016/01/11	業務三	趙偉柏	產品A	桃園市	$ 256,320							
16	2016/01/11	業務一	林大明	產品D	台北市	$ 81,840							
17	2016/01/12	業務三	趙偉柏	產品D	桃園市	$ 564,750							
18	2016/01/12	業務四	黃俊銘	產品D	台中市	$ 547,400							
19	2016/01/15	業務四	孫世凱	產品E	台中市	$ 353,600							
20	2016/01/15	業務一	林大明	產品D	台北市	$ 310,560							
21	2016/01/15	業務三	沈若彤	產品B	桃園市	$ 625,000							
22	2016/01/15	業務一	林大明	產品D	台北市	$ 500,000							

公式中的第一組篩選條件是「D2:D21=J1」

第二組篩選條件是「F2:F21>=300000」

兩組篩選條件之間用星號「*」串接，這是一個巧妙的用法，「*」等同於「AND」，表示兩組條件要同時成立。

第一組篩選條件「D2:D21=J1」在執行時，Excel 會掃瞄 D2:D21 中的每一列的產品名稱，如果是"產品 D"的資料，就回傳「true」不是"產品 D"的資料就回傳「false」，以此方式將產生 20 個 true 或 false，並將此結果置於電腦記憶體中。

同樣的，面對第二組篩選條件「F2:F21>=300000」在執行時，Excel 會掃瞄 F2:F21 中每一列的銷售金額，如果是「>=300000」的資料，就回傳「true」，如果不是，就回傳「false」，以此方式也產生了 20 個 true 或 false，並將此結果置於電腦記憶體中。其中 true 會被當作數值 1，false 會被當作 0，兩組條件的 true 或 false 經過相互對乘的運算，最後將得到 20 個 1 或 0 的結果。

true 與 false 相乘或相加的六種變化和結果，如下圖所示：

	A	B	C	D	E	F	G	H	I
1	TRUE	TRUE	1	=A1*B1		TRUE	TRUE	2	=F1+G1
2	TRUE	FALSE	0	=A2*B2		TRUE	FALSE	1	=F2+G2
3	FALSE	FALSE	0	=A3*B3		FALSE	FALSE	0	=F3+G3

參考上述的邏輯，公式「=FILTER(A2:F21,(D2:D21=J1)*(F2:F21>=300000))」在掃瞄 A2:F21 中每一列的資料後，兩組篩選條件都是 true 的資料，將被篩選出來。

三組條件的篩選

我們可以在 Filter 函數中加入更多組條件來進行篩選，例如：

=FILTER(A2:F21,(D2:D21=J1)*(F2:F21>300000)*(E2:E20=J2))

如果沒有下拉式選單，公式可以寫成：

=FILTER(sale,(D2:D21=" 產品 D")*(F2:F21>300000) * (E2:E20=" 台北市 "))

要三組條件同時成立，才會被 Filter 篩選出來成為下圖的結果：

	A	B	C	D	E	F	G	H	I	J	K	L	M	N	O	P	Q
1	銷售日期	業務部門	業務員	銷售產品	銷售地區	銷售金額			銷售產品：	產品D						銷售產品	銷售地區
2	2016/01/03	業務一	林大明	產品A	台北市	$ 342,600			銷售地區：	台北市						產品A	台北市
3	2016/01/03	業務一	吳曉君	產品F	台北市	$ 177,440										產品B	高雄市
4	2016/01/05	業務五	汪仁禮	產品B	高雄市	$ 166,800		銷售日期	業務部門	業務員	銷售產品	銷售地區	銷售金額			產品C	新北市
5	2016/01/05	業務二	何希平	產品F	新北市	$ 271,680		42378	業務一	林大明	產品D	台北市	396160			產品D	桃園市
6	2016/01/06	業務二	周菁菁	產品B	新北市	$ 139,680		42384	業務一	林大明	產品D	台北市	310560			產品E	台中市
7	2016/01/08	業務二	蔡佳玲	產品C	新北市	$ 107,000										產品F	
8	2016/01/08	業務五	汪仁禮	產品A	高雄市	$ 322,080											
9	2016/01/09	業務一	林大明	產品D	台北市	$ 396,160											
10	2016/01/09	業務二	何希平	產品C	新北市	$ 257,600		=FILTER(A2:F21,(D2:D21=J1)*(F2:F21>300000)*(E2:E20=J2))									
11	2016/01/10	業務一	吳曉君	產品B	台北市	$ 590,250		=FILTER(A2:F21,(D2:D21="產品D")*(F2:F21>300000)*(E2:E21="台北市"))									
12	2016/01/10	業務三	趙偉柏	產品C	桃園市	$ 251,400											
13	2016/01/11	業務三	陳姿芸	產品D	桃園市	$ 245,920											
14	2016/01/11	業務四	楊宏文	產品E	台中市	$ 617,500											
15	2016/01/11	業務三	趙偉柏	產品A	桃園市	$ 256,320											
16	2016/01/11	業務一	林大明	產品C	台北市	$ 81,840											
17	2016/01/12	業務三	趙偉柏	產品D	桃園市	$ 564,750											
18	2016/01/12	業務四	黃俊銘	產品D	台中市	$ 547,400											
19	2016/01/15	業務四	孫世凱	產品E	台中市	$ 353,600											
20	2016/01/15	業務一	林大明	產品D	台北市	$ 310,560											
21	2016/01/15	業務三	沈若彤	產品B	桃園市	$ 625,000											
22																	

再透過 J1 與 J2 中的兩組下拉式選單組合成不同的條件來進行篩選，就可以得到不同的篩選結果。

資料更新的問題

如果在第 22 列新增一筆或向下新增多筆資料，Filter 自動更新篩選出來的資料嗎？
答案是肯定的，但是必須完成以下的前置作業：

01 將 A1:F21 的資料表轉表格 - 點選 A1:F21 中的任一儲存格，再按下「插入 \ 表格」

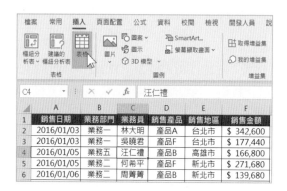

02 將表格名稱命名為「sale」（或者任何易於理解的表格中、英文名稱）

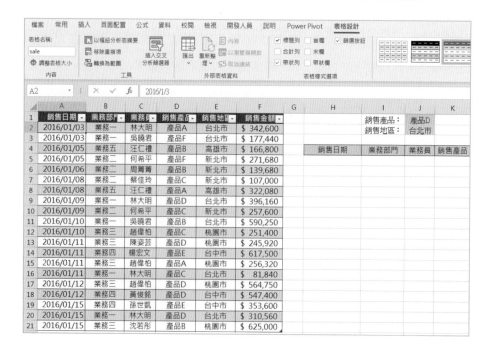

「結構化參照」的公式

轉表格之後的公式，將成為「結構化參照」的公式，這種公式可以讓我們更容易理解函數中每一個引數代表的意義；更重要的是：當表格中的數據有增減時，FILTER會自動調整篩選的範圍，並同時更新篩選的結果。

例如，我們在下圖 H3 儲存格中輸入公式「=FILTER（」，再選取 A2:H21 的範圍，此時公式的第一個引數，會自動將 A2:H21 的範圍轉成表格名稱「sale」：

	A	B	C	D	E	F	G	H	I	J	K
1	銷售日期	業務部	業務員	銷售產品	銷售地區	銷售金額			銷售產品：	產品D	
2	2016/01/03	業務一	林大明	產品A	台北市	$ 342,600			銷售地區：	台北市	
3	2016/01/03	業務一	吳曉君	產品F	台北市	$ 177,440					
4	2016/01/05	業務五	汪仁禮	產品B	高雄市	$ 166,800		銷售日期	業務部門	業務員	銷售產品
5	2016/01/05	業務二	何希平	產品F	新北市	$ 271,680		=FILTER(sale,			
6	2016/01/06	業務二	周菁菁	產品B	新北市	$ 139,680		FILTER(array, include, [if_empty])			
7	2016/01/08	業務二	蔡佳玲	產品C	新北市	$ 107,000					
8	2016/01/08	業務五	汪仁禮	產品A	高雄市	$ 322,080					
9	2016/01/09	業務二	林大明	產品D	台北市	$ 396,160					
10	2016/01/09	業務二	何希平	產品C	新北市	$ 257,600					
11	2016/01/10	業務一	吳曉君	產品B	台北市	$ 590,250					
12	2016/01/10	業務三	趙偉柏	產品C	桃園市	$ 251,400					
13	2016/01/11	業務三	陳姿芸	產品D	桃園市	$ 245,920					
14	2016/01/11	業務四	楊宏文	產品E	台中市	$ 617,500					
15	2016/01/11	業務三	趙偉柏	產品A	桃園市	$ 256,320					
16	2016/01/11	業務一	林大明	產品C	台北市	$ 81,840					
17	2016/01/12	業務三	趙偉柏	產品D	桃園市	$ 564,750					
18	2016/01/12	業務四	黃俊銘	產品D	台中市	$ 547,400					
19	2016/01/15	業務四	孫世凱	產品E	台中市	$ 353,600					
20	2016/01/15	業務一	林大明	產品D	台北市	$ 310,560					
21	2016/01/15	業務三	沈若彤	產品B	桃園市	$ 625,000					

輸入逗號和小括弧之後，再點選 D 欄成為第一個篩選欄位時，公式變成了「=FILTER(sale,(sale[銷售產品]」，接著輸入篩選條件「=J1」再加上「)*」成為如下圖的結果：

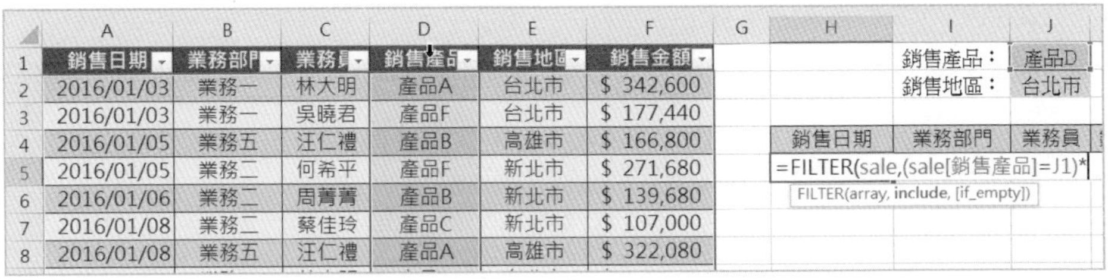

	A	B	C	D	E	F	G	H	I	J
1	銷售日期	業務部	業務員	銷售產品	銷售地區	銷售金額			銷售產品：	產品D
2	2016/01/03	業務一	林大明	產品A	台北市	$ 342,600			銷售地區：	台北市
3	2016/01/03	業務一	吳曉君	產品F	台北市	$ 177,440				
4	2016/01/05	業務五	汪仁禮	產品B	高雄市	$ 166,800		銷售日期	業務部門	業務員
5	2016/01/05	業務二	何希平	產品F	新北市	$ 271,680		=FILTER(sale,(sale[銷售產品]=J1)*		
6	2016/01/06	業務二	周菁菁	產品B	新北市	$ 139,680		FILTER(array, include, [if_empty])		
7	2016/01/08	業務二	蔡佳玲	產品C	新北市	$ 107,000				
8	2016/01/08	業務五	汪仁禮	產品A	高雄市	$ 322,080				

再依序選取其他引數對應的欄位和篩選條件之後，完成了以下的公式：

=FILTER(sale,(sale[銷售產品]=J1)*(sale[銷售金額]>300000) * (sale[銷售地區]=J2))

其中的 sale 是表格名稱，[銷售產品] 是欄位名稱，依此類推；此種表格及欄位名稱的表示法，稱為「**結構化參照**」。

公式執行之後的結果如下圖所示：

	A	B	C	D	E	F	G	H	I	J	K	L	M	N	O
1	銷售日期	業務部門	業務員	銷售產品	銷售地區	銷售金額			銷售產品：	產品D					
2	2016/01/03	業務一	林大明	產品A	台北市	$ 342,600			銷售地區：	台北市					
3	2016/01/03	業務一	吳曉君	產品F	台北市	$ 177,440									
4	2016/01/05	業務五	汪仁禮	產品B	高雄市	$ 166,800		銷售日期	業務部門	業務員	銷售產品	銷售地區	銷售金額		
5	2016/01/05	業務二	何希平	產品F	新市市	$ 271,680		42378	業務一	林大明	產品D	台北市	396160		
6	2016/01/06	業務二	周菁菁	產品B	新市市	$ 139,680		42384	業務一	林大明	產品D	台北市	310560		
7	2016/01/08	業務二	蔡佳玲	產品C	新市市	$ 107,000									
8	2016/01/08	業務五	汪仁禮	產品A	高雄市	$ 322,080									
9	2016/01/09	業務一	林大明	產品D	台北市	$ 396,160									
10	2016/01/09	業務二	何希平	產品C	新市市	$ 257,600		=FILTER(sale,(sale[銷售產品]=J1)*(sale[銷售金額]>300000) * (sale[銷售地區]=J2))							
11	2016/01/10	業務一	吳曉君	產品B	台北市	$ 590,250									
12	2016/01/10	業務三	趙偉柏	產品C	桃園市	$ 251,400									
13	2016/01/11	業務三	陳姿芸	產品D	桃園市	$ 245,920									
14	2016/01/11	業務四	楊宏文	產品E	台中市	$ 617,500									
15	2016/01/11	業務三	趙偉柏	產品A	桃園市	$ 256,320									
16	2016/01/11	業務一	林大明	產品C	台北市	$ 81,840									
17	2016/01/12	業務三	趙偉柏	產品D	桃園市	$ 564,750									
18	2016/01/12	業務四	黃俊銘	產品D	台中市	$ 547,400									
19	2016/01/15	業務四	孫世凱	產品E	台中市	$ 353,600									
20	2016/01/15	業務一	林大明	產品D	台北市	$ 310,560									
21	2016/01/15	業務三	沈若彤	產品B	桃園市	$ 625,000									

接著我們在表格第 22 列的位置增一筆數據，當此筆數據符合 FILTER 篩選條件時，就會自動被擷取到 FILTER 的溢出範圍中，成為如下圖的結果：

	A	B	C	D	E	F	G	H	I	J	K	L	M	N
1	銷售日期	業務部門	業務員	銷售產品	銷售地區	銷售金額			銷售產品：	產品D				
2	2016/01/03	業務一	林大明	產品A	台北市	$ 342,600			銷售地區：	台北市				
3	2016/01/03	業務一	吳曉君	產品F	台北市	$ 177,440								
4	2016/01/05	業務五	汪仁禮	產品B	高雄市	$ 166,800		銷售日期	業務部門	業務員	銷售產品	銷售地區	銷售金額	
5	2016/01/05	業務二	何希平	產品F	新市市	$ 271,680		42378	業務一	林大明	產品D	台北市	396160	
6	2016/01/06	業務二	周菁菁	產品B	新市市	$ 139,680		42384	業務一	林大明	產品D	台北市	310560	
7	2016/01/08	業務二	蔡佳玲	產品C	新市市	$ 107,000		42385	業務一	吳曉君	產品D	台北市	468500	
8	2016/01/08	業務五	汪仁禮	產品A	高雄市	$ 322,080								
9	2016/01/09	業務一	林大明	產品D	台北市	$ 396,160								
10	2016/01/09	業務二	何希平	產品C	新市市	$ 257,600		=FILTER(sale,(sale[銷售產品]=J1)*(sale[銷售地區]=J2)*(sale[銷售金額]>300000))						
11	2016/01/10	業務一	吳曉君	產品B	台北市	$ 590,250								
12	2016/01/10	業務三	趙偉柏	產品C	桃園市	$ 251,400								
13	2016/01/11	業務三	陳姿芸	產品D	桃園市	$ 245,920								
14	2016/01/11	業務四	楊宏文	產品E	台中市	$ 617,500								
15	2016/01/11	業務三	趙偉柏	產品A	桃園市	$ 256,320								
16	2016/01/11	業務一	林大明	產品C	台北市	$ 81,840								
17	2016/01/12	業務三	趙偉柏	產品D	桃園市	$ 564,750								
18	2016/01/12	業務四	黃俊銘	產品D	台中市	$ 547,400								
19	2016/01/15	業務四	孫世凱	產品E	台中市	$ 353,600								
20	2016/01/15	業務一	林大明	產品D	台北市	$ 310,560								
21	2016/01/15	業務三	沈若彤	產品B	桃園市	$ 625,000								
22	2016/01/16	業務一	吳曉君	產品D	台北市	$ 468,500								

以上公式和沒有將資料轉成表格所設定的公式相比較：

=FILTER(A2:F21,(D2:D21=" 產品 D")*(F2:F21>300000)*(E2:E20=" 台北市 "))

看起來，轉表格之後的公式好像長了一些，但是卻是比較易於理解且更有效率的寫法。

5.9.2 UNIQUE

這是一個效率很高的擷取不重複的資料表內容的函數，過去我們必須使用「資料 \
移除重複」才能取得欄位中不重複的資料內容，或者必須經由複雜的 Index+Match
的陣列函數，來取得欄位中不重複的資料。

取得不重複欄位內容的目的大致有二，一是用來設計下拉式選單；二是用來建置資
料分析報表的基本架構，例如下圖 H 欄中業務員姓名以及 I1:L1 儲存格中的產品名
稱，就構成了報表的基本架構：

	A	B	C	D	E	F	G	H	I	J	K	L
									產品A	產品B	產品C	產品D
1	銷售日期	業務部門	業務員	銷售產品	銷售數量	銷售金額						
2	2017/01/06	業務二	趙偉柏	產品D	2,860	$457,600		趙偉柏				
3	2017/01/07	業務二	蔡玲玲	產品B	2,211	$442,200		蔡玲玲				
4	2017/01/07	業務三	吳曉君	產品B	1,415	$283,000		吳曉君				
5	2017/01/08	業務三	張世凱	產品C	2,433	$608,250		張世凱				
6	2017/01/09	業務三	張世凱	產品B	2,338	$467,600		林坤池				
7	2017/01/09	業務一	林坤池	產品D	589	$94,240		林大明				
8	2017/01/09	業務三	張世凱	產品C	2,628	$657,000		黃乙銘				
9	2017/01/09	業務二	蔡玲玲	產品D	2,634	$421,440		汪九祥				
10	2017/01/10	業務三	林大明	產品A	890	$106,800		楊柏森				
11	2017/01/14	業務一	林大明	產品D	1,698	$271,680		古進雄				
12	2017/01/14	業務三	黃乙銘	產品C	2,359	$589,750		王文軒				
13	2017/01/14	業務三	汪九祥	產品D	1,506	$240,960		何希均				
14	2017/01/14	業務二	楊柏森	產品A	1,150	$287,500		李玲娟				
15	2017/01/15	業務三	古進雄	產品A	2,046	$245,520		陳姿青				
16	2017/01/15	業務四	王文軒	產品A	1,301	$156,120						
17	2017/01/17	業務二	蔡玲玲	產品C	2,030	$507,500						
18	2017/01/17	業務二	楊柏森	產品B	870	$174,000						
19	2017/01/17	業務四	何希均	產品C	500	$125,000						
20	2017/01/17	業務三	黃乙銘	產品A	1,550	$186,000						

如果用函數 Index 來取得 C 欄中的不重複內容，公式必須這樣寫：

=INDEX(業務員 ,SMALL(IF(MATCH(業務員 , 業務員 ,0)=ROW(業務員)-1,ROW
(業務員)-1,99999),ROW(1:1)))

對一般的使用者而言，這是非常不容易瞭解的陣列公式，而且這樣的公式必須按下
CTRL+SHIFT+ENTER 才能正確的執行，而 UNIQUE 則完美詮釋了「用簡單的方
法，解複雜的問題」，公式可以寫得極其簡單：

「=UNIQUE(C2:C20)」或「 =UNIQUE(銷售 [業務員])

簡單吧！下面我們趕快來看看動態陣列函數 UNIQUE 多種不同的用法。

■ 語法
=UNIQUE (array, [by_col], [exactly_once])

■ 引數說明

▶ array – 要傳回唯一列或欄的資料範圍或陣列。

▶ by_col – 是指比較方式的邏輯值 -True 或 False（此為預設值），省略此引數亦代表是 False。TRUE（或 1）會比較資料欄，並回傳唯一資料欄的內容，適用於水平方向的資料陣列；FALSE（或 0）會比較資料列並回傳唯一資料列的內容，適用於垂直方向的資料陣列。

▶ exactly_once – 此為邏輯值 True 或 False（此為預設值）。用來判斷是否只回傳出現過一次的資料，省略此引數亦代表是 False。TRUE 回傳只出現一次的資料，剔除出現兩次以上的資料內容；FALSE（或省略）會回傳資料範圍或陣列中每個相異的資料，也就是回傳的資料內容，沒有一項是重複的。

實務應用之一：挑出不重複的業務員

	A	B	C	D	E	F	G	H	I
1	銷售日期	業務部門	業務員	銷售產品	銷售數量	銷售金額			
2	2017/01/06	業務二	趙偉柏	產品D	2,860	$457,600			
3	2017/01/07	業務二	蔡玲玲	產品B	2,211	$442,200			
4	2017/01/07	業務一	吳曉君	產品B	1,415	$283,000			
5	2017/01/08	業務三	張世凱	產品C	2,433	$608,250			
6	2017/01/09	業務三	張世凱	產品B	2,338	$467,600			
7	2017/01/09	業務一	林坤池	產品D	589	$94,240			
8	2017/01/09	業務三	張世凱	產品C	2,628	$657,000			
9	2017/01/09	業務二	蔡玲玲	產品D	2,634	$421,440			
10	2017/01/10	業務一	林大明	產品A	890	$106,800			
11	2017/01/14	業務一	林大明	產品D	1,698	$271,680			
12	2017/01/14	業務三	黃乙銘	產品C	2,359	$589,750			
13	2017/01/14	業務一	汪九祥	產品D	1,506	$240,960			
14	2017/01/14	業務二	楊柏森	產品C	1,150	$287,500			
15	2017/01/15	業務三	古進雄	產品A	2,046	$245,520			
16	2017/01/15	業務四	王文軒	產品A	1,301	$156,120			
17	2017/01/17	業務二	蔡玲玲	產品C	2,030	$507,500			
18	2017/01/17	業務二	楊柏森	產品B	870	$174,000			
19	2017/01/17	業務四	何希均	產品C	500	$125,000			
20	2017/01/17	業務三	黃乙銘	產品A	1,550	$186,000			
21									

要挑出上圖 C 欄中不重複的業務員，並將結果置於 H2 儲存格以下的範圍中，可以依下列方式處理：

01 點選資料表中的任一儲存格，點按「插入 \ 表格」將資料表轉換成表格，並將表格名稱命名為「銷售」。

02 在 H2 儲存格輸入公式：「=UNIQUE(」，點選 C 欄的欄位名稱「業務員」（或直接選取 C2:C20 的儲存格範圍），Excel 會將「銷售 [業務員]」帶入公式，成為「=UNIQUE（銷售 [業務員]」，加上右括號，按下 Enter 鍵。

	A	B	C	D	E	F	G	H	I	J
1	銷售日期	業務部門	業務員	銷售產品	銷售數量	銷售金額				
2	2017/01/06	業務二	趙偉柏	產品D	2,860	$457,600		=UNIQUE(銷售[業務員]		
3	2017/01/07	業務二	蔡玲玲	產品B	2,211	$442,200		UNIQUE(array, [by_col], [exactly_once])		
4	2017/01/07	業務一	吳曉君	產品B	1,415	$283,000				
5	2017/01/08	業務三	張世凱	產品C	2,433	$608,250				
6	2017/01/09	業務三	張世凱	產品B	2,338	$467,600				
7	2017/01/09	業務一	林坤池	產品C	589	$94,240				
8	2017/01/09	業務三	張世凱	產品C	2,628	$657,000				
9	2017/01/09	業務二	蔡玲玲	產品D	2,634	$421,440				
10	2017/01/10	業務一	林大明	產品A	890	$106,800				
11	2017/01/14	業務一	林大明	產品D	1,698	$271,680				
12	2017/01/14	業務三	黃乙銘	產品C	2,359	$589,750				
13	2017/01/14	業務一	汪九祥	產品D	1,506	$240,960				
14	2017/01/14	業務二	楊柏森	產品C	1,150	$287,500				
15	2017/01/15	業務三	古進雄	產品A	2,046	$245,520				
16	2017/01/15	業務四	王文軒	產品A	1,301	$156,120				
17	2017/01/17	業務二	蔡玲玲	產品C	2,030	$507,500				
18	2017/01/17	業務二	楊柏森	產品B	870	$174,000				
19	2017/01/17	業務四	何希均	產品C	500	$125,000				
20	2017/01/17	業務三	黃乙銘	產品A	1,550	$186,000				

03 H 欄中出現了不重複的業務員姓名。

公式「=UNIQUE（銷售 [業務員]」中的「銷售 [業務員]」，其中「銷售」是表格名稱，「[業務員]」是欄位名稱。

實務應用之二：列出每個業務部門中有哪幾位業務員

想要連結多個欄位，找出不重複的資料，例如要在「業務部門」和「業務員」這兩個欄位中找出「每個業務部門中有哪幾位業務員？」，我們可以先結合兩個欄位的內容，再從中挑出不重複的內容，此時公式可以寫成：

=UNIQUE（銷售 [業務部門]&" "& 銷售 [業務員]）

公式執行的結果，如下圖 L 欄中所示。

- 公式中的「&" "&」表示「業務部門」和「業務員」之間要空一格
- 我們可以在公式中加入另一函數 SORT，來依「業務部門」排序，公式可寫成：

=SORT(UNIQUE(銷售 [業務部門]&" "& 銷售 [業務員]))

最後可以得到如下圖 N 欄中的結果：

	A	B	C	D	E	F	G	N	O P Q R S T
1	銷售日期	業務部門	業務員	銷售產品	銷售數量	銷售金額			=SORT(UNIQUE(銷售[業務部門]&" "&銷售[業務員]))
2	2017/01/06	業務二	趙偉柏	產品D	2,860	$457,600		業務一 吳曉君	
3	2017/01/07	業務二	蔡玲玲	產品B	2,211	$442,200		業務一 汪九祥	
4	2017/01/07	業務一	吳曉君	產品B	1,415	$283,000		業務一 林大明	
5	2017/01/08	業務三	張世凱	產品D	2,433	$608,250		業務一 林坤池	
6	2017/01/09	業務三	張世凱	產品B	2,338	$467,600		業務一 楊柏森	
7	2017/01/09	業務一	林坤池	產品C	589	$94,240		業務二 趙偉柏	
8	2017/01/09	業務三	張世凱	產品C	2,628	$657,000		業務二 蔡玲玲	
9	2017/01/09	業務二	蔡玲玲	產品D	2,634	$421,440		業務三 古進雄	
10	2017/01/10	業務三	林大明	產品A	890	$106,800		業務三 張世凱	
11	2017/01/14	業務一	林大明	產品C	1,698	$271,680		業務三 黃乙銘	
12	2017/01/14	業務三	黃乙銘	產品C	2,359	$589,750		業務四 王文軒	
13	2017/01/14	業務一	汪九祥	產品D	1,506	$240,960		業務四 何希均	
14	2017/01/14	業務三	楊柏森	產品C	1,150	$287,500			
15	2017/01/15	業務三	古進雄	產品A	2,046	$245,520			
16	2017/01/15	業務四	王文軒	產品A	1,301	$156,120			
17	2017/01/17	業務二	蔡玲玲	產品C	2,030	$507,500			
18	2017/01/17	業務三	楊柏森	產品B	870	$174,000			
19	2017/01/17	業務四	何希均	產品C	500	$125,000			
20	2017/01/17	業務三	黃乙銘	產品A	1,550	$186,000			

實務應用之三：移除內容相同的資料欄只保留其一

下圖中的資料格式，不是一種正規的資料表，而且其中 B 欄與 F 欄資料是完全相同的；E 欄與 H 欄內容也是相同的，此時可以使用 UNIQUE 函數來排除內容相同的多餘欄位 F 欄與 H 欄。

	A	B	C	D	E	F	G	H	I	J
1	業務部門	業務二	業務二	業務一	業務三	業務二	業務一	業務三	業務二	業務一
2	業務員	趙偉柏	蔡玲玲	吳曉君	張世凱	趙偉柏	林坤池	張世凱	蔡玲玲	林大明
3	銷售產品	產品D	產品B	產品D	產品D	產品D	產品D	產品D	產品D	產品A
4	銷售數量	2,860	2,211	1,415	2,433	2,860	589	2,433	2,634	890
5	銷售金額	$457,600	$442,200	$283,000	$608,250	$457,600	$94,240	$608,250	$421,440	$106,800

首先要將下圖 A1:J5 的範圍命名為「單位績效」，並在 A8 儲存格中輸入公式：

=UNIQUE（單位績效 ,TRUE）

此時公式中必須動用到 UNIQUE 函數第二個引數 [by_col] 中的「TRUE」，執行公式之後的結果，UNIQUE 將原先 F 欄與 H 欄的欄位移除，取得了 A8:H12 的內容，如下圖所示：

	A	B	C	D	E	F	G	H	I	J
1	業務部門	業務二	業務二	業務一	業務三	業務二	業務一	業務三	業務二	業務一
2	業務員	趙偉柏	蔡玲玲	吳曉君	張世凱	趙偉柏	林坤池	張世凱	蔡玲玲	林大明
3	銷售產品	產品D	產品B	產品B	產品C	產品D	產品D	產品C	產品D	產品A
4	銷售數量	2,860	2,211	1,415	2,433	2,860	589	2,433	2,634	890
5	銷售金額	$457,600	$442,200	$283,000	$608,250	$457,600	$94,240	$608,250	$421,440	$106,800
6										
7										
8	業務部門	業務二	業務二	業務一	業務三	業務一	業務二	業務一		
9	業務員	趙偉柏	蔡玲玲	吳曉君	張世凱	林坤池	蔡玲玲	林大明		
10	銷售產品	產品D	產品B	產品B	產品C	產品D	產品D	產品A		
11	銷售數量	2860	2211	1415	2433	589	2634	890		
12	銷售金額	457600	442200	283000	608250	94240	421440	106800		

第二個引數中的「FALSE」面對上圖的資料格式，將完全派不上用場，因為「FALSE」是針對各列資料都相同的表格資料才能派上用場，因此，如果套用 FALSE 作為第二個引數：

=UNIQUE(單位績效 ,FALSE)

將得到如下圖，與原資料完全相同的結果。

	A	B	C	D	E	F	G	H	I	J
1	業務部門	業務二	業務二	業務一	業務三	業務二	業務一	業務三	業務二	業務一
2	業務員	趙偉柏	蔡玲玲	吳曉君	張世凱	趙偉柏	林坤池	張世凱	蔡玲玲	林大明
3	銷售產品	產品D	產品B	產品B	產品C	產品D	產品D	產品C	產品D	產品A
4	銷售數量	2,860	2,211	1,415	2,433	2,860	589	2,433	2,634	890
5	銷售金額	$457,600	$442,200	$283,000	$608,250	$457,600	$94,240	$608,250	$421,440	$106,800
6										
7										
15	業務部門	業務二	業務二	業務一	業務三	業務二	業務一	業務三	業務二	業務一
16	業務員	趙偉柏	蔡玲玲	吳曉君	張世凱	趙偉柏	林坤池	張世凱	蔡玲玲	林大明
17	銷售產品	產品D	產品B	產品B	產品C	產品D	產品D	產品C	產品D	產品A
18	銷售數量	2860	2211	1415	2433	2860	589	2433	2634	890
19	銷售金額	457600	442200	283000	608250	457600	94240	608250	421440	106800

下圖 M2:R6 的資料格式是標準的表格資料，就可以在 M9 儲存格中輸入下列公式：

=UNIQUE(M2:R6,FALSE)

此時 UNIQUE 會正確的執行第二個引數「FALSE」，並得到 M9:R12 中的結果：

	M	N	O	P	Q	R
1	銷售日期	業務部門	業務員	銷售產品	銷售數量	銷售金額
2	2017/01/06	業務二	趙偉柏	產品D	2,860	$457,600
3	2017/01/07	業務二	蔡玲玲	產品B	2,211	$442,200
4	2017/01/07	業務一	吳曉君	產品B	1,415	$283,000
5	2017/01/06	業務二	趙偉柏	產品D	2,860	$457,600
6	2017/01/09	業務三	張世凱	產品B	2,338	$467,600
7						
8	=UNIQUE(M2:R6,FALSE)					
9	42741	業務二	趙偉柏	產品D	2860	457600
10	42742	業務二	蔡玲玲	產品B	2211	442200
11	42742	業務一	吳曉君	產品B	1415	283000
12	42744	業務三	張世凱	產品B	2338	467600

產生的不重複資料中，日期資料會被轉成數值，只要調回日期格式即可；銷售金額欄中的貨幣格式也會被轉成通用格式，再調成為貨幣格式即可。

實務應用之四：移除所有內容相同的資料列

如果要將資料表中重複的資料一筆都不留下，只帶出完全不重複的資料，此時可用用到 UNIQUE 第三個引數中的「TRUE」，公式如下：

=UNIQUE（績效 [業務員],,TRUE）

在下圖 F2 儲存格中輸入公式之後，帶出的資料如 F2:F8 的結果。

	A	B	C	D	E	F	G	H	I
1	業務員	銷售產品	銷售數量	銷售金額		Unique實作四			
2	趙偉柏	產品D	2,860	$457,600		趙偉柏	=UNIQUE(績效[業務員],,TRUE)		
3	蔡玲玲	產品B	2,211	$442,200		吳曉君			
4	吳曉君	產品B	1,415	$283,000		林坤池			
5	張世凱	產品C	2,433	$608,250		汪九祥			
6	張世凱	產品B	2,338	$467,600		古進雄			
7	林坤池	產品D	589	$94,240		王文軒			
8	張世凱	產品C	2,628	$657,000		何希均			
9	蔡玲玲	產品D	2,634	$421,440					
10	林大明	產品A	890	$106,800					
11	林大明	產品D	1,698	$271,680					
12	黃乙銘	產品C	2,359	$589,750					
13	汪九祥	產品D	1,506	$240,960					
14	楊柏森	產品C	1,150	$287,500					
15	古進雄	產品A	2,046	$245,520					
16	王文軒	產品A	1,301	$156,120					
17	蔡玲玲	產品C	2,030	$507,500					
18	楊柏森	產品B	870	$174,000					
19	何希均	產品C	500	$125,000					
20	黃乙銘	產品A	1,550	$186,000					

5.9.4 SORTBY

前一節介紹了 SORT 函數的使用方法，SORT 基本上是使用單一的陣列或範圍來進行排序，同時回傳排序完成的整個表格或單欄資料；SORBY 函數除了具備大多數 SORT 功能之外，還可以進多陣列或多欄的排序，而且能自動識別要循列或循欄來進行排序。

■ 語法

= SORTBY (array、by_array1、[sort_order1]、[by_array2、sort_order2],...)

■ 引數說明

▶ array – 要排序的陣列或資料範圍

▶ by_array1 – 陣列或範圍的排序依據

▶ [sort_order1] – 排序順序的依據，1 代表遞增；-1 代表遞減，預設值為 1 遞增排序

▶ [by_array2] – 陣列或範圍的排序依據

▶ [sort_order2] – 排序順序的依據，1 代表遞增；-1 代表遞減，預設值為 1 遞增排序

實務應用之一：多種條件的排序

下圖中 A1:F20 的資料表，已使用「插入 \ 表格」轉成表格，同時將表格名稱命名為「銷售資料」，當表格內容有更動，SORTBY 將自動更新排序的結果。

現在要將「業務部門」欄以遞增的方式排序，再將「銷售金額」欄以遞減的方式排序。請先將 A1:F1 的欄位名稱複製到 H2 儲存格，並在 H3 儲存格中輸入下列公式：

=SORTBY(銷售資料 , 銷售資料 [業務部門],1, 銷售資料 [銷售金額],-1)

SORTBY 完成多欄排序之後，自動將排序的結果溢出到 H3:M11 的範圍。

	A	B	C	D	E	F	G	H	I	J	K	L	M
1	序號	銷售日期	業務部門	業務員	銷售產品	銷售金額		=SORTBY(銷售資料,銷售資料[業務部門],1,銷售資料[銷售金額],-1)					
2	1	2017/01/06	業務二	趙偉柏	產品D	$457,600		序號	銷售日期	業務部門	業務員	銷售產品	銷售金額
3	2	2017/01/07	業務二	蔡玲玲	產品B	$442,200		3	42742	業務一	吳曉君	產品B	283000
4	3	2017/01/07	業務一	吳曉君	產品B	$283,000		10	42749	業務一	林大明	產品D	271680
5	4	2017/01/08	業務三	張世凱	產品C	$608,250		12	42749	業務一	汪九祥	產品D	240960
6	5	2017/01/09	業務三	張世凱	產品C	$467,600		9	42745	業務一	林大明	產品A	106800
7	6	2017/01/09	業務一	林坤池	產品D	$94,240		6	42744	業務一	林坤池	產品D	94240
8	7	2017/01/09	業務三	張世凱	產品C	$657,000		16	42752	業務二	蔡玲玲	產品C	507500
9	8	2017/01/09	業務二	蔡玲玲	產品D	$421,440		1	42741	業務二	趙偉柏	產品D	457600
10	9	2017/01/10	業務一	林大明	產品A	$106,800		2	42742	業務二	蔡玲玲	產品B	442200
11	10	2017/01/14	業務一	林大明	產品D	$271,680		8	42744	業務二	蔡玲玲	產品D	421440
12	11	2017/01/14	業務三	黃乙銘	產品C	$589,750		13	42749	業務三	楊柏森	產品C	287500
13	12	2017/01/14	業務一	汪九祥	產品D	$240,960		17	42752	業務三	楊柏森	產品B	174000
14	13	2017/01/14	業務三	楊柏森	產品C	$287,500		7	42744	業務三	張世凱	產品C	657000
15	14	2017/01/15	業務三	古進雄	產品A	$245,520		4	42743	業務三	張世凱	產品C	608250
16	15	2017/01/15	業務四	王文軒	產品A	$156,120		11	42749	業務三	黃乙銘	產品C	589750
17	16	2017/01/17	業務二	蔡玲玲	產品C	$507,500		5	42744	業務三	張世凱	產品B	467600
18	17	2017/01/17	業務二	楊柏森	產品B	$174,000		14	42750	業務三	古進雄	產品A	245520
19	18	2017/01/17	業務四	何希均	產品C	$125,000		19	42750	業務三	黃乙銘	產品A	186000
20	19	2017/01/17	業務三	黃乙銘	產品A	$186,000		15	42750	業務四	王文軒	產品A	156120
21								18	42752	業務四	何希均	產品C	125000

▶ 公式的引數幾乎都是自動帶進公式的，不太需要人工輸入，說明如下：

第一個引數「銷售資料」：是選取 A2:F19 之後自動帶入公式

第二個引數「銷售資料 [業務部門]」：是選取 C2:C19 之後自動帶入公

第三個引數「1」：是人工輸入，代表遞增排序

第四個引數「銷售資料 [銷售金額]」：是選取 F2:F19 之後自動帶入公式

第五個引數「-1」：是人工輸入，代表遞減排序

▶ 排序出來的日期資料，會被轉成數值，只要調回日期格式即可；銷售金額欄中的貨幣格式也會被轉成通用格式，再調成為貨幣格式即可。

▶ 排序出來的資料稱為「溢出」的資料，會以藍色框線包住。

▶ 我們只能針對 H3 儲存格中的公式來做更正的動作，其他溢出範圍中的公式是灰色不能被刪除或更動的。

▶ 要刪除溢出的資料，只要刪除 H3 存格中的公式，所有溢出的資料都會被刪除掉。

實務應用之二：多種條件的循欄排序

前面章節介紹過的 SORT 函數，在「實務應用之三」的範例中，曾經針對下圖的資料表進行循欄的排序；面對相同的資料表，SORTBY 又是如何下條件，完成循欄的排序呢？

現在想要針對下圖 B1:G5 範圍中的資料，以遞增的方式排序第 3 列的「銷售產品」；再以遞減的方式排序第 5 列的「銷售金額」，最後將排序完成的資料置於 B8:G12 的範圍中。

	A	B	C	D	E	F	G
1	員工編號	A002	A003	A001	A006	A004	A005
2	業務員	趙偉柏	蔡玲玲	吳曉君	張世凱	林坤池	林大明
3	銷售產品	產品D	產品B	產品B	產品C	產品D	產品A
4	銷售數量	2,860	2,211	1,415	2,433	589	890
5	銷售金額	$457,600	$442,200	$283,000	$608,250	$94,240	$106,800
6							
7							
8	員工編號						
9	業務員						
10	銷售產品						
11	銷售數量						
12	銷售金額						

首先要將 A1:A5 的文字標籤複製到 A8 儲格，接著在 B8 儲存格中，輸入以下之公式：

=SORTBY(B1:G5,B3:G3,1,B5:G5,-1)

SORTBY 完成排序之後，自動將排序的結果溢出到 B8:G121 的範圍中。

	A	B	C	D	E	F	G
1	員工編號	A002	A003	A001	A006	A004	A005
2	業務員	趙偉柏	蔡玲玲	吳曉君	張世凱	林坤池	林大明
3	銷售產品	產品D	產品B	產品B	產品C	產品D	產品A
4	銷售數量	2,860	2,211	1,415	2,433	589	890
5	銷售金額	$457,600	$442,200	$283,000	$608,250	$94,240	$106,800
6							
7	循欄排序	=SORTBY(B1:G5,B3:G3,1,B5:G5,-1)					
8	員工編號	A005	A003	A001	A006	A002	A004
9	業務員	林大明	蔡玲玲	吳曉君	張世凱	趙偉柏	林坤池
10	銷售產品	產品A	產品B	產品B	產品C	產品D	產品D
11	銷售數量	890	2211	1415	2433	2860	589
12	銷售金額	106800	442200	283000	608250	457600	94240
13							

5.9.3 SORT

資料表的欄位排序，主要是用來做資料的分類，以方便後續的資料比較、分析。就一張大型的報表而言，透過總計由大到小的排序，可以讓我們很快的看出績效最好的數字，而不必浪費時間用目視的方式掃瞄所有的數字才能作出比較。因此**排序**對於任何形式的報表，不論是在理解或讀報表的效率上，都能帶來很大的好處。

以往資料表的欄位排序，會影響到原始資料的順序，因此往往需要在資料表最前面先加上一個流水號的欄位，以方便資料順序的還原。

SORT 是一個很有效率的排序函數，我們不需要直接對原始資料來進行排序，而是 SORT 會依排序方式的不同，將排序完成的整個資料表複製到特定的範圍，完全不會動到原始資料表。

如果事先已利用「插入 \ 表格」或「常用 \ 格式為表格」的功能將資料表轉成表格，當表格內容有所增減，SORT 也會自動更新排序的結果

■ 語法

=SORT (array, [sort_index], [sort_order], [by_col])

■ 引數說明

▶ array – 要進行排序的資料範圍或陣列。

▶ [sort_index] – 要用第幾個欄或列作為排序的依據，此引數的預設值為 1（即第 1 欄或第 1 列），若省略此引數，將自動採用預設值 1。

▶ [sort_order] – 1 表示遞增排序（預設），-1 表示遞減排序。若省略此引數，將自動採用預設值 1 來進行遞增排序。

▶ [by_col] – 想要循欄或是循列來進行排序的邏輯值；FALSE 表示循列排序（預設）亦即資料列的上、下排序；TRUE 表示循欄排序，亦即資料欄的左、右對調，若省略此引數，將自動採用預設值 1 來進行

實務應用之一：依「業務部門」欄進行「循列排序」

在下圖 A1:F20 的資料已使用「插入 \ 表格」將**資料表**轉成**表格**，並將表格名稱訂為「銷售資料」現在要依第三個欄「業務部門」來進行排序，並將排序的結果置於 H2 開始的範圍中，此時可在 H2 儲存格入下列公式：

=SORT(銷售資料 ,3,1,FALSE)

SORT 會將完成排序的資料置於 H2:M20 的範圍中。

	A	B	C	D	E	F	G	H	I	J	K	L	M
1	序號	銷售日期	業務部門	業務員	銷售產品	銷售金額		序號	銷售日期	業務部門	業務員	銷售產品	銷售金額
2	1	2017/01/06	業務二	趙偉柏	產品D	$457,600		3	42742	業務一	吳曉君	產品B	283000
3	2	2017/01/07	業務二	蔡玲玲	產品B	$442,200		6	42744	業務一	林坤池	產品D	94240
4	3	2017/01/07	業務一	吳曉君	產品B	$283,000		9	42745	業務一	林大明	產品A	106800
5	4	2017/01/08	業務三	張世凱	產品C	$608,250		10	42749	業務一	林大明	產品D	271680
6	5	2017/01/09	業務三	張世凱	產品B	$467,600		12	42749	業務一	汪九祥	產品D	240960
7	6	2017/01/09	業務一	林坤池	產品D	$94,240		1	42741	業務二	趙偉柏	產品D	457600
8	7	2017/01/09	業務二	張世凱	產品C	$657,000		2	42742	業務二	蔡玲玲	產品B	442200
9	8	2017/01/09	業務二	蔡玲玲	產品D	$421,440		8	42744	業務二	蔡玲玲	產品D	421440
10	9	2017/01/10	業務一	林大明	產品A	$106,800		13	42749	業務二	楊柏森	產品C	287500
11	10	2017/01/14	業務一	林大明	產品D	$271,680		16	42752	業務二	蔡玲玲	產品C	507500
12	11	2017/01/14	業務一	黃乙銘	產品C	$589,750		17	42752	業務二	楊柏森	產品B	174000
13	12	2017/01/14	業務一	汪九祥	產品D	$240,960		4	42743	業務三	張世凱	產品C	608250
14	13	2017/01/14	業務三	楊柏森	產品C	$287,500		5	42744	業務三	張世凱	產品B	467600
15	14	2017/01/15	業務三	古進雄	產品A	$245,520		7	42744	業務三	張世凱	產品C	657000
16	15	2017/01/15	業務四	王文軒	產品A	$156,120		11	42749	業務三	黃乙銘	產品C	589750
17	16	2017/01/17	業務二	蔡玲玲	產品C	$507,500		14	42750	業務三	古進雄	產品A	245520
18	17	2017/01/17	業務二	楊柏森	產品B	$174,000		19	42752	業務三	黃乙銘	產品A	186000
19	18	2017/01/17	業務四	何希均	產品C	$125,000		15	42750	業務四	王文軒	產品A	156120
20	19	2017/01/17	業務三	黃乙銘	產品A	$186,000		18	42752	業務四	何希均	產品C	125000

▶ 公式「=SORT(銷售資料 ,3,1,FALSE)」的第一個引數「銷售資料」是表格名稱，選取 A1:F20 的範圍，就會自動帶入這四個字成為第一個引數

▶ 第二個引數「3」表示要排序第 3 個欄位「業務部門」

▶ 第三個引數「1」表示要採取遞增排序

▶ 第四個引數「FALSE」表示要採用遞增排序的方式

▶ 由於第三個引數「1」和第四個引數「FALSE」都是預設值，因此可以省略，所以公式也可以成：「=SORT(銷售資料 ,3,,)」或更簡短的「=SORT(銷售資料 ,3)」

▶ 排完成帶出的資料中，日期資料會被轉成數值，只要改回日期格式即可；銷售金額欄中的貨幣格式也會被轉成通用格式，再改為貨幣格式即可。

▶ 如果「業務部門」欄位，要採取遞減排序，第三個引數改成「-1」即可：「=SORT(銷售資料 ,3,-1,)」

	A	B	C	D	E	F	G	V	W	X	Y	Z	AA
1	序號	銷售日期	業務部門	業務員	銷售產品	銷售金額		序號	銷售日期	業務部門	業務員	銷售產品	銷售金額
2	1	2017/01/06	業務二	趙偉柏	產品D	$457,600		15	42750	業務四	王文軒	產品A	156120
3	2	2017/01/07	業務二	蔡玲玲	產品B	$442,200		18	42752	業務四	何希均	產品C	125000
4	3	2017/01/07	業務一	吳曉君	產品B	$283,000		4	42743	業務三	張世凱	產品C	608250
5	4	2017/01/08	業務三	張世凱	產品C	$608,250		5	42744	業務三	張世凱	產品B	467600
6	5	2017/01/09	業務三	張世凱	產品B	$467,600		7	42744	業務三	張世凱	產品C	657000
7	6	2017/01/09	業務一	林坤池	產品D	$94,240		11	42749	業務三	黃乙銘	產品C	589750
8	7	2017/01/09	業務二	張世凱	產品C	$657,000		14	42750	業務三	古進雄	產品A	245520
9	8	2017/01/09	業務二	蔡玲玲	產品D	$421,440		19	42752	業務三	黃乙銘	產品A	186000
10	9	2017/01/10	業務一	林大明	產品A	$106,800		1	42741	業務二	趙偉柏	產品D	457600
11	10	2017/01/14	業務一	林大明	產品D	$271,680		2	42742	業務二	蔡玲玲	產品B	442200
12	11	2017/01/14	業務一	黃乙銘	產品C	$589,750		8	42744	業務二	蔡玲玲	產品D	421440
13	12	2017/01/14	業務一	汪九祥	產品D	$240,960		13	42749	業務二	楊柏森	產品C	287500
14	13	2017/01/14	業務三	楊柏森	產品C	$287,500		16	42752	業務二	蔡玲玲	產品C	507500
15	14	2017/01/15	業務三	古進雄	產品A	$245,520		17	42752	業務二	楊柏森	產品B	174000
16	15	2017/01/15	業務四	王文軒	產品A	$156,120		3	42742	業務一	吳曉君	產品B	283000
17	16	2017/01/17	業務二	蔡玲玲	產品C	$507,500		6	42744	業務一	林坤池	產品D	94240
18	17	2017/01/17	業務二	楊柏森	產品B	$174,000		9	42745	業務一	林大明	產品A	106800
19	18	2017/01/17	業務四	何希均	產品C	$125,000		10	42749	業務一	林大明	產品D	271680
20	19	2017/01/17	業務三	黃乙銘	產品A	$186,000		12	42749	業務一	汪九祥	產品D	240960
21													

實務應用之二：不指定排序欄位的遞減排序

如果不指定排序欄位，SORT 會使用選定範圍或表格中的第一個欄位來進行「遞減」排序，我們來看看這個公式：

=SORT(銷售資料 ,,-1)

其中省掉了第二個引數 [sort_index]，表示將會依預設值，使用第 1 個欄位來進行排序，於是 SORT 就以「序號」欄配合第三個引數 [sort_order] 的「-1」來進行遞減排序，因此在下圖 V2 儲存格輸入公式「=SORT(銷售資料 ,,-1)」，執行之後，即得到了 V2:AA20 的排序結果。

	A	B	C	D	E	F	G		V	W	X	Y	Z	AA
1	序號	銷售日期	業務部門	業務員	銷售產品	銷售金額			序號	銷售日期	業務部門	業務員	銷售產品	銷售金額
2	1	2017/01/06	業務二	趙偉柏	產品D	$457,600			19	42752	業務三	黃乙銘	產品A	186000
3	2	2017/01/07	業務一	蔡玲玲	產品B	$442,200			18	42752	業務四	何希均	產品C	125000
4	3	2017/01/07	業務一	吳曉君	產品B	$283,000			17	42752	業務二	楊柏森	產品B	174000
5	4	2017/01/08	業務三	張世凱	產品C	$608,250			16	42752	業務二	蔡玲玲	產品C	507500
6	5	2017/01/09	業務三	張世凱	產品B	$467,600			15	42750	業務四	王文軒	產品A	156120
7	6	2017/01/09	業務一	林坤池	產品D	$94,240			14	42750	業務三	古進雄	產品A	245520
8	7	2017/01/09	業務三	張世凱	產品C	$657,000			13	42749	業務二	楊柏森	產品C	287500
9	8	2017/01/09	業務二	蔡玲玲	產品C	$421,440			12	42749	業務一	汪九祥	產品D	240960
10	9	2017/01/10	業務一	林大明	產品A	$106,800			11	42749	業務三	黃乙銘	產品C	589750
11	10	2017/01/14	業務一	林大明	產品D	$271,680			10	42749	業務一	林大明	產品D	271680
12	11	2017/01/14	業務三	黃乙銘	產品C	$589,750			9	42745	業務一	林大明	產品A	106800
13	12	2017/01/14	業務一	汪九祥	產品D	$240,960			8	42744	業務二	蔡玲玲	產品D	421440
14	13	2017/01/14	業務二	楊柏森	產品C	$287,500			7	42744	業務三	張世凱	產品C	657000
15	14	2017/01/15	業務三	古進雄	產品A	$245,520			6	42744	業務一	林坤池	產品D	94240
16	15	2017/01/15	業務四	王文軒	產品A	$156,120			5	42744	業務三	張世凱	產品B	467600
17	16	2017/01/17	業務二	蔡玲玲	產品C	$507,500			4	42743	業務三	張世凱	產品C	608250
18	17	2017/01/17	業務二	楊柏森	產品B	$174,000			3	42742	業務一	吳曉君	產品B	283000
19	18	2017/01/17	業務四	何希均	產品C	$125,000			2	42742	業務二	蔡玲玲	產品B	442200
20	19	2017/01/17	業務二	黃乙銘	產品A	$186,000			1	42741	業務二	趙偉柏	產品D	457600
21														

實務應用之三：資料表的循欄排序

下圖的資料格式很像是表格資料轉置之後的結果，在實務上偶而也會看到這種不利於資料管理與分析的格式。

如果想要依「員工編號」由小到大來遞增排序，就需要用到 SORT 函數的第四個引數 [by_col] 來進行循欄排序。

	A	B	C	D	E	F	G
1	員工編號	A002	A003	A001	A006	A004	A005
2	業務員	趙偉柏	蔡玲玲	吳曉君	張世凱	林坤池	林大明
3	銷售產品	產品D	產品B	產品B	產品C	產品D	產品A
4	銷售數量	2,860	2,211	1,415	2,433	589	890
5	銷售金額	$457,600	$442,200	$283,000	$608,250	$94,240	$106,800

先將 A1:A5 的文字標籤複製到 A8 的位置，並 B8 儲存格輸入公式：

=SORT(B1:G5,,,TRUE)

按下 Enter 鍵執行函數之後，得到下圖的結果：

	A	B	C	D	E	F	G
1	員工編號	A002	A003	A001	A006	A004	A005
2	業務員	趙偉柏	蔡玲玲	吳曉君	張世凱	林坤池	林大明
3	銷售產品	產品D	產品B	產品B	產品C	產品D	產品A
4	銷售數量	2,860	2,211	1,415	2,433	589	890
5	銷售金額	$457,600	$442,200	$283,000	$608,250	$94,240	$106,800
6							
7	循欄排序	=SORT(B1:G5,,,TRUE)					
8	員工編號	A001	A002	A003	A004	A005	A006
9	業務員	吳曉君	趙偉柏	蔡玲玲	林坤池	林大明	張世凱
10	銷售產品	產品B	產品D	產品B	產品D	產品A	產品C
11	銷售數量	1415	2860	2211	589	890	2433
12	銷售金額	283000	457600	442200	94240	106800	608250

▶ 公式「=SORT(B1:G5,,,TRUE)」也可以寫成「=SORT(B1:G5,1,1,TRUE」

▶ 第二個參數 [sort_index] 打「1」或省略，代表用第一列來排序

▶ 第三個參數 [sort_order] 打「1」或省略，代表遞增排序

▶ 若要用第 5 列的「銷售金額」來作循欄的遞減排序，可使用下列公式：

=SORT(B1:G5,5,-1,TRUE)

	A	B	C	D	E	F	G
1	員工編號	A002	A003	A001	A006	A004	A005
2	業務員	趙偉柏	蔡玲玲	吳曉君	張世凱	林坤池	林大明
3	銷售產品	產品D	產品B	產品B	產品C	產品D	產品A
4	銷售數量	2,860	2,211	1,415	2,433	589	890
5	銷售金額	$457,600	$442,200	$283,000	$608,250	$94,240	$106,800
6							
21		=SORT(B1:G5,5,-1,TRUE)					
22	員工編號	A006	A002	A003	A001	A005	A004
23	業務員	張世凱	趙偉柏	蔡玲玲	吳曉君	林大明	林坤池
24	銷售產品	產品C	產品D	產品B	產品B	產品A	產品D
25	銷售數量	2433	2860	2211	1415	890	589
26	銷售金額	608250	457600	442200	283000	106800	94240

5.9.5 RANDARRAY

過去在實務上常用的兩個隨機亂數的函數是 RAND 以及 RANDBETWEEN，這兩個函數只會產生單一的亂數，必須以複製的方式才能產生大量的亂數，無法自動產生亂數的陣列。

RANDARRAY 函數是一個更厲害的亂數生器，它融入了 RAND 以及 RANDBETWEEN 的所有功能，並會自動傳回一個亂數的陣列。

■ 語法

=RANDARRAY([rows], [columns], [min], [max], [integer])

■ 引數說明

▶ [rows] – 要傳回的列數，若省略此引數，採用預設值 1

▶ [columns] – 要傳回的欄數，若省略此引數，採用預設值 1

▶ [min] – 想要傳回的最小數值，若省略此引數，採用預設值 0。

▶ [max] – 想要傳回的最大值，若省略此引數，採用預設 1。

▶ [Integer] – 傳回整數或小數，預設是 False，若省略此引數，將傳回小數；若設定為 True，將傳回整數。

實務應用之一：產生單一隨機亂數

在 A1 儲存格中輸入公式「=RANDARRAY()」，這樣的結果跟「RAND()」是一樣的，接著就要用人工的方式複製 A1 的公式到其他位置，才能得到更多的亂數。

	A	B	C
1	0.6606	=RANDARRAY()	
2			

實務應用之二：產生 4 x 5（4 列 5 欄）的亂數陣列

在 A1 儲存格中輸入公式「=RANDARRAY(4,5)」所產生的 20 個亂數陣列，會溢出到 A4:E7 的範圍中：

	A	B	C	D	E
2					
3	=RANDARRAY(4,5)				
4	0.0847	0.5964	0.591	0.4459	0.4258
5	0.8953	0.503	0.4567	0.5541	0.6199
6	0.7913	0.0841	0.4031	0.3404	0.8747
7	0.4938	0.8764	0.8934	0.9576	0.9386

▶ 如果溢出資料所在的位置本來就有資料存在，例如 C6 儲存格中的「ABC」，輸入公式之後，就會看到如下圖的錯誤訊息「# 溢位！」：

	A	B	C	D	E
2					
3	=RANDARRAY(4,5)				
4	#溢位!				
5					
6			ABC		
7					

▶ 此時只要將例如 C6 儲存格中的「ABC」刪除掉，公式就可以正常執行了。

實務應用之三：產生 4 x 5（4 列 5 欄）介於 1 到 50 之間的小數亂數陣列

在 A10 儲存格中輸入公式「=RANDARRAY(4,5,1,50)」，產生的 20 個亂數陣列，會溢出到 A10:E13 的範圍中：

	A	B	C	D	E
9	=RANDARRAY(4,5,1,50)				
10	36.365	22.606	11.118	45.55	36.252
11	9.2358	38.972	6.0862	14.789	42.312
12	31.025	5.6484	37.888	27.619	9.9507
13	48.684	2.1102	40.831	16.345	35.927

實務應用之四：產生 4 x 5（4 列 5 欄）介於 1 到 50 之間的整數亂數陣列

在 A17 儲存格中輸入公式「=RANDARRAY(4,5,1,50,TRUE)」，產生的 20 個整數亂數陣列，會溢出到 A17:E20 的範圍中：

	A	B	C	D	E
16	=RANDARRAY(4,5,1,50,TRUE)				
17	25	32	18	23	14
18	26	8	41	38	43
19	40	31	41	43	43
20	5	36	44	44	45

5.9.6 SEQUENCE

SEQUENCE 函數能讓我們在陣列中產生一組連續數字的清單，也就是自動編號的意思。以往要在工作表的欄或列中，快速填入連續或有間隔的數字和日期，必須透過拖曳儲存格右下角的小方塊（即「填滿控點」）來延續這些數字或日期，要不就是要用「常用 \ 填滿 \ 數列」的功能來處理大量數字的自動編號。

但是，當起始的數字或日期有變動時，又得重做一次相同的填滿動作，感覺非常沒有效率，使用 SQUENCE 函數就沒有上述的缺點，條件有變時，只要更動 SQUENCE 的引數，就可得到一組全新的數字或日期編號。

■ 語法

=SEQUENCE(rows, [columns], [start], [step])

■ 引數說明

▶ rows – 回傳的列數，指回傳陣列的高度。

▶ [columns] – 回傳的欄數，指回傳陣列的寬度。

▶ [start] – 起始的數字，若省略此引數，將自動採用預設值 1。

▶ [step] – 間距值，即每次遞增的數字，若省略此引數，將自動採用預設值 1。

實務應用之一：從 1 開始自動向下填入 9 個遞增的數字

在 A2 儲存格中輸入公式「= SEQUENCE (9)」，產生 1～9 的連續數字，會溢出到 A2:A10 的範圍中：

	A	B	C
1			
2	1	=SEQUENCE(9)	
3	2		
4	3		
5	4		
6	5		
7	6		
8	7		
9	8		
10	9		

實務應用之二：從 2 開始自動向右填入 9 個遞增的數字

這是一個建構九九乘法表欄變數的概念，要像下圖從 B1 儲存格開始，向右填入 2 到 9 共八個數字，公式可以寫成：

=SEQUENCE(1,8,2,1)

	A	B	C	D	E	F	G	H	I
1		2	3	4	5	6	7	8	9
2	1								
3	2								
4	3								
5	4								
6	5								
7	6								
8	7								
9	8								
10	9								

■ 公式「SEQUENCE(1,8,2,1)」中的引數說明

▶ 第一個引數「1」：陣列的高度為 1 列高

▶ 第二個引數「8」：陣列的寬度為 8 欄寬

▶ 第三個引數「2」：從 2 開始填入陣列的第一個數字

▶ 第四個引數「1」：每個數字之間遞增 1

▶ 或者也可以搭配 TRANSPOSE 函數來改變傳回數字的排列方向，公式可以寫成：
=TRANSPOSE(SEQUENCE(8,,2,1))

實務應用之三：從 100 開始，建立 5 列 4 欄的陣列，間距為 20

在下圖 A14 儲存格中，輸入下列公式：

=SEQUENCE(5,4,100,20)

	A	B	C	D	E
12					
13	=SEQUENCE(5,4,100,20)				
14	100	120	140	160	
15	180	200	220	240	
16	260	280	300	320	
17	340	360	380	400	
18	420	440	460	480	
19					

▶ 第一個引數「5」：陣列的高度為 5 列高

▶ 第二個引數「4」：陣列的寬度為 4 欄寬

▶ 第三個引數「100」：從 100 開始填入陣列的第一個數字

▶ 第四個引數「20」：每個數字之間遞增 20

5.9.7 XLOOKUP

查詢函數是報表自動化必用的函數，其中包括了 VLOOKUP 以及 HLOOKUP、LOOKUP、INDEX+MATCH 另外 OFFSET 也算一個吧！這些函數中，對一般使用者而言，最常用的應該是 VLOOKUP，為什麼要發明這麼多查詢相關的函數呢？這代表大多數的查詢函數都不能應付每一種情境，因此需要使用不同的函數，來解決這些因無法執行而產生錯誤訊息的問題。

就以 VLOOKUP 來看，當我們使用模糊比對的方式來查找「參考表」的內容時，參考表的第一欄必須由小到大排序，如果由大到小排序，或者是根本沒有排序，VLOOKUP 就無法查找並回傳正確結果。再者，VLOOKUP 函數明訂「參考表」中被比對的那一欄必須放在「參考表」最左邊第一欄的位置，否則也會回傳錯誤的訊息「#N/A」，此時 VLOOKUP 就因無法使用而必須退場，並要換上 LOOKUP 或者 INDEX+MATCH 之類的函數來接手完成查找的工作。因此，對初學者而言，因為沒有充份瞭解查詢函數的遊戲規則和設定細節，於是就帶來了極大的困擾和學習上的負擔，因為必須學會更多的查詢函數，才能應付各種不同情境的查表作業。

XLOOKUP 函數推出之後，廣受使用者歡迎，它稱得上是「一夫當關，萬夫莫敵」的函數，它能面對任何查表情境，也就是單一函數就能解決所有的查表問題！

■ 語法

=XLOOKUP(lookup_value, lookup_array, return_array, [if_not_found], [match_mode], [search_mode])

■ 引數說明

▶ lookup_value – 要查找的值。

▶ lookup_array – 到哪一個陣列或資料範圍中去查找。

▶ return_array – 要傳回的陣列或資料所在的範圍。

▶ [if_not_found] – 沒有查找到資料時要傳回的訊息。

▶ [match_mode] – 查找資料時的比對模式：

0 – 查找完全相同的資料，此為預設值，找不到就回傳 #N/A。

-1 – 查找完全相同的資料，如果找不到，就回傳下一個較小值的資料。

1 – 查找完全相同的資料，如果找不到，就回傳下一個較大值的資料。

2 – 配合萬用字元（＊或？）來查找資料。

▶ [search_mode] – 設定資料的查找模式

1 – 從參考表的最前面向後搜尋，此為預設值。

-1 – 從參考表的最後面向前搜尋（反向搜尋）。

2 – 執行二進位搜尋，必須以遞增順序來排序 lookup_array。

-2 – 執行二進位搜尋，必須以遞減順序排序 lookup_array。

實務應用之一：查找銷售單價 - 使用不同排列方式的參考表

在下圖的資料表中，其中 F 欄的「銷售單價」，想要利用 D 欄中的產品名稱，查找「參考表」中的單價，讓 Xlookup 函數自動幫我們帶入各項銷售產品的單價。這樣做的目的是為了避免人工輸入所產生的錯誤，提升建置資料表的效率和正確性。

	A	B	C	D	E	F
1	銷售日期	部門	業代	銷售產品	銷售數量	銷售單價
2	2021/1/1	業務三	陳舜庭	產品C	1,880	
3	2021/1/2	業務一	何茂宗	產品B	3,260	
4	2021/1/3	業務一	楊銘哲	產品C	680	
5	2021/1/7	業務一	劉伯村	產品A	2,160	
6	2021/1/8	業務三	蔡豪鈞	產品A	870	
7	2021/1/8	業務三	蔡豪鈞	產品D	1,750	
8	2021/1/9	業務四	林建興	產品A	940	
9	2021/1/9	業務一	劉伯村	產品B	1,180	
10	2021/1/10	業務三	蔡豪鈞	產品C	550	
11	2021/1/11	業務四	張財全	產品D	1,450	

在使用 XLOOKUP 之前，請先完成下列的準備工作：

▶ 建立參考表，提供 XLOOKUP 查找的資料。基本上，有三種常見的參考表格式，如下圖「參考表 1」、「參考表 2」以及「參考表 3」：

	D	E	F	G	H	I	J	K	L	M	N	O	P	Q	R
1	銷售產品	銷售數量	銷售單價		參考表1			參考表2			參考表3				
2	產品C	1,880			產品1	單價1		單價2	產品2		產品3	產品A	產品B	產品C	產品D
3	產品B	3,260			產品A	$1,850		$1,850	產品A		單價3	$1,850	$1,235	$1,150	$1,680
4	產品C	680			產品B	$1,235		$1,235	產品B						
5	產品A	2,160			產品C	$1,150		$1,150	產品C						
6	產品A	870			產品D	$1,680		$1,680	產品D						
7	產品D	1,750													
8	產品A	940													
9	產品B	1,180													
10	產品C	550													
11	產品D	1,450													
12															

其中 H3:I7 的「參考表 1」，特徵是「產品 1」欄位放在「單價 1」欄位的前面，並且採取由上而下的排列方式；K3:L7 的「參考表 2」，是「單價 2」放在「產品 2」的前面，同時也是由上而下的排列方式；N3:R4 的「參考表 3」，則是從左而右橫向排列「產品 3」和「單價 3」。

▶ 「參考表 1」中 H4:H7 的產品名稱以及「參考表 2」中 L4:L7 的產品名稱，都是利用 UNIQUE 函數，從 D2:D11 的範圍擷取不重複的銷售產品名稱所建構的，兩個參考表中的單價則需要人工輸入。H4 與 K4 儲存格中的公式如下：

=SORT(UNIQUE(D2:D11))

如果不套用 SORT 函數來做遞增排序，產品名稱的排列順序將會是「產品 C」、「產品 B」、「產品 A」、「產品 D」的順序，那將不是我們要的結果。

H4			×	✓	fx	=SORT(UNIQUE(銷售產品))			
	D	E	F	G	H	I	J	K	L
1	銷售產品	銷售數量	銷售單價						
2	產品C	1,880			參考表1			參考表2	
3	產品B	3,260			產品1	單價1		單價2	產品2
4	產品C	680			產品A	$1,850		$1,850	產品A
5	產品A	2,160			產品B	$1,235		$1,235	產品B
6	產品A	870			產品C	$1,150		$1,150	產品C
7	產品D	1,750			產品D	$1,680		$1,680	產品D
8	產品A	940							

▶ 由於「參考表 3」中的產品名稱是從左而右橫向排列的，公式「=SORT(UNIQUE(D2:D11))」得到的結果將是垂直排列的產品名稱，因此還必須套用 TRANSPOSE 將產品名稱改變成橫向的排列方式，因此 O3 儲存格中的公式就寫成了：

=TRANSPOSE(SORT(UNIQUE(D2:D11)))

O3			×	✓	fx	=TRANSPOSE(SORT(UNIQUE(D2:D11)))				
	A	B	C	D	E	F	G	N	O	P	Q	R
1	銷售日期	部門	業代	銷售產品	銷售數量	銷售單價				
2	2021/1/1	業務三	陳舜庭	產品C	1,880			參考表3		
3	2021/1/2	業務一	何茂宗	產品B	3,260			產品3	產品A	產品B	產品C	產品D
4	2021/1/3	業務一	楊銘哲	產品C	680			單價3	$1,850	$1,235	$1,150	$1,680
5	2021/1/7	業務一	劉伯村	產品A	2,160					
6	2021/1/8	業務三	蔡豪鈞	產品A	870					
7	2021/1/8	業務三	蔡豪鈞	產品D	1,750					
8	2021/1/9	業務四	林建興	產品A	940					
9	2021/1/9	業務一	劉伯村	產品B	1,180					
10	2021/1/10	業務三	蔡豪鈞	產品C	550					
11	2021/1/11	業務四	張財全	產品D	1,450					

使用「參考表 1」查找單價

01 建立名稱，選取 A1:E11 的儲存格範圍，點按「公式\從選取範圍建立」，在對話方塊中勾選「頂端列」，按下**確定**。

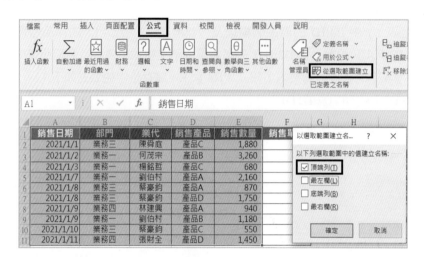

02 在 F2 儲存格中輸入公式：=XLOOKUP(銷售產品 , 產品 1, 單價 1)，公式會自動向下複製到 F11 儲格，可以看到下圖查找以後，F2:F11 中的所有銷售單價自動被填入。

	A	B	C	D	E	F	G	H	I
1	銷售日期	部門	業代	銷售產品	銷售數量	銷售單價			
2	2021/1/1	業務三	陳舜庭	產品C	1,880	$ 1,150		參考表1	
3	2021/1/2	業務一	何茂宗	產品B	3,260	$ 1,235		產品1	單價1
4	2021/1/3	業務一	楊銘哲	產品C	680	$ 1,150		產品A	$1,850
5	2021/1/7	業務一	劉伯村	產品A	2,160	$ 1,850		產品B	$1,235
6	2021/1/8	業務三	蔡豪鈞	產品A	870	$ 1,850		產品C	$1,150
7	2021/1/8	業務三	蔡豪鈞	產品D	1,750	$ 1,680		產品D	$1,680
8	2021/1/9	業務四	林建興	產品A	940	$ 1,850			
9	2021/1/9	業務一	劉伯村	產品B	1,180	$ 1,235			
10	2021/1/10	業務三	蔡豪鈞	產品C	550	$ 1,150			
11	2021/1/11	業務四	張財全	產品D	1,450	$ 1,680			

▶ 公式「=XLOOKUP(銷售產品 , 產品 1, 單價 1)」中的第一個引數「銷售產品」，本來只是選取 D2:D11 的儲存格範圍，但由於先建立了名稱，它會自動轉換為「銷售產品」的名稱；同樣的，第二個引數「產品 1」也是選取 H4:H7 的儲存格範圍之後，自動轉換的名稱；第三個引數「單價 1」則是選取 I4:I7 的儲存格範圍之後，自動轉換的名稱。

▶ 在 F2 儲存格中輸入的動態陣列公式，是不需要用人工向下複製的，在按下 Enter 鍵之後，它會將查找到的資料，自動向下溢出到陣列範圍中的最後一個儲存格，也就是自動填滿到儲存格 F11 的位置。

▶ 如果一開始沒有建立名稱就直接下公式，就會成為下列充滿儲存格位址的公式了，而這種公式不利於解讀而且缺乏效率：

=XLOOKUP(D2:D11, H4:H7, I4:I7)

使用「參考表 2」查找單價

K3:L7 的「參考表 2」，是「單價 2」放在「產品 2」的前面，VLOOKUP 面對這 樣的參考表，VLOOKUP 除非用特殊解法，否則使用下列語法的公式，是 F2 儲存格會出現錯誤訊息「#N/A」的：

=VLOOKUP(D2,$K$4:$L$7,2,0)

	A	B	C	D	E	F	G	K	L
F2		× ✓ fx	=VLOOKUP(D2,$K$4:$L$7,2,0)						
1	銷售日期	部門	業代	銷售產品	銷售數量	銷售單價			
2	2021/1/1	業務三	陳舜庭	產品C	1,8⬤)	#N/A		參考表2	
3	2021/1/2	業務一	何茂宗	產品B	3,260			單價2	產品2
4	2021/1/3	業務一	楊銘哲	產品C	680			$1,850	產品A
5	2021/1/7	業務一	劉伯村	產品A	2,160			$1,235	產品B
6	2021/1/8	業務三	蔡豪鈞	產品A	870			$1,150	產品C
7	2021/1/8	業務三	蔡豪鈞	產品D	1,750			$1,680	產品D
8	2021/1/9	業務四	林建興	產品A	940				
9	2021/1/9	業務一	劉伯村	產品B	1,180				
10	2021/1/10	業務三	蔡豪鈞	產品C	550				
11	2021/1/11	業務四	張財全	產品D	1,450				

那是因為 VLOOKUP 規定被查找的「產品 2」欄位必須置於參考表的最左邊，否則就會出現找不到資料的錯誤訊息「#N/A」。

如果採用 VLOOKUP 的特殊解法，就要寫成一般使用者難以瞭解的「陣列公式」的邏輯和語法：

=VLOOKUP(D2,IF({1,0},$L$4:$L$7,$K$4:$K$7),2,0)

而 XLOOKUP 函數就沒有這種問題，「參考表 2」中的欄位排列方式，完全不需要擔心，只要使用下列公式，一樣可以使用「參考表 2」來查找資料：

=XLOOKUP(銷售產品 , 產品 2, 單價 2)

| F2 | | | | f_x | =XLOOKUP(銷售產品,產品2,單價2) | | | | |

	A	B	C	D	E	F	G	K	L
1	銷售日期	部門	業代	銷售產品	銷售數量	銷售單價		參考表2	
2	2021/1/1	業務三	陳舜庭	產品C	1,880	$ 1,150		單價2	產品2
3	2021/1/2	業務一	何茂宗	產品B	3,260	$ 1,235		$1,850	產品A
4	2021/1/3	業務一	楊銘哲	產品C	680	$ 1,150		$1,235	產品B
5	2021/1/7	業務一	劉伯村	產品A	2,160	$ 1,850		$1,150	產品C
6	2021/1/8	業務三	蔡豪鈞	產品A	870	$ 1,850		$1,680	產品D
7	2021/1/8	業務三	蔡豪鈞	產品D	1,750	$ 1,680			
8	2021/1/9	業務四	林建興	產品A	940	$ 1,850			
9	2021/1/9	業務一	劉伯村	產品B	1,180	$ 1,235			
10	2021/1/10	業務三	蔡豪鈞	產品C	550	$ 1,150			
11	2021/1/11	業務四	張財全	產品D	1,450	$ 1,680			

由此看來，XLOOKUP 是不是比 VLOOKUP 用起來更簡單而有效率呢？

使用「參考表 3」水平查找單價

由於「參考表 3」中的「產品 3」和「單價 3」是從左而右的水平排列資料，XLOOKUP 面對水平排互的「參考表 3」，照樣搞定，公式如下：

=XLOOKUP(銷售產品 , 產品 3, 單價 3)

| F2# | | | | f_x | =XLOOKUP(銷售產品,產品3,單價3) | | | | | | |

	A	B	C	D	E	F	G	N	O	P	Q	R
1	銷售日期	部門	業代	銷售產品	銷售數量	銷售單價		參考表3				
2	2021/1/1	業務三	陳舜庭	產品C	1,880	$ 1,150		產品3	產品A	產品B	產品C	產品D
3	2021/1/2	業務一	何茂宗	產品B	3,260	$ 1,235		單價3	$1,850	$1,235	$1,150	$1,680
4	2021/1/3	業務一	楊銘哲	產品C	680	$ 1,150						
5	2021/1/7	業務一	劉伯村	產品A	2,160	$ 1,850						
6	2021/1/8	業務三	蔡豪鈞	產品A	870	$ 1,850						
7	2021/1/8	業務三	蔡豪鈞	產品D	1,750	$ 1,680						
8	2021/1/9	業務四	林建興	產品A	940	$ 1,850						
9	2021/1/9	業務一	劉伯村	產品B	1,180	$ 1,235						
10	2021/1/10	業務三	蔡豪鈞	產品C	550	$ 1,150						
11	2021/1/11	業務四	張財全	產品D	1,450	$ 1,680						
12												

▶ 傳統查找水平排列的參考表時，都是使用 HLOOKUP 函數，例如：

=HLOOKUP(D2,$O$3:$R$4,2,0)

公式中的「$O$3:$R$4」還必須是「絕對位址」，向下複製公式時，才不會產生錯誤。

| F2 | | ▼ | × ✓ fx | =HLOOKUP(D2,$O$3:$R$4,2,0) | | | | | | | | |

	A	B	C	D	E	F	G	N	O	P	Q	R
1	銷售日期	部門	業代	銷售產品	銷售數量	銷售單價						
2	2021/1/1	業務三	陳舜庭	產品C	1,880	$ 1,150		參考表3				
3	2021/1/2	業務一	何茂宗	產品B	3,260	$ 1,235		產品3	產品A	產品B	產品C	產品D
4	2021/1/3	業務一	楊銘哲	產品C	680	$ 1,150		單價3	$1,850	$1,235	$1,150	$1,680
5	2021/1/7	業務一	劉伯村	產品A	2,160	$ 1,850						
6	2021/1/8	業務三	蔡豪鈞	產品A	870	$ 1,850						
7	2021/1/8	業務三	蔡豪鈞	產品D	1,750	$ 1,680						
8	2021/1/9	業務四	林建興	產品A	940	$ 1,850						
9	2021/1/9	業務一	劉伯村	產品B	1,180	$ 1,235						
10	2021/1/10	業務三	蔡豪鈞	產品C	550	$ 1,150						
11	2021/1/11	業務四	張財全	產品D	1,450	$ 1,680						
12												

▶ 也可以使用 LOOKUP、INDEX+MATCH 等函數來解「參考表 3」的查找，特別
將這些公式寫出來給大家參比較一下：

=LOOKUP(銷售產品 , 產品 3, 單價 3)

=INDEX(單價 3,MATCH(D2, 產品 3,0))

實務應用之二：配合下拉式選單的動態查找

面對一張各欄各列都沒有重複資料的參考表，如何透過下拉式選單來動態切換查找
的條件？使得查找過程更省時、有效率？

以下圖為例，第一個例子是要「查找負責人的銷售金額」，並希望經由「業務員」的
下拉式選單來切換不同的姓名，以完新的成查找作業。

第二個例子是要「查找銷售產品的負責人」，並希望經由「銷售產品」的下拉式選單
來切換不同的產品，以完新的成查找作業。

第三個例子是要「查找經銷地區的負責人以及銷售金額」，並希望經由「經銷地區」
的下拉式選單來切換不同的產品，以完新的成查找作業。

	A	B	C	D	E	F	G	H	I
1	郵區	經銷地區	負責人	銷售產品	銷售金額		查找負責人的銷售金額		
2	100	中正區	王文軒	產品A	$756,120		負責人	銷售金額	
3	103	大同區	古進雄	產品B	$485,520		王文軒		
4	104	中山區	何希均	產品C	$525,000				
5	105	松山區	吳曉君	產品D	$836,000		查找銷售產品的負責人		
6	106	大安區	汪九祥	產品E	$840,960		銷售產品	負責人	
7	108	萬華區	林大明	產品F	$378,480		產品A		
8	110	信義區	林坤池	產品G	$994,240				
9	111	士林區	張世凱	產品H	$732,850		查找經銷地區的負責人以及銷售金額		
10	112	北投區	黃乙銘	產品K	$775,750		經銷地區	負責人	銷售金額
11	114	內湖區	楊柏森	產品P	$601,500		中正區		
12	115	南港區	趙偉怕	產品W	$457,600				
13	116	文山區	蔡玲玲	產品X	$371,140				

首先要建置「負責人」、「銷售產品」以及「經銷地區」三個下拉式選單。

建置 G3 儲存格的「負責人」下拉式選單

01 點選 G3 儲存格，點按「資料 \ 驗證」。

02 點選「儲存格內允許」方塊中的「清單」。

03 點按一下「來源」方塊，選取 C2:C13 的範圍，按下**確定**。

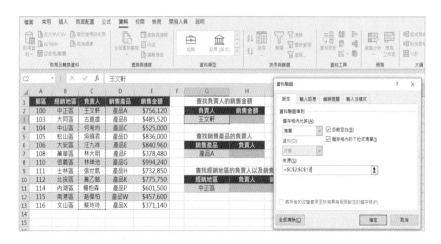

建置 G7 儲存格的「銷售產品」下拉式選單

01 點選 G7 儲存格，點按「資料 \ 驗證」。

02 點選「儲存格內允許」方塊中的「清單」。

03 點按一下「來源」方塊，選取 D2:D13 的範圍，按下**確定**。

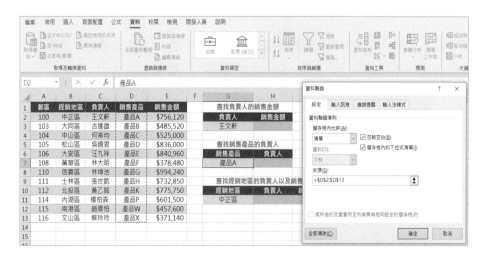

建置 G13 儲存格的「經銷地區」下拉式選單

01 點選 G13 儲存格，點按「資料\驗證」。

02 點選「儲存格內允許」方塊中的「清單」。

03 點按一下「來源」方塊，選取 B2:B13 的範圍，按下確定。

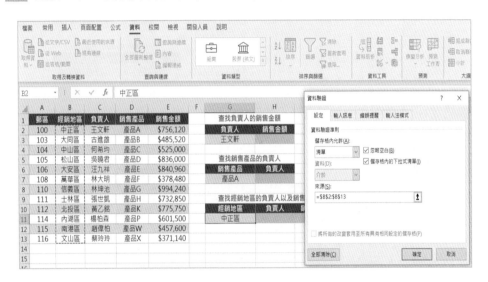

從「負責人」查找「銷售金額」，設定 H3 儲存格的公式：

=XLOOKUP(G3, 負責人 , 銷售金額)

	A	B	C	D	E	F	G	H
1	郵區	經銷地區	負責人	銷售產品	銷售金額		查找負責人的銷售金額	
2	100	中正區	王文軒	產品A	$756,120		負責人	銷售金額
3	103	大同區	古進雄	產品B	$485,520		何希均	525000
4	104	中山區	何希均	產品C	$525,000			

當我們從 G3 中的下拉式選單選取「王大明」時，立刻可以看到對應的銷售金額「378480」。

從「銷售產品」查找「負責人」，設定 H7 儲存格的公式

=XLOOKUP(G7, 銷售產品 , 負責人)

H7	▼	:	×	✓	fx	=XLOOKUP(G7,銷售產品,負責人)		
	A	B	C	D	E	F	G	H
2	100	中正區	王文軒	產品A	$756,120		負責人	銷售金額
3	103	大同區	古進雄	產品B	$485,520		林大明	378480
4	104	中山區	何希均	產品C	$525,000			
5	105	松山區	吳曉君	產品D	$836,000		查找銷售產品的負責人	
6	106	大安區	汪九祥	產品E	$840,960		銷售產品	負責人
7	108	萬華區	林大明	產品F	$378,480		產品A	王文軒
8	110	信義區	林坤池	產品G	$994,240			

當我們從 G7 中的下拉式選單選取「產品 K」時，立刻可以看到 H7 儲存格中對應的負責人「黃乙銘」。

	A	B	C	D	E	F	G	H
5	105	松山區	吳曉君	產品D	$836,000		查找銷售產品的負責人	
6	106	大安區	汪九祥	產品E	$840,960		銷售產品	負責人
7	108	萬華區	林大明	產品F	$378,480		產品K ▾	黃乙銘
8	110	信義區	林坤池	產品G	$994,240		產品E 產品F	
9	111	士林區	張世凱	產品H	$732,850		產品G 產品H	負責人以及銷
10	112	北投區	黃乙銘	產品K	$775,750		產品K	負責人
11	114	內湖區	楊柏森	產品P	$601,500		產品P	
12	115	南港區	趙偉柏	產品W	$457,600		產品W	
13	116	文山區	蔡玲玲	產品X	$371,140		產品X	

從「經銷地區」查找「負責人」以及「銷售金額」，設定 H11 以及 I11 儲存格的公式：

H11:=XLOOKUP(G11, 經銷地區 , 負責人)

I11:=XLOOKUP(G11, 經銷地區 , 銷售金額)

再透過 G11 儲存格中的下拉式選單的切換，即可查到不同的「負責人」以及「銷售金額」。

▶ 如果要將 H11 和 I11 中的兩個公式合併並簡化成一個公式，可以試試下列的寫法：

=XLOOKUP(G11,B2:B13,C2:C13&REPT(" ",28)&E2:E13)

實務應用之三：查找、比對有級距的數字

一般文字的查找和比對，不會碰到太大的問題，在實務上我們也經常碰利用「數值級距表」來作查找的對像。例如，利用業務員的業績來查找適用的獎金比例；利用員工考績分數的級距來查找考績評等；利用員工薪資的級距查找所得稅稅率；利用學生分數的級距來判定成績的優劣…等等，應用的範圍非常廣泛。

針對數值級距的比對，傳統的 LOOKUP 和 VLOOKUP 函數，依規定必須將參考表中，內含數值級距的欄位依遞增（由小到大）的方式來排序，如果這兩個函數碰到遞減（由大到小）排序的參考表，幾乎就無法正確的運作了，而必須使用特殊手法或者請出 INDEX+MATCH 這兩個函數來幫忙。

但是，有了 XLOOKUP 這個動態陣列函數之後，就完全不用擔心上述的問題，不論是遞增或遞減排序的參考表，都能夠一次搞定。

下圖「參考表 1」（A2:B13），包含了「業績標準」以及「獎金比例」兩個欄位，其中「業績標準」的數值，已完成了遞增排序；「參考表 2」（A16:B27），其中「業績標準」的數值，也已完成了遞減排序。

同時也已將「參考表 1」和「參考表 2」，經由「插入 \ 表格」，分別將這兩張參考表轉換成為表格，並將表格命名為「參考表 1」以及「參考表 2」。

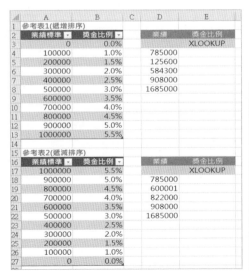

查找依遞增（由小到大）排序的「參考表 1」

現在要拿 D4:D8 中的業績數字，去比對 A3:A13 的數值級距，進而帶出 B3:B13 對應的獎金比例。

在 E4 儲存格中入下列公式，按下 Enter，即可參考下右圖的結果：

=XLOOKUP(D4:D8, 參考表 1[業績標準], 參考表 1[獎金比例],,-1)

- ▶ 公式中的第二個引數「參考表 1[業績標準]」，不必人工輸入，直接選取 A3:A13 即會跳出「參考表 1[業績標準]」的字樣；公式中的第三個引數「**參考表 1[業績標準]**」也是在選取 B3:B13 之後，自動跳出來的字樣。

- ▶ 如果事先沒有將「參考表 1」和「參考表 2」，經由「插入 \ 表格」將這兩張參考表轉換成為表格，公式將成為如下不太容易解讀的結果：

  =XLOOKUP(D4:D8,A3:A13,B3:B13,,-1)

- ▶ 公式「=XLOOKUP(D4:D8, 參考表 1[業績標準], 參考表 1[獎金比例],,-1)」的最後一個引數「-1」不可省略。我們以查找第一個數字「785000」為例，「-1」可以讓我們找到小於或等於「785000」的近似值，如果公式最後一個引數省略或寫成「1」，將會得到如下圖錯誤的結果：

E4	▾		×	✓	ƒx	=XLOOKUP(D4:D8,參考表1[業績標準],參考表1[獎金比例],,1)		

▲	A	B	C	D	E	X	Y	Z
1	參考表1(遞增排序)							
2	業績標準 ▾	獎金比例 ▾		業績	獎金比例			
3	0	0.0%			XLOOKUP			
4	100000	1.0%		785000	4.5%			
5	200000	1.5%		125600	1.5%			
6	300000	2.0%		584300	3.5%			
7	400000	2.5%		908000	5.5%			
8	500000	3.0%		1685000	#N/A			

查找依遞減（由大到小）排序的「參考表 2」

現在要拿 D18:D22 中的業績數字，去比對 A17:A27 的數值級距，進而帶出 B17:B27 對應的獎金比例。

在 E18 儲存格中入下列公式，按下 Enter，即可參考下圖的結果：
=XLOOKUP(D17:D27, 參考表 1[業績標準], 參考表 1[獎金比例],,-1)

E18			f_x	=XLOOKUP(D18:D22,參考表2[業績標準],參考表2[獎金比例],,-1)					
	A	B	C	D	E	X	Y	Z	A
15	參考表2(遞減排序)								
16	業績標準	獎金比例		業績	獎金比例				
17	1000000	5.5%			XLOOKUP				
18	900000	5.0%		785000	4.0%				
19	800000	4.5%		125600	1.0%				
20	700000	4.0%		584300	3.0%				
21	600000	3.5%		908000	5.0%				
22	500000	3.0%		1685000	5.5%				
23	400000	2.5%							
24	300000	2.0%							
25	200000	1.5%							
26	100000	1.0%							
27	0	0.0%							
28									

不論排序是遞增或遞減 XLOOKUP 最後一個引數使用 1,-1, 都是一樣的，但是 2（遞增）或 -2（遞減）就必須吻合排序狀態，下列幾種公式的寫法，在意義上是相同的，因此可以得到相同的結果：

=XLOOKUP(D18:D22, 參考表 2[業績標準], 參考表 2[獎金比例],,-1,1)
=XLOOKUP(D18:D22, 參考表 2[業績標準], 參考表 2[獎金比例],,-1,-1)
=XLOOKUP(D18:D22, 參考表 2[業績標準], 參考表 2[獎金比例],,-1,-2)

XLOOKUP 最多可以使用 6 個引數，最後兩個引數 [match_mode] 以及 [search_mode] 可以決定比對和查找的模式，由於特別重要，一定要充份瞭解。因此，特別再將最後兩個引數的說明列舉出來，讓大家方便與上列函數的引數對照：

[match_mode] – 查找資料時的比對模式：

0 – 查找完全相同的資料，此為預設值，找不到就回傳 #N/A。

-1 – 查找完全相同的資料，如果找不到，就回傳下一個較小值的資料。

1 – 查找完全相同的資料，如果找不到，就回傳下一個較大值的資料。

2 – 配合萬用字元（* 或？）來查找資料。

[search_mode] – 設定資料的查找模式

> 1 – 從參考表的最前面向後搜尋，此為預設值。
>
> -1 – 從參考表的最後面向前搜尋。
>
> 2 – 執行二進位搜尋，必須以遞增順序來排序 lookup_array。
>
> -2 – 執行二進位搜尋，必須以遞減順序排序 lookup_array。

實務應用之四：查找最近一次的交易資料

這是一項很有用的功能。以下圖為例，在眾多交易資料中，想要找出每一位業務員，最近一筆或第一筆的交易資料，以往可能要先排序日期資料後，先使用 OFFSET+MATCH 函數來定位，再找出該業務員的資料，過程還真有點麻煩。

現在只要使用 XLOOKUP 函數，就可以輕鬆地查找到相關的資料，這也是 XLOOKUP 反向查詢的極佳用法。

01 下圖中的資料已經依「銷售日期」欄位完成了遞增排序，同時也使用「插入\表格」的功能，將 A1:F20 的資料表轉換表格，並將表格命名為「銷售資料」

	A	B	C	D	E	F
1	交易序號	銷售日期	業務部門	業務員	銷售產品	銷售金額
2	1	2021/01/06	業務二	趙偉柏	產品D	$457,600
3	2	2021/01/07	業務二	蔡玲玲	產品B	$442,200
4	3	2021/01/07	業務四	王文軒	產品B	$283,000
5	4	2021/01/08	業務三	張世凱	產品C	$608,250
6	5	2021/01/09	業務三	張世凱	產品B	$467,600
7	6	2021/01/09	業務一	林坤池	產品D	$94,240
8	7	2021/01/09	業務三	張世凱	產品C	$657,000
9	8	2021/01/09	業務二	蔡玲玲	產品D	$421,440
10	9	2021/01/10	業務一	林大明	產品A	$106,800
11	10	2021/01/14	業務一	林大明	產品D	$271,680
12	11	2021/01/14	業務三	黃乙銘	產品C	$589,750
13	12	2021/01/14	業務一	汪九祥	產品D	$240,960
14	13	2021/01/14	業務二	楊柏森	產品C	$287,500
15	14	2021/01/15	業務三	古進雄	產品A	$245,520
16	15	2021/01/15	業務四	王文軒	產品A	$156,120
17	16	2021/01/17	業務二	蔡玲玲	產品C	$507,500
18	17	2021/01/17	業務二	楊柏森	產品B	$174,000
19	18	2021/01/17	業務四	何希均	產品C	$125,000
20	19	2021/01/17	業務三	黃乙銘	產品A	$186,000

02 在下圖中，利用 SORT 和 UNIQUE 函數在 V2 儲存格中，設定下列公式，用來向下篩選出不重複的業務員姓名：

=SORT(UNIQUE(銷售資料 [業務員]))

03 在下圖「最後一筆銷售日期」欄位之下的 W3 儲存格中，輸入下列公式：

=XLOOKUP(V3#, 銷售資料 [業務員], 銷售資料 [銷售日期]," 查無此人 ",0,-1)

按下 ENTER 鍵之後，查找的業務員姓名，會溢出至 V3:V13 的位置。

04 接著，依下列指示，完成其他欄位中的公式。

「最後一筆銷售產品」欄位之下 X3 儲存格的公式：

=XLOOKUP(V3#, 銷售資料 [業務員], 銷售資料 [銷售產品]," 查無此人 ",0,-1)

「最後一筆銷售金額」欄位之下 Y3 儲存格的公式：

=XLOOKUP(V3#, 銷售資料 [業務員], 銷售資料 [銷售金額]," 查無此人 ",0,-1)

「第一筆銷售日期」欄位之下 Z3 儲存格的公式：

=XLOOKUP(V3#, 銷售資料 [業務員], 銷售資料 [銷售日期]," 查無此人 ",0,1)

「第一筆銷售品」欄位之下 AA3 儲存格的公式：

=XLOOKUP(V3#, 銷售資料 [業務員], 銷售資料 [銷售產品]," 查無此人 ",0,1)

「第一筆銷金額」欄位之下 AB3 儲存格的公式：

=XLOOKUP(V3#, 銷售資料 [業務員], 銷售資料 [銷售金額]," 查無此人 ",0,1)

▶ 公式中第一個引數「V3#」，是選取 D2:D20 的範圍之後，自動產生的標記，用途是：當 D 欄的下方有新增不重複的業務員姓名時，它會自動將新的業務員姓名透過 UNIQUE 函數，加入到 V13 儲存格以下的位置，也就是它會自動更新 V 欄中的業務員姓名，以維持資料的完整性！

▶ 第二個引數「**銷售資料 [業務員]**」，表示用 V3:V13 中的姓名，到「銷售資料」表格中的 D2:D20 去查找相同的姓名。

▶ 第三個引數「**銷售資料 [銷售日期]**」，表示若找到相同的姓名，就將這筆資料的銷售日期填入到 W3:W13 的範圍中。

▶ 第四個引數「**" 查無此人 "**」，若沒有找到相同的業務員姓名，就回傳此訊息。

▶ 第五個引數「**0**」，表示要查找姓名必須完全相同。

▶ 第六個引數「**-1**」，表示要從表格底端向上查找，一般查找預設的方向是從上而下，引數「-1」可以讓 XLOOKUP 由下往上查找，也就是所謂的反向查找 。由於銷售日期欄已經過「遞增」排序，因此最近日期的銷售資料，會出現在表格最下方，所以對應的日期會被 XLOOKUP 優先找到。

05 接著，可以在下圖中看到查找之後的結果：

	A	B	C	D	E	F	G
1	交易序號	銷售日期	業務部門	業務員	銷售產品	銷售金額	
2	1	2021/01/06	業務二	趙偉柏	產品D	$457,600	
3	2	2021/01/07	業務二	蔡玲玲	產品B	$442,200	
4	3	2021/01/07	業務四	王文軒	產品B	$283,000	
5	4	2021/01/08	業務三	張世凱	產品C	$608,250	
6	5	2021/01/09	業務三	張世凱	產品D	$467,600	
7	6	2021/01/09	業務一	林坤池	產品D	$94,240	
8	7	2021/01/09	業務三	張世凱	產品C	$657,000	
9	8	2021/01/09	業務二	蔡玲玲	產品D	$421,440	
10	9	2021/01/10	業務一	林坤池	產品A	$106,800	
11	10	2021/01/14	業務三	林大明	產品D	$271,680	
12	11	2021/01/14	業務三	黃乙銘	產品C	$589,750	
13	12	2021/01/14	業務一	汪九祥	產品D	$240,960	
14	13	2021/01/14	業務二	楊柏森	產品C	$287,500	
15	14	2021/01/15	業務二	古進雄	產品A	$245,520	
16	15	2021/01/15	業務四	王文軒	產品A	$156,120	
17	16	2021/01/17	業務二	蔡玲玲	產品C	$507,500	
18	17	2021/01/17	業務二	楊柏森	產品B	$174,000	
19	18	2021/01/17	業務四	何希均	產品C	$125,000	
20	19	2021/01/17	業務三	黃乙銘	產品A	$186,000	

找出每一位業務員最近一筆和第一筆交易的銷售資料						
業務員	最後一筆銷售日期	最後一筆銷售產品	最後一筆銷售金額	第一筆銷售日期	第一筆銷售產品	第一筆銷售金額
王文軒	2021/01/15	產品A	156120	2021/01/07	產品B	283000
古進雄	2021/01/15	產品A	245520	2021/01/15	產品A	245520
何希均	2021/01/17	產品C	125000	2021/01/17	產品C	125000
汪九祥	2021/01/14	產品D	240960	2021/01/14	產品D	240960
林大明	2021/01/14	產品D	271680	2021/01/10	產品A	106800
林坤池	2021/01/09	產品D	94240	2021/01/09	產品D	94240
張世凱	2021/01/09	產品C	657000	2021/01/08	產品C	608250
黃乙銘	2021/01/17	產品A	186000	2021/01/14	產品C	589750
楊柏森	2021/01/17	產品B	174000	2021/01/14	產品C	287500
趙偉柏	2021/01/06	產品D	457600	2021/01/06	產品D	457600
蔡玲玲	2021/01/17	產品C	507500	2021/01/07	產品B	442200

實務應用之五：關鍵字查找

一般而言，VLOOKP、LOOKUP、MATCH 之類的函數，只能比對完整的字串，不能針對字串中的某幾個字去作比對。

以下圖為例，A 欄中的訂單編號（例如：BQ001-K2-72630）是由三組資料所組成，「BQ001」是商品代碼，「K2」是型號，「72630」是序號；而 VLOOKP、LOOKUP、MATCH 等三個函數，都不能將「BQ001」、「K2」以及「72630」當作關鍵字，去比對 A 欄中的訂單編號，並帶出表格中的「訂購日期」、「客戶名稱」以及「訂購金額」等欄位資料，下圖中 H3:J3 存格中看到的錯誤訊息「#N/A」就是 VLOOKP、LOOKUP、MATCH 等函數，執行關鍵字查找之後的反應，表示找不到資料。

H3		× ✓ fx	=VLOOKUP($G3,訂單,2)							
	A	B	C	D	E	F	G	H	I	J
1	訂單編號	訂購日期	客戶名稱	訂購金額				關鍵字查找		
2	BQ001-K2-72630	2021/3/3	三川通運	420,684			關鍵字	訂購日期	客戶名稱	訂購金額
3	AS015-S8-71783	2021/3/4	大量科技	774,685		用商品代碼查找：	BQC	#N/A	#N/A	#N/A
4	VB038-U6-78472	2021/3/5	仲英企業	593,763		用型號查找：				
5	TA056-T3-76357	2021/3/6	坦森投信	690,941		用序號查找：				
6	XB033-W1-79852	2021/3/7	東方電子	857,400						
7	DL089-G5-76604	2021/3/8	春日生技	687,527						
8	CU021-P7-72673	2021/3/9	美洲信託	524,901						
9	UD088-B4-75591	2021/3/10	國頂開發	572,850						
10	AC062-M7-79316	2021/3/11	普盛國際	510,722						
11	MD011-Y2-78744	2021/3/12	皓國精品	759,950						
12	KB081-H8-76538	2021/3/13	嘉元創投	809,178						

XLOOKUP 函數的第五個引數 [match_mode] 可以啟用「配合萬用字元（＊或？）」的查找模式，讓我們能夠輕易的在下圖中，使用 G3 儲存格中商品代碼的關鍵字「BQ001」來查找資料，並得到 H3:J3 的結果。

使用關鍵字查找前的準備工作

為了讓 XLOOKUP 配合「下拉式選單」進行關鍵字的動態查找，我們可以使用下列步驟，進行關鍵字查找前的準備工作：

01 選取 A2:D12 的範圍，點按「公式 \ 從選取範圍建立 \ 頂端列」建立「訂單編號」、「訂單日期」、「客戶名稱」、「訂購金額」等四個名稱。

02 在下圖 L3:N3 的範圍中，分別利用 UNIQUE 函數搭配文字函數 LEFT 與 MID，將 A 欄中的訂單編號拆解成為三欄的關鍵字，例如將 BQ001-K2-72630 拆解成「BQ001」、「K2」以及「72630」，相關儲存格中的公式如下：

L3:=UNIQUE((LEFT(A2:A12,5)))

M3:=UNIQUE((MID(A2:A12,7,2)))

N3:=UNIQUE((LEFT(A2:A12,5)))

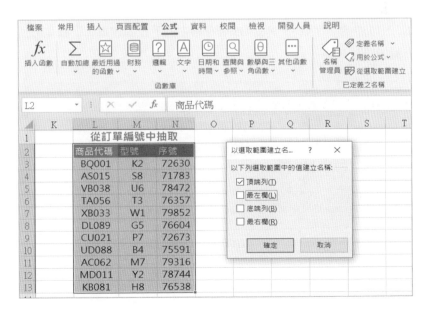

03 選取 L2:N13 的範圍，點按「公式 \ 從選取範圍建立 \ 頂端列」建立「商品代碼」、「型號」、「序號」等三個名稱。

04 分別在 G3、G4、G5 等儲存格中，設計下拉式選單：

1. 點選 G3 儲存格，點按「資料 \ 驗證」。

2. 點選「儲存格內允許」方塊中的「清單」。

3. 點按一下「來源」方塊，選取 L3:L13 的範圍（將自動轉成「商品代碼」的名稱），按下**確定**。

接著再以相同步驟，使用 M3:M13 中的「型號」，建立 G4 儲存格中的下拉式選單；再使用 N3:N13 中的「序號」，建立 G5 儲存格中的下拉式選單，下圖是分別打開三個選單看到的畫面：

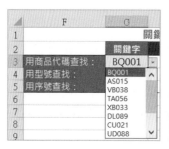 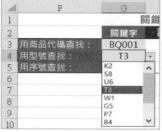 

使用關鍵字查找的公式

完成了前述關鍵字動態查找的準備工作之後。

在 H3 儲存格中輸入下列公式：

H3：=XLOOKUP("*"&$G3&"*", 訂單編號 ,INDIRECT(H$2),,2)

再將此公式向右、向下複製，完全不需要再調整公式，即可完成三種不同關鍵字的查找，最後再配合三個下拉式選單，即可做到 XLOOKUP 的動態查找。

	A	B	C	D	E	F	G	H	I	J
1	訂單編號	訂購日期	客戶名稱	訂購金額			關鍵字查找			
2	BQ001-K2-72630	2021/3/3	三川通運	420,684			關鍵字	訂購日期	客戶名稱	訂購金額
3	AS015-S8-71783	2021/3/4	大量科技	774,685		用商品代碼查找：	BQ001	44258	三川通運	420684
4	VB038-U6-78472	2021/3/5	仲英企業	593,763		用型號查找：	T3	44261	坦森投信	690941
5	TA056-T3-76357	2021/3/6	坦森投信	690,941		用序號查找：	78744	44267	皓國精品	759950
6	XB033-W1-79852	2021/3/7	東方電子	857,400						
7	DL089-G5-76604	2021/3/8	春日生技	687,527						
8	CU021-P7-72673	2021/3/9	美洲信託	524,901						
9	UD088-B4-75591	2021/3/10	國頂開發	572,850						
10	AC062-M7-79316	2021/3/11	普盛國際	510,722						
11	MD011-Y2-78744	2021/3/12	皓國精品	759,950						
12	KB081-H8-76538	2021/3/13	嘉元創投	809,178						

查找之後，H 欄中的訂購日期，將會變成數值，稍後轉成日期格式，並調整 J 欄中的數值格式即可。

公式中的引數說明

▶ 公式「=XLOOKUP("*"&$G3&"*", 訂單編號 ,INDIRECT(H$2),,2)」中的「"*"&$G3&"*"」是公式中的關鍵引數，這種語法才能比對長字串中的關鍵字，其中「G3」為前面加了一個「$」成為「$G3」，「$」代表鎖定的意思，「$G3」就是鎖定 G 欄，以防止公式向右複製時，發生公式參照欄位的錯位。

▶ 倒數第二個引數（如果找不到要回傳的訊息）可以省掉不打，因為透過下拉式選單切換關鍵字，不可能找不到該關鍵字。

▶ 最後一個引數「2」表示採用關鍵字查找的模式。

▶ 公式中使用的萬用字元星號「"*"」表示不限字元數，不限字元內容，因此萬用字元中的星號「"*"」包容性最大。

▶ 如果要指定字元數，必須用問號「"?"」，一個問號代表一個字元，例如：假設 G3 儲存格中的字串是「BQ001」，那麼「"??"&$G3&"???"」表示「BQ001」的左邊只能有兩個字元，「BQ001」的右邊只能有三個字元。

三種不同解法的公式

以下是關鍵字查找三種不同解法的公式寫法，比較看看哪一個公式最有效率？

▶ 不建立名稱，僅將 A1:D12 轉表格之後的公式：

=XLOOKUP($G3&"*", 訂單資料 [訂單編號], 訂單資料 [訂購日期]," 無此商品 ",2)

▶ A1:D12 不轉表格，僅建立名稱，並使用名稱之後的公式：

=XLOOKUP("*"&$G5&"*", 訂單編號 , 訂購日期 ,,2)

▶ 使用名稱＋間接參照（配合 INDIRECT 函數）的公式（即本範例採用的公式）：

=XLOOKUP("*"&$G3&"*", 訂單編號 ,INDIRECT(H$2),,2)

結論：使用「名稱＋間接參照（INDIRECT）」的公式最有效率，因為不需要更動公式中的引數，即可一體適用所有的關鍵字查找，完全吻合公式自動化的需求，這種觀念可以用在所有的動態陣列函數上！

實務應用之六：多維度查找

面對多維度的大型報表，要依複數條件來查找其中的數字，有不少查詢函數都可以做到。以下圖中的表格為例，想要以 B1 儲存格中的科目名稱「差旅費」和 B2 儲存格中的都市名稱「新北市」，找到對應的費用「14950」並顯示在 B3 儲存格中，我們以 XLOOKUP 函數為主的解法上來看，需要套疊兩個 XLOOKUP 函數來進行雙向的查找。基本上須經由下列三個步驟來完成公式設定：

▶ 定義名稱 - 用來最佳化公式

▶ 設計下拉式選單 - 方便動態查找資料

▶ 設定 XLOOKUP 公式

=XLOOKUP(B2, 科目 ,XLOOKUP(B1, 六都 , 全部費用 ,,0))

	A	B	C	D	E	F	G	H
1	都市	新北市						
2	科目	訓練費						
3	費用	20410						
4								
5	各地區經銷處之費用明細表							
6		台北市	新北市	桃園市	台中市	台南市	高雄市	合計
7	廣告費	22,000	21,050	20,140	19,270	12,440	13,550	108,450
8	薪資	268,900	201,600	164,600	147,900	121,500	110,100	1,014,600
9	租金	37,670	26,900	24,170	23,470	12,800	15,690	140,700
10	水電費	28,300	27,070	25,900	24,780	19,710	20,205	145,965
11	保險費	16,960	16,230	15,530	14,860	14,220	15,070	92,870
12	電話費	24,520	23,460	22,440	21,470	15,540	17,560	124,990
13	辦公用品	20,560	19,670	18,820	18,010	17,230	17,800	112,090
14	訓練費	21,330	20,410	19,530	18,680	17,870	17,950	115,770
15	差旅費	15,630	14,950	14,300	13,680	10,090	11,880	80,530
16	租稅與規費	23,410	22,400	21,430	20,500	19,610	20,800	128,150
17	呆帳損失	19,890	19,030	18,210	17,420	16,670	17,670	108,890
18	雜項支出	18,890	18,070	17,290	16,540	15,820	16,780	103,390
19	利息費用	20,330	19,450	18,610	17,800	12,030	13,060	101,280
20	費用總額	538,390	450,290	400,970	374,380	305,530	308,115	2,377,675

■ 定義名稱

1. 選取 A7:A19 儲存格，點選「公式 \ 定義名稱」，將此範圍命名為「科目」。
2. 選取 B6:G6 儲存格，點選「公式 \ 定義名稱」，將此範圍命名為「六都」。
3. 選取 B7:G19 儲存格，點選「公式 \ 定義名稱」，將此範圍命名為「全部費用」。

■ 設計下拉式選單

1. 點選 B1 儲存格，點按「資料 \ 驗證」。
2. 點選「儲存格內允許」方塊中的「清單」。
3. 點按一下「來源」方塊，選取 A7:A19 的範圍（將自動轉成「科目」的名稱），按下確定。
4. 點選 B2 儲存格，點按「資料 \ 驗證」。
5. 點選「儲存格內允許」方塊中的「清單」。
6. 點按一下「來源」方塊，選取 B6:G6 的範圍（將自動轉成「六都」的名稱），按下確定。

■ 設定 XLOOKUP 公式

在 B3 儲存格中輸入並執行下列公式：

=XLOOKUP(B2, 科目 ,XLOOKUP(B1, 六都 , 全部費用 ,,0))

此 公 式 由 兩 個 XLOOKUP 函 數 套 疊 而 成，Excel 會 先 執 行 公 式 中 的 第 二 個 XLOOKUP 函數「XLOOKUP(B1, 六都 , 全部費用 ,,0)」，待找出「全部費用」範圍中的某一欄的數字陣列之後，再由公式最前面的 XLOOKUP「XLOOKUP(B2, 科目 ,)」找出「科目」對應的數字。

▶ 第二個 XLOOKUP-「XLOOKUP(B1, 六都 , 全部費用 ,,0)」的説明

- 第一個引數「B1」– 用 B1 儲存格中的「新北市」三個字去作比對。
- 第二個引數「六都」– 用上述 B1 中的「新北市」三個字，到「六都」（即 B6:G6）的範圍去作比對，找出「新北市」在 B6:G6 範圍中的第幾欄。
- 第三個引數「全部費用」– 找出「新北市」三個字在 B6:G6 中第幾欄的位置。
- 第四個引數「,,」– 找不到資料時回傳的訊息，省略此引數。
- 最後一個引數「0」– 查找完全相同的資料。

執行完畢公式「XLOOKUP(B1, 六都 , 全部費用 ,,0)」之後，Excela4d 帶出「新北市」之下整欄的數字，得到下圖的結果：

	A	B	C	D
5	各地區經銷處之費用明細表			
6		台北市	新北市	桃園市
7	廣告費	22,000	21,050	20,140
8	薪資	268,900	201,600	164,600
9	租金	37,670	26,900	24,170
10	水電費	28,300	27,070	25,900
11	保險費	16,960	16,230	15,530
12	電話費	24,520	23,460	22,440
13	辦公用品	20,560	19,670	18,820
14	訓練費	21,330	20,410	19,530
15	差旅費	15,630	14,950	14,300
16	租稅與規費	23,410	22,400	21,430
17	呆帳損失	19,890	19,030	18,210
18	雜項支出	18,890	18,070	17,290
19	利息費用	20,330	19,450	18,610

→

21050
201600
26900
27070
16230
23460
19670
20410
14950
22400
19030
18070
19450

雖然已帶出「新北市」之下整欄的數字，但是還不知道到取用其中哪一個數字，此時，須依靠第一個 XLOOKUP 來幫忙找出其中的一個數字。

- 第一個 XLOOKUP-「=XLOOKUP(B2, 科目 ,XLOOKUP(B1, 六都 , 全部費用 ,,0)) 的說明
  - 第一個引數「B1」– 用 B1 儲存格中的「新北市」三個字去作比對。
  - 第二個引數「科目」– 用上述 B1 中的「訓練費」三個字，到「科目」（即 A7:A19）的範圍去作比對，找出「訓練費」在 A7:A19 範圍中的第幾列。
  - 第三個引數 – 就是先前說明過的第二個 XLOOKUP，也就是 XLOOKUP 會用到第二個引數找到「訓練費」三個字在 A7:A19 範圍第「8」列的位置，並將此列數對應到先前新北市之下的整欄數字中的第 8 列，也就是「20410」這個數字，如下圖所示：

A	C
	新北市
廣告費	21,050
薪資	201,600
租金	26,900
水電費	27,070
保險費	16,230
電話費	23,460
辦公用品	19,670
訓練費	20,410
差旅費	14,950
租稅與規費	22,400
呆帳損失	19,030
雜項支出	18,070
利息費用	19,450

另外三種不同函數的解法

基本上，任何問題的解法，不會只有一種，以下列出另外三種函數面對相同問題的解法，供大家參考：

▶ VLOOKUP 配合 MATCH 的解法

=VLOOKUP(B2,A7:G19,MATCH(B1, 六都 ,0)+1,0)

▶ INDEX 配合 MATCH 的解法

=INDEX(全部費用 ,MATCH(B2, 科目 ,0),MATCH(B1, 六都 ,0))

▶ INDIRECT 配合 MATCH 的解法

=INDIRECT(B2) INDIRECT(B1)

5.9.8 XMATCH

傳統的 MATCH 函數主要用來負責查找資料時的定位工作，可以讓我們得知要找的資料在查找表中的第幾列或幾欄，舉凡 INDEX、OFFSET、VLOOKUP、LOOKUP 等著名的查詢函數，幾乎都有可能搭配 MATCH 來幫忙做資料的比對，再依據 MATCH 函數回傳的定位結果來擷取特定的資料，所以 MATCH 可以說是一個苦工型的函數，單獨使用意義不大，搭配查詢函數來用，才能極大化它的價值。

XMATCH 函數大幅提昇了傳統 MATCH 函數的查找能力，使用的引數也不盡相同。XMATCH 除了保留原來 MATCH 的查找功能之外，還可以進行反向查找以及使用萬用字元（＊或？）來查找資料；另外比較不同之處在於 MATCH 函數必須先參考表進行排序，再配合適當的參數來進行查找作業，XMATCH 則無此限制，並不需要將參考表先行排序，所以在使用的便捷性上，XMATCH 具有更大的彈性。

■ 語法

=XMATCH(lookup_value, lookup_array, [match_mode], [search_mode])

■ 引數說明

▶ Lookup_value – 要進行查找的值。

▶ lookup_array – 到哪一個陣列或資料範圍中去查找。

▶ [match_mode] – 查找資料的比對模式，包括 0、-1、1、2 等四種選擇。

0 – 此為預設值，表示要查找完全相同的資料

-1 – 查找完全相同的資料，如果找不到，就回傳下一個較小值的資料

1 – 查找完全相同的資料，如果找不到，就回傳下一個較大值的資料

2 – 配合萬用字元（＊或？）來查找資料

▶ [search_mode] – 設定查找的類型

1 – 從參考表的最前面向後搜尋，此為預設值。

-1 – 從參考表的最後面向前搜尋（反向搜尋）。

2 – 執行二進位搜尋，必須以遞增順序來排序 lookup_array。

-2 – 執行二進位搜尋，必須以遞減順序排序 lookup_array。

其實 XMATCH 中的引數，與 XLOOKUP 相比是大同小異的，只是少了「return_array」以及「[if_not_found]」兩個引數。

實務應用之一：比對完全相同的字串並回傳對應的列數或欄數

由於 XMATCH 只負責查找資料並回傳資料所在的列數，如果要將查找到的字串擷取出來，還必須搭配其他的查詢函數來完成字串的擷取，本例將以 INDEX 函數搭配 MATCH 函數來完成資料的比對與擷取。

首先我們來看看 MATCH 的使用方式以及回傳的結果。以下圖為例，想要用 XMATCH 拿 B2 儲存格中的「新北市」到 B7:G7 的範圍中去比對，看看「新北市」是在 B7:G7 的範圍中的第幾欄，可以在 C2 儲存格中輸入公式：

=XMATCH(B2,B7:G7,0)

XMATCH 會回傳「2」，表示「新北市」是在 B7:G7 範圍中的第 2 欄。

	A	B	C	D	E	F	G	H
1			XMATCH回傳的列數或欄數					
2	都市	新北市	2		=XMATCH(B2,B7:G7,0)			
3	科目	訓練費	8		=XMATCH(B3,A8:A20,0)			
4								
5								
6	各地區經銷處之費用明細表							
7		台北市	新北市	桃園市	台中市	台南市	高雄市	合計
8	廣告費	22,000	21,050	20,140	19,270	12,440	13,550	108,450
9	薪資	268,900	201,600	164,600	147,900	121,500	110,100	1,014,600
10	租金	37,670	26,900	24,170	23,470	12,800	15,690	140,700
11	水電費	28,300	27,070	25,900	24,780	19,710	20,205	145,965
12	保險費	16,960	16,230	15,530	14,860	14,220	15,070	92,870
13	電話費	24,520	23,460	22,440	21,470	15,540	17,560	124,990
14	辦公用品	20,560	19,670	18,820	18,010	17,230	17,800	112,090
15	訓練費	21,330	20,410	19,530	18,680	17,870	17,950	115,770
16	差旅費	15,630	14,950	14,300	13,680	10,090	11,880	80,530
17	租稅與規費	23,410	22,400	21,430	20,500	19,610	20,800	128,150
18	呆帳損失	19,890	19,030	18,210	17,420	16,670	17,670	108,890
19	雜項支出	18,890	18,070	17,290	16,540	15,820	16,780	103,390
20	利息費用	20,330	19,450	18,610	17,800	12,030	13,060	101,280
21	費用總額	538,390	450,290	400,970	374,380	305,530	308,115	2,377,675

同樣的，要用 XMATCH 拿 B3 儲存格中的「訓練費」到 A8:A20 的範圍中去比對，看看「訓練費」是在 A8:A20 的範圍中的第幾列，可以在上圖 C3 儲存格中輸入公式：

=XMATCH(B3,A8:A20,0)

XMATCH 會回傳「8」，表示「訓練費」是在 A8:A20 範圍中的第 8 列。

▶ 公式中的前兩個引數「B3,A8:A20」表示要拿 B3 儲存格中的「訓練費」到 A8:A20 的範圍中去比對。

▶ 公式中的最後一個引數「0」代表要查找完全相同的字串。

實務應用之二：使用 INDEX+XMATCH 擷取數字

XMATCH 僅止於資料的比對，卻不能擷取資料，此時我們可以使用 INDEX 來將 XMATCH 比對到的欄數或列數當作索引，將對應位置的數字擷取出來，現在我們延續「實務應用之一」中的 XMATCH，再配合 INDEX 函數來將數字擷取出來。

■ INDEX 函數語法

INDEX(array, row_num, [column_num])

■ INDEX 函數引數說明

Array – 儲存格範圍或資料陣列，到指定的資料行、資料列或陣列中擷取資料。
row_num – 要擷取的資料在 Array 中的第幾列。
column_num – 要擷取的資料在 Array 中的第幾欄。

現在要利用 MATCH 到 A8:A20 與 B7:G7 的範圍中，分兩次做資料比對，再由 INDEX 函數到 B8:G20 的數字區，擷取對應的數字到 B4 儲存格中。

因此，在 B4 儲存格中輸入下列公式，即可看到 B4 中的數字「20410」：

=INDEX(全部費用 ,XMATCH(B3, 科目 ,0),XMATCH(B2, 六都 ,0))

	A	B	C	D	E	F	G	H	I
1			XMATCH回傳的列數或欄數						
2	都市	新北市	2		=XMATCH(B2,B7:G7,0)				
3	科目	訓練費	8		=XMATCH(B3,A8:A20,0)				
4	費用	20410			=INDEX(全部費用,XMATCH(B3,科目,0),XMATCH(B2,六都,0))				
5									
6	各地區經銷處之費用明細表								
7		台北市	新北市	桃園市	台中市	台南市	高雄市	合計	
8	廣告費	22,000	21,050	20,140	19,270	12,440	13,550	108,450	
9	薪資	268,900	201,600	164,600	147,900	121,500	110,100	1,014,600	
10	租金	37,670	26,900	24,170	23,470	12,800	15,690	140,700	
11	水電費	28,300	27,070	25,900	24,780	19,710	20,205	145,965	
12	保險費	16,960	16,230	15,530	14,860	14,220	15,070	92,870	
13	電話費	24,520	23,460	22,440	21,470	15,540	17,560	124,990	
14	辦公用品	20,560	19,670	18,820	18,010	17,230	17,800	112,090	
15	訓練費	21,330	20,410	19,530	18,680	17,870	17,950	115,770	
16	差旅費	15,630	14,950	14,300	13,680	10,090	11,880	80,530	
17	租稅與規費	23,410	22,400	21,430	20,500	19,610	20,800	128,150	
18	呆帳損失	19,890	19,030	18,210	17,420	16,670	17,670	108,890	
19	雜項支出	18,890	18,070	17,290	16,540	15,820	16,780	103,390	
20	利息費用	20,330	19,450	18,610	17,800	12,030	13,060	101,280	
21	費用總額	538,390	450,290	400,970	374,380	305,530	308,115	2,377,675	

請參考公式在執行時的演變：

1. 公式的原型：

   =INDEX(全部費用 ,XMATCH(B3, 科目 ,0),XMATCH(B2, 六都 ,0))

2. 將名稱轉換成位址，公式成為：

   = INDEX(B8:G20,XMATCH(B3,A8:A20,0),XMATCH(B2,B7:G7,0))

3. 執行第一個 XMATCH(B3,A8:A20,0) 之後，回傳「8」，表示「訓練費」是在 A8:A20 範圍中的第 8 列；接著執行第二個 XMATCH(B2,B7:G7,0) 之後，回傳「2」，表示「新北市」是在 B7:G7 範圍中的第 2 欄，公式成為：

   = INDEX(B8:G20,8,2)

4. 此 時 INDEX 會到 B8:G20 的 數字 區，找到 位於 第 8 列、第 2 欄 中的 數字「20410」，並將 數字 帶入到 B4 儲存格中：

	A	B	C	D	E	F	G	H	I
1			XMATCH回傳的列數或欄數						
2	都市	新北市	2		=XMATCH(B2,B7:G7,0)				
3	科目	訓練費	8		=XMATCH(B3,A8:A20,0)				
4	費用	20410			=INDEX(全部費用,XMATCH(B3,科目,0),XMATCH(B2,六都,0))				
5									
6	各地區經銷處之費用明細表								
7		台北市	新北市	桃園市	台中市	台南市	高雄市	合計	
8	廣告費	22,000	21,050	20,140	19,270	12,440	13,550	108,450	
9	薪資	268,900	201,600	164,600	147,900	121,500	110,100	1,014,600	
10	租金	37,670	26,900	24,170	23,470	12,800	15,690	140,700	
11	水電費	28,300	27,070	25,900	24,780	19,710	20,205	145,965	
12	保險費	16,960	16,230	15,530	14,860	14,220	15,070	92,870	
13	電話費	24,520	23,460	22,440	21,470	15,540	17,560	124,990	
14	辦公用品	20,560	19,670	18,820	18,010	17,230	17,800	112,090	
15	訓練費	21,330	20,410	19,530	18,680	17,870	17,950	115,770	
16	差旅費	15,630	14,950	14,300	13,680	10,090	11,880	80,530	
17	租稅與規費	23,410	22,400	21,430	20,500	19,610	20,800	128,150	
18	呆帳損失	19,890	19,030	18,210	17,420	16,670	17,670	108,890	
19	雜項支出	18,890	18,070	17,290	16,540	15,820	16,780	103,390	
20	利息費用	20,330	19,450	18,610	17,800	12,030	13,060	101,280	
21	費用總額	538,390	450,290	400,970	374,380	305,530	308,115	2,377,675	

實務應用之三：比對數字級距，回傳對應的列數或欄數

以下圖為例，想要用 XMATCH 拿 D2 儲存格中的「785000」到 A2:A12 的範圍中去比對，看看「785000」是在 A2:A12 的範圍中的第幾列，然然後再針對 D 欄中的其他數字做比對，來觀察這些數字對應到 A2:A12 的範圍中的第幾列。

（本範例中 A 欄中的數字，是採取由小到大的排列方式）

	A	B	C	D	E
1	業績標準	獎金比例		業績	回傳列數
2	0	0.0%			XMATCH
3	100000	1.0%		785000	
4	200000	1.5%		125600	
5	300000	2.0%		584300	
6	400000	2.5%		908000	
7	500000	3.0%		1685000	
8	600000	3.5%			
9	700000	4.0%			
10	800000	4.5%			
11	900000	5.0%			
12	1000000	5.5%			

1. 建立名稱，選取 A1:A12 的範圍，點選「公式 \ 從選取範圍建立」，點選頂端列，按下**確定**。

2. 在 E3 儲存格中，輸入公式：

=XMATCH(D3, 業績標準 ,-1,1)

	A	B	C	D	E	G	H
1	業績標準	獎金比例		業績	回傳列數		
2	0	0.0%			XMATCH		
3	100000	1.0%		785000	8	=XMATCH(D3,業績標準,-1,1)	
4	200000	1.5%		125600			
5	300000	2.0%		584300			
6	400000	2.5%		908000			
7	500000	3.0%		1685000			
8	600000	3.5%					
9	700000	4.0%					
10	800000	4.5%					
11	900000	5.0%					
12	1000000	5.5%					

XMATCH 會回傳「8」，表示「785000」是在 A1:A12 範圍中的第 8 列。

再將 E3 儲存格中的公式向下複製，即可看到 E 欄中的其他數字，對應到 A1:A12 範圍中的列數。

	A	B	C	D	E	G	H
1	業績標準	獎金比例		業績	回傳列數		
2	0	0.0%			XMATCH		
3	100000	1.0%		785000	8	=XMATCH(D3,業績標準,-1,1)	
4	200000	1.5%		125600	2	=XMATCH(D4,業績標準,-1,1)	
5	300000	2.0%		584300	6	=XMATCH(D5,業績標準,-1,1)	
6	400000	2.5%		908000	10	=XMATCH(D6,業績標準,-1,1)	
7	500000	3.0%		1685000	11	=XMATCH(D7,業績標準,-1,1)	
8	600000	3.5%					
9	700000	4.0%					
10	800000	4.5%					
11	900000	5.0%					
12	1000000	5.5%					

▶ 公式「=XMATCH(D3, 業績標準 ,-1,1)」中的第一個引數「D3」表示要拿 D3 儲存格中的「785000」去做比對。

▶ 公式中的第二個引數「業績標準」是選取 A2:A12 儲存格範圍之後，自動帶出的**名稱**，表示用 D3 儲存格中的「785000」到 A2:A12 範圍中做比對。

▶ 公式中的第三個引數「-1」，表示查找與「785000」完全相同的數字，如果找不到「785000」，就查找下一個較小值的數字「700000」。

▶ 公式中的第四個引數「1」，表示由前往後查找，此引數使用 1、-1、2 的結果是相同的（若使用 -2，A 欄中的數字，就必須由大到小排序），最後 XMATCH 會回傳「785000」在 A2:A12 範圍中的列數 8。

實務應用之四：使用 INDEX+XMATCH 比對並擷取對應的獎金比例

「實務應用之三」中的 XMATCH 完成比對的工作之後，接著再配合 INDEX 函數，即可將對應的獎金比例擷取出來，請參考下列步驟：

01 建立名稱，選取 B1:B12 的範圍，點選「公式 \ 從選取範圍建立」，點選頂端列，按下**確定**。

02 在 F3 儲存格中，輸入公式並向下複製公式：

=INDEX(獎金比例 ,XMATCH(D3, 業績標準 ,-1,1))

	F3				=INDEX(獎金比例,XMATCH(D3,業績標準,-1,1))
	A	B	C	D	E	F
1	業績標準	獎金比例		業績	回傳列數	獎金比例
2	0	0.0%			XMATCH	INDEX+XMATCH
3	100000	1.0%		785000	8	4.0%
4	200000	1.5%		125600	2	1.0%
5	300000	2.0%		584300	6	3.0%
6	400000	2.5%		908000	10	5.0%
7	500000	3.0%		1685000	11	5.5%
8	600000	3.5%				
9	700000	4.0%				
10	800000	4.5%				
11	900000	5.0%				
12	1000000	5.5%				

▶ 請參考「實務應用之三」中，針對公式中引數的説明，在此不再重複。

▶ 如果 A2:A12 範圍中的數字，是由大到小排序，或者混亂的排序，公式又應該如何設定呢？其實完全不用擔心，這也就是 XMATCH 厲害之處！混亂排序或由大

到小排序的公式，跟由小到大的排序的公式完全相同，只是將名稱調整一下而已。下圖的 A 欄中的數字是混亂排序的，F16 儲存格中的公式依舊是：

=INDEX(獎金比例 1,XMATCH(D16, 業績標準 1,-1,1))

E16 =XMATCH(D16,業績標準1,-1,1)

	A	B	C	D	E	F
13						
14	業績標準1	獎金比例1		業績	回傳列數	獎金比例
15	700000	4.0%			XMATCH	INDEX+XMATCH
16	900000	5.0%		785000	1	4.0%
17	600000	3.5%		125600	9	1.0%
18	300000	2.0%		584300	7	3.0%
19	400000	2.5%		908000	2	5.0%
20	1000000	5.5%		1685000	6	5.5%
21	500000	3.0%				
22	800000	4.5%				
23	100000	1.0%				
24	200000	1.5%				
25	0	0.0%				

此時在 E 欄中的回傳的列數會自動調整，但是 F 欄的獎金比例卻還是相同的。

下圖 A 欄中的數字是由大到小的排序方式，F16 儲存格中的公式也還是這麼寫，得到的獎金比例也是完全相同的：

=INDEX(獎金比例 1,XMATCH(D16, 業績標準 1,-1,1))

	A	B	C	D	E	F
13						
14	業績標準1	獎金比例1		業績	回傳列數	獎金比例
15	1000000	5.5%			XMATCH	INDEX+XMATCH
16	900000	5.0%		785000	4	4.0%
17	800000	4.5%		125600	10	1.0%
18	700000	4.0%		584300	6	3.0%
19	600000	3.5%		908000	2	5.0%
20	500000	3.0%		1685000	1	5.5%
21	400000	2.5%				
22	300000	2.0%				
23	200000	1.5%				
24	100000	1.0%				
25	0	0.0%				

實務應用之五：使用 XMATCH 比對關鍵字

XMATCH 函數的第三個引數 [match_mode]，跟 XLOOKUP 的用法一樣，可以啟用「配合萬用字元（* 或 ?）」的查找模式，讓我們能在下圖中，使用 G3:G5 儲存格中商品代碼「BQ001」、型號「T3」、序號「78744」等關鍵字來查找 A 欄中的訂單編號，並將回傳的列數置於得到 H3:H5 儲存格中。

■ 使用關鍵字查找前的準備工作

01 選取 A2:D12 的範圍，點按「公式 \ 從選取範圍建立 \ 頂端列」建立「訂單編號」、「訂單日期」、「客戶名稱」、「訂購金額」等四個名稱。

02 在下圖 L3:N3 的範圍中，分別利用 UNIQUE 函數搭配文字函數 LEFT 與 MID，將 A 欄中的訂單編號拆解成為三欄的關鍵字，例如將 BQ001-K2-72630 拆解成「BQ001」、「K2」以及「72630」，相關儲存格中的公式如下：

L3:=UNIQUE((LEFT(A2:A12,5)))

M3:=UNIQUE((MID(A2:A12,7,2)))

N3:=UNIQUE((LEFT(A2:A12,5)))

03 選取 L2:N13 的範圍，點按「公式\從選取範圍建立\頂端列」建立「商品代碼」、「型號」、「序號」等三個名稱。

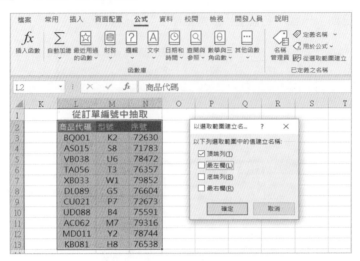

04 分別在 G3、G4、G5 等儲存格中，設計下拉式選單：

1. 點選 G3 儲存格，點按「資料\驗證」。
2. 點選「儲存格內允許」方塊中的「清單」。
3. 點按一下「來源」方塊，選取 L3:L13 的範圍（將自動轉成「商品代碼」的名稱），按下**確定**。

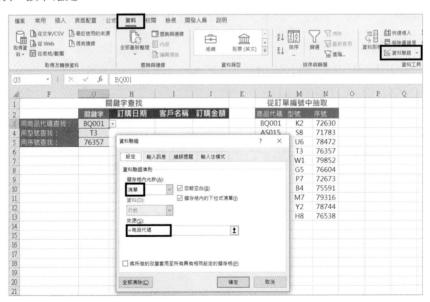

接著再以相同步驟，使用 M3:M13 中的「型號」，建立 G4 儲存格中的下拉式選單；再使用 N3:N13 中的「序號」，建立 G5 儲存格中的下拉式選單，下圖是分別打開三個選單看到的畫面：

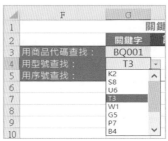

建立 XMATCH 公式

在 H3 儲存格中入公式，並向下複製到 H5 儲存格：

=XMATCH("*"&G3&"*", 訂單編號 ,2,1)

	A	B	C	D	E	F	G	H
1	訂單編號	訂購日期	客戶名稱	訂購金額			XMATCH關鍵字查找	
2	BQ001-K2-72630	2021/3/3	三川通運	420,684			關鍵字	回傳列數
3	AS015-S8-71783	2021/3/4	大量科技	774,685		用商品代碼查找：	DL089	6
4	VB038-U6-78472	2021/3/5	仲英企業	593,763		用型號查找：	T3	4
5	TA056-T3-76357	2021/3/6	坦森投信	690,941		用序號查找：	78744	10
6	XB033-W1-79852	2021/3/7	東方電子	857,400				
7	DL089-G5-76604	2021/3/8	春日生技	687,527				
8	CU021-P7-72673	2021/3/9	美洲信託	524,901				
9	UD088-B4-75591	2021/3/10	國頂開發	572,850				
10	AC062-M7-79316	2021/3/11	普盛國際	510,722				
11	MD011-Y2-78744	2021/3/12	皓國精品	759,950				
12	KB081-H8-76538	2021/3/13	嘉元創投	809,178				

■ 公式中的引數說明

▶ 公式「=XMATCH("*"&G3&"*", 訂單編號 ,2,1)」，第一個引數中的「"*"&G3&"*"」是公式中的關鍵引數，這種語法才能比對長字串中的關鍵字，萬用字元星號「"*"」表示不限字元數，不限字元內容，萬用字元中的星號「"*"」包容性最大。

▶ 如果要指定字元數，必須用問號「"?"」，一個問號代表一個字元，例如：假設 G3 儲存格中的字串是「BQ001」，那麼「"??"&G3&"???"」表示「BQ001」的左邊只能有兩個字元，「BQ001」的右邊只能有三個字元。

▶ 第三個引數「2」表示採用關鍵字查找的模式。

▶ 最後一個引數「1」表示從參考表的最前面向後搜尋,此為預設值。

INDEX + XMATCH 的用法

要在下圖 I3:I5 帶出關鍵字對應的訂購金額,可以使用 INDEX+XMATCH 的公式輕鬆完成任務,在 I3 儲存格中輸入下列公式並向下複製公式即可:

=INDEX(訂購金額 ,XMATCH("*"&G3&"*", 訂單編號 ,2,1))

	A	B	C	D	E	F	G	H	I
1	訂單編號	訂購日期	客戶名稱	訂購金額			關鍵字查找		
2	BQ001-K2-72630	2021/3/3	三川通運	420,684			關鍵字	回傳列數	訂購金額
3	AS015-S8-71783	2021/3/4	大量科技	774,685		用商品代碼查找:	DL089	6	687527
4	VB038-U6-78472	2021/3/5	仲英企業	593,763		用型號查找:	T3	4	690941
5	TA056-T3-76357	2021/3/6	坦森投信	690,941		用序號查找:	78744	10	759950
6	XB033-W1-79852	2021/3/7	東方電子	857,400					
7	DL089-G5-76604	2021/3/8	春日生技	687,527					
8	CU021-P7-72673	2021/3/9	美洲信託	524,901					
9	UD088-B4-75591	2021/3/10	國頂開發	572,850					
10	AC062-M7-79316	2021/3/11	普盛國際	510,722					
11	MD011-Y2-78744	2021/3/12	皓國精品	759,950					
12	KB081-H8-76538	2021/3/13	嘉元創投	809,178					

▶ 公式「=INDEX(訂購金額 ,XMATCH("*"&G3&"*", 訂單編號 ,2,1))」中的第一個引數「訂購金額」,本來是選取 D2:D12 的儲存格範圍,但由於先建立了名稱,它會自動轉換為「訂購金額」的名稱;同樣的,XMATCH 倒數第三個引數「訂單編號」也是選取 A2:A12 的儲存格範圍之後,自動轉換的名稱。

chapter 06

重要內建工具的應用

6.1 「驗證」在資料除錯上的應用

建置 Excel 報表最擔心的就是輸入資料時發生手誤,這種錯誤是很不容易被發現的,往往要耗費很多時間去找出錯誤;因此,倒不如在輸入時就做檢查,以免 Excel 接受無效的資料。

要防止無效資料輸入的最常用的工具就是「驗證」,它可以做事前的防範和事後的除錯,您也可以在無效資料輸入時,讓 Excel 發出警告,並阻擋錯誤值的輸入;並可以設定提示訊息,以協助使用者修正輸入有效的資料。接著,我們將以幾個常用的情境來介紹 Excel「驗證」在實務上的應用。

6.1.1 不得輸入重複的身份證字號

人事部門在建立員工基本資料時,可以透過**驗證**的功能來防止身份證字號的重複輸入;如果發現有重複登錄的現象,Excel 立即會跳出警告訊息,並請您重新輸入新的身份證字號。設定**驗證**的步驟如下:

01 請開啟 \ 範例檔 \ 第 6 章範例 \ 6.1 資料驗證 .xlsx\「員工資料」工作表,選取 C2:C12 的儲存格範圍。

02 點按**資料**索引標籤 / **資料工具**群組 / **資料驗證**,在**資料驗證**對話方塊的**設定**標籤之下,完成下列之設定:

▶ 選取**儲存格內允許**文字方塊中的「自訂」。
▶ 在**公式**文字方塊中,輸入「=COUNTIF(C:C,C2)=1」。

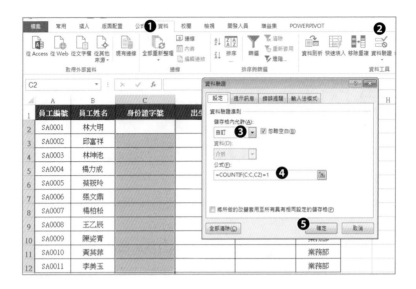

■ 公式說明

=COUNTIF(C:C,C2)=1

用 C2 儲存格中的值,到 C 欄去作比對,C2 儲存格中的值只能在 C 欄中出現一次,如果出現的次數超過 1,就代表資料重複。

03 點按**提示訊息**標籤,完成下列之設定:

▶ 在**標題**文字方塊中,輸入「員工 ID」。

▶ 在**提示訊息**文字方塊中,先按一下 Enter 鍵(這樣可以加大與標題之間的距離),再輸入「在此處輸入員工的身份證字號」。

爾後只要指向 C2:C12 儲存格,就會看到如下圖中央的提示訊息。

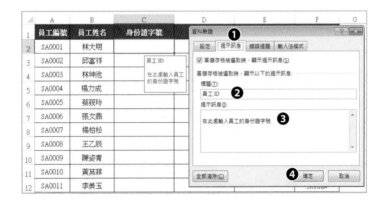

04 點按**錯誤提醒**標籤，完成下列之設定：

▶ 在**樣式**清單中，選擇「停止」。

▶ 在**標題**文字方塊中，輸入「員工 ID 重複」。

▶ 在**訊息內容**文字方塊中，分作兩行輸入「重複的身份證字號！請重新輸入，謝謝！」，接著按下**確定**，完成**驗證**的設定。

05 請先在 C2 儲存格中輸入一身份證字號「A293379067」，接著在 C3 輸入相同的證號，按下 Enter 鍵之後，**驗證**功能立即發揮了作用，出現了如下圖的訊息，請按下**重試**，重新輸入證號。

Tips

▶ 在**資料驗證**對話方塊的**設定**標籤之下，有關**資料驗證準則**的類型，說明如下：

- 任意值：接受任何型態的資料，會移除先前設定好的驗證規則。

- 整數：只接受整數的輸入，可以設定整數的大小範圍。

- 實數：接受整數或帶小數的數字，可以設定實數的大小範圍。

- 清單：可設定下拉式選單。必須在**來源**文字方塊中指定選單的內容，如果選單內容來自於跨工作表的儲存格範圍，必須先建立**名稱**。

- 日期：只接受日期的輸入，例如「2014/7/15」；可以設定大於或小於「2014/7/15」，也可以設定**開始日期**或**結束日期**的日期區間。

- 時間：只接受時間的輸入，例如「8:00」或者「18:30:45」，可以設定大於或小於「8:00」，也可以設定**開始時間**或**結束時間**的時間區間。

- 文字長度：限制資料的字元數，中文或英數都視為 1 個字元。

- 自訂：較複雜的驗證準則，必須透過**自訂公式**的方式來判斷資料的有效性。

▶ **錯誤提醒**對話方塊中的**紅底白** * 圖示，是來自於當初在設定**錯誤提醒**時的**樣式**選項。

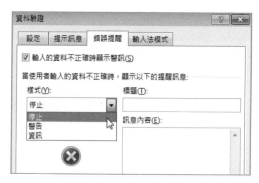

此三種選項之意涵以及代表圖示，說明如下：

圖示	類型	用途說明
⊗	停止	不接受無效資料的輸入。若在**停止**對話方塊中按下**取消**，即表示放棄輸入，儲存格將會回到原先空白狀態；若按下**重試**，即表示再輸入一次資料。
⚠	警告	警告使用者，輸入了無效的資料，使用者照樣可以輸入資料。若在**警告**的對話方塊中按下**是**，表示接受無效的資料；按下**否**，表示可以編輯無效的資料；按下**取消**，表示要移除無效的資料。
ⓘ	資訊	通知輸入的資料是無效的，使用者照樣可以輸入資料。若在**資訊**對話方塊中按下**確定**，表示要接受無效的輸入；按下**取消**則表示要拒絕無效的輸入。

6.1.2 限制績效獎金的 % 數

公司準備發放績效獎金，公司責成各業務單位主管自行決定各業務員獎金的多寡，但是績效獎金必須限制在業績的 3%~8% 之內，那麼當主管輸入績效獎金的數字時，要如何能讓數字不超出這個範圍？

用**驗證**來解決這個問題，應該是最恰當的，設定方法如下：

01 請開啟 \ 範例 \ 第 6 章範例 \ 6.1 資料驗證 .xlsx\「績效獎金」工作表，選取 D2:D12 的儲存格範圍。

02 點按**資料**索引標籤 / **資料工具**群組 / **資料驗證**，在**資料驗證**對話方塊的**設定**標籤之下，完成下列之設定：

- 選取**儲存格內允許**文字方塊中的「實數」。
- 在**最小值**文字方塊中，輸入「=C2*3%」。
- 在**最大值**文字方塊中，輸入「=C2*8%」。

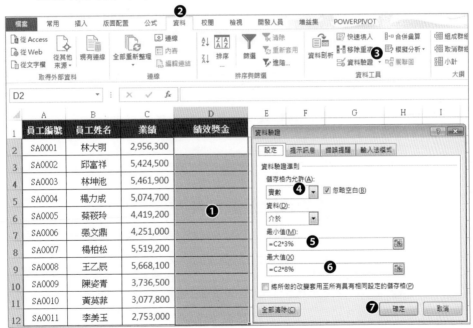

03 點按**錯誤提醒**標籤，完成下列之設定：

- 在**樣式**清單中，選擇「停止」。
- 在**標題**文字方塊中，輸入「請注意獎金比例」。

- 在**訊息內容**文字方塊中，先按一下 Enter 鍵，再輸入「獎金比例不對，績效獎金必須在業績的 3%~5% 之間！」，接著，按下**確定**，完成**驗證**的設定。

4. 當您在 D2 儲存格中輸入「300000」或者「1000」按下 Enter 鍵之後，即可看到警示訊息出現，按下**重試**，重新輸入正確的數字即可。

6.1.3 限制統一編號的長度及數字屬性

台灣廠商的統一編號都是 8 位數，建立廠商資料時，如何將輸入的統一編號限制在 8 個字的長度而且必須是數字？請參考下列**驗證**的設定：

01 請開啟 \ 範例檔 \ 第 6 章範例 \ 6.1 資料驗證 .xlsx\「統一編號」工作表，選取 C2:C12 的儲存格範圍。

02 點按**資料**索引標籤 / **資料工具**群組 / **資料驗證**，在**資料驗證**對話方塊的**設定**標籤之下，完成下列之設定：

- 選取**儲存格內允許**文字方塊中的「自訂」。
- 在**公式**文字方塊中，輸入「=AND(LEN(C2)=8,ISNUMBER(C2))」。

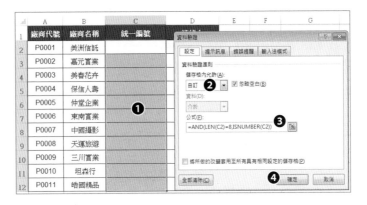

03 點按**錯誤提醒**標籤，完成下列之設定：

- 在**樣式**清單中，選擇「停止」。
- 在**標題**文字方塊中，輸入「統一編號錯誤」。
- 在**訊息內容**文字方塊中，先按一下 Enter 鍵，再輸入「請輸入 8 位數的數字」，接著，按下**確定**，完成**驗證**的設定。

04 當您在 C2 儲存格中輸入「50723792」按下 Enter 鍵，因為統一編號正確，所以 Excel 不會有任何反應，接著再輸入「6193206」或者「A3365890」按下 Enter 鍵，都會出現警示訊息，按下**重試**，重新輸入正確的統一編號即可。

■ 公式說明

=AND(LEN(C2)=8,ISNUMBER(C2))

▶ LEN(C2)=8：限定輸入的資料必須是 8 個字的長度。

▶ ISNUMBER(C2)：確認 C2 儲存格中是數值，傳回 TRUE。

▶ =AND(LEN(C2)=8,ISNUMBER(C2))：C2 儲存格中的資料必須是 8 個字的長度，
而且必須是數值。

Tips

• 如果您僅設定驗證的公式或條件，並沒有設定
「提示訊息」以及「錯誤提醒」的文字，是沒有
關係的，當您打錯資料時，將會出現如右圖的回
應畫面。

6.1.4 只接受工作天的輸入

進行專案日期的輸入，如果想讓 Excel 只接受可工作天的日期，也就是不得輸入週
六、週日的日期，就可以透過**驗證**的方式，來進行日期資料的控管。

`01` 請開啟 \ 範例檔 \ 第 6 章範例 \ 6.1 資料驗證 .xlsx\「只接受工作天 」工作表，
選取 B2:B12 的儲存格範圍。

`02` 點按**資料**索引標籤 / **資料工具**群組 / **資料驗證**，在**資料驗證**對話方塊的**設定**標
籤之下，完成下列之設定：

• 選取**儲存格內允許**文字方塊中的「自訂」。

• 在公式文字方塊中，輸入「=WEEKDAY(B2,2)<6」。

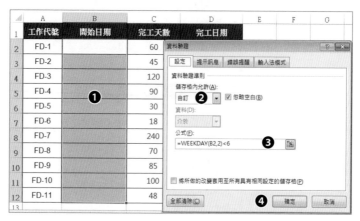

03 點按**錯誤提醒**標籤,完成下列之設定:

- 在**樣式**清單中,選擇「停止」。
- 在**標題**文字方塊中,輸入「日期錯誤」。
- 在**訊息內容**文字方塊中,先按一下 Enter 鍵,再輸入「請輸入非週六、週日的日期」,接著,按下**確定**,完成**驗證**的設定。

04 在 B2 儲存格中輸入「2014/6/3」按下 Enter 鍵,因為「2014/6/3」不是週六或週日,所以 Excel 在 D2 儲存格中,自動顯示出了「2014/8/26」的完工日期;接著再輸入「2014/6/8」按下 Enter 鍵,隨即出現如下圖的警示訊息,按下**重試**,重新輸入正確的日期即可。

	A	B	C	D	E
1	工作代號	開始日期	完工天數	完工日期	
2	FD-1	2014/6/3	60	2014/8/26	
3	FD-2	2014/6/8	45	2014/8/8	
4	FD-3				
5	FD-4				
6	FD-5				
7	FD-6				
8	FD-7				

日期錯誤
請輸入非週六、週日的日期
重試(R)　取消　說明(H)
這項資訊有幫助嗎?

■ 公式說明

=WEEKDAY(B2,2)<6

▶ 判斷 B2 儲存格中的日期在該週的序列值是否小於 6,也就是輸入的日期,是否介於星期一到星期五之間。

▶ 引數中的「2」,表示採用第 2 種回傳數字的方式,即數字 1 代表「星期一」,2 代表「星期二」……,7 代表「星期日」。

■ WEEKDAY 的語法

原型：WEEKDAY(serial_number,[return_type])

說明：WEEKDAY (日期 , 傳回值的類型)

傳回指定日期是當週的第幾天，預設值為介於 1（星期日）到 7（星期六）的整數。

■ 引數說明

▶ serial_number：日期的序列值。可以是儲存格中的日期，或者使用 DATE 函數輸入的日期，例如「=WEEKDAY(DATE(2014,7,1),………)」。

▶ return_type：數值資料，代表**傳回值**的類型，詳列如下表。

Return_type	傳回的數字
1 或省略	數字 1（星期日）到 7（星期六）
2	數字 1（星期一）到 7（星期日）
3	數字 0（星期一）到 6（星期六）
11	數字 1（星期一）到 7（星期日）
12	數字 1（星期二）到 7（星期一）
13	數字 1（星期三）到 7（星期二）
14	數字 1（星期四）到 7（星期三）
15	數字 1（星期五）到 7（星期四）
16	數字 1（星期六）到 7（星期五）
17	數字 1（星期日）到 7（星期六）

Tips

- 當您在 B2 儲存格輸入日期時，D2 儲存格會自動顯示完工日期，是因為在 D2:D12 儲存格中設定了如下的公式：

  =IF(B2="","",WORKDAY(B2,C2))

  =IF(B2 儲存格中是空白，就顯示空白，否則就用 B2 儲存格中的日期和 C2 儲存格中的天數來計算完工日期)

  WORKDAY 函數的詳細說明，請參考「5.6.3 推算到期日」。

- 如果想要只接受「2014/7/1~2014/7/31」之間的日期輸入，可在**驗證**中設定這樣的公式：「=and(b2>=date(2014,7,1), b2<=date(2014,7,31))」。

6.1.5 新進員工年齡必須滿 20 歲

人資部門在建立新進員工基本資料時，在輸入到職日期的同時，如何根據員工出生日期，自動檢核該員工是否在 20 歲以上？

`01` 請開啟 \ 範例檔 \ 第 6 章範例 \ 6.1 資料驗證 .xlsx\「年滿 20 歲」工作表，選取 E2:E12 的儲存格範圍。

`02` 點按**資料**索引標籤 / **資料工具**群組 / **資料驗證**，在**資料驗證**對話方塊的**設定**標籤之下，完成下列之設定：

- 選取**儲存格內允許**文字方塊中的「自訂」。
- 在**公式**文字方塊中，輸入「=YEAR(E2)-YEAR(D2)>=20」。

`03` 點按**錯誤提醒**標籤，完成下列之設定：

- 在**樣式**清單中，選擇「停止」。
- 在**標題**文字方塊中，輸入「年齡未滿 20 歲」；在**訊息內容**文字方塊中，先按一下 Enter 鍵，再輸入「新進員工年齡必須滿 20 歲，請檢查出生日期是否登錄正確！」，接著，按下**確定**，完成**驗證**的設定。

04 當您在 E2 儲存格中輸入「2014/7/15」按下 Enter 鍵，因為超過 20 歲，所以 Excel 不會有任何反應，接著在 E3 儲存格中輸入「2014/8/1」，按下 Enter 鍵，立即出現警示訊息，按下**重試**，或依提示訊息做進一步的檢查即可。

6.1.6 用驗證檢查已完成的輸入

一般而言，在設定**驗證準則**之後，除非您在**錯誤提醒**的**樣式**清單中，選擇了「停止」，否則 Excel 還是可以接受無效資料的輸入。此時，您可以針對已完成的報表進行二度的驗證檢查，以防止 Excel 接受了無效的資料。

例如，開啟 \ 範例檔 \ 第 6 章範例 \ 6.1 資料驗證 .xlsx\「驗證的二度檢查」工作表之後，C 欄中的**驗證方式**，是採取「警告」的樣式設定（如下圖所示）：

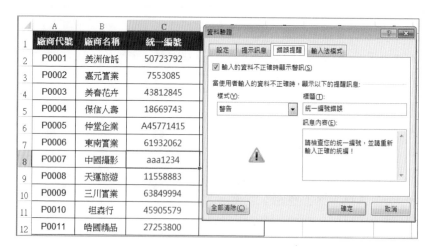

因此，Excel 得以接受 C3、C6、C8 三個儲存格輸入的無效資料，這是因為當使用者輸入無效資料，按下 Enter 鍵時，**驗證**立刻跳出如下圖的警告訊息。

使用者很可能是在不經意的情況之下，按下了「是」，以致 Excel 接受了無效的資料。此時，就可以再利用已經設定好的驗證準則，再做第二次的檢查，以便能夠知道哪幾個儲存格中的資料需要修正。

■ 二度檢查的方法

`01` 點按**資料**索引標籤 / **資料工具**群組，在**資料驗證**選單中，點選「圈選錯誤資料」；此時，Excel 會將無效的資料用紅色圈選起來。

修正錯誤的資料之後，可以點按**資料**索引標籤 \ **資料工具**群組，在**資料驗證**選單中，點選「清除錯誤圈選」，即可移除紅圈。

驗證準則是可以複製的，如果一開始忘了選取要設定驗證的範圍，您可以在設定單一儲存格的**驗證準則**之後，按住填滿控點，向下拖曳，即可複製**驗證準則**到其他儲存格中。

6.2 報表的紅綠燈警示

報表完成之後，純數字型式的報表，很難讓人一目了然，如可能突顯報表的重點所在，以提高報表的可讀性，而不是給對方滿滿一堆數字？當我們完成報表的分析和彙算之後，如何利用報表的**後製工具**，大幅提昇報表的可讀性，其實是蠻重要的課題。

以下圖為例，A 欄中的格式化是用**公式**突顯每週三交易的記錄；C 欄則是用指定的業務員為格式化的條件；F 欄是用「色階」來格式化大小不同的數字；G 欄是用「資料橫條」來格式化大小不同的數字；H 欄則是用「圖示集」來突顯每個營業稅的漲跌狀況。

	A	B	C	D	E	F	G	H
1	銷售日期	業務單位	業務員	銷售產品	銷售城市	銷售數量	銷售金額	營業稅
2	2014/05/03	業務二	何希均	產品D	台北市	2,474	395,840	19,792
3	2014/05/03	業務四	吳曉君	產品D	高雄市	2,118	338,880	16,944
4	2014/05/04	業務四	楊柏森	產品B	台北市	2,600	520,000	26,000
5	2014/05/06	業務四	王文軒	產品A	台北市	1,993	239,160	11,958
6	2014/05/08	業務一	黃文英	產品A	台南市	1,694	203,280	10,164
7	2014/05/13	業務三	楊柏森	產品D	高雄市	2,665	426,400	21,320
8	2014/05/13	業務三	林坤池	產品A	新北市	891	106,920	5,346
9	2014/05/14	業務三	張佑民	產品A	高雄市	3,259	391,080	19,554
10	2014/05/14	業務二	何希均	產品B	高雄市	3,200	640,000	32,000
11	2014/05/16	業務三	楊柏森	產品B	台北市	1,663	332,600	16,630
12	2014/05/18	業務三	林坤池	產品C	新北市	2,564	641,000	32,050
13	2014/05/19	業務四	吳曉君	產品C	高雄市	1,662	415,500	20,775
14	2014/05/20	業務二	黃乙銘	產品C	新北市	2,680	670,000	33,500

在此分成兩個層面來介紹「設定格式化的條件」的用法，第一種層面是針對資料庫的格式化，第二種層面則是針對客製化報表的格式化；這是因為兩種不同架構的資料，格式化的觀念有點不盡相同，所以必須分開來介紹。

6.2.1 資料庫欄位的格式化

格式化資料庫的目的，主要是為了配合資料庫的篩選。單獨格式化某一欄的內容，是不具太大意義的；因為，資料庫中的記錄動輒數十萬筆，格式化之後，符合格式化條件的記錄，仍然散佈在整個資料庫中，要有效率觀察這些記錄，必須將這些記錄集中在一起，否則格式化是毫無意義的；要將同類型的資料集中在一起的方式不是**排序**就是**篩選**，格式化之後的欄位內容，可以用排序的方式，將內含**指定的顏色或圖示**排在最前面，但是不能將所有的顏色或圖示來同時進行排序；而格式化之後的**篩選**，也可以依據顏色和圖示來過濾資料庫的記錄，唯有格式化成為「資料橫條」是不能排序也不能被篩選的。

以「資料橫條」來格式化欄位

這是根據數值大小來繪製橫條圖的格式化方式，讓我們可以依據橫條圖的長短，一眼看出數值的大小。

■ 設定步驟

01 請開啟 \ 範例檔 \ 第 6 章範例 \ 6.2 設定格式化的條件 .xlsx\「資料橫條」工作表。

02 選取 G:G 的儲存格範圍，點按**常用**索引標籤 / **樣式**群組 / **設定格式化的條件** / **資料橫條**。

03 點選**漸層填滿**之下的**橘色資料橫條**。

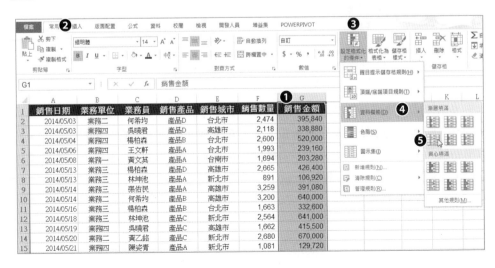

04 格式化之後的 G 欄數值，會依數值大小，來決定橫條圖的長短。

	A	B	C	D	E	F	G
1	銷售日期	業務單位	業務員	銷售產品	銷售城市	銷售數量	銷售金額
2	2014/05/03	業務二	何希均	產品D	台北市	2,474	395,840
3	2014/05/03	業務四	吳曉君	產品D	高雄市	2,118	338,880
4	2014/05/04	業務四	楊柏森	產品B	台北市	2,600	520,000
5	2014/05/06	業務四	王文軒	產品A	台北市	1,993	239,160
6	2014/05/08	業務一	黃文英	產品A	台南市	1,694	203,280
7	2014/05/13	業務三	楊柏森	產品D	高雄市	2,665	426,400
8	2014/05/13	業務三	林坤池	產品A	新北市	891	106,920
9	2014/05/14	業務三	張佑民	產品A	高雄市	3,259	391,080
10	2014/05/14	業務二	何希均	產品B	高雄市	3,200	640,000
11	2014/05/16	業務三	楊柏森	產品B	台北市	1,663	332,600
12	2014/05/18	業務三	林坤池	產品C	新北市	2,564	641,000

■ 清除格式化設定

如果要清除 G 欄中的格式化效果，請先選取 G 欄，再點按**常用**索引標籤 / **樣式**群組 / **設定格式化的條件** / **清除規則** / **清除選取儲存格的規則**即可；如果要清除報表中所有的格式化效果，請點選**清除整張工作表的規則**即可。

Tips

如果將**橫條圖**的效果套用在**客製化報表**中，會有什麼樣的結果？以下圖為例，格式化成為橫條圖之後的結果，只看到整張報表充斥著一堆數字和圖形，如何能很快的看出報表的重點所在呢？所以，不同結構和形式的資料，就應該使用不同的格式化工具，以免造成反效果。

	A	B	C	D	E	F	G	H	I	J	K	L	M
1					京士集團產品銷售數量統計表								
2	銷售城市	一月	二月	三月	四月	五月	六月	七月	八月	九月	十月	十一月	十二月
3	上海	2,866	3,370	2,555	4,630	2,583	2,033	2,514	2,995	3,476	3,957	3,066	3,258
4	首爾	1,596	1,815	949	1,756	904	1,983	1,431	1,192	954	1,584	1,680	1,954
5	東京	2,152	2,528	1,497	1,987	868	1,735	1,244	894	1,256	1,366	1,068	1,158
6	曼谷	1,588	2,051	1,677	2,480	1,977	1,617	1,392	3,016	2,022	2,266	1,024	2,537
7	倫敦	1,076	2,440	2,344	2,147	2,063	1,218	1,321	1,387	1,272	2,596	1,600	1,440
8	渥太華	2,171	1,407	1,573	2,171	993	1,184	999	1,961	1,893	1,382	1,723	1,069
9	紐約	2,473	2,242	3,358	2,290	1,417	2,555	2,980	1,598	2,134	2,569	3,109	3,620
10	卡達	2,380	1,404	1,760	2,468	1,138	1,159	2,550	1,418	1,427	1,841	985	1,991
11	馬德里	1,214	1,014	1,301	1,528	2,285	1,903	1,432	2,079	1,149	2,533	1,504	1,326
12	巴西利亞	2,220	1,282	1,821	1,825	2,463	1,484	2,512	1,786	1,913	1,854	2,166	2,176
13	合計	19,736	19,553	18,835	23,282	16,691	16,871	18,375	18,326	17,496	21,948	17,925	20,529

以「色階」來格式化欄位

色階是以漸層的方式來格式化數字，可分為「雙色色階」和「三色色階」兩種。用**色階**來格式化數字，可配合**篩選**或者**排序**，來顯示特定背景顏色或文字顏色的數字，如果單純的用**色階**來格式化數字，不再做其他處理，可能會造成以下兩個缺點：

▶ 用灰階印列報表時，不容易看出來大小相近數字之間的顏色差別。

▶ **色階**所產生的漸層顏色層次太多，就算是線上閱讀，也僅是華麗有餘，而實用性不足。

■ 操作步驟

`01` 請開啟 \ 範例檔 \ 第 6 章範例 \ 6.2 設定格式化的條件 .xlsx\「色階」工作表。

`02` 選取 G:G 的儲存格範圍，點按**常用**索引標籤 / **樣式**群組 / **設定格式化的條件** / **色階**，點選「紅 - 黃 - 綠色階」。

`03` 格式化之後的數字，如下圖所示：

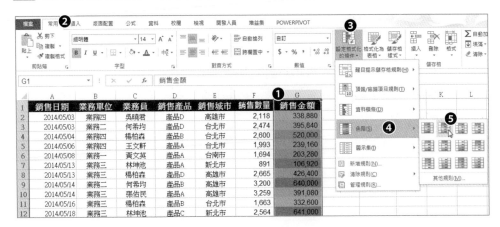

如果要了解上述**紅 - 黃 - 綠色階**的設定規則，請點按**常用**索引標籤 / **樣式**群組 / **設定格式化的條件** / **管理規則**，即可看到**三色色階**是採用「最低值」：綠色、「百分位數50」：黃色，以及「最高值」：紅色的漸層設定方式。

■ 調整色階的設定

從前圖格式化成為**紅 - 黃 - 綠色階**的結果來看，雖然有很豐富的顏色，但是要透過這些炫麗的色彩去觀察成千上萬筆的記錄，是沒有任何意義的。因此，為了讓我們能更輕易的將數字分類，現在準備要將色階簡單化，調整成為「雙色色階」的漸層顏色。

01 請開啟 \ 範例檔 \ 第 6 章範例 \ 6.2 設定格式化的條件 .xlsx\「色階」工作表。

02 點按**常用**索引標籤 / **樣式**群組 / **設定格式化的條件** / **管理規則**。

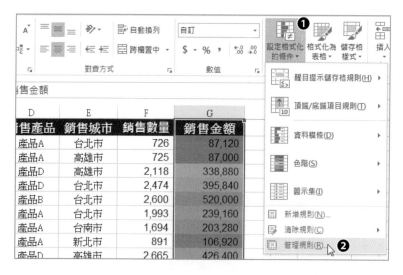

03 在設定格式化的條件規則管理員對話方塊中，點按**編輯規則**。

04 請依下列規則設定格式化的條件。

▶ 格式樣式：「雙色色階」。

▶ 最小值：類型「最低值」；色彩「綠色」。

▶ 最大值：類型「最高值」；色彩「白色」。

設定完畢之後，按下**確定**，即可看到如右下圖的格式化結果。

我們也可以使用公式來決定格式化的對象，例如：

▶ 格式樣式：「三色色階」。

▶ 最小值：類型「公式」；值「=MIN($G:$G)」；色彩「綠色」。

▶ 中間值：類型「百分位數」；值「50」；色彩「黃色」。

▶ 最大值：類型「公式」；值「=MAX($G:$G)」；色彩「紅色」。

「=MIN($G:$G)」是指挑出 G 欄中的最小數字。

「=MAX($G:$G)」是指挑出 G 欄中的最大數字。

「百分位數」是指數字在 G 欄中的位階。

排序或篩選格式化的欄位

格式化之後的數字，可透過排序或篩選的方式，將特定顏色的字，置於欄位最前面，以方便檢視資料；請開啟 \ 範例檔 \ 第 6 章範例 \ 6.2 設定格式化的條件 .xlsx\「色階 - 排序篩選 」工作表。

■ 排序格式化的數字

在 G16 儲存格按下滑鼠右鍵，點選**排序 / 將選取的儲存格色彩放在最前面**，即可看到如右下圖的結果。其中相同儲存格色彩的數字會被拉到最前面，而並未將其他顏色相同的儲存格聚集在一起。

如果在左上圖的**排序**選單中，選擇「從最小到最大排序」或者「從最大到最小排序」，那就又回到了 Excel 最基本的排序方式了，完全跟儲存格顏色無關，但是也有它的好處，就是可以將相同顏色的數字集中呈現。

至於**排序**選單中的「將選取的字型色彩放在最前面」以及「將選取的儲存格圖示放在最前面」，將在後面小節中說明。

■ 篩選格式化的數字

篩選格式化數字的用途跟排序差不多，都是用來突顯特定顏色的儲存格，只是篩選會將特定顏色之外的資料隱藏起來，而排序只是將特定顏色的儲存格拉到前面來，並不隱藏其他資料。

在 G15 儲存格按下滑鼠右鍵，點選**篩選** / **以選取儲存格的色彩篩選**，即可看到如右下圖的結果；其中所有的欄位都進入篩選狀態，有兩筆相同儲存格色彩的數字被拉到最前面，其他不同顏色儲存格的資料都被隱藏起來。

若要清除篩選，請按下 G1 儲存格右邊的**篩選**鈕，點選「清除 " 銷售金額 " 的篩選」即可。

若在左上圖的**篩選**選單中，選擇「以選取儲存格的值篩選」，那就又回到了 Excel 最基本的篩選方式了，完全跟儲存格顏色無關。

至於**篩選**選單中的「以選取儲存格的字型色彩篩選」以及「以選取儲存格的圖示篩選」，將在後面小節中說明。

以「圖示集」來格式化欄位

用前述**色階**的方式來格式化欄位中的數字，缺點在於漸層分得太細，以致於當我們要集中觀察某一顏色族群的數字時，操作起來會覺得不太符合當初的需求；「圖示集」則是以固定的幾種圖示來表達數字的高低起伏，Excel 提供了二十種設定圖示，在視覺的感受上，會覺得其表達方式更具親和力。

01 請開啟 \ 範例檔 \ 第 6 章範例 \ 6.2 設定格式化的條件 .xlsx\「圖示集」工作表。

02 選取 G:G 的儲存格範圍，點按**常用**索引標籤 / **樣式**群組 / **設定格式化的條件** / **圖示集**，點選「三色箭號（彩色）」。

03 格式化之後的數字，如下圖 G 欄所示：

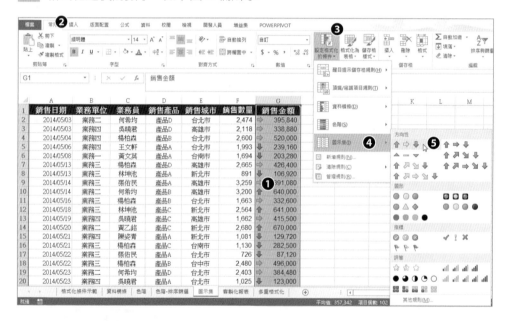

■ 檢視圖示集的設定規則

在前圖 G 欄中套用了「三色箭號（彩色）」的圖示，這三種箭號的設定規則為何？由於 G 欄中只用三種箭號來格式化所有的數字，感覺上其高低起伏的識別度要比「色階」或者「資料橫條」格式化的結果要清晰多了。我們就來瞧瞧規則是如何設定的：

01 點按**常用**索引標籤 /**樣式**群組 /**設定格式化的條件** /**管理規則**；在設定格式化的條件規則管理員對話方塊中，點按**編輯規則**。

02 在**編輯格式化規則**對話方塊中，可以看出來 Excel 採三分法，大於或等於前 67% 的數字，使用向上的綠色箭號；中間 33% 的數字，使用黃色水平箭號；最後 33% 的數字，使用向下紅色箭號。

03 您可以視情況改變圖示集的樣式，例如在**圖式樣式**清單中，選擇「三符號（無框）」的樣式，按下**確定**，回到**設定格式化的條件規則管理員**對話方塊中，再按下**確定**，即可看到如右下圖的部份結果。

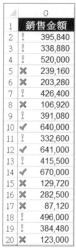

■ 篩選圖示

用**圖示集**來篩選資料，是很好的想法，因為跟「色階」比較起來，其篩選目標更為明確。例如，要以 G10 儲存格中的圖示（綠色勾）作為篩選的對象，請依下列步驟進行篩選：

01 在 G10 儲存格中按下滑鼠右鍵，點選**篩選 / 以選取儲存格的圖示篩選**。

02 右下圖為篩選之後的部份內容。

6.2.2 格式化文字的外觀

若您想要根據格式化條件來改變文字或數字的顏色、字型、數值格式、外框，以方便格式化之後的排序或篩選；不論使用「資料橫條」、「色階」或者「圖示集」，都無法針對**數值**或**文字的外觀**做改變，僅能改變**儲存格**的外觀。因此必須用下列方法之一，來格式化數字的外觀：

1. 醒目提示儲存格規則。

2. 頂端 / 底端項目規則。

3. 新增規則。

這裡所說的「**文字的外觀**」，包括了「文字」、「數值」和「日期」三種資料。

醒目提示儲存格規則

下圖是點按**設定格式化的條件** / **醒目提示儲存格規則** 之後，看到的選項內容，其中大部份的選項是針對**數值**或**日期**來做格式化的，我們可以這樣來分類：

▶ 用於數值：「大於」、「小於」、「介於」、「等於」、「包含下列的文字」以及「重複的值」。

▶ 用於日期：「大於」、「小於」、「介於」、「等於」、「發生的日期」以及「重複的值」。

▶ 用於文字：「等於」、「包含下列的文字」以及「重複的值」。

以下的操作範例，都是使用 \ 範例檔 \ 第 6 章範例 \ 6.2 設定格式化的條件 .xlsx\「格式化文字色彩」工作表。

■ 格式化銷售金額大於 500000 的數字

要將銷售金額大於 500000 的數字格式化成為**紅色**的文字，操作步驟如下：

01 選取 G 欄的數字，點按**常用**索引標籤 / **樣式**群組 / **設定格式化的條件** / **醒目提示儲存格規則** / **大於**。

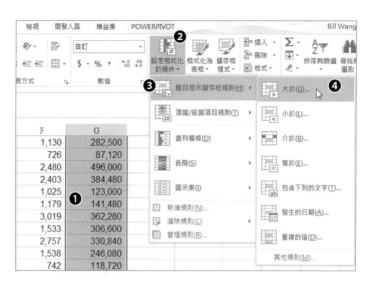

02 在**大於**對話方塊中,輸入「500000」,並在**顯示為**清單中,選擇「紅色文字」,按下**確定**,即可看到 500000 以上的數字,都變成了紅色。

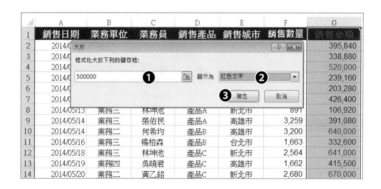

■ 自訂格式

若需要**綠色**的**粗體**字型顏色或其他字型相關的設定,請在**顯示為**清單中,點選**自訂格式**。

接著在**字型**標籤之下，點選**粗體**及**綠色**，按下**確定**，回到**大於**對話方塊再按下**確定**即可。

您可以點按**數值**、**外框**，來改變數字的外觀。

由於「小於」、「介於」、「等於」…等格式化的方式，只是條件設定有所不同，其餘做法完全相同，因此過程就略而不談。

■ 以數字顏色篩選

完成格式化數字的顏色之後，可以配合篩選或排序，將特定顏色的數字拉到前面以方便觀察。

以左下圖為例，若要篩選特定顏色的數字，請在任一綠色的數字上按下滑鼠右鍵，點選**篩選 / 以選取儲存格的字型色彩篩選**，即可看到如右下圖的結果。

■ 格式化文字

若要將下圖 E 欄中，內含**台北市**或**新北市**的文字格式化成為紅色，請參考下列步驟：

01 點按**常用**索引標籤 / **樣式**群組 / **設定格式化的條件** / **醒目提示儲存格規則** / **包含下列的文字**。

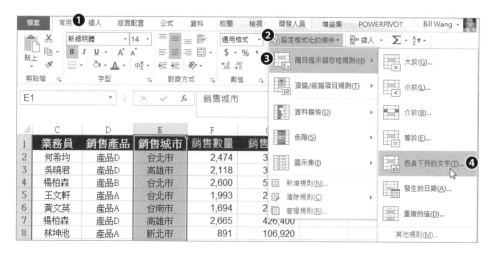

02 在格式化包含下列文字的儲存格文字方塊中，輸入「北市」；在顯示為清單中，選擇「紅色文字」，按下確定，即可看到格式化的結果。

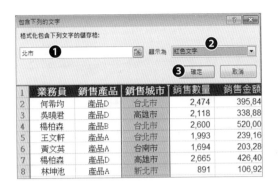

頂端 / 底端項目規則

此項功能最適合用在客製化報表的格式化上，因為前述資料庫的欄位內容是由上而下排列，所以，格式化之後的欄位內容，還需配合**排序**或**篩選**的方式，來檢視資料，因此感覺不是很方便。客製化的報表，泰半是矩陣形式的內容，數字集中，因此很容易看出格式化之後的數字高低起伏，或者重點所在。

請開啟 \ 範例檔 \ 第 6 章範例 \ 6.2 設定格式化的條件 .xlsx\「客製化報表」工作表。例如，要將下圖中所有大於平均值的數字，格式化為**淺紅色填滿**的背景顏色；並且再將最大值及最小值的數字格式化成為綠色及紅色的背景。

	A	B	C	D	E	F	G	H	I	J	K	L	M
1	京士集團產品銷售數量統計表												
2	銷售城市	一月	二月	三月	四月	五月	六月	七月	八月	九月	十月	十一月	十二月
3	上海	2,866	3,370	2,555	4,630	2,583	2,033	2,514	2,995	3,476	3,957	3,066	3,258
4	首爾	1,596	1,815	949	1,756	904	1,983	1,431	1,192	954	1,584	1,680	1,954
5	東京	2,152	2,528	1,497	1,987	868	1,735	1,244	894	1,256	1,366	1,068	1,158
6	曼谷	1,588	2,051	1,677	2,480	1,977	1,617	1,392	3,016	2,022	2,266	1,024	2,537
7	倫敦	1,076	2,440	2,344	2,147	2,063	1,218	1,321	1,387	1,272	2,596	1,600	1,440
8	渥太華	2,171	1,407	1,573	2,171	993	1,184	999	1,961	1,893	1,382	1,723	1,069
9	紐約	2,473	2,242	3,358	2,290	1,417	2,555	2,980	1,598	2,134	2,569	3,109	3,620
10	卡達	2,380	1,404	1,760	2,468	1,138	1,159	2,550	1,418	1,427	1,841	985	1,991
11	馬德里	1,214	1,014	1,301	1,528	2,285	1,903	1,432	2,079	1,149	2,533	1,504	1,326
12	巴西利亞	2,220	1,282	1,821	1,825	2,463	1,484	2,512	1,786	1,913	1,854	2,166	2,176
13	合計	19,736	19,553	18,835	23,282	16,691	16,871	18,375	18,326	17,496	21,948	17,925	20,529

我們可以分兩次來做格式化動作，請參考下列步驟：

01 選取 B3:M12 儲存格範圍，點按**常用**索引標籤 / **樣式**群組 / **設定格式化的條件** / **頂端 / 底端項目規則** / **高於平均**。

02 在高於平均對話方塊中,選擇「淺紅色填滿」,按下確定。

03 點按常用索引標籤 / 樣式群組 / 設定格式化的條件 / 頂端 / 底端項目規則 / 前 10 個項目。

04 在前 10 個項目對話方塊中，選擇「自訂格式」，將「10」調成為「1」，並在**儲存格格式**對話方塊的**填滿**標籤之下，點選**綠色**色塊，按下**確定**，回到前 10 個項目對話方塊中，再按下**確定**。

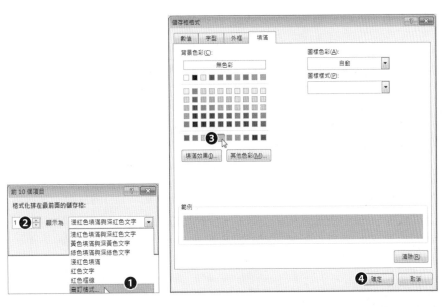

05 點按**常用**索引標籤／**樣式**群組／**設定格式化的條件**／**頂端**／**底端項目規則**／**最後 10 個項目**。

06 在**最後 10 個項目**對話方塊中，選擇「自訂格式」，將「10」調成為「1」，並在**儲存格格式**對話方塊的**填滿**標籤之下，點選**黃色**色塊，按下**確定**，回到**最後 10 個項目**對話方塊中，再按下**確定**。

07 完成格式化的報表，如下圖所示。

	A	B	C	D	E	F	G	H	I	J	K	L	M
1					京士集團產品銷售數量統計表								
2	銷售城市	一月	二月	三月	四月	五月	六月	七月	八月	九月	十月	十一月	十二月
3	上海	2,866	3,370	2,555	4,630	2,583	2,033	2,514	2,995	3,476	3,957	3,066	3,258
4	首爾	1,596	1,815	949	1,756	904	1,983	1,431	1,192	954	1,584	1,680	1,954
5	東京	2,152	2,528	1,497	1,987	868	1,735	1,244	894	1,256	1,366	1,068	1,158
6	曼谷	1,588	2,051	1,677	2,480	1,977	1,617	1,392	3,016	2,022	2,266	1,024	2,537
7	倫敦	1,076	2,440	2,344	2,147	2,063	1,218	1,321	1,387	1,272	2,596	1,600	1,440
8	渥太華	2,171	1,407	1,573	2,171	993	1,184	999	1,961	1,893	1,382	1,723	1,069
9	紐約	2,473	2,242	3,358	2,290	1,417	2,555	2,980	1,598	2,134	2,569	3,109	3,620
10	卡達	2,380	1,404	1,760	2,468	1,138	1,159	2,550	1,418	1,427	1,841	985	1,991
11	馬德里	1,214	1,014	1,301	1,528	2,285	1,903	1,432	2,079	1,149	2,533	1,504	1,326
12	巴西利亞	2,220	1,282	1,821	1,825	2,463	1,484	2,512	1,786	1,913	1,854	2,166	2,176
13	合計	19,736	19,553	18,835	23,282	16,691	16,871	18,375	18,326	17,496	21,948	17,925	20,529

6.2.3 格式化的效率

格式化的過程中,也必須注意到效率上的問題,怎麼說呢?以下圖為例,要突顯各月份中的最大值和最小值,格式化規則是,各月份中的最大值以紅色填滿,最小值則以黃色填滿。主要的問題在於能不能一次搞定?還是必須一欄一欄的設定?

在大型報表的格式化中,經常可以見到這樣的格式化要求,目的只有一個,就是講求「工作效率」。面對這種格式化的需求,我們可以透過**公式**,一次解決整張報表的格式化。

■ 操作步驟

01 請開啟 \ 範例檔 \ 第 6 章範例 \ 6.2 設定格式化的條件 .xlsx\「格式化的效率」工作表。

02 選取 B3:B12 儲存格範圍,點按**常用**索引標籤 / **樣式**群組 / **設定格式化的條件** / **新增規則**。

03 在右下圖**新增格式化規則**對話方塊中,點選「使用公式來決定要格式化哪些儲存格」,並在文字方塊中輸入公式「=B3=MAX(B$3:B$12)」,按下**格式**。

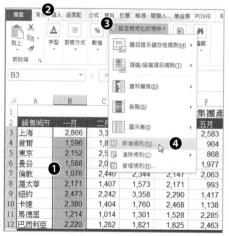

04 在**儲存格格式**對話方塊的**填滿**標籤之下，點選**紅色**色塊，按下**確定**，回到**新增格式化規則**對話方塊中，再按下**確定**。

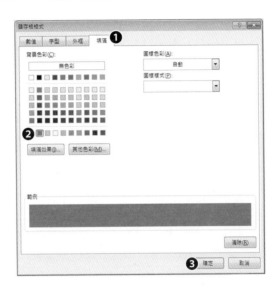

05 點按**常用**索引標籤 / **樣式**群組 / **設定格式化的條件** / **新增規則**，在**新增格式化規則**對話方塊中，點選「使用公式來決定要格式化哪些儲存格」。

06 在文字方塊中輸入公式「=B3=MIN(B$3:B$12)」，按下**格式**，在**儲存格格式**對話方塊的**填滿**標籤之下，點選**黃色**色塊，按下**確定**，回到**新增格式化規則**對話方塊中，再按下**確定**。

07 點選 B3 儲存格，點按**常用**索引標籤 / **剪貼簿**群組 / **複製格式**；按住滑鼠左鍵，選取 B3:M12 的儲存格範圍，放開滑鼠，即完成整張報表的格式化。

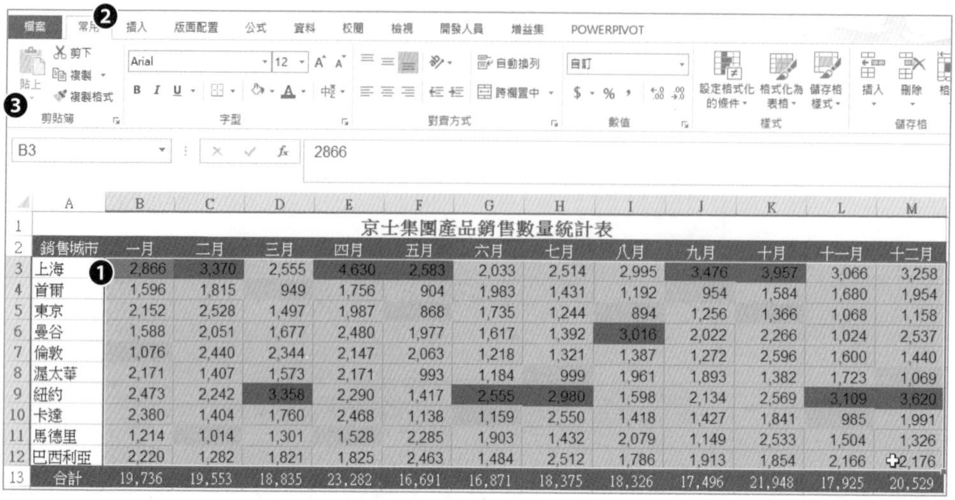

銷售城市	一月	二月	三月	四月	五月	六月	七月	八月	九月	十月	十一月	十二月
上海	2,866	3,370	2,555	4,630	2,583	2,033	2,514	2,995	3,476	3,957	3,066	3,258
首爾	1,596	1,815	949	1,756	904	1,983	1,431	1,192	954	1,584	1,680	1,954
東京	2,152	2,528	1,497	1,987	868	1,735	1,244	894	1,256	1,366	1,068	1,158
曼谷	1,588	2,051	1,677	2,480	1,977	1,617	1,392	3,016	2,022	2,266	1,024	2,537
倫敦	1,076	2,440	2,344	2,147	2,063	1,218	1,321	1,387	1,272	2,596	1,600	1,440
渥太華	2,171	1,407	1,573	2,171	993	1,184	999	1,961	1,893	1,382	1,723	1,069
紐約	2,473	2,242	3,358	2,290	1,417	2,555	2,980	1,598	2,134	2,569	3,109	3,620
卡達	2,380	1,404	1,760	2,468	1,138	1,159	2,550	1,418	1,427	1,841	985	1,991
馬德里	1,214	1,014	1,301	1,528	2,285	1,903	1,432	2,079	1,149	2,533	1,504	1,326
巴西利亞	2,220	1,282	1,821	1,825	2,463	1,484	2,512	1,786	1,913	1,854	2,166	2,176
合計	19,736	19,553	18,835	23,282	16,691	16,871	18,375	18,326	17,496	21,948	17,925	20,529

■ 公式說明

▶ 「=B3=MAX(B$3:B$12)」：如果 B3 中的值是 B3:B12 範圍中的最大值，就予以格式化。此處要注意的是「B$3:B$12」必須是鎖定第 3 列及第 12 列的混合位址，如果用相對位址「B3:B12」或者絕對位址「$B$3:$B$12」，都會造成格式化範圍位移的問題。

▶ 「=B3=MIN(B$3:B$12)」：如果 B3 中的值是 B3:B12 範圍中的最小值，就予以格式化。

6.2.4　用公式美化報表

下圖是一張只加上格線的報表，就外觀而言，似乎沒什麼毛病，它的下方是經過美化的報表，感覺上有什麼不同？或許可以讓人眼睛一亮吧？

銷售城市	一月	二月	三月	四月	五月	六月	七月	八月	九月	十月	十一月	十二月
京士集團產品銷售數量統計表												
上海	2,866	3,370	2,555	4,630	2,583	2,033	2,514	2,995	3,476	3,957	3,066	3,258
首爾	1,596	1,815	949	1,756	904	1,983	1,431	1,192	954	1,584	1,680	1,954
東京	2,152	2,528	1,497	1,987	868	1,735	1,244	894	1,256	1,366	1,068	1,158
曼谷	1,588	2,051	1,677	2,480	1,977	1,617	1,392	3,016	2,022	2,266	1,024	2,537
倫敦	1,076	2,440	2,344	2,147	2,063	1,218	1,321	1,387	1,272	2,596	1,600	1,440
渥太華	2,171	1,407	1,573	2,171	993	1,184	999	1,961	1,893	1,382	1,723	1,069
紐約	2,473	2,242	3,358	2,290	1,417	2,555	2,980	1,598	2,134	2,569	3,109	3,620
卡達	2,380	1,404	1,760	2,468	1,138	1,159	2,550	1,418	1,427	1,841	985	1,991
馬德里	1,214	1,014	1,301	1,528	2,285	1,903	1,432	2,079	1,149	2,533	1,504	1,326
巴西利亞	2,220	1,282	1,821	1,825	2,463	1,484	2,512	1,786	1,913	1,854	2,166	2,176
合計	19,736	19,553	18,835	23,282	16,691	16,871	18,375	18,326	17,496	21,948	17,925	20,529

銷售城市	一月	二月	三月	四月	五月	六月	七月	八月	九月	十月	十一月	十二月
	京士集團產品銷售數量統計表											
上海	2,866	3,370	2,555	4,630	2,583	2,033	2,514	2,995	3,476	3,957	3,066	3,258
首爾	1,596	1,815	949	1,756	904	1,983	1,431	1,192	954	1,584	1,680	1,954
東京	2,152	2,528	1,497	1,987	868	1,735	1,244	894	1,256	1,366	1,068	1,158
曼谷	1,588	2,051	1,677	2,480	1,977	1,617	1,392	3,016	2,022	2,266	1,024	2,537
倫敦	1,076	2,440	2,344	2,147	2,063	1,218	1,321	1,387	1,272	2,596	1,600	1,440
渥太華	2,171	1,407	1,573	2,171	993	1,184	999	1,961	1,893	1,382	1,723	1,069
紐約	2,473	2,242	3,358	2,290	1,417	2,555	2,980	1,598	2,134	2,569	3,109	3,620
卡達	2,380	1,404	1,760	2,468	1,138	1,159	2,550	1,418	1,427	1,841	985	1,991
馬德里	1,214	1,014	1,301	1,528	2,285	1,903	1,432	2,079	1,149	2,533	1,504	1,326
巴西利亞	2,220	1,282	1,821	1,825	2,463	1,484	2,512	1,786	1,913	1,854	2,166	2,176
合計	19,736	19,553	18,835	23,282	16,691	16,871	18,375	18,326	17,496	21,948	17,925	20,529

一般而言，美化報表最快速的工具，應該是**常用**索引標籤 / **樣式**群組中的「格式化為表格」。直接套用現成的格式之餘，也可能存在下列問題：

▶ 格式化的顏色不喜歡。

▶ 想顛倒顏色的排列順序。

▶ 不易去除格式化的顏色。

▶ 不要水平方向的格式化，要垂直方向的格式化。

▶ 多層次的客製化報表難以控制。

所以，想想還是自己動手美化報表比較實在，問題是，用什麼方法有效率？一列一列或一欄一欄的加上網底色彩或格線嗎？以下圖為例，如何在偶數欄中套用網底和格線呢？最有效率的方法就是用公式來完成格式化的工作。

銷售城市	一月	二月	三月	四月	五月	六月	七月	八月	九月	十月	十一月	十二月	Total
	京士集團產品銷售數量統計表												
上海	2,866	3,370	2,555	4,630	2,583	2,033	2,514	2,995	3,476	3,957	3,066	3,258	37,303
首爾	1,596	1,815	949	1,756	904	1,983	1,431	1,192	954	1,584	1,680	1,954	17,798
東京	2,152	2,528	1,497	1,987	868	1,735	1,244	894	1,256	1,366	1,068	1,158	17,753
曼谷	1,588	2,051	1,677	2,480	1,977	1,617	1,392	3,016	2,022	2,266	1,024	2,537	23,647
倫敦	1,076	2,440	2,344	2,147	2,063	1,218	1,321	1,387	1,272	2,596	1,600	1,440	20,904
渥太華	2,171	1,407	1,573	2,171	993	1,184	999	1,961	1,893	1,382	1,723	1,069	18,526
紐約	2,473	2,242	3,358	2,290	1,417	2,555	2,980	1,598	2,134	2,569	3,109	3,620	30,345
卡達	2,380	1,404	1,760	2,468	1,138	1,159	2,550	1,418	1,427	1,841	985	1,991	20,521
馬德里	1,214	1,014	1,301	1,528	2,285	1,903	1,432	2,079	1,149	2,533	1,504	1,326	19,268
巴西利亞	2,220	1,282	1,821	1,825	2,463	1,484	2,512	1,786	1,913	1,854	2,166	2,176	23,502
合計	19,736	19,553	18,835	23,282	16,691	16,871	18,375	18,326	17,496	21,948	17,925	20,529	20,529

隔欄格式化的技巧

■ 操作步驟

`01` 請開啟 \ 範例檔 \ 第 6 章範例 \ 6.2 設定格式化的條件 .xlsx\「用公式美化報表」工作表。

02 選取 A2:N13 儲存格範圍，點按**常用**索引標籤 / **樣式**群組 / **設定格式化的條件** / **新增規則**。

03 在**新增格式化規則**對話方塊中，點選「使用公式來決定要格式化哪些儲存格」，並輸入公式「=MOD(COLUMN(),2)=0」，按下**格式**；在右圖**儲存格格式**對話方塊**填滿**標籤之下，點選「淡粉色的色塊」。

04 在**外框**標籤之下，點選中央方塊的左、右邊線，按下**確定**；回到**新增格式化規則**對話方塊中，再按下**確定**。

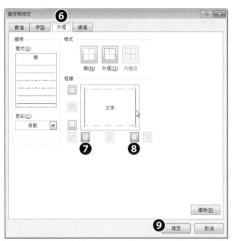

05 依舊選取 A2:N13 儲存格範圍，點按**常用**索引標籤 / **樣式**群組 / **設定格式化的條件** / **新增規則**。

06 在**新增格式化規則**對話方塊中，點選「使用公式來決定要格式化哪些儲存格」，並輸入公式「=OR(ROW()=2,ROW()=13)」，按下**格式**；在右下圖**儲存格格式**對話方塊**填滿**標籤之下，點選最右下角的深黃色塊。

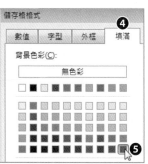

07 在**字型**標籤之下，**字型樣式**點選「**粗體**」；色彩點選「**白色**」，按下**確定**；回到**新增格式化規則**對話方塊中，再按下**確定**。

08 完成格式化之後的報表，如下圖所示。

	A	B	C	D	E	F	G	H	I	J	K	L	M	N
1					京士集團產品銷售數量統計表									
2	銷售城市	一月	二月	三月	四月	五月	六月	七月	八月	九月	十月	十一月	十二月	Total
3	上海	2,866	3,370	2,555	4,630	2,583	2,033	2,514	2,995	3,476	3,957	3,066	3,258	37,303
4	首爾	1,596	1,815	949	1,756	904	1,983	1,431	1,192	954	1,584	1,680	1,954	17,798
5	東京	2,152	2,528	1,497	1,987	868	1,735	1,244	894	1,256	1,366	1,068	1,158	17,753
6	曼谷	1,588	2,051	1,677	2,480	1,977	1,617	1,392	3,016	2,022	2,266	1,024	2,537	23,647
7	倫敦	1,076	2,440	2,344	2,147	2,063	1,218	1,321	1,387	1,272	2,596	1,600	1,440	20,904
8	渥太華	2,171	1,407	1,573	2,171	993	1,184	999	1,961	1,893	1,382	1,723	1,069	18,526
9	紐約	2,473	2,242	3,358	2,290	1,417	2,555	2,980	1,598	2,134	2,569	3,109	3,620	30,345
10	卡達	2,380	1,404	1,760	2,468	1,138	1,159	2,550	1,418	1,427	1,841	985	1,991	20,521
11	馬德里	1,214	1,014	1,301	1,528	2,285	1,903	1,432	2,079	1,149	2,533	1,504	1,326	19,268
12	巴西利亞	2,220	1,282	1,821	1,825	2,463	1,484	2,512	1,786	1,913	1,854	2,166	2,176	23,502
13	合計	19,736	19,553	18,835	23,282	16,691	16,871	18,375	18,326	17,496	21,948	17,925	20,529	229,567

■ 公式說明

▶ 「=MOD(COLUMN(),2)=0」：這是利用求餘數的函數 MOD，來確認只格式化選取範圍中的偶數欄。用 COLUMN 函數取得各欄的編號，例如 A 欄是 1、B 欄是 2、C 欄是 3…依此類推，再去跟 2 相除，如果餘數等於 0，代表是偶數欄，就是需要格式化的對象。

▶ 「=OR(ROW()=2,ROW()=13)」：確認格式化的對象是選取範圍中的第 2 列或者第 13 列。

棋盤式的格式化效果

為了提昇格式化報表的效果，我們可以將上圖已經完成**隔欄格式化**的報表，修改其格式化規則，使其成為如下圖的「棋盤式」效果。

銷售城市	一月	二月	三月	四月	五月	六月	七月	八月	九月	十月	十一月	十二月	Total
上海	2,866	3,370	2,555	4,630	2,583	2,033	2,514	2,995	3,476	3,957	3,066	3,258	37,303
首爾	1,596	1,815	949	1,756	904	1,983	1,431	1,192	954	1,584	1,680	1,954	17,798
東京	2,152	2,528	1,497	1,987	868	1,735	1,244	894	1,256	1,366	1,068	1,158	17,753
曼谷	1,588	2,051	1,677	2,480	1,977	1,617	1,392	3,016	2,022	2,266	1,024	2,537	23,647
倫敦	1,076	2,440	2,344	2,147	2,063	1,218	1,321	1,387	1,272	2,596	1,600	1,440	20,904
渥太華	2,171	1,407	1,573	2,171	993	1,184	999	1,961	1,893	1,382	1,723	1,069	18,526
紐約	2,473	2,242	3,358	2,290	1,417	2,555	2,980	1,598	2,134	2,569	3,109	3,620	30,345
卡達	2,380	1,404	1,760	2,468	1,138	1,159	2,550	1,418	1,427	1,841	985	1,991	20,521
馬德里	1,214	1,014	1,301	1,528	2,285	1,903	1,432	2,079	1,149	2,533	1,504	1,326	19,268
巴西利亞	2,220	1,282	1,821	1,825	2,463	1,484	2,512	1,786	1,913	1,854	2,166	2,176	23,502
合計	19,736	19,553	18,835	23,282	16,691	16,871	18,375	18,326	17,496	21,948	17,925	20,529	20,529

■ 操作步驟

01 選取 B3:N12 儲存格範圍，點按**常用**索引標籤 / **樣式**群組 / **設定格式化的條件** / **管理規則**。

02 在**設定格式化的條件規則管理員**對話方塊中，點選第 2 組規則，按下**刪除規則**；接著再按下**新增規則**。

03 在**新增格式化規則**對話方塊中，點選「使用公式來決定要格式化哪些儲存格」，並輸入公式「= AND(MOD(COLUMN(),2)>0,MOD(ROW(),2)>0)」，按下**格式**；在右下圖**儲存格格式**對話方塊**填滿**標籤之下，點選左方第 2 個灰色色塊；按下**確定**，回到**新增格式化規則**對話方塊中，再按下**確定**。

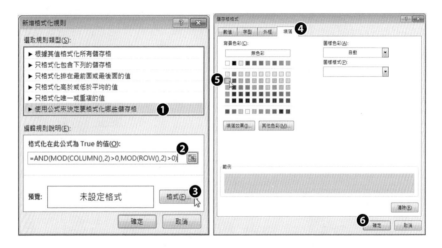

04 回到**設定格式化的條件規則管理員**對話方塊中，再按下**新增規則**。

05 在**新增格式化規則**對話方塊中，點選「使用公式來決定要格式化哪些儲存格」，並輸入公式「= AND(MOD(COLUMN(),2)=0,MOD(ROW(),2)=0)」，按下**格式**；在右下圖**儲存格格式**對話方塊**填滿**標籤之下，點選右方第 2 個淡黃色色塊；按下**確定**，回到**新增格式化規則**對話方塊中，再按下**確定**。

06 回到**設定格式化的條件規則管理員**對話方塊中，再按下**確定**。

07 完成格式化之後的報表，如下圖所示。

	A	B	C	D	E	F	G	H	I	J	K	L	M	N
1					京士集團產品銷售數量統計表									
2	銷售城市	一月	二月	三月	四月	五月	六月	七月	八月	九月	十月	十一月	十二月	Total
3	上海	2,866	3,370	2,555	4,630	2,583	2,033	2,514	2,995	3,476	3,957	3,066	3,258	37,303
4	首爾	1,596	1,815	949	1,756	904	1,983	1,431	1,192	954	1,584	1,680	1,954	17,798
5	東京	2,152	2,528	1,497	1,987	868	1,735	1,244	894	1,256	1,366	1,068	1,158	17,753
6	曼谷	1,588	2,051	1,677	2,480	1,977	1,617	1,392	3,016	2,022	2,266	1,024	2,537	23,647
7	倫敦	1,076	2,440	2,344	2,147	2,063	1,218	1,321	1,387	1,272	2,596	1,600	1,440	20,904
8	渥太華	2,171	1,407	1,573	2,171	993	1,184	999	1,961	1,893	1,382	1,723	1,069	18,526
9	紐約	2,473	2,242	3,358	2,290	1,417	2,555	2,980	1,598	2,134	2,569	3,109	3,620	30,345
10	卡達	2,380	1,404	1,760	2,468	1,138	1,159	2,550	1,418	1,427	1,841	985	1,991	20,521
11	馬德里	1,214	1,014	1,301	1,528	2,285	1,903	1,432	2,079	1,149	2,533	1,504	1,326	19,268
12	巴西利亞	2,220	1,282	1,821	1,825	2,463	1,484	2,512	1,786	1,913	1,854	2,166	2,176	23,502
13	合計	19,736	19,553	18,835	23,282	16,691	16,871	18,375	18,326	17,496	21,948	17,925	20,529	229,567

■ 公式說明

▶ 「= AND(MOD(COLUMN(),2)>0,MOD(ROW(),2)>0)」：如果選取範圍中的儲存格，同時位於奇數欄和奇數列上，就是需要格式化的對象。

▶ 「= AND(MOD(COLUMN(),2)=0,MOD(ROW(),2)=0)」：如果選取範圍中的儲存格，同時位於偶數欄和偶數列上，就是需要格式化的對象。

Tips

Excel 允許針對選取的範圍設定多種格式化的效果，下圖即是在同一個欄位中使用「資料橫條」、「色階」以及「圖示集」的結果；這樣的做法，應該盡量避免，因為此舉不但無法突顯數字的趨勢或重點，反而造成視覺上的混亂。

	A	B	C	D	E	F	G
1	銷售日期	業務單位	業務員	銷售產品	銷售城市	銷售數量	銷售金額
2	2014/05/03	業務四	吳曉君	產品D	高雄市	2,118	338,880
3	2014/05/03	業務二	何希均	產品D	台北市	2,474	395,840
4	2014/05/04	業務四	楊柏森	產品B	台北市	2,600	520,000
5	2014/05/06	業務四	王文軒	產品A	台北市	1,993	239,160
6	2014/05/08	業務一	黃文英	產品A	台南市	1,694	203,280
7	2014/05/13	業務三	林坤池	產品A	新北市	891	106,920
8	2014/05/13	業務三	楊柏森	產品D	高雄市	2,665	426,400
9	2014/05/14	業務三	張佑民	產品A	高雄市	3,259	391,080
10	2014/05/14	業務二	何希均	產品B	高雄市	3,200	640,000
11	2014/05/16	業務三	楊柏森	產品B	台北市	1,663	332,600
12	2014/05/18	業務三	林坤池	產品C	新北市	2,564	641,000
13	2014/05/19	業務四	吳曉君	產品C	高雄市	1,662	415,500
14	2014/05/20	業務二	黃乙銘	產品C	新北市	2,680	670,000
15	2014/05/21	業務四	陳姿青	產品A	新北市	1,081	129,720

6.3 走勢圖的應用

要從一堆數字中觀察其趨勢，最好的做法，就是用圖表來呈現，所謂一圖勝千言；但是，如果只是用圖表來輔助資料的呈現，往往會覺得圖表太佔空間，所以 Excel 提供了可以將圖表濃縮在單一儲存格中的「走勢圖（Sparkline）」，讓我們在檢視報表數字之餘，同時也能看到這些數字呈現的**趨勢**以及**高低點**。

「走勢圖」提供了「折線圖」、「直條圖」以及「輸贏分析」三種圖形，分別來展現數值序列的**趨勢**、**大小**以及**輸贏**。以下圖為例，N3:N13 儲存格中，展現一月到十二月各都市的產品銷售趨勢，並從**紅點**和**綠點**的位置，可以清楚看出各都市哪一個月份銷售暢旺或者哪一個月份銷售清淡。從這裡可以看出，報表中加入「走勢圖」之後，更可提高報表的可讀性。

銷售城市	一月	二月	三月	四月	五月	六月	七月	八月	九月	十月	十一月	十二月	旺月淡月分析
					京士集團產品銷售數量統計表								
上海	2,866	3,370	2,555	4,630	2,583	2,033	2,514	2,995	3,476	3,957	3,066	3,258	
首爾	1,596	1,815	949	1,756	904	1,983	1,431	1,192	954	1,584	1,680	1,954	
東京	2,152	2,528	1,497	1,987	868	1,735	1,244	894	1,256	1,366	1,068	1,158	
曼谷	1,588	2,051	1,677	2,480	1,977	1,617	1,392	3,016	2,022	2,266	1,024	2,537	
倫敦	1,076	2,440	2,344	2,147	2,063	1,218	1,321	1,387	1,272	2,596	1,600	1,440	
渥太華	1,895	1,407	1,573	2,171	993	1,184	999	1,961	1,893	1,382	1,723	1,069	
紐約	2,473	2,242	3,358	2,290	1,800	2,555	2,980	1,598	2,134	2,569	3,109	3,620	
卡達	2,380	1,404	1,760	2,468	1,138	1,159	2,550	1,418	1,427	1,841	985	1,991	
馬德里	1,214	1,014	1,301	1,528	2,285	1,903	1,432	2,079	1,149	2,533	1,504	1,326	
巴西利亞	2,220	1,282	1,821	1,825	2,463	1,484	2,512	1,786	1,913	1,854	2,166	2,176	
合計	19,460	19,553	18,835	23,282	17,074	16,871	18,375	18,326	17,496	21,948	17,925	20,529	

6.3.1 繪製走勢圖

繪製折線與直條的走圖勢

請開啟 \ 範例檔 \ 第 6 章範例 \ 6.3 走勢圖 .xlsx\「折線與直條圖」工作表。

01 選取 B3:M13 的儲存格範圍，點按**插入**索引標籤 / **走勢圖**群組 / **折線圖**。

02 選取 N3:N13 的儲存格範圍，並在**建立走勢圖**對話方塊中，按下**確定**。

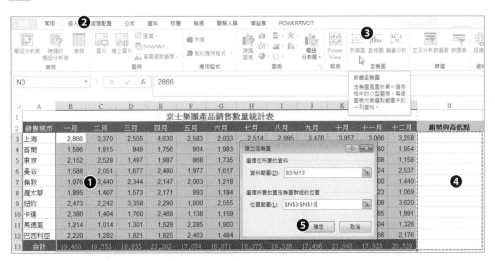

03 選取 B3:M13 的儲存格範圍，點按**插入**索引標籤 / **走勢圖**群組 / **直條圖**，選取 O2:O13 的儲存格範圍，並在**建立走勢圖**對話方塊中，按下**確定**，隨即看到下圖 N 欄中各都市的產品銷售趨勢圖，以及 O 欄中的直條圖。

銷售城市	一月	二月	三月	四月	五月	六月	七月	八月	九月	十月	十一月	十二月	趨勢與高低點	暢銷月份分析
					京士集團產品銷售數量統計表									
上海	2,866	3,370	2,555	4,630	2,583	2,033	2,514	2,995	3,476	3,957	3,066	3,258		
首爾	1,596	1,815	949	1,756	904	1,983	1,431	1,192	954	1,584	1,680	1,954		
東京	2,152	2,528	1,497	1,987	868	1,735	1,244	894	1,256	1,366	1,068	1,158		
曼谷	1,588	2,051	1,677	2,480	1,977	1,617	1,392	3,016	2,022	2,266	1,024	2,537		
倫敦	1,076	2,440	2,344	2,147	2,063	1,218	1,321	1,387	1,272	2,596	1,600	1,440		
渥太華	1,895	1,407	1,573	2,171	993	1,184	999	1,961	1,893	1,382	1,723	1,069		
紐約	2,473	2,242	3,358	2,290	1,800	2,555	2,980	1,598	2,134	2,569	3,109	3,620		
卡達	2,380	1,404	1,760	2,468	1,138	1,159	2,550	1,418	1,427	1,841	985	1,991		
馬德里	1,214	1,014	1,301	1,528	2,285	1,903	1,432	2,079	1,149	2,533	1,504	1,326		
巴西利亞	2,220	1,282	1,821	1,825	2,463	1,484	2,512	1,786	1,913	1,854	2,166	2,176		
合計	19,460	19,553	18,835	23,282	17,074	16,871	18,375	18,326	17,496	21,943	17,925	20,529		

從上圖 N 欄中的折線圖來看，可以得知**東京**的銷售趨勢是向下走的，**紐約**的銷售趨勢卻是向上走的，相對而言**巴西利亞**的銷售況是平穩的；從 O 欄的直條圖中雖然不易看出銷售趨勢，但是稍後經過處理之後，即可看出直條圖的用處。

Tips

若要**移除**走勢圖，請在任一走勢圖上按下滑鼠右鍵，點選「清除選取的走勢圖群組」，即可將該欄中所有的走勢圖全部移除；若只想移除目前儲存格中的走勢圖，請點選「清除選取的走勢圖」即可；如果您想一次清除工作表中所有的走勢圖，請同時選取多個欄位中的走勢圖，再點選「清除選取的走勢圖群組」即可。

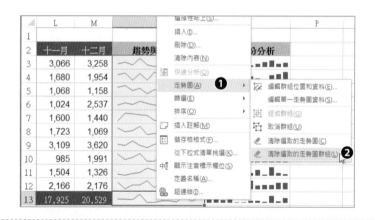

輸贏分析走勢圖

輸贏分析是用來呈現盈虧狀態的圖表，以下圖為例，想要知道投資股票在不同期間的獲利狀況，就很適合使用輸贏分析的走勢圖來表示。

■ **操作步驟**

01 請開啟 \ 範例檔 \ 第 6 章範例 \ 6.3 走勢圖 .xlsx\「輸贏分析」工作表。

02 選取 F3:F8 儲存格，點按**插入**索引標籤 / **走勢圖**群組 / **輸贏分析**。

	A	B	C	D	E	F
1			投資報酬率			
2		2013/1/31	2013/3/31	2013/5/31	2013/10/31	輸贏分析
3	台積電	5%	8%	-2%	10%	
4	鴻海	-1%	7%	6%	8%	
5	宏達電	-5%	-7%	2%	6%	
6	巨大	6.5%	3%	-3%	5%	❶
7	聯發科	8%	12%	2%	9%	
8	華碩	7.5%	6.6%	-1.5%	7.9%	

03 選取 B3:E8 的儲存格範圍，並在**建立走勢圖**對話方塊中，按下**確定**，即可看到如右下圖的結果；走勢圖中的藍色部份代表賺錢的時間點，紅色部份則代表虧損的時間點。

	A	B	C	D	E	F
1			投資報酬率			
2		2013/1/31	2013/3/31	2013/5/31	2013/10/31	輸贏分析
3	台積電	5%	8%	-2%	10%	
4	鴻海	-1%	7%	6%	8%	
5	宏達電	-5%	-7%	2%	6%	
6	巨大	6.5%	3%	-3%	5%	
7	聯發科	8%	12%	2%	9%	
8	華碩	7.5%	6.6%	-1.5%	7.9%	

輸贏分析與直條圖的差別

在走勢圖中「輸贏分析」與「直條圖」看起來都是直條圖，兩者究竟有什麼差別？我們從下圖 F 欄中的**輸贏分析**與 G 欄中的**直條圖**做比較，**輸贏分析**不管數字的大小，只著重在「盈」與「虧」的展現，因此所有圖形的高度都是一樣的，只以顏色來區分「盈」與「虧」；直條圖著重在數字大小的比較，所以圖形的高度參差不齊，除了這點差別之外，其實，兩者是極類似的。

	A	B	C	D	E	F	G
1			投資報酬率				
2		2013/1/31	2013/3/31	2013/5/31	2013/10/31	輸贏分析	直條圖
3	台積電	5%	8%	-2%	10%		
4	鴻海	-1%	7%	6%	8%		
5	宏達電	-5%	-7%	2%	6%		
6	巨大	6.5%	3%	-3%	5%		
7	聯發科	8%	12%	2%	9%		
8	華碩	7.5%	6.6%	-1.5%	7.9%		

6.3.2 加強走勢圖的重點效果

初步完成的走勢圖，為了突顯走勢圖的重點所在，您可以做下列的處理：

▸ 設定走勢圖的高點、低點、第一點以及最後點。

▸ 若是折線圖，可以在各月份的轉折點上設定標記。

▸ 套用走勢圖樣式。

▸ 針對某一個都市，僅繪製上半年的走勢圖，而非全年的走勢圖。

▸ 空白儲存格造成的斷線處理。

▸ 不規則日期的走勢圖處理。

設定走勢圖的高點、低點、第一點以及最後點

突顯高點（最大值）、低點（最小值）的目的在於，更容易看出銷售高峰是在哪一個月份；突顯第一點（一月的數字）以及最後點（十二月的數字）目的，則在於觀察起始月份與最終月份之間的數字落差。

■ 操作步驟

`01` 請開啟 \ 範例檔 \ 第 6 章範例 \ 6.3 走勢圖 .xlsx\「折線與直條圖」工作表。

`02` 點選 N 欄中任何內含走勢圖的儲存格，Excel 會自動選取該欄所有的走勢圖；點按**走勢圖工具** / **設計**索引標籤 / **顯示**群組中的**高點**和**低點**。

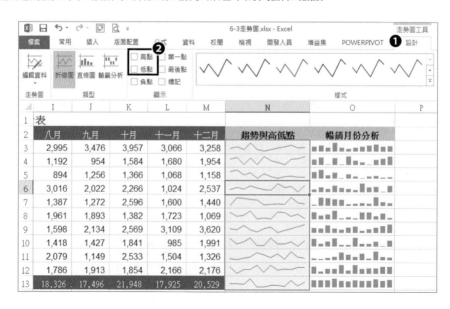

03 左下圖是勾選**高點**和**低點**的結果；中下圖是又勾選了**第一點**與**最後點**的結果；右下圖則是加勾了**標記**之後，可以在各月份的轉折點上設定標記，以便觀察各月份銷售數字的變化；其中的**負點**，一般是用在**輸贏分析**的圖表中，所以在下圖中並未勾選。

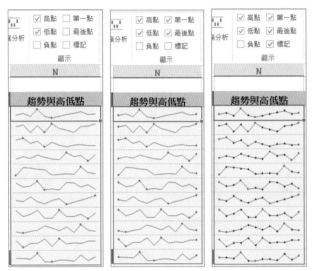

04 左下圖是針對**直條圖**勾選**高點**和**低點**的結果；中下圖則又勾選了**第一點**與**最後點**的結果；由於直條圖沒有轉折點，所以不提供**標記**的核取方塊。如果是右下圖中**輸贏分析**的走勢圖，只需要勾選**負點**即可，因為只需表示盈虧狀況，因此，勾選其他項目是沒有意義的。

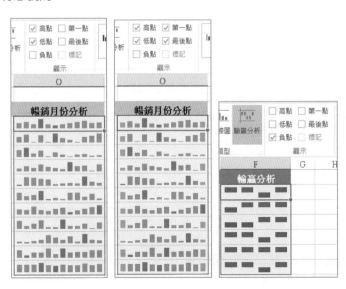

套用走勢圖樣式

我們可以從改變走勢圖**色彩**、**線條粗細**以及高點、低點的顏色，來達到聚焦的效果；請開啟 \ 範例檔 \ 第 6 章範例 \ 6.3 走勢圖 .xlsx\「美化走勢圖」工作表，其中的**折線**和**直條**兩種走勢圖，已經設定了紅色的**高點**和**低點**。

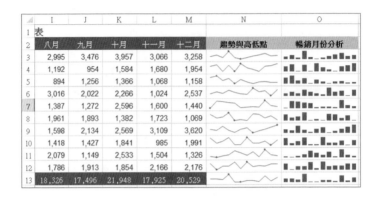

現在想要將兩種圖形的外觀做如下的設定：

▶ 兩種走勢圖的**高點**均為**深紅色**，**低點**均為**橙色**。

▶ 折線圖和直條圖均為**淡藍色**，折線圖的**線條粗細**為「2.25 點」。

■ 操作步驟

01 選取 N3:O13 的儲存格範圍，在**走勢圖工具** / **設計索引標籤** / **走勢圖樣式**清單中，點選「走勢圖樣式輔色 5, 較淺 40%」的樣式。

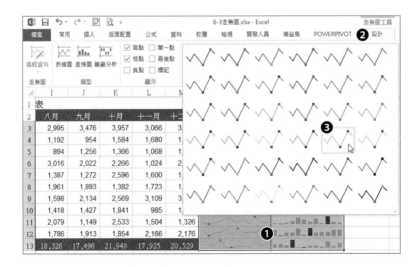

02 點按走勢圖工具 / 設計索引標籤 / 走勢圖色彩 / 粗細，點選「2.25 點」。

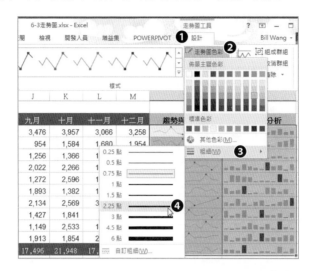

03 點按走勢圖工具 / 設計索引標籤 / 標記色彩 / 高點，點選標準色彩之下的深紅色。

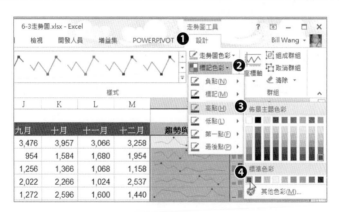

04 點按走勢圖工具 / 設計索引標籤 / 標記色彩 / 低點，點選標準色彩之下的橙色。

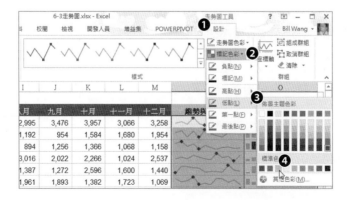

05 完成美化設定的走勢圖，如下圖所示；其中，線條加粗之後的折線圖，**高點**和**低點**上的**標記**，也會跟著變大。

	J	K	L	M	N	O
1						
2	九月	十月	十一月	十二月	趨勢與高低點	暢銷月份分析
3	3,476	3,957	3,066	3,258		
4	954	1,584	1,680	1,954		
5	1,256	1,366	1,068	1,158		
6	2,022	2,266	1,024	2,537		
7	1,272	2,596	1,600	1,440		
8	1,893	1,382	1,723	1,069		
9	2,134	2,569	3,109	3,620		
10	1,427	1,841	985	1,991		
11	1,149	2,533	1,504	1,326		
12	1,913	1,854	2,166	2,176		
13	17,496	21,948	17,925	20,529		

走勢圖的斷線處理

用來繪圖的數值範圍中，若出現了空白（如下圖 H5:J5 儲存格中的空白），將會造成折線斷線的結果（如下圖 N5 儲存格中的折線圖），而 O5 儲存格中的直條圖也出現不連貫的現象。

製作圖表時，應該盡量避免產生這種斷線或不連貫的清況。如果發生了這樣情況，要如何修補斷了線的圖表呢？其實 Excel 早已準備好了這種斷線修補的工具，但是我們必須一格一格來處理。

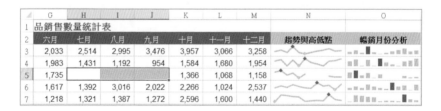

■ 操作步驟

01 請開啟 \ 範例檔 \ 第 6 章範例 \ 6.3 走勢圖 .xlsx\「走勢圖的斷線處理」工作表。

02 選取 N5 儲存格，點按**走勢圖工具 / 設計**索引標籤 / **走勢圖**群組 / **編輯資料** / 隱藏和空白儲存格。

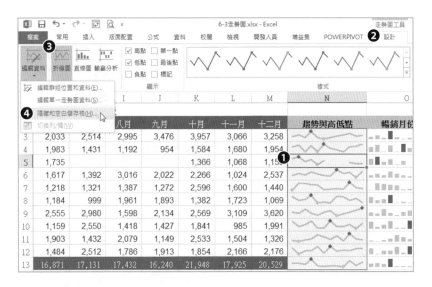

03 點選**隱藏和空白儲存格設定**對話方塊中的「以線段連接資料點」，按下**確定**，隨即看到右下圖 N5 儲存格中的折線圖線段連接起來。

針對左上圖，**空白儲存格顯示方式**中的三個選項說明如下：

▶ 間距：保持原來斷線的模樣。

▶ 以零值代表：用 0 來取代空白，折線圖將成為如左下圖的結果；而中下圖 O5 儲存格中的直條圖將會變成右下圖的結果，圖形將等比例拉長。

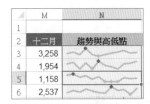 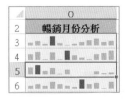 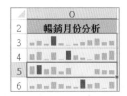

▶ 以線段連接資料點：從斷線那一點，向後連接線段。

不規則日期的座標軸處理

在下圖計算投資報酬率的資料中，B2、C2、與 D2 三個儲存格中的日期都是間隔兩個月，到了 E2 儲存格，日期卻間隔了四個月，但是繪製出來的輸贏分析圖，卻依然是緊靠在一起的連續圖形。現在想保留 F 欄中的輸贏分析走勢圖，另外在 G 欄中，依日期間隔的實際狀況來繪出有間距的圖形，也就是要將第三個資料點的圖形與第四個資料點的圖形之間，空出一段距離，同時也希望能夠加上 X 座標軸來區隔正負值，成為如右下圖的結果。

	A	B	C	D	E	F
1		投資報酬率				
2		2013/1/31	2013/3/31	2013/5/31	2013/10/31	輸贏分析
3	台積電	5%	8%	-2%	10%	
4	鴻海	-1%	7%	6%	8%	
5	宏達電	-5%	-7%	2%	6%	
6	巨大	6.5%	3%	-3%	5%	
7	聯發科	8%	12%	2%	9%	
8	華碩	7.5%	6.6%	-1.5%	7.9%	

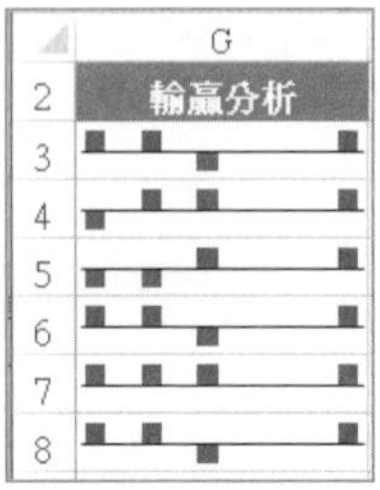

■ 操作步驟

01 請開啟 \ 範例檔 \ 第 6 章範例 \ 6.3 走勢圖 .xlsx\「設定日期座標軸」工作表。

02 選取 G3:G8 儲存格，點按**插入**索引標籤 / **走勢圖**群組 / **輸贏分析**。

03 點按**走勢圖工具** / **設計**索引標籤 / **座標軸** / **顯示座標軸**，成為右下圖的結果。

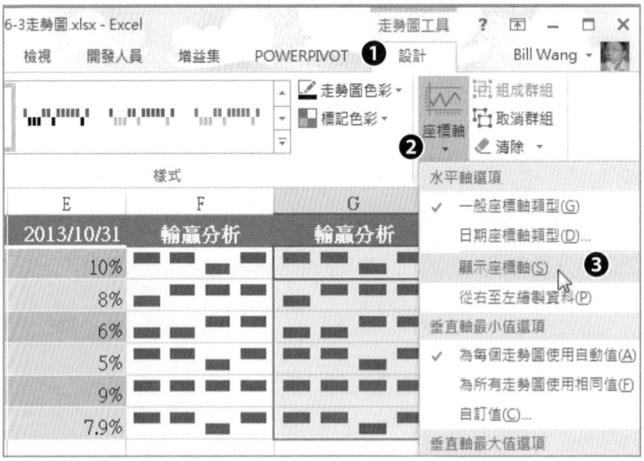

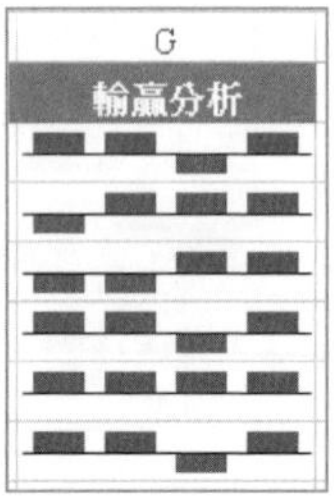

04 點按**走勢圖工具** / **設計**索引標籤 / **座標軸** / **日期座標軸類型**，並在右下圖**走勢圖日期範圍**對話方塊中輸入「B2:E2」(或選取此範圍)，按下**確定**。

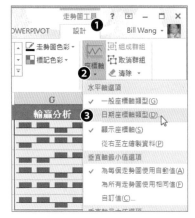

05 下圖 G 欄是完成「日期座標軸類型」調整之後的輸贏分析走勢圖，F 欄中則是未經處理的輸贏分析走勢圖。

	A	B	C	D	E	F	G
2		2013/1/31	2013/3/31	2013/5/31	2013/10/31	輸贏分析	輸贏分析
3	台積電	5%	8%	-2%	10%		
4	鴻海	-1%	7%	6%	8%		
5	宏達電	-5%	-7%	2%	6%		
6	巨大	6.5%	3%	-3%	5%		
7	聯發科	8%	12%	2%	9%		
8	華碩	7.5%	6.6%	-1.5%	7.9%		

調整繪圖範圍並加入文字

下圖是依全年度銷售資料繪製的完整走勢圖，以東京為例，如果只想看到東京下半年的業績走勢圖，應該如何調整其繪圖範圍，使其重新繪製只包含 7 ～ 12 月數字的折線圖，並且不影響到其他都市的走勢圖？

	A	B	C	D	E	F	G	H	I	J	K	L	M	N
1					京士集團產品銷售數量統計表									
2	銷售城市	一月	二月	三月	四月	五月	六月	七月	八月	九月	十月	十一月	十二月	趨勢與高低點
3	上海	2,866	3,370	2,555	4,630	2,583	2,033	2,514	2,995	3,476	3,957	3,066	3,258	
4	首爾	1,596	1,815	949	1,756	904	1,983	1,431	1,192	954	1,584	1,680	1,954	
5	東京	2,152	2,528	1,497	1,987	868	1,735	1,244	894	1,256	1,366	1,068	1,158	
6	曼谷	1,588	2,051	1,677	2,480	1,977	1,617	1,392	3,016	2,022	2,266	1,024	2,537	
7	倫敦	1,076	2,440	2,344	2,147	2,063	1,218	1,321	1,387	1,272	2,596	1,600	1,440	
8	渥太華	1,895	1,407	1,573	2,171	993	1,184	999	1,961	1,893	1,382	1,723	1,069	
9	紐約	2,473	2,242	3,358	2,290	1,800	2,555	2,980	1,598	2,134	2,569	3,109	3,620	
10	卡達	2,380	1,404	1,760	2,468	1,138	1,159	2,550	1,418	1,427	1,841	985	1,991	
11	馬德里	1,214	1,014	1,301	1,528	2,285	1,903	1,432	2,079	1,149	2,533	1,504	1,326	
12	巴西利亞	2,220	1,282	1,821	1,825	2,463	1,484	2,512	1,786	1,913	1,854	2,166	2,176	
13	合計	19,460	19,553	18,835	23,282	17,074	16,871	18,375	18,326	17,496	21,948	17,925	20,529	

Excel 除了能讓我們單獨調整指定儲存格中的走勢圖,還可以配合走勢圖來加入說明文字,操作步驟如下:

01 請開啟 \ 範例檔 \ 第 6 章範例 \ 6.3 走勢圖 .xlsx\「下半年走勢圖」工作表。

02 點選 N5 儲存格,點按**走勢圖工具** / **設計**索引標籤 / **走勢圖**群組 / **編輯資料** / **編輯單一走勢圖資料**。

03 在**編輯走勢圖資料**對話方塊中,輸入或選取「H5:M5」的儲存格範圍,按下**確定**,即可看到如右下圖 N5 儲存格中的結果,其高、低點的位置也會自動調整。

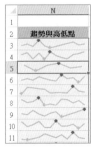

04 在左下圖 N5 儲存格中輸入「下半年的銷售趨勢」,按下 Enter 鍵,再將文字置中對齊,並縮小字型為「9 pt」大小,成為如右下圖的結果。

6.4 快速分析工具

過去在製作報表時，必須在功能表或索引標籤之下，找到相關的工具，才能開始進行資料的計算或分析，對於 Excel 的輕度使用者或者剛升級到 Excel 2013 的使用者而言，常會面臨找不到工具的困擾。現在 Excel 2013 提供了更人性化的操作方式，只要選取一個資料範圍，Excel 就會在右下角位置，顯示一個快速分析工具圖示，點按之後，就會看到我們最常用的一些計算和分析資料的工具。

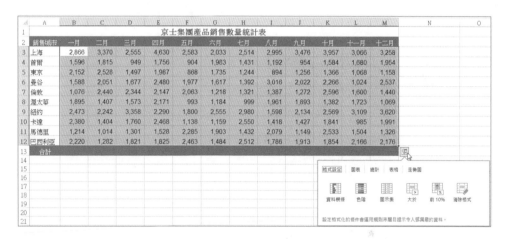

在快速分析工具圖示之下，包含了「格式設定」、「圖表」、「總計」、「表格」、「走勢圖」等五大類別標籤，每一標籤之下，又有常用的工具圖示，當滑鼠指標指向某一圖示時，報表會同步顯示套用的結果，其用途分述如下。

6.4.1 格式設定

格式設定就是「**常用**索引標籤 / **樣式**群組 / **設定格式化的條件**」的快速版，提供了資料橫條、色階、圖示集、大於、前 10% 以及清除格式等功能。

請開啟 \ 範例檔 \ 第 6 章範例 \ 6.4 快速分析工具 .xlsx\「快速分析工具 -1」工作表。

▶ 在**編輯走勢圖資料**對話方塊中，選取「B2:M12」的儲存格範圍，點按右下角的**快速分析**圖示，指向「資料橫條」圖示，即可同步預覽格式化之後的內容，點按一下「資料橫條」圖示，即完成「資料橫條」的設定。

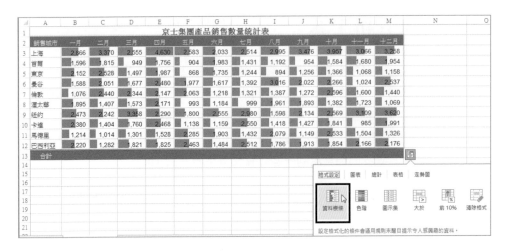

▶ 點按「色階」圖示，即成為如下圖的結果。

▶ 點按「圖示集」圖示，即成為如下圖的結果。

	A	B	C	D	E	F	G	H	I	J	K	L	M
1						京士集團產品銷售數量統計表							
2	銷售城市	一月	二月	三月	四月	五月	六月	七月	八月	九月	十月	十一月	十二月
3	上海	⇨ 2,866	⇨ 3,370	⇨ 2,555	⬆ 4,630	⇨ 2,583	⬇ 2,033	⇨ 2,514	⇨ 2,995	⇨ 3,476	⬆ 3,957	⇨ 3,066	⇨ 3,258
4	首爾	⬇ 1,596	⬇ 1,815	⬇ 949	⬇ 1,756	⬇ 904	⬇ 1,983	⬇ 1,431	⬇ 1,192	⬇ 954	⬇ 1,584	⬇ 1,680	⬇ 1,954
5	東京	⇨ 2,152	⇨ 2,528	⇨ 1,497	⬇ 1,987	⬇ 868	⬇ 1,735	⬇ 1,244	⬇ 894	⬇ 1,256	⬇ 1,366	⬇ 1,068	⬇ 1,158
6	曼谷	⬇ 1,588	⬇ 2,051	⬇ 1,677	⇨ 2,480	⬇ 1,977	⬇ 1,617	⬇ 1,392	⇨ 3,016	⇨ 2,022	⇨ 2,266	⬇ 1,024	⇨ 2,537
7	倫敦	⬇ 1,076	⇨ 2,440	⇨ 2,344	⇨ 2,147	⇨ 2,063	⬇ 1,218	⬇ 1,321	⬇ 1,387	⬇ 1,272	⇨ 2,596	⬇ 1,600	⬇ 1,440
8	渥太華	⬇ 1,895	⬇ 1,407	⬇ 1,573	⇨ 2,171	⬇ 993	⬇ 1,184	⬇ 999	⬇ 1,961	⬇ 1,893	⬇ 1,382	⬇ 1,723	⬇ 1,069
9	紐約	⇨ 2,473	⇨ 2,242	⇨ 3,358	⇨ 2,290	⇨ 1,800	⇨ 2,555	⇨ 2,980	⬇ 1,598	⇨ 2,134	⇨ 2,569	⇨ 3,109	⬆ 3,620
10	卡達	⇨ 2,380	⬇ 1,404	⬇ 1,760	⇨ 2,468	⬇ 1,138	⬇ 1,159	⇨ 2,550	⬇ 1,418	⬇ 1,427	⬇ 1,841	⬇ 985	⬇ 1,991
11	馬德里	⬇ 1,214	⬇ 1,014	⬇ 1,301	⬇ 1,528	⇨ 2,285	⬇ 1,903	⬇ 1,432	⇨ 2,079	⬇ 1,149	⇨ 2,533	⬇ 1,504	⬇ 1,326
12	巴西利亞	⇨ 2,220	⬇ 1,282	⬇ 1,821	⬇ 1,825	⇨ 2,463	⬇ 1,484	⇨ 2,512	⬇ 1,786	⬇ 1,913	⬇ 1,854	⇨ 2,166	⇨ 2,176
13	合計												

▶ 點按「大於」圖示，須設定數字大小，按下**確定**，即成為如下圖的結果。

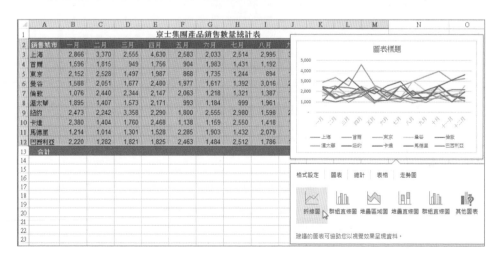

	A	B	C	D	E	F	G	H	I	J	K	L	M
1						京士集團產品銷售數量統計表							
2	銷售城市	一月	二月	三月	四月	五月	六月	七月	八月	九月	十月	十一月	十二月
3	上海	2,866	3,370	2,555	4,630	2,583	2,033	2,514	2,995	3,476	3,957	3,066	3,258
4	首爾	1,596	1,815	949	1,756	904	1,983	1,431	1,192	954	1,584	1,680	1,954
5	東京	2,152	2,528	1,497	1,987	868	1,735	1,244	894	1,256	1,366	1,068	1,158
6	曼谷	1,588	2,051	1,677	2,480	1,977	1,617		3,016	2,022	2,266	1,024	2,537
7	倫敦								1,387	1,272	2,596	1,600	1,440
8	渥太華								1,961	1,893	1,382	1,723	1,069
9	紐約								1,598	2,134	2,569	3,109	3,620
10	卡達								1,418	1,427	1,841	985	1,991
11	馬德里								2,079	1,149	2,533	1,504	1,326
12	巴西利亞	2,220	1,282	1,821	1,825	2,463	1,484	2,512	1,786	1,913	1,854	2,166	2,176

大於

格式化大於下列的儲存格：

2,749 ❶　　　顯示為　淺紅色填滿與深紅色文字

❷　確定　　取消

若要做更進階的格式化設定，請參考「6.2 報表的紅綠燈警示」一節中的詳細說明。

6.4.2 圖表

這是快速繪製圖表的工具，提供了資料橫條、色階、圖示集、大於、前 10% 以及清除格式等功能。

請開啟 \ 範例檔 \ 第 6 章範例 \ 6.4 快速分析工具 .xlsx\「快速分析工具 -1」工作表。

選取「A2:M12」的儲存格範圍，點按右下角的**快速分析**圖示，先點選**圖表**標籤，再指向「折線圖」圖示，即可同步預覽折線圖的內容。若點按一下「折線圖」圖示，Excel 會將繪製完成的圖表重疊在報表右下方。

▶ 這是「群組直條圖」的內容。

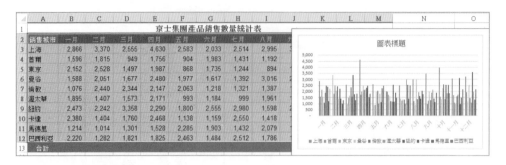

▶ 這是「堆疊區域圖」的內容。

▶ 這是「堆疊直條圖」的內容。

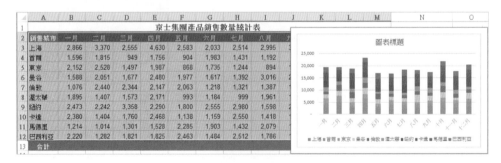

6.4.3 總計

這是快速計算的工具，提供了欄加總、欄平均、欄計數、欄總計 %、欄計算加總、列加總、列平均、列計數、列總計 %、列計算加總等功能。

請開啟 \ 範例檔 \ 第 6 章範例 \ 6.4 快速分析工具 .xlsx\「快速分析工具 -1」工作表。

選取「B3:M12」的儲存格範圍，點按右下角的**快速分析**圖示，先點選**總計**標籤，再點按「欄加總」圖示，即可在第 13 列中看到計算結果。

▶ 這是「欄平均」的結果。

	A	B	C	D	E	F	G	H	I	J	K	L	M
1						京士集團產品銷售數量統計表							
2	銷售城市	一月	二月	三月	四月	五月	六月	七月	八月	九月	十月	十一月	十二月
3	上海	2,866	3,370	2,555	4,630	2,583	2,033	2,514	2,995	3,476	3,957	3,066	3,258
4	首爾	1,596	1,815	949	1,756	904	1,983	1,431	1,192	954	1,584	1,680	1,954
5	東京	2,152	2,528	1,497	1,987	868	1,735	1,244	894	1,256	1,366	1,068	1,158
6	曼谷	1,588	2,051	1,677	2,480	1,977	1,617	1,392	3,016	2,022	2,266	1,024	2,537
7	倫敦	1,076	2,440	2,344	2,147	2,063	1,218	1,321	1,387	1,272	2,596	1,600	1,440
8	渥太華	1,895	1,407	1,573	2,171	993	1,184	999	1,961	1,893	1,382	1,723	1,069
9	紐約	2,473	2,242	3,358	2,290	1,800	2,555	2,980	1,598	2,134	2,569	3,109	3,620
10	卡達	2,380	1,404	1,760	2,468	1,138	1,159	2,550	1,418	1,427	1,841	985	1,991
11	馬德里	1,214	1,014	1,301	1,528	2,285	1,903	1,432	2,079	1,149	2,533	1,504	1,326
12	巴西利亞	2,220	1,282	1,821	1,825	2,463	1,484	2,512	1,786	1,913	1,854	2,166	2,176
13	合計	1,946	1,955	1,884	2,328	1,707	1,687	1,838	1,833	1,750	2,195	1,793	2,053

▶ 這是「欄計數」的結果。

	A	B	C	D	E	F	G	H	I	J	K	L	M
1						京士集團產品銷售數量統計表							
2	銷售城市	一月	二月	三月	四月	五月	六月	七月	八月	九月	十月	十一月	十二月
3	上海	2,866	3,370	2,555	4,630	2,583	2,033	2,514	2,995	3,476	3,957	3,066	3,258
4	首爾	1,596	1,815	949	1,756	904	1,983	1,431	1,192	954	1,584	1,680	1,954
5	東京	2,152	2,528	1,497	1,987	868	1,735	1,244	894	1,256	1,366	1,068	1,158
6	曼谷	1,588	2,051	1,677	2,480	1,977	1,617	1,392	3,016	2,022	2,266	1,024	2,537
7	倫敦	1,076	2,440	2,344	2,147	2,063	1,218	1,321	1,387	1,272	2,596	1,600	1,440
8	渥太華	1,895	1,407	1,573	2,171	993	1,184	999	1,961	1,893	1,382	1,723	1,069
9	紐約	2,473	2,242	3,358	2,290	1,800	2,555	2,980	1,598	2,134	2,569	3,109	3,620
10	卡達	2,380	1,404	1,760	2,468	1,138	1,159	2,550	1,418	1,427	1,841	985	1,991
11	馬德里	1,214	1,014	1,301	1,528	2,285	1,903	1,432	2,079	1,149	2,533	1,504	1,326
12	巴西利亞	2,220	1,282	1,821	1,825	2,463	1,484	2,512	1,786	1,913	1,854	2,166	2,176
13	合計	10	10	10	10	10	10	10	10	10	10	10	10

▶ 這是「欄總計％」的結果。

銷售城市	一月	二月	三月	四月	五月	六月	七月	八月	九月	十月	十一月	十二月
京士集團產品銷售數量統計表												
上海	2,866	3,370	2,555	4,630	2,583	2,033	2,514	2,995	3,476	3,957	3,066	3,258
首爾	1,596	1,815	949	1,756	904	1,983	1,431	1,192	954	1,584	1,680	1,954
東京	2,152	2,528	1,497	1,987	868	1,735	1,244	894	1,256	1,366	1,068	1,158
曼谷	1,588	2,051	1,677	2,480	1,977	1,617	1,392	3,016	2,022	2,266	1,024	2,537
倫敦	1,076	2,440	2,344	2,147	2,063	1,218	1,321	1,387	1,272	2,596	1,600	1,440
渥太華	1,895	1,407	1,573	2,171	993	1,184	999	1,961	1,893	1,382	1,723	1,069
紐約	2,473	2,242	3,358	2,290	1,800	2,555	2,980	1,598	2,134	2,569	3,109	3,620
卡達	2,380	1,404	1,760	2,468	1,138	1,159	2,550	1,418	1,427	1,841	985	1,991
馬德里	1,214	1,014	1,301	1,528	2,285	1,903	1,432	2,079	1,149	2,533	1,504	1,326
巴西利亞	2,220	1,282	1,821	1,825	2,463	1,484	2,512	1,786	1,913	1,854	2,166	2,176
合計	8.47%	8.51%	8.20%	10.14%	7.43%	7.35%	8.00%	7.98%	7.62%	9.56%	7.80%	8.94%

▶ 這是「欄計算加總」的結果。

銷售城市	一月	二月	三月	四月	五月	六月	七月	八月	九月	十月	十一月	十二月
京士集團產品銷售數量統計表												
上海	2,866	3,370	2,555	4,630	2,583	2,033	2,514	2,995	3,476	3,957	3,066	3,258
首爾	1,596	1,815	949	1,756	904	1,983	1,431	1,192	954	1,584	1,680	1,954
東京	2,152	2,528	1,497	1,987	868	1,735	1,244	894	1,256	1,366	1,068	1,158
曼谷	1,588	2,051	1,677	2,480	1,977	1,617	1,392	3,016	2,022	2,266	1,024	2,537
倫敦	1,076	2,440	2,344	2,147	2,063	1,218	1,321	1,387	1,272	2,596	1,600	1,440
渥太華	1,895	1,407	1,573	2,171	993	1,184	999	1,961	1,893	1,382	1,723	1,069
紐約	2,473	2,242	3,358	2,290	1,800	2,555	2,980	1,598	2,134	2,569	3,109	3,620
卡達	2,380	1,404	1,760	2,468	1,138	1,159	2,550	1,418	1,427	1,841	985	1,991
馬德里	1,214	1,014	1,301	1,528	2,285	1,903	1,432	2,079	1,149	2,533	1,504	1,326
巴西利亞	2,220	1,282	1,821	1,825	2,463	1,484	2,512	1,786	1,913	1,854	2,166	2,176
合計	19,460	39,013	57,848	81,130	98,204	115,075	133,450	151,776	169,272	191,220	209,145	229,674

▶ 這是「列加總」的結果。

銷售城市	一月	二月	三月	四月	五月	六月	七月	八月	九月	十月	十一月	十二月	
京士集團產品銷售數量統計表													
上海	2,866	3,370	2,555	4,630	2,583	2,033	2,514	2,995	3,476	3,957	3,066	3,258	37,303
首爾	1,596	1,815	949	1,756	904	1,983	1,431	1,192	954	1,584	1,680	1,954	17,798
東京	2,152	2,528	1,497	1,987	868	1,735	1,244	894	1,256	1,366	1,068	1,158	17,753
曼谷	1,588	2,051	1,677	2,480	1,977	1,617	1,392	3,016	2,022	2,266	1,024	2,537	23,647
倫敦	1,076	2,440	2,344	2,147	2,063	1,218	1,321	1,387	1,272	2,596	1,600	1,440	20,904
渥太華	1,895	1,407	1,573	2,171	993	1,184	999	1,961	1,893	1,382	1,723	1,069	18,250
紐約	2,473	2,242	3,358	2,290	1,800	2,555	2,980	1,598	2,134	2,569	3,109	3,620	30,728
卡達	2,380	1,404	1,760	2,468	1,138	1,159	2,550	1,418	1,427	1,841	985	1,991	20,521
馬德里	1,214	1,014	1,301	1,528	2,285	1,903	1,432	2,079	1,149	2,533	1,504	1,326	19,268
巴西利亞	2,220	1,282	1,821	1,825	2,463	1,484	2,512	1,786	1,913	1,854	2,166	2,176	23,502

▶ 這是「列平均」的結果。

銷售城市	一月	二月	三月	四月	五月	六月	七月	八月	九月	十月	十一月	十二月	
京士集團產品銷售數量統計表													
上海	2,866	3,370	2,555	4,630	2,583	2,033	2,514	2,995	3,476	3,957	3,066	3,258	3,109
首爾	1,596	1,815	949	1,756	904	1,983	1,431	1,192	954	1,584	1,680	1,954	1,483
東京	2,152	2,528	1,497	1,987	868	1,735	1,244	894	1,256	1,366	1,068	1,158	1,479
曼谷	1,588	2,051	1,677	2,480	1,977	1,617	1,392	3,016	2,022	2,266	1,024	2,537	1,971
倫敦	1,076	2,440	2,344	2,147	2,063	1,218	1,321	1,387	1,272	2,596	1,600	1,440	1,742
渥太華	1,895	1,407	1,573	2,171	993	1,184	999	1,961	1,893	1,382	1,723	1,069	1,521
紐約	2,473	2,242	3,358	2,290	1,800	2,555	2,980	1,598	2,134	2,569	3,109	3,620	2,561
卡達	2,380	1,404	1,760	2,468	1,138	1,159	2,550	1,418	1,427	1,841	985	1,991	1,710
馬德里	1,214	1,014	1,301	1,528	2,285	1,903	1,432	2,079	1,149	2,533	1,504	1,326	1,606
巴西利亞	2,220	1,282	1,821	1,825	2,463	1,484	2,512	1,786	1,913	1,854	2,166	2,176	1,959

▶ 這是「列總計 %」的結果。

	A	B	C	D	E	F	G	H	I	J	K	L	M	N
1						京士集團產品銷售數量統計表								
2	銷售城市	一月	二月	三月	四月	五月	六月	七月	八月	九月	十月	十一月	十二月	
3	上海	2,866	3,370	2,555	4,630	2,583	2,033	2,514	2,995	3,476	3,957	3,066	3,258	16.24%
4	首爾	1,596	1,815	949	1,756	904	1,983	1,431	1,192	954	1,584	1,680	1,954	7.75%
5	東京	2,152	2,528	1,497	1,987	868	1,735	1,244	894	1,256	1,366	1,068	1,158	7.73%
6	曼谷	1,588	2,051	1,677	2,480	1,977	1,617	1,392	3,016	2,022	2,266	1,024	2,537	10.30%
7	倫敦	1,076	2,440	2,344	2,147	2,063	1,218	1,321	1,387	1,272	2,596	1,600	1,440	9.10%
8	渥太華	1,895	1,407	1,573	2,171	993	1,184	999	1,961	1,893	1,382	1,723	1,069	7.95%
9	紐約	2,473	2,242	3,358	2,290	1,800	2,555	2,980	1,598	2,134	2,569	3,109	3,620	13.38%
10	卡達	2,380	1,404	1,760	2,468	1,138	1,159	2,550	1,418	1,427	1,841	985	1,991	8.93%
11	馬德里	1,214	1,014	1,301	1,528	2,285	1,903	1,432	2,079	1,149	2,533	1,504	1,326	8.39%
12	巴西利亞	2,220	1,282	1,821	1,825	2,463	1,484	2,512	1,786	1,913	1,854	2,166	2,176	10.23%

▶ 這是「列計算加總」的結果。

	A	B	C	D	E	F	G	H	I	J	K	L	M	N
1						京士集團產品銷售數量統計表								
2	銷售城市	一月	二月	三月	四月	五月	六月	七月	八月	九月	十月	十一月	十二月	
3	上海	2,866	3,370	2,555	4,630	2,583	2,033	2,514	2,995	3,476	3,957	3,066	3,258	37,303
4	首爾	1,596	1,815	949	1,756	904	1,983	1,431	1,192	954	1,584	1,680	1,954	55,101
5	東京	2,152	2,528	1,497	1,987	868	1,735	1,244	894	1,256	1,366	1,068	1,158	72,854
6	曼谷	1,588	2,051	1,677	2,480	1,977	1,617	1,392	3,016	2,022	2,266	1,024	2,537	96,501
7	倫敦	1,076	2,440	2,344	2,147	2,063	1,218	1,321	1,387	1,272	2,596	1,600	1,440	117,405
8	渥太華	1,895	1,407	1,573	2,171	993	1,184	999	1,961	1,893	1,382	1,723	1,069	135,655
9	紐約	2,473	2,242	3,358	2,290	1,800	2,555	2,980	1,598	2,134	2,569	3,109	3,620	166,383
10	卡達	2,380	1,404	1,760	2,468	1,138	1,159	2,550	1,418	1,427	1,841	985	1,991	186,904
11	馬德里	1,214	1,014	1,301	1,528	2,285	1,903	1,432	2,079	1,149	2,533	1,504	1,326	206,172
12	巴西利亞	2,220	1,282	1,821	1,825	2,463	1,484	2,512	1,786	1,913	1,854	2,166	2,176	229,674

6.4.4 表格

這是用來轉換資料成為「清單」以及作樞紐分析表的工具，所以此項工具主要是用在資料庫格式的表格；有關「清單」和「樞紐分析表」的觀念和應用，請參考「第3 章資料庫管理」以及「第 4 章 Excel 樞紐分析」中的詳細說明。

請開啟 \ 範例檔 \ 第 6 章範例 \ 6.4 快速分析工具 .xlsx\「快速分析工具 -2」工作表，選取資料庫中的任一儲存格，按下 Ctrl+A 選取整個資料庫。點按資料庫右下角的**快速分析圖示**，先點選**表格**標籤，再指向「表格」圖示，即可看到**清單**的預覽內容，若點按「表格」圖示，即可將選取的範圍轉換成為**清單**。

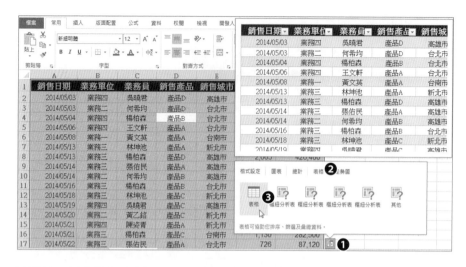

▶ 點選第一個「樞紐分析」圖示，可能會看到如下圖奇怪的結果（都是 0），這種樞紐分析表是需要調整以後才能使用。

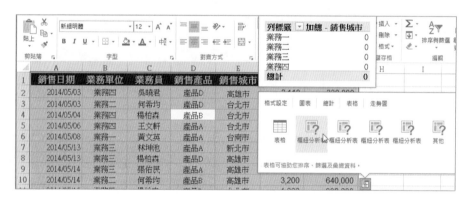

點選第二個「樞紐分析」圖示，看到的是比較正常的內容，即各產品的銷售數量統計。

這種快速產出的樞紐分析表，有點不太實用，所以不再列舉其他的用法。

6.4.5 走勢圖

前面「6.3 走勢圖的應用」詳細說明了走勢圖的應用方法，此處僅列舉一種快速的做法。請開啟 \ 範例檔 \ 第 6 章範例 \ 6.4 快速分析工具 .xlsx\「快速分析工具 -1」工作表。

選取 B3:M13 的儲存格範圍，點按右下角的**快速分析**圖示，點選**走勢圖**標籤，再點按「折線圖」圖示，即可看到 N 欄中的走勢圖。

	A	B	C	D	E	F	G	H	I	J	K	L	M	N
1						京士集團產品銷售數量統計表								
2	銷售城市	一月	二月	三月	四月	五月	六月	七月	八月	九月	十月	十一月	十二月	
3	上海	2,866	3,370	2,555	4,630	2,583	2,033	2,514	2,995	3,476	3,957	3,066	3,258	
4	首爾	1,596	1,815	949	1,756	904	1,983	1,431	1,192	954	1,584	1,680	1,954	
5	東京	2,152	2,528	1,497	1,987	868	1,735	1,244	894	1,256	1,366	1,068	1,158	
6	曼谷	1,588	2,051	1,677	2,480	1,977	1,617	1,392	3,016	2,022				
7	倫敦	1,076	2,440	2,344	2,147	2,063	1,218	1,321	1,387	1,272				
8	渥太華	1,895	1,407	1,573	2,171	993	1,184	999	1,961	1,893				
9	紐約	2,473	2,242	3,358	2,290	1,800	2,555	2,980	1,598	2,134				
10	卡達	2,380	1,404	1,760	2,468	1,138	1,159	2,550	1,418	1,427				
11	馬德里	1,214	1,014	1,301	1,528	2,285	1,903	1,432	2,079	1,149				
12	巴西利亞	2,220	1,282	1,821	1,825	2,463	1,484	2,512	1,786	1,913				
13	合計	19,460	19,553	18,835	23,282	17,074	16,871	18,375	18,326	17,496	21,948	17,925	20,529	

6.5 合併彙算

「合併彙算」是 Excel 除了函數之外，最有效率的整合報表工具之一，尤其擅長整合客製化報表；常見的做法是將十二張月報表整合成一張年報表，或者將各季的報表合成為年報表；**合併彙算**可以讓我們整合同一個活頁簿中的數個報表，也可以跨檔整合不同的報表。

您可以在一張空白的工作表中執行**合併彙算**，也可以在現有的工作表中執行**合併彙算**，更可以指定計算的方式，例如：加總、平均、計數…等。如果您用「連結」的方式合併報表，那麼當您更動報表中的數字，彙總表中的數字也將同步更新。

Excel 提供了兩種執行**合併彙算**的方式：

▶ 包含欄、列標籤的數字整合：此種做法最直接，可以用來整合**結構不相同**的報表，只要選取含欄、列標籤的範圍，就可以完成報表的整合。

▶ 不含欄、列標籤的數字整合：只整合各報表中的數字。此種做法的**報表結構必須相同**，而且事先必須在一空白工作表中，建立一個內含欄、列標籤的報表結構。

6.5.1 包含欄、列標籤的數字整合

如果要整合的每張報表結構都不太一樣，就很適合使用此種方法來做整合；所謂**結構不相同**是指「報表中的欄標籤與列標籤不相同，或者標籤的排列順序不相同」。以下圖中的四張銷售報表為例，A 欄中的商品名稱（即列標籤）和排列順序均有所不同，第二列中，銷售城市名稱（即欄標籤）和排列順序也有所不同，這就是典型**結構不相同**的報表。

	A	B	C	D	E
1	第一季產品銷售數量統計表				
2	商品名稱	台北	台中	高雄	小計
3	嬌嫩粉底液	23,780	13,220	15,970	52,970
4	臉部化妝刷	23,890	16,060	12,000	51,950
5	化粧品	27,170	21,250	18,320	66,740
6	亮膚隔離霜	12,240	15,650	15,920	43,810
7	珍藏香水禮盒	22,930	12,880	23,470	59,280
8	晶透夢幻蜜粉	24,880	22,320	15,720	62,920
9	草本家族薰衣草洗髮精	31,140	20,810	20,450	72,400
10	草本家族蘆薈保濕面膜	15,650	11,200	14,660	41,510
11	超涵水溫和洗面乳	22,050	20,440	17,440	59,930
12	總計	203,730	153,830	153,950	511,510

	A	B	C	D	E	F
1	第二季產品銷售數量統計表					
2	商品名稱	台北	桃園	台中	高雄	小計
3	嬌嫩粉底液	31,980	12,010	12,040	16,130	72,160
4	臉部化妝刷	27,430	16,880	16,330	20,090	80,730
5	化粧品	24,580	20,195	15,810	10,610	71,195
6	亮膚隔離霜	33,740	11,605	12,470	23,010	80,825
7	珍藏香水禮盒	20,440	13,910	17,380	11,080	62,810
8	晶透夢幻蜜粉	19,810	15,685	11,560	16,410	63,465
9	草本家族薰衣草洗髮精	26,320	15,070	13,820	19,170	74,380
10	草本家族蘆薈保濕面膜	16,370	13,300	10,230	14,600	54,500
11	超涵水溫和洗面乳	11,280	13,425	15,570	19,300	59,575
12	超涵水潤澤乳液超值組	21,440	17,765	14,090	17,280	70,575
13	總計	233,390	149,845	139,300	167,680	690,215

	A	B	C	D	E	F	G	H
1	第三季產品銷售數量統計表							
2	商品名稱	台北	桃園	新竹	台中	台南	高雄	小計
3	化粧品	23,840	21,655	20,563	19,470	16,655	13,350	115,533
4	亮膚隔離霜	24,790	22,345	21,123	19,900	22,345	12,430	122,933
5	珍藏香水禮盒	14,680	13,335	12,663	11,990	13,335	11,200	77,203
6	晶透夢幻蜜粉	25,520	25,550	25,565	25,580	25,550	23,420	151,185
7	草本家族薰衣草洗髮精	23,550	23,485	23,453	23,420	23,485	26,920	144,313
8	草本家族蘆薈保濕面膜	18,990	20,615	21,428	22,240	20,615	10,630	114,518
9	總計	131,370	126,985	124,795	122,600	121,985	97,950	725,685

	A	B	C	D	E	F
1	第四季產品銷售數量統計表					
2	商品名稱	台北	台中	台南	高雄	小計
3	嬌嫩粉底液	71,508	43,205	30,244	48,444	193,401
4	臉部化妝刷	17,552	54,987	38,491	15,940	126,970
5	晶透夢幻蜜粉	13,180	23,546	16,482	81,883	135,091
6	草本家族薰衣草洗髮精	97,378	33,669	23,568	83,431	238,046
7	草本家族蘆薈保濕面膜	72,406	42,426	29,698	54,003	198,533
8	超涵水溫和洗面乳	52,160	19,372	13,560	27,980	113,072
9	總計	324,184	217,205	152,043	311,681	1,005,113

現在要將上述四張報表整合成為「年報表」，請參考下列操作步驟：

01 開啟 \ 範例檔 \ 第 6 章範例 \ 6.5 合併彙算 .xlsx。

02 新增一空白工作表，並將工作表命名為「銷售年報表」，並點選 A1 儲存格。

03 點按**資料**索引標籤 / **資料工具**群組 / **合併彙算**，點選 Excel 狀態列上的「第一季銷售」工作表，選取 A2:E12 儲存格範圍，按下**合併彙算**對話方塊中的**新增**按鈕。

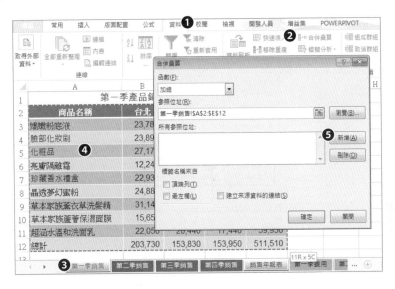

04 點選 Excel 狀態列上的「第二季銷售」工作表，選取 A2:F13 儲存格範圍，按下**合併彙算**對話方塊中的**新增**按鈕。

05 點選 Excel 狀態列上的「第三季銷售」工作表，選取 A2:H9 儲存格範圍，按下**合併彙算**對話方塊中的**新增**按鈕。

06 點選 Excel 狀態列上的「第四季銷售」工作表，選取 A2:F9 儲存格範圍，按下**合併彙算**對話方塊中的**新增**按鈕。

07 勾選「頂端列」、「最左欄」以及「建立來源資料的連結」，此時操作畫面會跳回「銷售年報表」工作表，按下**合併彙算**對話方塊中的**確定**。

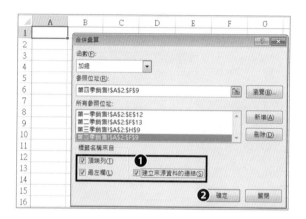

08 整合完成的報表，如下圖所示。

		A B	C 台北	D 桃園	E 新竹	F 台中	G 台南	H 高雄	I 小計
+	5	嬌嫩粉底液	127,268	12,010		68,465	30,244	80,544	318,531
+	9	臉部化妝刷	68,872	16,880		87,377	38,491	48,030	259,650
+	13	化粧品	75,590	41,850	20,563	56,530	16,655	42,280	253,468
+	17	亮膚隔離霜	70,770	33,950	21,123	48,020	22,345	51,360	247,568
+	21	珍藏香水	58,050	27,245	12,663	42,250	13,335	45,750	199,293
+	26	晶透夢幻	83,390	41,235	25,565	83,006	42,032	137,433	412,661
+	30	草本家族	154,838	15,070		68,299	23,568	123,051	384,826
+	32	草本家族	23,550	23,485	23,453	23,420	23,485	26,920	144,313
+	37	草本家族	123,416	33,915	21,428	86,096	50,313	93,893	409,061
+	41	超涵水溫	85,490	13,425		55,382	13,560	64,720	232,577
+	43	超涵水潤	21,440	17,765		14,090		17,280	70,575
+	48	總計	892,674	276,830	124,795	632,935	274,028	731,261	######

09 您可以將報表格式化，成為如下圖的結果，以提昇報表的可讀性。

		A	B	C	D 台北	E 桃園	F 新竹	G 台中	H 台南	I 高雄	J 小計
+	8	嬌嫩粉底液			127,268	12,010		68,465	30,244	80,544	318,531
+	15	臉部化妝刷			68,872	16,880		87,377	38,491	48,030	259,650
+	22	化粧品			75,590	41,850	20,563	56,530	16,655	42,280	253,468
+	29	亮膚隔離霜			70,770	33,950	21,123	48,020	22,345	51,360	247,568
+	36	珍藏香水禮盒			58,050	27,245	12,663	42,250	13,335	45,750	199,293
+	45	晶透夢幻蜜粉			83,390	41,235	25,565	83,006	42,032	137,433	412,661
+	52	草本家族薰衣草洗髮精			154,838	15,070		68,299	23,568	123,051	384,826
+	55	草本家族薰衣草洗髮精			23,550	23,485	23,453	23,420	23,485	26,920	144,313
+	64	草本家族蘆薈保濕面膜			123,416	33,915	21,428	86,096	50,313	93,893	409,061
+	71	超涵水溫和洗面乳			85,490	13,425		55,382	13,560	64,720	232,577
+	74	超涵水潤墨乳液超值組			21,440	17,765		14,090		17,280	70,575
+	83	總計			892,674	276,830	124,795	632,935	274,028	731,261	2,932,523

Tips

▶ 在整合完成的報表左邊，可以看到報表的「大綱模式」，其上方的「1」就是現在看到的報表內容，也就是整合之後的內容；若按下「2」，可以展開報表，它會告訴我們，每個整合之後的數字，是來自哪幾個檔案的數字。

	A	B	C	D	E	F	G	H	I	J
1				台北	桃園	新竹	台中	台南	高雄	小計
2										
3										
4										
5		6-5合併彙算		23,780			13,220		15,970	52,970
6		6-5合併彙算		31,980	12,010		12,040		16,130	72,160
7		6-5合併彙算		71,508			43,205	30,244	48,444	193,401
8	嬌嫩粉底液			127,268	12,010		68,465	30,244	80,544	318,531
9										
10										
11										
12		6-5合併彙算		23,890			16,060		12,000	51,950
13		6-5合併彙算		27,430	16,880		16,330		20,090	80,730
14		6-5合併彙算		17,552			54,987	38,491	15,940	126,970
15	臉部化妝刷			68,872	16,880		87,377	38,491	48,030	259,650

▶ 按下**大綱模式**之下的「+」號，可以展開部份的資料內容，或是按下「-」來摺疊部份的資料內容。

	A	B	C	D	E	F	G	H	I	J
1				台北	桃園	新竹	台中	台南	高雄	小計
8	嬌嫩粉底液			127,268	12,010		68,465	30,244	80,544	318,531
9										
10										
11										
12		6-5合併彙算		23,890			16,060		12,000	51,950
13		6-5合併彙算		27,430	16,880		16,330		20,090	80,730
14		6-5合併彙算		17,552			54,987	38,491	15,940	126,970
15	臉部化妝刷			68,872	16,880		87,377	38,491	48,030	259,650

▶ 在**合併彙算**對話方塊中，如果僅勾選「頂端列」，不勾選「最左欄」與「建立來源資料的連結」，報表將不會同步更新，也不會出現**大綱結構**，且成為如右下圖的結果。

	A	B	C	D	E	F	G	H
1	商品名稱	台北	桃園	新竹	台中	台南	高雄	小計
2		151,108	33,665	20,563	87,935	46,899	93,894	434,064
3		93,662	39,225	21,123	107,277	60,836	60,460	382,583
4		79,610	33,530	12,663	72,596	29,817	122,013	350,229
5		168,878	37,155	25,565	87,369	49,118	145,781	513,866
6		139,326	37,395	23,453	96,106	53,183	115,473	464,936
7		115,840	36,300	21,428	75,492	34,175	70,740	353,975
8		513,014	142,055	124,795	374,435	274,028	449,251	#######
9		32,020	13,300		21,430		29,260	96,010
10		33,330	13,425		36,010		36,740	119,505
11		225,170	17,765		167,920		171,230	582,085
12		233,390	149,845		139,300		167,680	690,215

▶ 在**合併彙算**對話方塊中，如果僅勾選「最左欄」，不勾選「頂端列」與「建立來源資料的連結」，報表將不會同步更新，也不會出現**大綱結構**，且成為如下圖的結果。

	A	B	C	D	E	F	G	H
1	商品名稱							
2	嫩嫩粉底液	127,268	68,435	58,254	117,544	265,561		
3	臉部化妝刷	68,872	87,927	66,821	87,980	207,700		
4	化粧品	75,590	63,100	54,693	96,820	87,850	13,350	115,533
5	亮膚隔離霜	70,770	49,600	49,513	86,720	103,170	12,430	122,933
6	珍藏香水禮盒	58,050	40,125	53,513	82,350	76,145	11,200	77,203
7	晶透夢幻蜜粉	83,390	87,101	69,327	186,793	224,106	23,420	151,185
8	草本家族薰衣草洗髮精	154,838	69,549	57,838	175,001	312,426		
9	草本家族蘆薈保濕面膜	123,416	87,541	76,016	132,353	273,648	10,630	114,518
10	超涵水溫和洗面乳	85,490	53,237	46,570	107,210	172,647		
11	超涵水潤澤乳液超值組	21,440	17,765	14,090	17,280	70,575		
12	總計	892,674	647,865	570,088	1,113,471	1,817,313	97,950	725,685

▶ 執行合併彙算之後，如果發現報表怪怪的，而想要移除其中某一張報表，或者重設某一張報表的範圍，您可以這麼做：

01 選取整合完成的報表，點按**資料**索引標籤 / **資料工具**群組 / **合併彙算**。

02 在**合併彙算**對話方塊中，點選**所有參照位址**清單中要修正範圍的工作表，按下**刪除**，再重新選取該工作表中正確的範圍，按下**新增**，再按下**確定**即可。

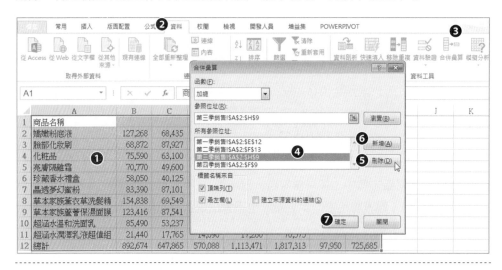

6.5.2 不含欄、列標籤的數字整合

採用這種整合方式，有兩件需要先確定的事項：

▶ 必須先在一空白工作表中打好**列標籤**與**欄標籤**作為整合數字時的依據。

▶ 確認資料結構完全相同，連**列標籤**與**欄標籤**的排列順序也要一樣。

下列四張報表完全合乎上述的要求，因此，可以只整合數字區域的內容，不需要包含**列標籤**與**欄標籤**的範圍。

	台北市	台中市	高雄市	小計
各地分公司第一季費用統計表				
銷貨成本	962,500	1,137,500	1,312,500	3,412,500
薪水	713,100	739,400	761,300	2,213,800
房租	161,900	161,900	161,900	485,700
折舊	87,500	87,500	87,500	262,500
出差費	52,500	70,000	87,500	210,000
維修費	35,000	43,800	52,500	131,300
辦公室用品	17,500	19,300	21,900	58,700
文具	4,400	3,500	5,300	13,200
雜項費用	51,600	48,100	52,500	152,200
總計	$ 2,034,400	$ 2,262,900	$ 2,490,400	$ 6,787,700

	台北市	台中市	高雄市	小計
各地分公司第二季費用統計表				
銷貨成本	895,100	1,057,900	1,220,600	3,173,600
薪水	663,300	687,800	707,900	2,059,000
房租	150,500	150,500	150,500	451,500
折舊	81,400	81,400	81,400	244,200
出差費	48,100	64,800	81,400	194,300
維修費	32,400	40,300	48,100	120,800
辦公室用品	15,800	21,000	15,800	52,600
文具	3,500	2,600	4,400	10,500
雜項費用	47,300	44,600	48,100	140,000
總計	$ 1,890,100	$ 2,106,300	$ 2,310,100	$ 6,306,500

	台北市	台中市	高雄市	小計
各地分公司第三季費用統計表				
銷貨成本	999,300	1,180,400	1,362,400	3,542,100
薪水	740,300	767,400	790,100	2,297,800
房租	168,000	168,000	168,000	504,000
折舊	90,100	90,100	90,100	270,300
出差費	54,300	72,600	90,100	217,000
維修費	35,900	44,600	54,300	134,800
辦公室用品	23,600	28,900	20,100	72,600
文具	4,400	6,100	5,300	15,800
雜項費用	53,400	49,900	54,300	157,600
總計	$ 2,115,900	$ 2,358,100	$ 2,580,400	$ 7,054,400

	台北市	台中市	高雄市	小計
各地分公司第四季費用統計表				
銷貨成本	1,054,400	1,246,000	1,437,600	3,738,000
薪水	781,400	810,300	833,900	2,425,600
房租	176,800	176,800	176,800	530,400
折舊	95,400	95,400	95,400	286,200
出差費	56,900	76,100	95,400	228,400
維修費	37,600	47,300	56,900	141,800
辦公室用品	16,600	37,600	31,500	85,700
文具	4,400	6,100	5,300	15,800
雜項費用	56,000	52,500	56,900	165,400
總計	$ 2,223,500	$ 2,495,600	$ 2,732,800	$ 7,451,900

■ 操作步驟

01 開啟 \ 範例檔 \ 第 6 章範例 \ 6.5 合併彙算 .xlsx。

02 新增一空白工作表，並將工作表命名為「費用年報表」，並將「第一季費用」工作表中的報表，複製到此張工作表中；刪除所有的數字，再點選 B3 儲存格。

03 點按**資料**索引標籤 / **資料工具**群組 / **合併彙算**，點選 Excel 狀態列上的「第一季費用」工作表，選取 B3:E12 儲存格範圍，按下**合併彙算**對話方塊中的**新增**按鈕。

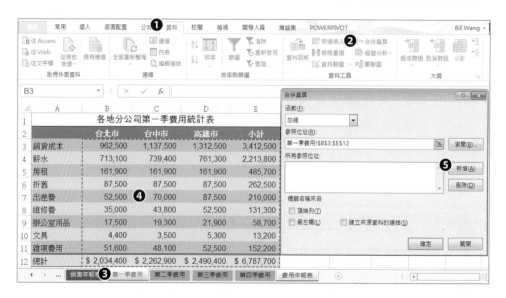

04 點選 Excel 狀態列上的「第二季費用」工作表，選取 B3:E12 儲存格範圍，按下**合併彙算**對話方塊中的**新增**按鈕。

05 點選 Excel 狀態列上的「第三季費用」工作表，選取 B3:E12 儲存格範圍，按下**合併彙算**對話方塊中的**新增**按鈕。

06 點選 Excel 狀態列上的「第四季費用」工作表，選取 B3:E12 儲存格範圍，按下**合併彙算**對話方塊中的**新增**按鈕。

07 勾選「建立來源資料的連結」，以達到同步更新的目的；此時操作畫面會跳回「費用年報表」工作表，按下**合併彙算**對話方塊中的**確定**。

08 整合完成的報表，如下圖所示。

		A	B	C	D	E
	1		各地分公司全年度費用統計表			
	2		台北市	台中市	高雄市	小計
+	7	銷貨成本	3,911,300	4,621,800	5,333,100	13,866,200
+	12	薪水	2,898,100	3,004,900	3,093,200	8,996,200
+	17	房租	657,200	657,200	657,200	1,971,600
+	22	折舊	354,400	354,400	354,400	1,063,200
+	27	出差費	211,800	283,500	354,400	849,700
+	32	維修費	140,900	176,000	211,800	528,700
+	37	辦公室用品	73,500	106,800	89,300	269,600
+	42	文具	16,700	18,300	20,300	55,300
+	47	雜項費用	208,300	195,100	211,800	615,200
+	52	總計	$ 8,263,900	$ 9,222,900	$10,113,700	$27,600,500

6.5.3 跨檔整合報表

如果要整合分佈在不同的檔案中的報表，原則上，若能先將這些檔案中的報表複製到同一個檔案中，再去做整合，應該是比較好的想法，否則就必須經由以下兩個步驟來整合報表：

01 開啟所有要整合報表的檔案。

02 進行合併彙算作業。

以下的做法，是將四個檔案中的報表，彙總到新建檔案的空白工作表中。

■ 操作步驟

`01` 在 \ 範例檔 \ 第 6 章範例 \「合併算 - 跨檔整合」資料夾中，同時開啟「第一季報表 .xlsx」、「第二季報表 .xlsx」、「第三季報表 .xlsx」、「第四季報表 .xlsx」四個檔案。

`02` 開啟新活頁簿，將工作表命名為「跨檔整合年報表」，再點選 A2 儲存格。

`03` 點按資料索引標籤 / 資料工具群組 / 合併彙算，點按一下工作列上的 Excel 圖示，並在檔案清單中點選「第一季報表 .xlsx」檔案。

`04` 選取 A1:E11 儲存格範圍，按下合併彙算對話方塊中的新增按鈕，接著點按合併彙算對話方塊中的選擇鈕。

05 點按一下工作列上的 Excel 圖示，並在檔案清單中點選「第二季報表 .xlsx」檔案，選取 A1:F12 儲存格範圍。

06 按下合併彙算對話方塊中的**新增**按鈕，再點按合併彙算對話方塊中的**選擇**鈕。

07 點按一下工作列上的 Excel 圖示，並在檔案清單中點選「第三季報表 .xlsx」檔案，選取 A1:F8 儲存格範圍。

08 按下合併彙算對話方塊中的**新增**按鈕，再點按合併彙算對話方塊中的**選擇**鈕。

09 點按一下工作列上的 Excel 圖示，並在檔案清單中點選「第四季報表 .xlsx」檔案，選取 A1:E8 儲存格範圍。

10 按下**合併彙算**對話方塊中的**新增**按鈕，勾選「頂端列」、「最左欄」以及「建立來源資料的連結」，再按下**合併彙算**對話方塊中的**確定**。

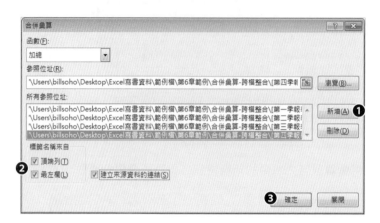

11 完成之後的報表，如下圖所示。

1 2		A	B	C	D	E	F	G	H
	1								
	2			台北	新竹	台中	台南	高雄	小計
+	6	嫩嫩粉底液		71,514	12,010	68,465		80,544	232,533
+	10	臉部化妝刷		50,096	16,880	87,377		48,030	202,383
+	14	化粧品		55,590	20,195	56,530	16,655	42,280	191,250
+	18	亮膚隔離霜		47,770	11,605	48,020	22,345	51,360	181,100
+	22	珍藏香水禮盒		48,050	13,910	42,250	13,335	45,750	163,295
+	27	晶透夢幻蜜粉		76,800	15,685	83,006	25,550	137,433	338,474
+	32	草本家族薰衣草洗髮精		99,699	15,070	91,719	23,485	149,971	379,944
+	37	草本家族蘆薈保濕面膜		53,416	13,300	86,096	20,615	93,893	267,320
+	41	超涵水溫和洗面乳		85,490	13,425	45,382		64,720	209,017
+	43	超涵水潤澤乳液超值組		21,440	17,765	14,090		17,280	70,575
+	48	總計		609,865	149,845	622,935	121,985	731,261	2,235,891

若有必要，請將完成之後的報表，另存成新檔。

Tips

跨檔執行**合併彙算**時，為何要先開啟所有要整合的檔案？如果不先開啟檔案，雖然可以透過**合併彙算**對話方塊中的**瀏覽**按鈕，來開啟要整合的檔案，但是當您找到並點選要整合的檔案，按下**確定**，回到**合併彙算**對話方塊，按下**新增**時，會看到如下圖的錯誤訊息，那是因為我們只是開啟了檔案，但是根本還未選取工作表，因此就無法再向下執行合併彙算的其他動作了。

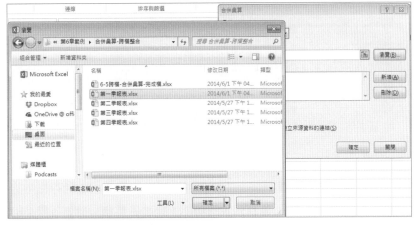

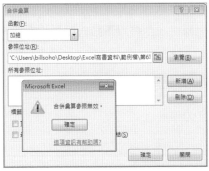

6.6 運算列表在資料分析上的應用

除了**樞紐分析表**之外，Excel 提供了不少用來完成**資料分析**的函數，但是這些函數如果不能配合其他的工具一起使用，其解析問題的效用將大打折扣，或者僅淪為單打獨鬥的工具。究竟是哪一項工具能讓函數充份發揮解析問題以及彙算的能力呢？毫無疑問的，肯定是「運算列表」這項工具，因為「運算列表」讓我們得以避開套疊多層函數時的複雜邏輯思考，輕鬆完成資料的分析和彙算。而其中又以「DSUM、DCOUNT、SUMIFS、COUNTIFS」等**資料庫函數**和**條件式函數**最常被用來搭配「運算列表」作為分析資料的拍檔。

6.6.1 資料庫函數 + 運算列表

請開啟 \ 範例檔 \ 第 6 章範例 \ 6.6 函數 + 運算列表 .xlsx\「交易記錄」工作表，下圖是「銷售記錄」工作表中 2000 筆記錄的部份內容：

	A	B	C	D	E	F	G	H	I	J
1	日期	交易編號	業務員	地區	縣市	銷售產品	交易金額	付款方式	營業稅5%	稅後金額
2	2010/03/02	T00001-C	黃慧玲	中部	台中市	產品A	$39,474	支票	$1,974	$37,500
3	2010/03/02	T00002-S	王俊力	南部	嘉義市	產品A	$35,105	信用卡	$1,755	$33,350
4	2010/03/02	T00003-C	王俊力	中部	台中市	產品B	$29,712	現金	$1,486	$28,226
5	2010/03/03	T00004-N	黃慧玲	北部	台北市	產品A	$90,580	信用卡	$4,529	$86,051
6	2010/03/03	T00005-E	林建宏	東部	花蓮縣	產品C	$25,921	匯款	$1,296	$24,625
7	2010/03/03	T00006-S	王俊力	南部	高雄市	產品C	$14,307	現金	$715	$13,592
8	2010/03/04	T00007-C	林建宏	中部	台中市	產品C	$37,617	信用卡	$1,881	$35,736
9	2010/03/05	T00008-E	林建宏	東部	花蓮縣	產品C	$15,343	現金	$767	$14,576
10	2010/03/05	T00009-S	黃慧玲	南部	高雄市	產品C	$32,975	支票	$1,649	$31,326
11	2010/03/05	T00010-N	徐克仁	北部	新竹縣	產品B	$14,346	匯款	$717	$13,629
12	2010/03/07	T00011-S	何大偉	南部	台南市	產品C	$48,980	現金	$2,449	$46,531
13	2010/03/08	T00012-N	林建宏	北部	台北市	產品A	$51,730	信用卡	$2,587	$49,144
14	2010/03/09	T00013-S	王俊力	南部	台南市	產品D	$50,648	ATM轉帳	$2,532	$48,116

現在要在「資料庫函數＋運算列表」工作表中，利用下圖 A1:F2 儲存格中的準則條件，配合資料庫函數 DSUM 與**運算列表**的功能，統計各業務員針對各產品的績效，並將計算結果置於 B6:E12 的範圍中，當 A1:F2 儲存格中的條件變動時，報表也將自動重新計算；而且 C2:F2 儲存格中的準則條件，全都以**下拉式選單**的方式來操控。

	A	B	C	D	E	F
1	業務員	銷售產品	付款方式	地區	交易金額	交易金額
2			ATM轉帳		>=500000	<=1000000
3						
4	產品銷售金額統計表(ATM轉帳)					
5		產品A	產品B	產品C	產品D	
6	王俊力	3,543,580	1,998,260	3,691,750	3,316,060	
7	何大偉	5,029,650	5,568,180	4,426,170	1,198,230	
8	林建宏	514,060	906,210	2,931,110	3,072,450	
9	黃慧玲	3,562,220	2,210,470	3,083,940	1,440,330	
10	葉文德	1,220,550	2,358,760	1,425,160	1,472,910	
11	徐克仁	2,364,230	3,267,940	1,340,550	2,187,650	
12	錢森和	1,916,610	2,432,840	5,255,160	6,196,120	

整合應用前的準備工作

首先要在「資料庫函數＋運算列表」工作表中，完成準則條件及報表框架的設定，其中包括了：

▶ 在 A1:F1 的儲存格中，輸入用來作為**條件準則**的資料庫欄位名稱。

▶ 建置下拉式選單來源資料（如下圖 H:K 欄中的內容），並設定 C2:F2 儲存格中的下拉式選單。

▶ 輸入 A6:A12 以及 B5:E5 的文字標籤，以及用公式建立報表紅色標題文字。

▶ 在「交易記錄」工作表中，建立資料庫的**名稱**。

▶ 完成 A5 儲存格中的公式設定。

	A	B	C	D	E	F	G	H	I	J	K
1	業務員	銷售產品	付款方式	地區	交易金額	交易金額		付款方式	地區	交易金額	交易金額
2								ATM轉帳	北部	>=0	<=100000
3								支票	中部	>=100000	<=200000
4			產品銷售金額統計表()					信用卡	南部	>=200000	<=300000
5		產品A	產品B	產品C	產品D			現金	東部	>=300000	<=400000
6	王俊力							匯款		>=400000	<=500000
7	何大偉									>=500000	<=600000
8	林建宏									>=600000	<=700000
9	黃慧玲									>=700000	<=800000
10	葉文德									>=800000	<=900000
11	徐克仁									>=900000	<=1000000
12	錢森和										

■ 設定 C2:F2 儲存格中的下拉式選單

`01` 點選 C2 儲存格，點按**資料**索引標籤 / **資料驗證**。

`02` 在**資料驗證**對話方塊中，點選**儲存格內允許**方塊中的「清單」，點按一下**來源**文字方塊，選取 H2:H6 的範圍，按下**確定**。

`03` 採取與步驟 1 及步驟 2 相同的方式，利用 I2:I5 的內容，設定 D2 儲存格中的下拉式選單；利用 J2:J11 的內容，設定 E2 儲存格中的下拉式選單；最後利用 K2:K11 的內容，設定 F2 儲存格中的下拉式選單。

04 分別在 C2 儲存格的下拉式選單中點選「支票」；在 D2 儲存格的下拉式選單中點選「北部」；在 E2 儲存格的下拉式選單中點選「>=500000」；在 F2 儲存格的下拉式選單中點選「<=1000000」，成為如下圖的結果。

	A	B	C	D	E	F
1	業務員	銷售產品	付款方式	地區	交易金額	交易金額
2			支票	北部	>=500000	<=1000000
3						<=300000
4		產品銷售金額統計表(支票)				<=400000 <=500000
5		產品A	產品B	產品C	產品D	<=600000 <=700000
6	王俊力					<=800000
7	何大偉					<=900000 <=1000000

■ 用公式建立報表紅色標題文字

上圖 A4 儲存格中的「產品銷售金額統計表 (支票)」，是透過公式產生的標題文字，用公式產生標題文字的目的在於「標題自動化」，希望當我們在 C2 儲存格的下拉式選單中選取不同的**付款方式**時，報表標題最後面括號中的文字會自動更新。

01 在 A4 儲存格中輸入下列公式：

=" 產品銷售金額統計表 ("&C2&")"

在上列公式中，主要是用**字串串接符號**「&」連接要顯示的文字和 C2 儲存格中的付款方式；此時若在 C2 儲存格中選取了「ATM 轉帳」，那麼報表的紅色標題也將變成了「產品銷售金額統計表 (ATM 轉帳)」。

02 最後再選取 A4:E4 儲存格範圍，點按**常用**索引標籤 / **對齊方式**群組 / **跨欄置中**即可。

■ 建立資料庫的名稱

01 在「交易記錄」工作表中，點選 A2 儲存格，按下 Ctrl+A 選取整個資料庫。

02 點按公式索引標籤 / **已定義之名稱**群組 / **定義名稱**。

03 在**新名稱**對話方塊中，輸入「SALE_DATA」，按下**確定**。

■ 在 A5 儲存格中設定公式

我們準備使用資料庫函數「DSUM」作為計算的公式，點選 A5 儲存格，輸入下列公式：

=DSUM(SALE_DATA," 銷售金額 ",A1:F2)

按下 Enter 鍵之後，A5 儲存格中會跳出一個數字「24811080」，此時不必理會它。

Tips

函數語法說明：DSUM(資料庫範圍 , 用來計算的欄位名稱 , 準則條件所在的範圍)

有關資料庫函數應用的詳細說明，請參考「3.6 資料庫函數的應用」。

執行「運算列表」

上述的準備工作全部做完之後，就可以利用「運算列表」，來完成資料的分析和彙算了。

01 在「資料庫函數 + 運算列表」工作表中，選取 A5:E12 儲存格範圍，點按**資料**索引標籤 / **資料工具群組** / **模擬分析** / **運算列表**。

02 在**運算列表**對話方塊中，「列變數儲存格」點選 B2 儲存格；「欄變數儲存格」點選 A2 儲存格，按下**確定**。

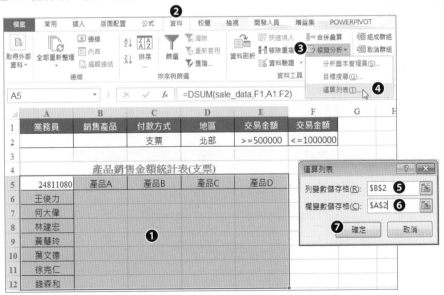

03 完成之後的報表，如下圖所示。

	A	B	C	D	E	F
1	業務員	銷售產品	付款方式	地區	交易金額	交易金額
2			支票	北部	>=500000	<=1000000
3						
4		產品銷售金額統計表(支票)				
5	24811080	產品A	產品B	產品C	產品D	
6	王俊力	881,560	867,000	1,395,120	-	
7	何大偉	-	-	1,464,920	1,520,080	
8	林建宏	-	571,200	-	1,535,610	
9	黃慧玲	1,478,250		1,842,090	3,014,920	
10	葉文德	1,570,680	2,260,760	-		
11	徐克仁	1,271,680			3,019,390	
12	錢森和	590,600	-	637,900	889,320	

04 透過 C2:F2 儲存格中的下拉式選單，切換至不同的準則條件，就會看到不同的計算結果。

	A	B	C	D	E	F
1	業務員	銷售產品	付款方式	地區	交易金額	交易金額
2			ATM轉帳	中部	>=300000	<=600000
3						
4		產品銷售金額統計表(ATM轉帳)				
5	19278960	產品A	產品B	產品C	產品D	
6	王俊力	923,070	-	1,028,400	910,200	
7	何大偉	1,382,900		556,860	584,550	
8	林建宏	339,990	370,290	1,280,580	916,680	
9	黃慧玲	713,190	329,250	774,090	812,730	
10	葉文德	559,680	1,303,440	1,044,580	880,890	
11	徐克仁	-		887,100	1,235,640	
12	錢森和	931,800	483,600	1,029,450	-	

05 如果要刪除某一個準則條件，例如想要剔除地區的準則條件，只要點選 D2 儲存格，按下 Delete 鍵即可，此時報表又會重新計算。同樣的，如果將 C2:F2 的準則全部刪除，代表沒有任何過濾資料的條件，將會看到如下圖的結果，紅色標題文字最尾端，就不會帶入**付款方式**的文字進來了。

	A	B	C	D	E	F
1	業務員	銷售產品	付款方式	地區	交易金額	交易金額
2						
3						
4		產品銷售金額統計表()				
5	870742090	產品A	產品B	產品C	產品D	
6	王俊力	35,130,110	39,351,020	21,797,780	30,543,700	
7	何大偉	32,372,000	28,555,310	35,297,440	24,645,390	
8	林建宏	22,881,690	24,897,220	30,930,860	39,719,050	
9	黃慧玲	36,018,310	27,346,570	33,339,410	30,451,450	
10	葉文德	23,654,600	29,587,070	32,665,630	28,047,180	
11	徐克仁	28,980,660	33,976,310	27,330,850	29,848,590	
12	錢森和	27,961,180	31,288,070	36,101,530	48,023,110	

Tips

- 若要做「成交筆數」的統計，只要在 A5 儲存格中，將公式改成「=DCOUNT (SALE_DATA,F1,A1:F2)」，重新執行**運算列表**之後，再修正紅色標題文字，即可得到如下圖的結果。

	A	B	C	D	E	F
1	業務員	銷售產品	付款方式	地區	交易金額	交易金額
2			支票	北部	>=500000	<=1000000
3						
4			成交筆數統計表(支票)			
5	34	產品A	產品B	產品C	產品D	
6	王俊力	1	1	2	-	
7	何大偉	-	-	2	2	
8	林建宏	-	1	-	2	
9	黃慧玲	2	-	3	4	
10	葉文德	2	3	-	-	
11	徐克仁	2	-	-	4	
12	錢森和	1	-	1	1	

- 如果要隱藏 A5 儲存格中的數字，請在 A5 儲存格上按下滑鼠右鍵，點選「儲存格格式」；在**儲存格格式**對話方塊的**類別**清單中，點選「自訂」；並在類型文字方塊中輸入分號「;」，按下**確定**之後，即可隱藏 A5 儲存格中的數字。

6.6.2 條件式函數 + 運算列表

除了**資料庫函數**之外，還可以使用**條件式函數** SUMIFS 或 COUNTIFS 配合**運算列表**，來完成資料的分析。

整合應用前的準備工作

請開啟 \ 範例檔 \ 第 6 章範例 \ 6.6 函數 + 運算列表 .xlsx\「條件式函數 + 運算列表」工作表。由於準備工作與前一節「資料庫函數 + 運算列表」中的做法大同小異，因此僅列舉重點，**並對最後兩項粗體字的部份加以說明**，其餘有不了解之處，請參考前一節的說明。

▶ 在 A1:F1 的儲存格中，輸入資料庫欄位名稱。

▶ 建置下拉式選單來源資料（如下圖 H:K 欄中的內容），並設定 C2:F2 儲存格中的下拉式選單。

▶ 輸入 A6:A12 以及 B5:E5 的文字標籤，以及用公式建立報表紅色標題文字。

▶ 在「交易記錄」工作表中，建立資料庫各欄的名稱。

▶ 完成 A5 儲存格中的公式設定。

	A	B	C	D	E	F	G	H	I	J	K
1	業務員	銷售產品	付款方式	地區	交易金額	交易金額		付款方式	地區	交易金額	交易金額
2			匯款	中部	>=500000	<=1000000		ATM轉帳	北部	>=0	<=100000
3								支票	中部	>=100000	<=200000
4			產品銷售金額統計表(匯款)					信用卡	南部	>=200000	<=300000
5		產品A	產品B	產品C	產品D			現金	東部	>=300000	<=400000
6	王俊力							匯款		>=400000	<=500000
7	何大偉									>=500000	<=600000
8	林建宏									>=600000	<=700000
9	黃慧玲									>=700000	<=800000
10	葉文德									>=800000	<=900000
11	徐克仁									>=900000	<=1000000
12	錢森和										

■ 建立資料庫各欄的名稱

01 移至「交易記錄」工作表，點選 A2 儲存格，按下 Ctrl+A 選取整個資料庫。

02 點按公式索引標籤 / **已定義之名稱**群組 / **從選取範圍建立**。

03 在以**選取範圍建立名稱**對話方塊中，勾選「頂端列」，按下**確定**。

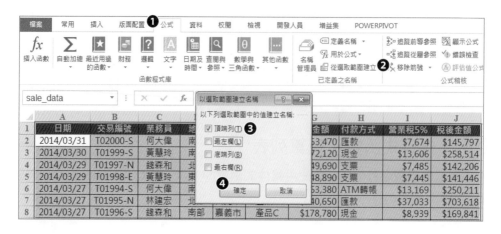

■ 在 A5 儲存格中設定公式

點選 A5 儲存格,輸入下列公式:

=SUMIFS(交易金額 , 業務員 ,A2, 銷售產品 ,B2, 付款方式 ,C2, 地區 ,D2, 交易金額 ,E2, 交易金額 ,F2)

執行「運算列表」

01 在「條件式函數 + 運算列表」工作表 C2:F2 儲存格的下拉式選單中,選定適當的準則條件。

02 選取 A5:E12 儲存格範圍,點按**資料**索引標籤 / **資料工具**群組 / **模擬分析** / **運算列表**。

03 在**運算列表**對話方塊中,「列變數儲存格」點選 B2 儲存格;「欄變數儲存格」點選 A2 儲存格,按下**確定**。

04 下圖即是使用 SUMIFS 配合**運算列表**做出來的結果。

	A	B	C	D	E	F
1	業務員	銷售產品	付款方式	地區	交易金額	交易金額
2			匯款	中部	>=500000	<=1000000
3						
4			產品銷售金額統計表(匯款)			
5	0	產品A	產品B	產品C	產品D	
6	王俊力	1,253,100	1,705,470	567,900	1,434,960	
7	何大偉	1,951,500	1,147,260	1,704,750	-	
8	林建宏	743,070	808,800	2,896,170	-	
9	黃慧玲	1,711,650	2,522,100	2,513,100	1,725,240	
10	葉文德	630,960	1,952,190	3,197,970	1,504,350	
11	徐克仁	1,959,600	3,203,250	536,940	-	
12	錢森和	2,116,320	1,490,820	2,331,720	3,096,660	

Tips

- SUMIFS 配合**運算列表**計算時的「列變數」以及「欄變數」所在的儲存格,不一定要是 B2 及 A2 儲存格,可以是任意兩個空白儲存格,例如,可以是 F5 及 F6 兩個儲存格。

  但是原來 A5 儲存格中的公式:

  =SUMIFS(交易金額 , 業務員 ,A2, 銷售產品 ,B2, 付款方式 ,C2, 地區 ,D2, 交易金額 ,E2, 交易金額 ,F2)

  就必須改成:

  =SUMIFS(交易金額 , 業務員 ,F5, 銷售產品 ,F6, 付款方式 ,C2, 地區 ,D2, 交易金額 ,E2, 交易金額 ,F2)

- 若要完成**交易筆數統計**,只要將 A5 儲存格中的公式改成:

  =COUNTIFS(業務員 ,A2, 銷售產品 ,B2, 付款方式 ,C2, 地區 ,D2, 交易金額 ,E2, 交易金額 ,F2)

  再重新執行**運算列表**即可。

6.7 目標搜尋

「目標搜尋」是一個**反推算**的工具,不論用在貸款分析、成本分析或者數學方程式的解析上,都是一個不錯的工具;在此將以比較生活化的例子來介紹「目標搜尋」的運用方法。

6.7.1 貸款分析

以右圖的貸款分析為例,某銀行提供房貸的條件如下:

年利率:1.85%;貸款期數:240 期;貸款金額:4000000

根據上述條件,使用 PMT 函數計算出來的每月還款金額為「19,952」。

	A	B
1	年利率	1.85%
2	期數	240
3	貸款金額	$4,000,000
4	每月還款	$19,952

每個人都會為自己爭取較有利的貸款條件,常見的問題不外乎:能否降低貸款利率?能否多借一點?如何才能加速還清貸款?每位銀行業務都有其權限,我們在與銀行業務談調降貸款利率之前,最好能先行試算,看看是否有被對方接受的可能性,也就是離對方權限太遠,根本沒有可能性的想法,還是省點力氣比較好。

調降利率的推估

假設，在計算出每月還款金額為「19,952」的情況下（請參考「資料編輯列」中的 PMT 函數設定），發現每月只還得起「19,000」，此時，就可以利用「目標搜尋」來試算一下，調降利率的可能性有多大。

01 請開啟 \ 範例檔 \ 第 6 章範例 \ 6.7 目標搜尋 .xlsx\「貸款分析」工作表。

02 點選 B4 儲存格，點按**資料**索引標籤 / **資料工具**群組 / **模擬分析** / **目標搜尋**。

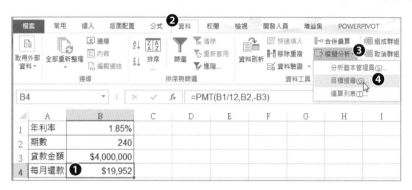

03 在**目標搜尋**對話方塊中，做如下的設定：目標儲存格「B4」；目標值「19000」；變數儲存格「$B$1」，按下**確定**。

04 此時，B1 儲存格中的利率為「1.34%」，如果接受此求解，請在**目標搜尋**對話方塊中，按下**確定**；如果不接受求解的結果，可按下**取消**，將又回復到如右下圖原來的利率。

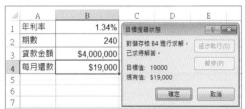

由於「1.34%」肯定超出銀行業務員的權限，所以按下**取消**應該是正確的。

Tips

- **目標儲存格**中，必須含有計算的公式，沒有公式在內的儲存格，不能被當作目標儲存格。
- **目標值**與**目標儲存格**必定是同一個儲存格。
- 因為想要改變利率，所以 B1 儲存格就是「**變數儲存格**」。

■ 降低貸款金額的推估

為了符合每月還款 19000 元的目標，在不能調降利率的情況下，只有少借一點了，在**利率**和**期數**不變的情況下，我們來試算一下只能貸到多少錢？

01 點選 B4 儲存格，點按**資料**索引標籤/**資料工具**群組/**模擬分析**/**目標搜尋**。

02 在**目標搜尋**對話方塊中，做如下的設定：目標儲存格「B4」；目標值「19000」；變數儲存格「$B$3」，按下**確定**。

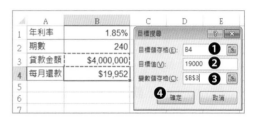

03 此時，B3 儲存格中的貸款金額為「$3809065」，如果接受此求解，請在**目標搜尋**對話方塊中，按下**確定**；如果不接受求解的結果，則按下**取消**，回復到原來的貸款金額。

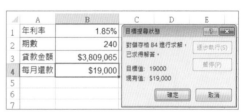

正向的推估

前面兩種推估方式，都屬「負面推估」；原先計算出來的每月還款金額為 19000 元，現在每月還款金額可達到 28000 元，那麼是不是可以多借一點來作它用呢？究竟可以多借多少錢呢？這就是「正向推估」。

01 點選 B4 儲存格，點按**資料**索引標籤/**資料工具**群組/**模擬分析**/**目標搜尋**。

02 在**目標搜尋**對話方塊中，做如下的設定：目標儲存格「B4」；目標值「28000」；變數儲存格「$B$3」，按下**確定**。

03 此時，B3 儲存格中的貸款金額變成了「$5613358」，如果接受此求解，請在**目標搜尋**對話方塊中，按下**確定**；如果不接受求解的結果，則按下**取消**，回復到原來的貸款金額。

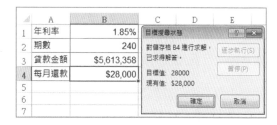

如果不想多借錢，而想要加速還款，減少還款期數，那麼在每月還款金額為 28000 元，幾期就可以還清貸款呢？

01 點選 B4 儲存格，點按**資料**索引標籤 / **資料工具**群組 / **模擬分析** / **目標搜尋**。

02 在**目標搜尋**對話方塊中，做如下的設定：目標儲存格「B4」；目標值「28000」；變數儲存格「$B$2」，按下**確定**。

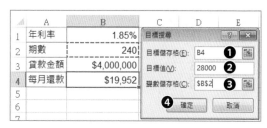

03 此時，B2 儲存格中的期數就變成了「161.4865067」，也就是在「162」期之內，就可以攤還完畢。

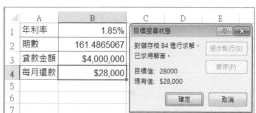

6.7.2 工時推估

有一咖啡小舖想要提高收入淨利到 10 萬元 / 月，其收入及支出列表如下圖：

	A	B	C	D
1	咖啡小舖每月想要有10萬的淨利，要增加工作時數還是........？			
2				
3	咖啡平均單價	$45		
4	每天工作時數	8.0		
5	平均每小時賣出杯數	12.0		
6	每月工作天數	26.0		
7	每月賣出小點心	$42,000		
8	每月收入	$154,320		
9				
10	每杯咖啡平均成本	$8		
11	固定成本	$45,000		
12	每月營運成本	$64,968		
13				
14	毛利	$89,352		
15	扣稅5%	$4,467.60		
16	淨利	$84,884.40		

初步的想法是提高工作時數，期望能將淨利從 84,884 元提高到 100,000 元，但是前提是，每天工作時數不能超過 10 小時，另外，報表中所有的藍色和紅色字的數字，都是公式計算出來的結果。

我們來看看能否達到經營者的期望，也就是調整每日工時來增加淨利，但是每日工時，必須控制在 10 小時之內。

01 請開啟 \ 範例檔 \ 第 6 章範例 \ 6.7 目標搜尋 .xlsx\「工時推估」工作表。

02 點選 B16 儲存格，點按**資料**索引標籤 / **資料工具**群組 / **模擬分析** / **目標搜尋**。

03 在**目標搜尋**對話方塊中，做如下的設定：目標儲存格「B16」；目標值「100000」；變數儲存格「$B$4」，按下**確定**。

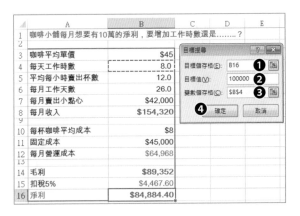

04 此時，B4 儲存格中的**每天工作時數**就從「8.0」變成了「9.4」，B16 儲存格中的淨利，也變成了「$100,000」，**每天工作時數**剛好在 10 小時的範圍之內，按下**確定**即可。

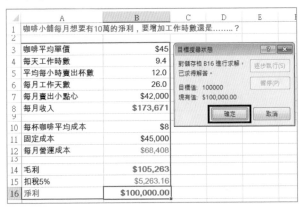

Tips

左圖中所有藍色和紅色的數字，都可以當作「目標儲存格」來作試算，建議大家多加利用。

6.8 分析藍本

分析藍本主要用在「將多個觀測資料，整合到一張報表中，以方便比較和判斷，藉以找到最佳的決策」。所以，分析藍本可說是一種**整合報表的工具**，但是在整合的過程中，**它不會做任何計算的動作**。

下列三張報表，分別列出了「大安區」、「信義區」以及「文山區」幾個分店的咖啡銷售狀況，從報表中可以看出各地區每個月在不同的「工作天數、售價、成本以及客人對小點心的喜好程度」的諸多條件之下，所獲得的**淨利**都不相同；現在為了方便觀察和比較，想將三張報表整合在一起，**分析藍本**就是此刻的最佳工具。

有兩種製作**分析藍本**的方法，一種方法是「建立並合併個別的分析藍本」，另一種方法是「建立並修改藍本分析內容」；重要的是，不論哪一種做法，**都必須先建立各張報表的名稱**。

6.8.1 建立並合併個別的分析藍本

這是一種比較好的做法，是先建立每張報表的分析藍本，再透過**合併**的方式，產生「分析藍本摘要」。

建立三張報表的名稱

`01` 請開啟 \ 範例檔 \ 第 6 章範例 \ 6.8 分析藍本 .xlsx\「大安區」工作表。

`02` 選取 A1:B12 儲存格範圍，點按**公式**索引標籤 / **已定義之名稱**群組 / **從選取範圍建立**；在以**選取範圍建立名稱**對話方塊中，勾選「**最左欄**」，按下**確定**。

`03` 切換至「信義區」工作表，選取 A1:B12 儲存格範圍，點按**公式**索引標籤 / **已定義之名稱**群組 / **從選取範圍建立**；在以**選取範圍建立名稱**對話方塊中，勾選「**最左欄**」，按下**確定**。

04 切換至「文山區」工作表，選取 A1:B12 儲存格範圍，點按公式索引標籤 / 已定義之名稱群組 / 從選取範圍建立；在以選取範圍建立名稱對話方塊中，勾選「最左欄」，按下確定。

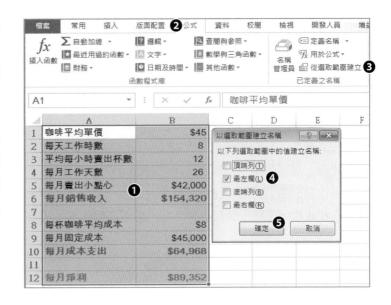

建立三張報表的分析藍本

有了各張報表的名稱之後，就可以依照下列步驟，建置各個報表的**分析藍本**了。

01 切換至「大安區」工作表，點按**資料**索引標籤 / **資料工具**群組 / **模擬分析** / **分析藍本管理員**，並在**分析藍本管理員**對話方塊中，按下**新增**。

02 在**分析藍本名稱**文字方塊中輸入「大安區」；清除**變數儲存格**文字方塊中的內容，按住 Ctrl 鍵，選取 B1:B5 以及 B8:B9 兩個不連續的範圍，按下**確定**。

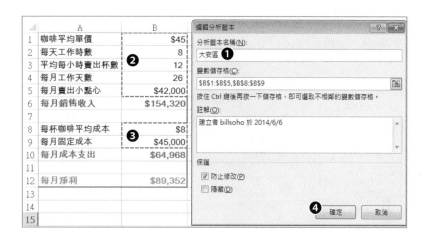

03 在左下圖**分析藍本變數值**對話方塊中，畫面中間的中文字，就是名稱，按下**確定**即可；回到右下圖**分析藍本管理員**對話方塊中，按下**關閉**。

請注意，此時不可以按下右上圖**分析藍本管理員**對話方塊中的**新增**按鈕，否則會造成操作上的混亂。

04 切換至「信義區」工作表，點按**資料**索引標籤 / **資料工具**群組 / **模擬分機** / 分析藍本管理員，並在**分析藍本管理員**對話方塊中，按下**新增**。

05 在**分析藍本名稱**文字方塊中輸入「信義區」；清除**變數儲存格**文字方塊中的內容，按住 Ctrl 鍵，選取 B1:B5 以及 B8:B9 兩個不連續的範圍，按下**確定**。

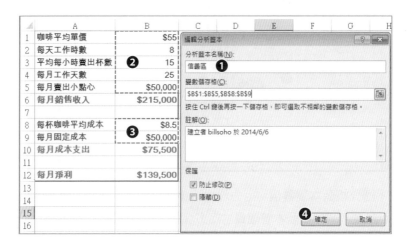

06 在左下圖**分析藍本變數值**對話方塊中，按下**確定**；回到右下圖**分析藍本管理員**對話方塊中，按下**關閉**。

07 切換至「文山區」工作表，點按**資料**索引標籤 / **資料工具**群組 / **模擬分析** / 分析藍本管理員，並在**分析藍本管理員**對話方塊中，按下**新增**。

08 在**分析藍本名稱**文字方塊中輸入「文山區」;清除**變數儲存格**文字方塊中的內容,按住 Ctrl 鍵,選取 B1:B5 以及 B8:B9 兩個不連續的範圍,按下**確定**。

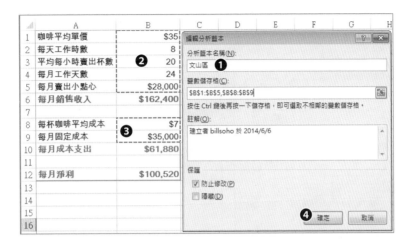

09 在左下圖**分析藍本變數值**對話方塊中,按下**確定**;回到右下圖**分析藍本管理員**對話方塊,按下**關閉**。

合併三張分析藍本

各地區的分析藍本設定完畢之後,接著,就可以依照下列步驟,合併「大安區」、「信義區」以及「文山區」的三張分析藍本了。

01 切換至「大安區」工作表，點按**資料**索引標籤 / **資料工具**群組 / **模擬分機** / **分析藍本管理員**，並在左下圖**分析藍本管理員**對話方塊中，按下**合併**。

02 在右下圖**合併分析藍本**對話方塊的**工作表**清單中，點選「信義區」，按下**確定**。

03 在左下圖**分析藍本管理員**對話方塊中，按下**合併**；接著在右下圖**合併分析藍本**對話方塊的**工作表**清單中，點選「文山區」，按下**確定**。

04 回到左下圖**分析藍本管理員**對話方塊，按下**摘要**；在右下圖**分析藍本摘要**對話方塊中，採用預設的報表類型「分析藍本摘要」；**目標儲存格**會自動選取內含公式的 B12、B10 以及 B6 三個儲存格，按下**確定**。

05 完成之後的報表，會被置於如下圖一張名為「分析藍本摘要」的新工作表中；從報表中可以同時觀察三種不同經營型態的「每月淨利」、「每月成本支出」以及「每月收入」的數字。

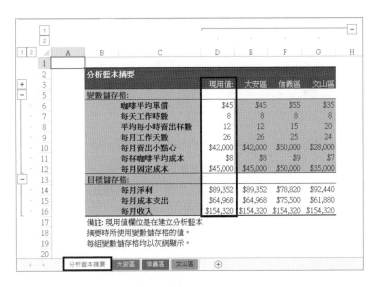

報表中的「現用值」欄位中的數字，採用「大安區」的數字，是因為我們在合併三張分析藍本時，是在「大安區」工作表中執行合併的動作，所以「現用值」就採用「大安區」的數字，如果當初是在「信義區」執行合併分析藍本的動作，那麼，在報表中的「現用值」就會採用「信義區」的數字。

Tips

▶ 如果在合併分析藍本之後，從「分析藍本摘要」的報表中，發現大安區的**變數儲存格**的範圍選錯了，或者想換一個分析藍本名稱，將「大安區」改成「大安區第一季」的分析藍本名稱，您可以這麼做：

`01` 切換至「大安區」工作表，點按**資料**索引標籤 / **資料工具**群組 / **模擬分析** / **分析藍本管理員**，點選左下圖名為「大安區」的分析藍本，按下**編輯**。

`02` 在右下圖**分析藍本名稱**文字方塊中輸入新名稱「大安區第一季」；清除**變數儲存格**文字方塊中的內容，重選範圍，再按下**確定**，回到**分析藍本管理員**對話方塊，再按下**關閉**即可。

▶ 如果在「分析藍本摘要」的報表中，想要剔除「文山區」分析藍本，請在**分析藍本管理員**對話方塊中，點選「文山區」，按下**刪除**即可，這個動作只會將「文山區」從合併的名單中剔除，並不會刪除「文山區」的分析藍本。

▶ 在**分析藍本管理員**對話方塊中，按下**摘要**之後，若選擇右下圖**分析藍本摘要**對話方塊中的「分析藍本樞紐分析表」，Excel 會以樞紐分析表的形式來呈現報表的內容，並將報表置於名為「分析藍本樞紐分析表」的工作表中。

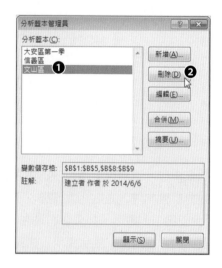

▶ 如果只想在「分析藍本摘要」的工作表看到目標儲存格中的數字，您可以按下左邊的**群組**按鈕，將細部資料隱藏起來。

▶ 若要徹底刪除每一張報表的「分析藍本」，必須切換到該**分析藍本摘要**所在的工作表去做刪除的動作。例如：想要刪除「大安區」的**分析藍本**，請先切換到「大安區」工作表，點按**資料**索引標籤／**資料工具**群組／**模擬分析**／**分析藍本管理員**，在**分析藍本管理員**對話方塊中，點選名為「大安區」的**分析藍本**，按下**刪除**即可，再重複上述的動作，直到所有的**分析藍本**全部刪除為止。

6.8.2 建立並修改藍本分析內容

雖然是第二種方法，同樣的必須先建立三張報表的名稱，請參考前一節的做法，此處不再浪費篇幅，現在我們就來看看此種方法的操作過程。

01 切換至「大安區」工作表，點按**資料**索引標籤 / **資料工具**群組 / **模擬分析** / **分析藍本管理員**，並在**分析藍本管理員**對話方塊中，按下**新增**。

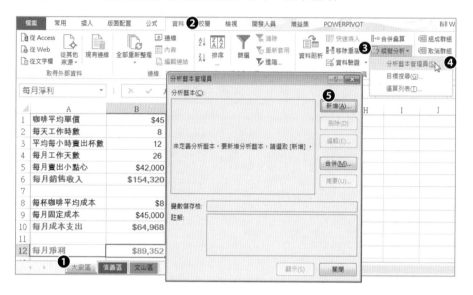

02 在**分析藍本名稱**文字方塊中輸入「大安區」；清除**變數儲存格**文字方塊中的內容，按住 Ctrl 鍵，選取 B1:B5 以及 B8:B9 兩個不連續的範圍，按下**確定**。

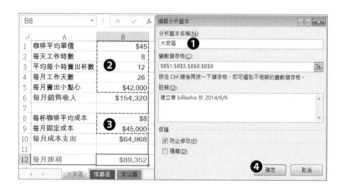

03 在左下圖**分析藍本變數值**對話方塊中，按下**確定**；回到右下圖**分析藍本管理員**對話方塊中，按下**新增**。

04 此時不能切換工作表，直接輸入**分析藍本名稱**「信義區」，按下**確定**，並在右下圖**分析藍本變數值**對話方塊中，自行輸入「信義區」的各項數字，否則 Excel 會沿用「大安區」的數字，而造成錯誤；將數字修改完畢之後，按下**新增**。

05 輸入**分析藍本名稱**「文山區」，按下**確定**，並在右下圖**分析藍本變數值**對話方塊中，自行輸入「信義區」的各項數字，再按下**確定**。

06 在左下圖**分析藍本管理員**對話方塊中，按下**摘要**；並在右下圖**分析藍本摘要**對話方塊中，採用預設的報表類型「分析藍本摘要」，按下**確定**。

07 完成之後的分析藍本摘要，如右圖所示。

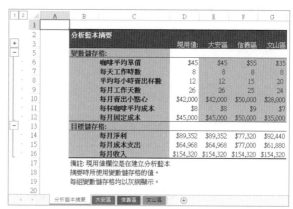

Tips

在**分析藍本摘要**對話方塊的**目標儲存格**中，如果只選 B12，按下**確定**之後，將只會看到「每月淨利」的數字。

所以，在**目標儲存格**中，可以選擇一個或多個內含公式的儲存格，報表中也將會反映這些儲存格中的數字。

企業實務問題集

企業報表多為客製化的格式,面臨的問題更是變化多端,一般市面上的的 Excel 工具書,大多數只做功能面的介紹,涵蓋企業實務面問題的書並不多見,由於筆者常年協助企業做 Excel 課程的規劃以及進行面對面的教育訓練,也總是希望學員提出實務上的問題,藉以大幅提昇 Excel 使用效率;因此也蒐集了一些實務問答的例子,作為教學範例的藍本,因為這些問題極有可能是每個企業都會碰到的問題;而且,唯有與實務結合的教育訓練,才是有效的訓練。

這些問題中,有的單純易解,也有些問題需要進一步思考,以求得比較有效率的解法,而任何問題絕對不會只有一種解法。每個人都可以用自己最擅長的解法來處理問題,不必羨慕別人能用複雜的邏輯來解決問題。其實,能用最簡單的工具、方法和邏輯思考來解決問題,並且能讓大多數的使用者都能應用在實務上,這才是解決問題的最佳方法,而往往問題就卡在那麼一點觀念和訣竅上,觀念通了,訣竅也就不稀奇了。

本章提供了幾個實用而有趣的範例,希望能夠提供大家一點想法,來解決實務上的問題,以免因為懸宕已久的小問題而造成工作上的大困擾。

7.1 令人印象深刻的相片式報表

我們都知道,處理相片絕對不是 Excel 所擅長的,這裡說的並不是相片的美工處理,而是能否根據報表中的人名,自動展現該員的相片?大家想想看,如果您是一位很不錯的業務人員,如何加深高層對您的印象?一般的業績報表中,總是一堆冷冰冰的數字,如果您的高層有線上檢視報表的習慣,那麼就可以使用本範例中的做法,做出精彩絕倫的相片式報表,來讓長官記住您的長相,加深對您的印象。

下圖是利用「樞紐分析表＋相片」的方式，做出來的員工績效統計，當您點選某一業務員姓名和產品名稱時，除了會展現其績效相關的統計數字外，還會顯示該業務員和其主管以及產品的相片。

這樣的報表是不是既有趣又實用呢？幾個主要的製作過程，列舉如下：

▶ 建立銷售資料庫的名稱　　　　　▶ 用公式產出業務員的業績統計表

▶ 建立並管理相片資料庫　　　　　▶ 連結資料和相片

▶ 製作樞紐分析表　　　　　　　　▶ 其他細節處理

7.1.1 建立銷售資料庫的名稱

首先，要建立資料庫各個欄位的名稱，以方便後續公式的利用。

1. 請開啟 \ 範例檔 \ 第 7 章範例 \ 7.1 相片整合應用 .xlsx \「銷售記錄」工作表。
2. 選取整個資料庫，點按公式索引標籤 / 已定義之名稱群組 / 從選取範圍建立，並在以選取範圍建立名稱對話方塊中，勾選「頂端列」，按下確定。

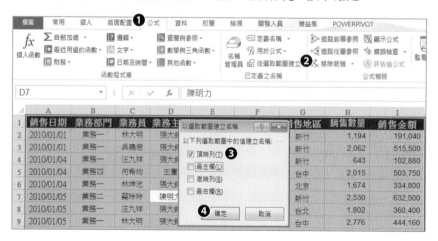

7.1.2 建立並管理相片資料庫

請切換至「7-1 相片整合應用 .xlsx \「相片集」工作表」，使用 Excel 建立及管理相片資料，必須注意下列事項：

- 必須以**資料庫**的形式來管理相片，以右圖「相片集」工作表中的相片資料為例，第 1 列的文字標籤，是資料庫的欄位名稱，包括了「業務名單」、「業務相片」、「主管名單」、「主管相片」、「產品名單」、「產品相片」。

- 每一張相片的左方，對應一個人名或者產品名稱，例如右圖 B2 儲存格中的相片，其左邊 A2 儲存格中為該員的姓名，依此規則建立相片資料庫。

- 相片檔的格式不拘，但最好調成相同的大小，免得展現圖片時，忽大忽小顯得非常不協調。

- 每張相片都要塞進單一的儲存格中，儲存格大小必須遷就相片大小。

- 必須建立相片資料庫的名稱，選取整個相片資料庫，點按**公式**索引標籤 / **已定義之名稱**群組 / **從選取範圍建立**，並在**以選取範圍建立名稱**對話方塊中，勾選「頂端列」，按下**確定**。

7.1.3 製作樞紐分析表

相片的自動顯示,是根據樞紐分析表中的欄位篩選功能,找出對應的業務員或產品的相片。目前準備建置的樞紐分析表內容,如下圖所示,內容很簡單,只是一張**銷售地區**的**銷售金額**統計表,另外再加上針對「業務員」以及「銷售產品」欄位的篩選,至於「交叉分析篩選器」則是一個**數位儀表板**的設計,其用途在於:「方便資料的篩選,並讓報表看起來華麗些」。

建立樞紐分析表

01 請切換至「7-1 相片整合應用 .xlsx \「銷售記錄」工作表」。

02 點選資料庫中的任一儲存格,點按**插入**索引標籤 / **表格**群組 / **樞紐分析表**。

03 在**建立樞紐分析表**對話方塊中,所有設定均採用預設值,按下**確定**。

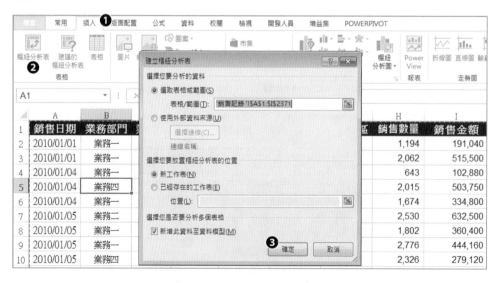

04 勾選樞紐分析表欄位清單中的「業務員」、「銷售產品」、「銷售地區」以及「銷售金額」，並將「業務員」、「銷售產品」兩個欄位，移到**篩選**區域中，即可看到下圖左方的樞紐分析表。

05 美化樞紐分析表，點選**樞紐分析表工具** / **設計**索引標籤 / **樞紐分析表樣式**群組 / **樞紐分析表樣式深色** 3。

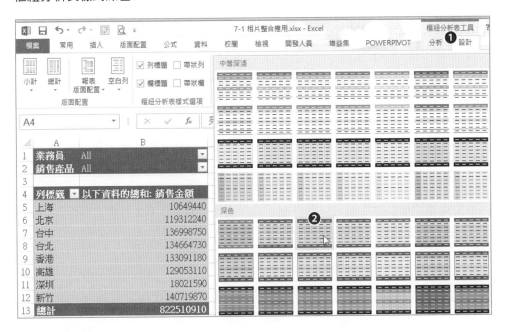

最後，將工作表重新命名為「含相片的數位儀表板」。

為篩選資料建立名稱

現在要為樞紐分析表中的 B1 以及 B2 儲存格建立名稱，以為後續公式所用。

01 點選 B1 儲存格，點按**公式**索引標籤 / **已定義之名稱**群組 / **定義名稱**，並在**新名稱**對話方塊中，輸入名稱「E_name」，按下**確定**。

02 再以相同方式，為 B2 儲存格建立名稱「P_name」。

設定交叉分析篩選器

由於「業務員」、「銷售產品」兩個篩選欄位，並非真的用來篩選資料，而是用來做為比對資料的依據，而且其上方還會有表格資料將其覆蓋住；而「交叉分析篩選器」才是真正用來篩選資料的工具。

所以現在要設定「業務員」、「銷售產品」兩個欄位的交叉分析篩選器，請參考下列操作步驟：

01 點選樞紐分析表中的任一儲存格，點按**樞紐分析表工具** / **分析**索引標籤 / **篩選**群組 / **插入交叉分析篩選器**。

02 在**插入交叉分析篩選器**對話方塊中，勾選「業務員」、「銷售產品」兩個欄位，按下**確定**。

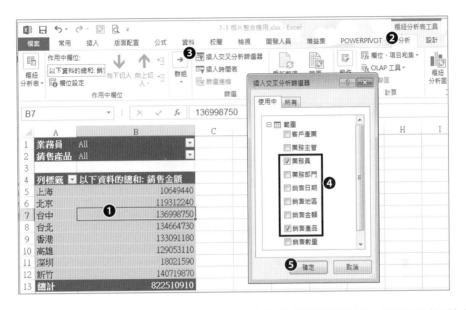

03 點選「銷售產品」交叉分析篩選器，在**交叉分析篩選器工具 / 選項**索引標籤之下，依下圖紅框中的設定，調整篩選器的大小，並移至適當的位置。

04 點選「業務員」交叉分析篩選器，在**交叉分析篩選器工具 / 選項**索引標籤之下，依下圖紅框中的設定，調整篩選器的大小，並移至適當的位置。

05 在**交叉分析篩選器樣式**清單中，點選「交叉分析篩選器樣式深色 6」，被點選的產品名稱變成**深黃底白字**；點選「銷售產品」交叉分析篩選器，在**交叉分析篩選器樣式**清單中，點選「交叉分析篩選器樣式深色 4」，被點選的業務員姓名變成**綠底白字**。

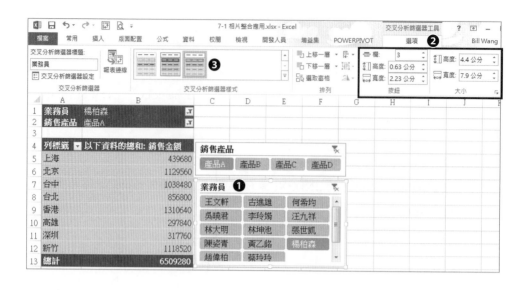

建立個人績效統計表

現在要製作「個人績效統計表」，並將其置於如下圖的位置，以便遮住原來 A1:B2 的篩選欄位和資料，因為使用了「交叉分析篩選器」的關係，這些 A1:B2 篩選用的資料，就只能在稍後拿來當作比對用的資料，而不需要顯示在檔面上了。

「個人績效統計表」的用途，在於當我們切換不同的**業務員姓名**以及不同的**銷售產品**時，希望能夠同時顯示該業務員相關的業績統計數字，其中包括了**成交總金額**、**成交筆數**、**對公司總業績的貢獻度**、**最高單筆金額**以及**對部門的貢獻度**等統計數字。

01 在「個人績效統計」工作表中，建立如右圖的表格。

02 請分別在 B2:B6 儲存格中輸入下列公式：

B2：=IF(P_name="(全部)",SUMIFS(銷售金額 , 業務員 , E_name) ,SUMIFS(銷售金額 , 業務員 ,E_name, 銷售產品 ,P_name))

B3：=IF(P_name="(全部)",COUNTIFS(業務員 ,E_name),COUNTIFS(業務員 ,E_name, 銷售產品 ,P_name))

B4：=B2/SUM(銷售金額)

B5：{=MAX(IF(業務員 =E_name, 銷售金額 ,0))}

B6：=B2/SUMIF(業務部門 ,INDEX(業務部門 ,MATCH(E_name, 業務員 ,0)), 銷售金額)

■ 公式說明

B2：如果 B2 儲存格中的字串為「(全部)」，就使用 SUMIFS 統計所有產品的銷售總金額，否則就只統計 B2 儲存格中指定產品的銷售總金額。

B3：如果 B2 儲存格中的字串為「(全部)」，就使用 COUNTIFS 統計所有產品的成交筆數，否則就只統計 B2 儲存格中指定產品的成交筆數。

B4：用 B2 儲存格中的成交總金額除以全公司的銷售總金額，以求得業績佔有率，也就是個人業績對公司的貢獻度。

B5：挑出個人業績中的最大值，此為陣列公式，必須按下 Ctrl+Shift+Enter 才能正確執行。

B6：用 B2 儲存格中的成交總金額除以部門的銷售總金額，以求得針對部門的業績佔有率，也就是個人業績對部門的貢獻度。

設定公式之後，完成的計算結果，如下圖所示，計算結果如果和下圖不同，也沒有關係，那是因為點選的篩選條件不同所造成的結果。

	A	B
1	個人績效統計表	
2	成交總金額：	$ 6,613,320
3	成交筆數：	182
4	對公司的貢獻度：	7.86%
5	最高單筆金額：	$ 816,750
6	對部門的貢獻度：	33.47%
7		

個人績效統計　銷售記錄

複製「個人績效統計」表格

接著要將「個人績效統計」表格，複製到「含相片的數位儀表板」工作表中。

01 選取 A1:B6 儲存格範圍，按下 Ctrl+C。

02 切換到「含相片的數位儀表板」工作表，點選 A3 儲存格，點按**常用**索引標籤 / **儲存格**群組 / **格式** / **列高**，將列高設定為「95」，按下**確定**。

03 點按**常用**索引標籤 / **剪貼簿**群組，點選**貼上**按鈕之下的「連結的圖片」。

04 點按**圖片工具** / **格式**索引標籤 / **圖片樣式**群組右下角的**對話方塊啟動器**，在設定圖片格式工作窗格中，點按**填滿** / **實心填滿**，色彩選擇「白色」。最後，再將表格左上角推移並對齊至 A1 儲存格的位置。

7.1.4 連結姓名及相片

最後階段，要在如下圖的表格右邊，配合在**交叉分析篩選器**中點選的**業務員姓名**以及**產品名稱**，顯示相關的姓名以及相片，同時也要將主管的姓名和相片一併帶出來。

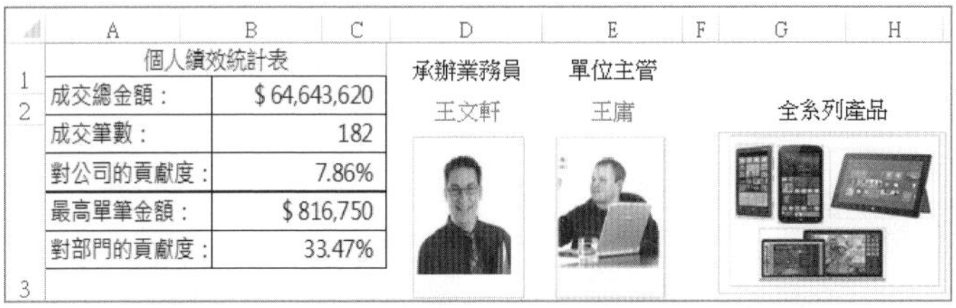

連結姓名

01 分別在 D1、E1 儲存格中輸入「承辦業務員」以及「單位主管」。

02 在 D2 儲存格中輸入公式「=B1」，用來將 B1 儲存格中的業務員姓名帶入 D2 儲存格中。

03 在 E2 儲存格中輸入公式「=INDEX(業務主管 ,MATCH(D2, 業務員 ,0))」，透過 D2 儲存格中的業務員姓名，找到對應的主管姓名，並帶入 E2 儲存格中。

04 在 G2 儲存格中輸入公式「=IF(B2="(全部)"," 全系列產品 ",B2)」，用來確認 B2 儲存格中是否指「(全部)」的產品或者是單一產品；並將產品名稱帶入 F2 儲存格中。

連結相片

將相片從後台連結至前台，並隨著報表內容自動切換不同的相片，必須先完成下列工作：

▶ 從「相片集」工作表中，任選一張業務員相片，將其複製到「含相片的數位儀表板」工作表 D2 儲存格的下方。

▶ 從「相片集」工作表中，任選一張主管相片，將其複製到「含相片的數位儀表板」工作表 E2 儲存格的下方。

▶ 從「相片集」工作表中，任選一張產品相片，將其複製到「含相片的數位儀表板」工作表 G2 儲存格的下方。

▶ 使用公式建立連結**業務員**相片的名稱。

▶ 使用公式建立連結**主管**相片的名稱。

▶ 使用公式建立連結**產品**相片的名稱。

複製相片到 D2、E2、G2 儲存格

我們可以一次複製三張相片到「含相片的數位儀表板」工作表中,而不必一張一張的複製。

01 到「相片集」工作表中,按住 Ctrl 鍵,點選 B2、D2、F2 三個儲存格中的相片,按下 Ctrl+C。

02 切換到「含相片的數位儀表板」工作表中,點選 D2 儲存格,按下 Ctrl+V,相片會自動向右散佈到三個不同的儲存格中,再將儲存格寬度調整到略寬於相片即可。

使用公式建立連結相片的名稱

01 點按**公式**索引標籤 / **已定義之名稱**群組 / **定義名稱**,在**新名稱**對話方塊中,輸入名稱「業務 _pic」,並在**參照到**文字方塊中輸入公式「=INDEX(業務相片 ,MATCH($D$2, 業務名單 ,0))」,按下**確定**。

02 點按**公式**索引標籤 / **已定義之名稱**群組 / **定義名稱**,在**新名稱**對話方塊中,輸入名稱「業務 _pic」,並在**參照到**文字方塊中輸入公式「=INDEX(主管相片 ,MATCH($E$2, 主管名單 ,0))」,按下**確定**。

03 點按公式索引標籤 / 已定義之名稱群組 / 定義名稱，在新名稱對話方塊中，輸入名稱「產品 _pic」，並在參照到文字方塊中輸入公式「=INDEX(產品相片 ,MATCH($G$2, 產品名單 ,0))」，按下確定。

設定相片連結

01 點選 D2 儲存格中的相片，在「資料編輯列」中輸入公式「= 業務 _pic」，按下 Enter 鍵。

02 點選 E2 儲存格中的相片，在「資料編輯列」中輸入公式「= 主管 _pic」，按下 Enter 鍵。

03 點選 G2 儲存格中的相片，在「資料編輯列」中輸入公式「= 產品 _pic」，按下 Enter 鍵。

7.1.5 完工測試

全部設定完畢之後，我們可以測試看看結果是否靈光，請點選「銷售產品」交叉分析篩選器中的「產品 A」，再點選「業務員」交叉分析篩選器中的「黃乙銘」，「個人績效統計表」中的數字，是否也跟著改變呢？

當您在「銷售產品」交叉分析篩選器中，點按右上角的「清除篩選」圖示時，表示要針對全部的產品來做統計，此時除了「個人績效統計表」中的數字會改變之外，G2 儲存格中的產品名稱也變成了「全系列產品」，產品的相片也變成了所有的產品，這樣的設計，是不是既有趣又實用呢？

7.2 用公式繪製甘特圖

Excel 的圖表功能，能不能用來繪製專案管理上的甘特圖？坊間的 Excel 書籍也有介紹過繪製甘特圖的技巧，但是過程還挺麻煩的。如果不用 Excel 圖表的功能，能否畫出甘特圖來（如下圖所示）？

以下介紹的實務範例，就是丟開圖表，改用**設定格式化的條件**和公式來繪製甘特圖的方法。

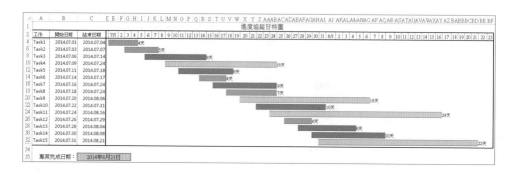

7.2.1 建立工作時程和圖表框架

請開啟 \ 範例檔 \ 第 7 章範例 \ 7.2 甘特圖 .xlsx\「基本框架」工作表，初步建置完成的甘特圖框架，如下圖所示。

■ 框架內容說明

▶ A 欄：在 A4:A32 的偶數列儲存格中，輸入工作名稱 Task1…Task15，請注意：工作名稱都是打在偶數列的位置，奇數列作為空白間隔用。

▶ B 欄與 C 欄：開始日期與結束日期，日期的格式是利用**自訂儲存格格式**將日期套用「yyyy.mm.dd」的類型，例如將「2014/7/1」格式化成為「2014.07.01」。

▶ 第 2 列：B2:BF2 中輸入「2014/7/1~2014/8/23」的日期，日期的格式是利用**自訂儲存格格式**將日期套用「d」的類，例如將「2014/7/2」格式化成為「2」。

▶ 在第 2 列中，將每月開頭第一天的日期（2014/7/1 與 2014/8/1），利用**自訂儲存格格式**，套用「m/d」的類型，格式化成為「7/1 與 8/1」，並套用紅色字型。

▶ 將整個框架套用**粗外框**，A2:C33 三欄之間以虛線區隔，第 2 列的各日期之間，也用虛線區隔。

▶ 圖表標題文字「進度追蹤甘特圖」，跨欄置中於 A1:BF1 儲存格範圍。

▶ C35 儲存格中的專案完成日期，是利用公式「=MAX(C4:C32)」到 C4:C32 的範圍中挑出最大的日期，並利用**自訂儲存格格式**，將日期套用「yyyy"年"m"月"d"日"」的類型，將「2014/8/21」格式化成為「2014 年 8 月 21 日」。

7.2.2 繪製甘特圖

接著，我們要利用「設定格式化的條件」功能，配合**公式**來完成甘特圖的繪製工作。繪製甘特圖的規則如下：

▶ 工期介於 1~7 天之間，將儲存格格式化為「藍色」底色與深紅色外框。

▶ 工期介於 8~14 天之間，將儲存格格式化為「紅色」底色與深紅色外框。

▶ 工期在介於 15 天以上，將儲存格格式化為「橙色」底色與深紅色外框。

01 選取 E4:BF32 儲存格，點按**常用**索引標籤 / **樣式**群組 / **設定格式化的條件** / **新增規則**。

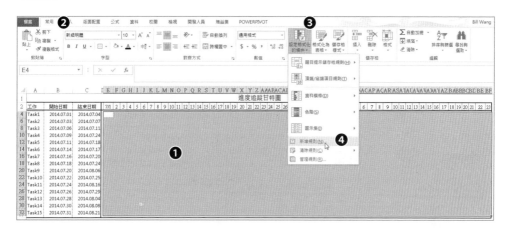

02 在**新增格式化規則**對話方塊中，點選「使用公式來決定要格式化哪些儲存格」，在文字方塊中輸入公式「=AND(E$2>=$B4,E$2<=$C4,$C4-$B4+1 <=7)」，按下**格式**，在**儲存格格式**對話方塊的**填滿**標籤之下，點選「藍色」。

03 在**外框**標籤之下，**色彩**點選「深紅色」，再點按上框線及下框線的圖示，按下**確定**，回到新增格式化規則對話方塊，按下**確定**。

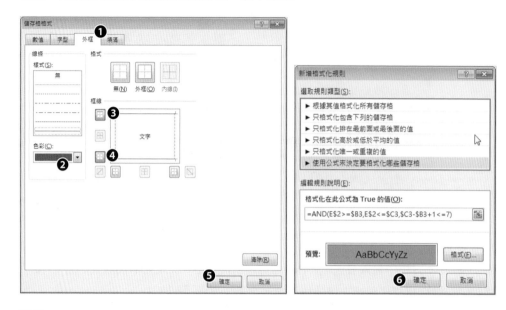

04 回到工作表中，可以看到藍色的甘特圖，點按**常用**索引標籤 / **樣式**群組 / **設定格式化的條件** / **新增規則**。

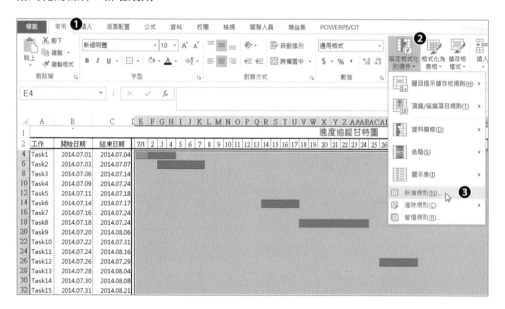

05 在**新增格式化規則**對話方塊中，點選「使用公式來決定要格式化哪些儲存格」，在文字方塊中輸入公式「=AND(E\$2>=\$B4,E\$2<=\$C4,\$C4-\$B4+1>7,\$C4-\$B4+1<=14)」，按下**格式**，在**儲存格格式**對話方塊的**填滿**標籤之下，點選「紅色」。

06 在**外框**標籤之下，**色彩**點選「深紅色」，再點按上框線及下框線的圖示，按下**確定**，回到**新增格式化規則**對話方塊，按下**確定**。

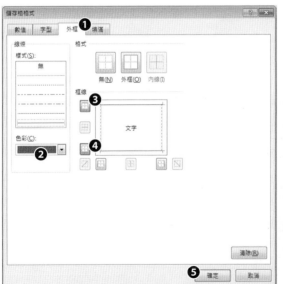

07 回到工作表中，點按**常用**索引標籤 / **樣式**群組 / **設定格式化的條件** / **新增規則**。

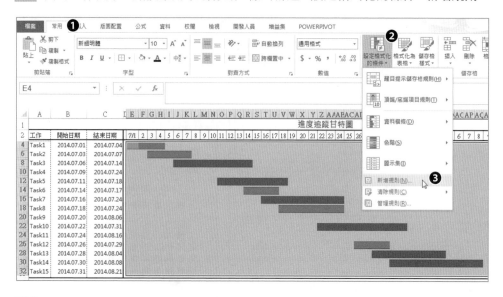

08 在**新增格式化規則**對話方塊中，點選「使用公式來決定要格式化哪些儲存格」，在文字方塊中輸入公式「=AND(E\$2>=\$B4,E\$2<=\$C4,\$C4-\$B4+1 >14)」，按下**格式**，在**儲存格格式**對話方塊的**填滿**標籤之下，點選「橙色」。

09 在**外框**標籤之下，點選「深紅色」，再點按上框線及下框線的圖示，按下**確**定，回到**新增格式化規則**對話方塊，按下**確定**。

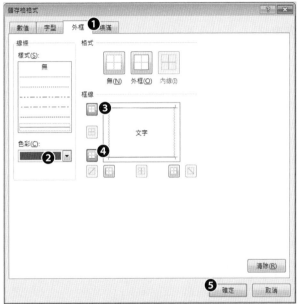

10. 回到工作表中，即可看到完整的甘特圖。

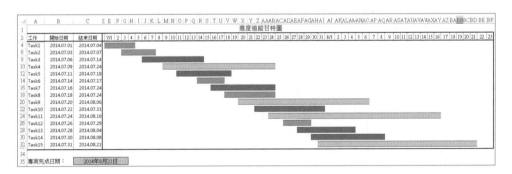

7.2.3 在甘特圖尾端加上天數

最後收尾的工作，是要在每個甘特圖最右邊加上工期的天數，以增加識別度。現在希望用**公式**自動在每一個圖形的右邊加上天數，而不是用人工去輸入，這樣的好處是：當工期變動時，天數也會跟著改變。

01 點選 E4 儲存格，輸入公式「=IF(E$2-$C4=1,($C4-$B4)+1&" 天 ","")」。

02 將 E4 儲存格中的公式向下、向右填滿到 BF32 儲存格，即可看到每一個橫條圖的右邊，都出現了天數。

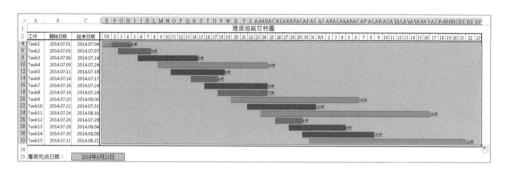

■ 公式說明

▶ =IF(E$2-$C4=1,($C4-$B4)+1&" 天 ","")

公式中使用「(E$2-$C4=1)」來讓**結束日期**與第 2 列的日曆天數做比較，如果差距是 1 天時，就將「($C4-$B4)+1&" 天 "」所產生的天數，放在目前儲存格中，否則就不要做任何反應。

▶ 「(E$2-$C4=1)」是為了讓天數與橫條圖之間能錯開一格，使得天數不會覆蓋在橫條圖之上。

▶ 要注意公式中**混合位址**的應用方式。

7.3 合併儲存格之後的資料能救回來嗎？

企業報表格式變化多端，常有使用者會使用「跨欄置中」的方式，將多個儲存格合併，存檔之後，隔一段時間想要將合併的內容恢復，卻始終無解；其實，如果一開始的動作做對，這種問題還是可以有解的。

以下圖中 A1:A5 的五個儲存格為例，執行**常用**索引標籤 / **對齊方式**群組 / **跨欄置中**之後，將會看到警告訊息，Excel 只會保留 A1 儲存格中的資料，其餘都會被刪除掉，按下**確定**之後，即可看到右下圖的合併結果，存檔之後，資料是救不回來的。

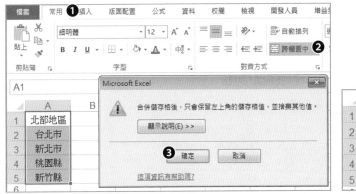

若想要讓合併的內容能夠復原，上述的做法就行不通了，而必須以下列方式來合併儲存格，才有救回資料的可能。請開啟 \ 範例檔 \ 第 7 章範例 \ 7.3 救回合併儲存格的資料 .xlsx\「合併」工作表，初步建置完成的甘特圖框架，如下圖所示。

`01` 選取任何五個空白儲存格，點按**常用**索引標籤 / **對齊方式**群組 / **跨欄置中**。

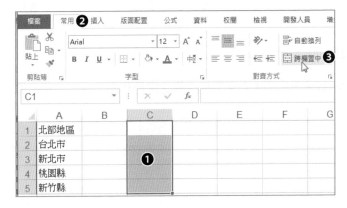

02 點按**常用**索引標籤 / **剪貼簿**群組 / **複製格式**，用刷子刷過 A1:A5 儲存格，隨即成為右下圖合併完成的結果，其中也只剩下「北部地區」四個字，請儲存檔案。

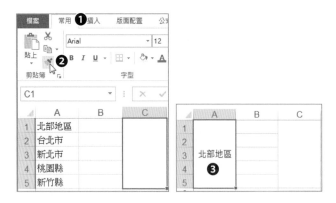

03 再次開啟檔案，選取 A1 儲存格，點按**常用**索引標籤 / **對齊方式**群組 / **跨欄置中**，即可看到被復原的另外四個儲存格的內容。

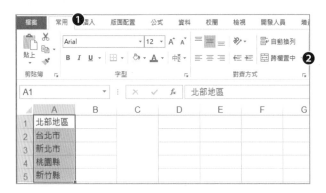

「複製格式」只是改變儲存格內容的外觀，並不影響實質的內容，所以，當我們將 C1:C5 合併後的格式利用「複製格式」的刷子，刷過 A1:A5 儲存格之後，並未改變其內容，所以才可以恢復資料。

7.4 自動產生 10 個數字級距

在資料分析的報表中，常會依**數值級距**來做統計，以計算考績人數分佈、銷售筆數統計以及各種績效分析。以下圖為例，如果**數值級距**訂得不理想，常會看到一堆「0」值的統計結果。

	A	B	C	D
1	銷售數量		銷售數量級距	筆數統計
2	3,846		0	0
3	1,227		200	0
4	4,134		400	0
5	991		600	19
6	4,266		1,000	154
7	4,247		2,000	403
8	983		3,000	404
9	2,620		4,000	477
10	4,102		5,000	543
11	3,794		6,000	0

如何才能用最簡單的方法，訂出最適當的數值級距，同時盡量避免出現「0」值的統計數字？ 請開啟 \ 範例檔 \ 第 7 章範例 \ 7.4 自動產生 10 個級距 .xlsx\「自動數字級距」工作表，其中有 2000 筆銷售數量的數字，現在想要做出 10 個銷售數量的數字級距，我們可以用 MIN 以及 MAX 兩個函數，抓出最小和最大的銷售數量，再用自動填滿的工具，來完成級距自動化的設定。

01 分別在 C2、C11 儲存格中輸入公式「=MIN(A:A)」以及「=MAX(A:A)」。

	A	B	C	D
1	銷售數量		銷售數量級距	筆數統計
2	3846		=MIN(A:A)	
3	1227			
4	4134			
5	991			
6	4266			
7	4247			
8	983			
9	2620			
10	4102			
11	3794		=MAX(A:A)	

02 選取 C2:C11 的範圍，點按常用索引標籤 / 編輯群組 / 填滿 / 數列。

03 在**數列**對話方塊中,勾選「預測趨勢」,按下**確定**之後,即可看到如右下圖C欄中的數量級距。

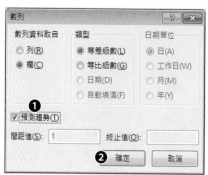

	A	B	C	D
1	銷售數量		銷售數量級距	筆數統計
2	3,846		560	
3	1,227		1,053	
4	4,134		1,545	
5	991		2,038	
6	4,266		2,531	
7	4,247		3,023	
8	983		3,516	
9	2,620		4,009	
10	4,102		4,501	
11	3,794		4,994	

04 選取 D2:D11 的範圍,輸入公式「=FREQUENCY(A:A,C2:C11)」,按下 Ctrl+Shift+Enter,即可看到右下圖 D 欄中的統計數字。此時 C2 以及 C11 儲存格的公式「=MIN(A:A)」以及「=MAX(A:A)」都會被常數取代不見。

D2　　　　　　　　　　fx　=FREQUENCY(A:A,C2:C11)

	A	B	C	D	E	F
1	銷售數量		銷售數量級距	筆數統計		
2	3,846		560	:A,C2:C11)		
3	1,227		1,053			
4	4,134		1,545			
5	991		2,038			
6	4,266		2,531			
7	4,247		3,023			
8	983		3,516			
9	2,620		4,009			
10	4,102		4,501			
11	3,794		4,994			

	C	D
1	銷售數量級距	筆數統計
2	560	1
3	1,053	199
4	1,545	199
5	2,038	192
6	2,531	200
7	3,023	197
8	3,516	180
9	4,009	293
10	4,501	349
11	4,994	190

Tips

- 如果要產生從 0 開始的級距,只要將 C2 儲存格輸入「0」,在 C11 儲存格中,依然輸入函數「=MAX(A:A)」,再點按**常用**索引標籤 / **編輯**群組 / **填滿** / **數列**,並在**數列**對話方塊中,勾選「預測趨勢」,按下**確定**之後,將會看到如右圖,不同的銷售數量級距以及不同的筆數統計結果。

	A	B	C	D
1	銷售數量		銷售數量級距	筆數統計
2	3,846		0	0
3	1,227		555	0
4	4,134		1,110	235
5	991		1,665	217
6	4,266		2,220	226
7	4,247		2,774	206
8	983		3,329	211
9	2,620		3,884	284
10	4,102		4,439	388
11	3,794		4,994	232

- 如果不想要有零頭的級距數字，最後二位數要歸 0，可在 F 欄相對的位置輸入公式「=ROUNDUP(C2,-2)」來將級距的最後二位數化為整數。

	B	C	D	E	F
1		銷售數量級距	筆數統計		
2		560	1		=ROUNDUP(C2,-2)
3		1,053	199		1,100
4		1,545	199		1,600
5		2,038	192		2,100
6		2,531	200		2,600
7		3,023	197		3,100
8		3,516	180		3,600
9		4,009	293		4,100
10		4,501	349		4,600
11		4,994	190		5,000

7.5 重複比對的問題

在下圖中，要拿 G 欄中的**銷售單價**，到 D 欄「銷售單價級距」中去做比對，然後帶出 B 欄中的**代理成本**以及 C 欄中的**主辦獎金**，不過每個**型號**都有三個級距，請問要用哪一個函數去做資料的比對和擷取呢？

	A	B	C	D	E	F	G	H	I
1	型號	代理成本	主辦獎金	銷售單價級距					
2	K-800H	34,600	4.5%	0		型號	銷售單價	代理成本	主辦獎金
3	K-800H	34,600	5.5%	46,801		K-800H	40,000		
4	K-800H	34,600	6.5%	54,001		K-800HS	30,000		
5	K-800HS	40,100	5.0%	0		W-800HX	66,000		
6	K-800HS	40,100	6.0%	53,301		W-800HZ	70,000		
7	K-800HS	40,100	7.0%	61,501					
8	W-800HS	43,400	6.5%	0					
9	W-800HS	43,400	7.5%	57,201					
10	W-800HS	43,400	8.5%	66,001					
11	W-800HZ	45,600	7.5%	0					
12	W-800HZ	45,600	8.5%	59,800					
13	W-800HZ	45,600	9.5%	69,000					
14	W-800HX	42,300	6.5%	0					
15	W-800HX	42,300	7.5%	55,900					
16	W-800HX	42,300	8.5%	64,500					

由於每個**型號**都有三個級距，所以，這個問題還算好解，會用到 INDEX+OFFSET+MATCH 三個函數。操作步驟如下：

01 請開啟 \ 範例檔 \ 第 7 章範例 \ 7.5 重複比對的問題 .xlsx\「重複比對」工作表。

02 選取 A1:A16 儲存格範圍，點按公式索引標籤 / 已定義之名稱群組 / 從選取範圍建立，並在**以選取範圍建立名稱**對話方塊中，勾選「頂端列」，按下**確定**。

03 在 H3 儲存格中輸入「代理成本」的公式，並向下複製到 H6 儲存格：

=INDEX(OFFSET($B$1,MATCH($F3, 型號 ,0),0,3,1),MATCH($G3, OFFSET
($A$1,MATCH($F3, 型號 ,0),3,3,1),1))

04 在 I3 儲存格中輸入「主辦獎金」的公式，並向下複製到 I6 儲存格：

=INDEX(OFFSET($C$1,MATCH($F3, 型號 ,0),0,3,1),MATCH($G3, OFFSET
($A$1,MATCH($F3, 型號 ,0),3,3,1),1))

05 擷取資料之後的結果，如下圖 H 欄及 I 欄所示：

	A	B	C	D	E	F	G	H	I
1	型號	代理成本	主辦獎金	銷售單價級距		型號	銷售單價	代理成本	主辦獎金
2	K-800H	34,600	4.5%	0					
3	K-800H	34,600	5.5%	46,801		K-800H	40,000	34600	4.5%
4	K-800H	34,600	6.5%	54,001		K-800HS	30,000	40100	5.0%
5	K-800HS	40,100	5.0%	0		W-800HX	66,000	42300	8.5%
6	K-800HS	40,100	6.0%	53,301		W-800HZ	70,000	45600	9.5%
7	K-800HS	40,100	7.0%	61,501					
8	W-800HS	43,400	6.5%	0					
9	W-800HS	43,400	7.5%	57,201					
10	W-800HS	43,400	8.5%	66,001					
11	W-800HZ	45,600	7.5%	0					
12	W-800HZ	45,600	8.5%	59,800					
13	W-800HZ	45,600	9.5%	69,000					
14	W-800HX	42,300	6.5%	0					
15	W-800HX	42,300	7.5%	55,900					
16	W-800HX	42,300	8.5%	64,500					

■ 公式說明

=INDEX(OFFSET($B$1,MATCH($F3, 型號 ,0),0,3,1),MATCH($G3, OFFSET
($A$1,MATCH($F3, 型號 ,0),3,3,1),1))

■ 公式的構想

▶ 先用 OFFSET 訂出比對資料的範圍

▶ 再用 MATCH 到 OFFSET 指定的範圍中去比對資料

▶ 最後再用 INDEX 配合 MATCH 的定位，去擷取需要的資料

■ OFFSET 的語法

OFFSET(reference, rows, cols, [height], [width]),

OFFSET(起始儲存格 , 向下移動列數 , 向右移動欄數 ,[列數],[欄數]) ,

▶ reference：起始參照。reference 必須參照一個儲存格範圍，否則 OFFSET 會傳回 #VALUE! 的錯誤值。

▶ rows：從起始儲存格向上或向下移動的列數；rows 可以是正數（表示向下移動的 列數）或負數（表示向上移動的列數）。

▶ cols：從起始儲存格向右或向左移動的欄數；cols 可以是正數（表示向右移動的 欄數）或負數（表示向左移動的欄數）。

▶ height：參照的列數高度，height 必須是正數。

▶ width：回參照的欄數寬度，width 必須是正數。

OFFSET 是一個多用途的函數，可以用來擷取單一儲存格或大範圍的資料，也可以 用來界定資料範圍。

■ 使用範例

=OFFSET(A1,1,2,1,1)

表示要擷取的資料，是從 A1 儲存格開始，向下移動 1 列，向右移動 2 欄，1 列高， 1 欄寬，於是 Excel 將會回傳 C2 儲存格的內容。

■ 公式的分段說明

▶ =INDEX(OFFSET($B$1,MATCH($F3, 型號 ,0),0,3,1)……
OFFSET($B$1,MATCH($F3, 型號 ,0),0,3,1) 是告訴 INDEX 要去哪裡抓資料。由 於每個型號的資料都有三筆，所以 MATCH($F3, 型號 ,0) 會傳回找到第一筆資料 的列號，再將此列號回傳給 OFFSET，再由 OFFSET 確定資料的高度和寬度，因

此 OFFSET($B$1,MATCH($F3, 型號 ,0),0,3,1) 執行完畢之後，會傳回「B2:B4」的儲存格範圍，於是公式就變成了「=INDEX(B2:B4,…………)」。

▶ =INDEX(B2:B4,MATCH($G3, OFFSET($A$1,MATCH($F3, 型號 ,0),3,3,1),1))

INDEX 究竟要到 B2:B4 的範圍中去抓第幾列的資料呢？於是就透過 MATCH($G3, OFFSET($A$1,MATCH($F3, 型號 ,0),3,3,1),1) 來告訴 INDEX 去抓第幾列的資料。

其中的 OFFSET($A$1,MATCH($F3, 型號 ,0) ,3,3,1),1) 會傳回「D2:D4」的儲存格範圍，於是公式就變成了 MATCH($G3, D2:D4,1)；接著 MATCH 就拿 G3 中的銷售單價去 D2:D4 範圍比對，並將列號回傳給 INDEX 作為抓資料的依據。

▶ 整個公式執行時的演化過程如下：

=INDEX(OFFSET($B$1,MATCH($F3, 型 號 ,0),0,3,1),MATCH($G3, OFFSET($A$1,MATCH($F3, 型號 ,0),3,3,1),1))

=INDEX(OFFSET(B1,1,0,3,1),MATCH(G3,OFFSET(A1,1,3,3,1),1))

=INDEX(B2:B4,MATCH(G3,D2:D4,1))

=INDEX(B2:B4,1)

=34,600

7.6 OFFSET 與 ROW 的妙用

在前面「7.5 重複比對的問題」的範例中，用到了 OFFSET 函數，OFFSET 是一種用途廣泛的函數，下面的企業實務範例，就很適合用 OFFSET 函數來求解；請開啟 \ 範例檔 \ 第 7 章範例 \ 7.6 OFFSET&ROW 的妙用 .xlsx\「用 OFFSET +ROW 重複字串」工作表，因為要節省報表的寬度篇幅，所以，隱藏了工作表中 F~J 欄的內容。

7.6.1 複製字串與計算

如何將下圖報表 A3:M12 的內容，做成如下圖右方 O2:Q18 的數量統計表，使用哪一種方法最有效率？

當然，我們可以土法煉鋼，用公式慢慢湊出報表的內容，但是如果銷售城市超過 100 個，因為每個城市都要展開成四列的內容，於是就浮現了效率的問題。

銷售城市	一月	二月	三月	四月	十月	十一月	十二月		城市	季節	數量
\				京士集團產品銷售數量統計表							
上海	2,866	3,370	2,555	4,630	3,957	3,066	3,258		上海	第一季	8,791
台北	1,596	1,815	949	1,756	1,584	1,680	1,954		上海	第二季	9,246
東京	2,152	2,528	1,497	1,987	1,366	1,068	1,158		上海	第三季	8,985
曼谷	1,588	2,051	1,677	2,480	2,266	1,024	2,537		上海	第四季	10,281
倫敦	1,076	2,440	2,344	2,147	2,596	1,600	1,440		台北	第一季	4,360
渥太華	1,895	1,407	1,573	2,171	1,382	1,723	1,069		台北	第二季	4,643
紐約	2,473	2,242	3,358	2,290	2,569	3,109	3,620		台北	第三季	3,577
卡達	2,380	1,404	1,760	2,468	1,841	985	1,991		台北	第四季	5,218
馬德里	1,214	1,014	1,301	1,528	2,533	1,504	1,326		東京	第一季	6,177
巴西利亞	2,220	1,282	1,821	1,825	1,854	2,166	2,176		東京	第二季	4,590
合計	19,460	19,553	18,835	23,282	21,948	17,925	20,529		東京	第三季	3,394
									東京	第四季	3,592
									曼谷	第一季	5,316
									曼谷	第二季	6,074
									曼谷	第三季	6,430
									曼谷	第四季	5,827

用公式展開城市名稱

現在要做出各城市在四個季節的銷售數量統計表，首先要將 10 個城市「上海」、「台北」、…、「巴西利亞」用公式自動展開，使得每個城市出現四次，以對應到四個季節。請在 O3 儲存格中輸入下列公式：

=OFFSET($A$3,INT(ROW(1:1)/4.1),,,)

按下 Enter 鍵之後，向下填滿公式到 O42 的位置即可。

銷售城市	一月	二月	三月	四月	十月	十一月	十二月		城市	季節	數量
上海	2,866	3,370	2,555	4,630	3,957	3,066	=OFFSET($A$3,INT(ROW(1:1)/4.1),,,)				
台北	1,596	1,815	949	1,756	1,584	1,680	1,954		上海		
東京	2,152	2,528	1,497	1,987	1,366	1,068	1,158		上海		
曼谷	1,588	2,051	1,677	2,480	2,266	1,024	2,537		上海		
倫敦	1,076	2,440	2,344	2,147	2,596	1,600	1,440		台北		
渥太華	1,895	1,407	1,573	2,171	1,382	1,723	1,069		台北		
紐約	2,473	2,242	3,358	2,290	2,569	3,109	3,620		台北		
卡達	2,380	1,404	1,760	2,468	1,841	985	1,991		東京		
馬德里	1,214	1,014	1,301	1,528	2,533	1,504	1,326		東京		
巴西利亞	2,220	1,282	1,821	1,825	1,854	2,166	2,176		東京		
合計	19,460	19,553	18,835	23,282	21,948	17,925	20,529		東京		
									曼谷		

■ 公式說明

=OFFSET ($A$3 , INT(ROW(1:1)/4.1),,,)

▶ INT(ROW(1:1)/4.1

用來判斷是否已將城市名稱複製了 4 次，為什麼是除以 4.1 而不是除以 4 呢？因為如果除以 4，第一個城市「上海」將只會複製 3 次而非 4 次。

INT(ROW(1:1)/4.1)

=INT(1 / 4.1)

=INT(0.243902)

=0

▶ OFFSET ($A$3 , INT(ROW(1:1)/4.1),,,)

OFFSET ($A$3 , INT(ROW(1:1)/4.1),,,)

=OFFSET($A$3 ,INT(1 /4.1),,,)

=OFFSET($A$3 , INT(0.243902),,,)

=OFFSET($A$3,0,,,)　　　0 表示 A3 的位置不要向下移動

=" 上海 "

▶ 當公式 OFFSET ($A$3 , INT(ROW(1:1)/4.1),,,) 向下複製時，公式就變成了：

OFFSET ($A$3 , INT(ROW(2:2)/4.1),,,)

=OFFSET($A$3,INT(2 / 4.1),,,)

=OFFSET($A$3,INT(0.487805),,,)

=OFFSET($A$3,0,,,)

=" 上海 "

▶ 當公式 OFFSET ($A$3 , INT(ROW(1:1)/4.1),,,) 向下複製到第五列時，公式就變
成了：

OFFSET ($A$3 , INT(ROW(5:5)/4.1),,,)

=OFFSET($A$3,INT(5/ 4.1),,,)

=OFFSET($A$3,INT(1.219512),,,)

=OFFSET($A$3,1,,,)　　　1 表示 A3 要向下移動 1 列，就變成了 A4

=" 台北 "

▶ OFFSET ($A$3 , INT(ROW(1:1)/4.1),,,)

最右邊的三個逗號「,,,」表示省掉 OFFSET 最後面兩個引數，OFFSET 就只會擷
取 A3 儲存格中的資料。

計算各季的數量

由於在 A2:M13 的報表中，是以月份來統計銷售數量，原來公式是這樣的：

Q3：=SUM(B3:D3)

Q4：=SUM(E3:G3)

Q5：=SUM(H3:J3)

Q6：=SUM(K3:M3)

這樣的公式，還必須向下複製到 Q42，並逐一調整公式內容，十分麻煩。如果改用下列公式，就只要在 Q 儲存格中設定公式之後，向下複製到 Q4:Q6 的儲存格中，並修改公式成為下列的結果：

Q3：=SUM(INDIRECT("B"&INT(ROW(1:1)/4.1)+3&":D"&INT(ROW(1:1)/4.1)+3))

Q4：=SUM(INDIRECT("E"&INT(ROW(2:2)/4.1)+3&":G"&INT(ROW(2:2)/4.1)+3))

Q5：=SUM(INDIRECT("H"&INT(ROW(3:3)/4.1)+3&":J"&INT(ROW(3:3)/4.1)+3))

Q6：=SUM(INDIRECT("K"&INT(ROW(4:4)/4.1)+3&":M"&INT(ROW(4:4)/4.1)+3))

最後再同時選取 Q3:Q6 這四格的公式，指向這四格的填滿控點，向下拉至 Q42，即可完成所有城市各季的銷售數量統計。

■ 公式說明

原來 Q3 儲存格中的公式為：=SUM(B3:D3)，公式內容十分簡單，但卻沒有效率，每季的公式都要調整才能完成計算，而上列公式雖然有點長，但卻不困難。

▶ INT(ROW(1:1)/4.1)

與 O3 儲存格中的公式是一樣的，用來判斷是否已將「上海」這個城市四季的銷售數量完成了統計。

INT(ROW(1:1)/4.1)

=INT(1 / 4.1)

=INT(0.243902)

=0

▶ INDIRECT("B"&INT(ROW(1:1)/4.1)+3&":D"&INT(ROW(1:1)/4.1)+3)

針對 Q3 中的公式，其內容變成了：

=INDIRECT("B"&(0+3)&":D"&(0+3))

=INDIRECT("B3"&":D3")

=INDIRECT("B3:D3")

如果再套上 SUM 就變成了：

=SUM(INDIRECT("B3:D3"))

=SUM(B3:D3)

=8791

Q4:Q42 中的公式變化依此模式類推，請讀者自行參考。

季節的複製

第一季~第四季的字串,大家都知道,只要在 P3 儲存格中輸入「第一季」再向下自動填滿所有季節的文字標籤即可。

完成之後的報表,如下圖所示。

	A	B	C	D	E	K	L	M	N	O	P	Q
2	銷售城市	一月	二月	三月	四月	十月	十一月	十二月		城市	季節	數量
3	上海	2,866	3,370	2,555	4,630	3,957	3,066	3,258		上海	第一季	8,791
4	台北	1,596	1,815	949	1,756	1,584	1,680	1,954		上海	第二季	9,246
5	東京	2,152	2,528	1,497	1,987	1,366	1,068	1,158		上海	第三季	8,985
6	曼谷	1,588	2,051	1,677	2,480	2,266	1,024	2,537		上海	第四季	10,281
7	倫敦	1,076	2,440	2,344	2,147	2,596	1,600	1,440		台北	第一季	4,360
8	渥太華	1,895	1,407	1,573	2,171	1,382	1,723	1,069		台北	第二季	4,643
9	紐約	2,473	2,242	3,358	2,290	2,569	3,109	3,620		台北	第三季	3,577
10	卡達	2,380	1,404	1,760	2,468	1,841	985	1,991		台北	第四季	5,218
11	馬德里	1,214	1,014	1,301	1,528	2,533	1,504	1,326		東京	第一季	6,177
12	巴西利亞	2,220	1,282	1,821	1,825	1,854	2,166	2,176		東京	第二季	4,590
13	合計	19,460	19,553	18,835	23,282	21,948	17,925	20,529		東京	第三季	3,394
14										東京	第四季	3,592
15										曼谷	第一季	5,316
16										曼谷	第二季	6,074
17										曼谷	第三季	6,430
18										曼谷	第四季	5,827
19										倫敦	第一季	5,860
20										倫敦	第二季	5,428

7.6.2 防止儲存格位移的方法

在下圖中,想要根據第 3 列的股市指數,在 D6:G6 儲存格中計算 1 日、3 日、5 日、10 日的指數漲跌幅。其計算公式分別為:

D6:1 日跌幅的公式 =(B3-C3)/C3

E6:3 日跌幅的公式 =(B3-D3)/D3

F6:5 日跌幅的公式 =(B3-F3)/F3

G6:10 日跌幅的公式 =(B3-K3)/K3

	A	B	C	D	E	F	G	H	I	J	K	L
1												
2	股市名稱	2013/11/14	2013/11/13	2013/11/12	2013/11/11	2013/11/8	2013/11/7	2013/11/6	2013/11/5	2013/11/4	2013/11/1	2013/10/31
3	道瓊	15876.22	15821.63	15750.67	15783.1	15761.78	15593.98	15746.88	15618.22	15639.12	15615.55	15545.75
4												
5				1日	3日	5日	10日					
6			漲跌幅	0.35%								
7												
8		日期	指數	漲跌比例	日期	指數	漲跌比例					
9		2013/11/18	15976.02	0.09%	2013/11/4	15639.12	0.15%					
10		2013/11/15	15961.7	0.54%	2013/11/1	15615.55	0.45%					
11		2013/11/14	15876.22	0.35%	2013/10/31	15545.75	-0.47%					
12		2013/11/13	15821.63	0.45%	2013/10/30	15618.76	-0.39%					
13		2013/11/12	15750.67	-0.21%	2013/10/29	15680.35	0.72%					
14		2013/11/11	15783.1	0.14%	2013/10/28	15568.93	-0.01%					
15		2013/11/8	15761.78	1.08%	2013/10/25	15570.28	0.39%					
16		2013/11/7	15593.98	-0.97%	2013/10/24	15509.21	0.62%					
17		2013/11/6	15746.88	0.82%	2013/10/23	15413.33	-0.35%					
18		2013/11/5	15618.22	-0.13%	2013/10/22	15467.66	0.49%					

現在要將日期為「2013/11/15」的指數「15961.7」插入到 B2 儲存格的前面，也就是 A3 與 B3 儲存格的中間，而原來 B3 儲存格中的指數「15876.22」就會向右退一格，移到 C4 的位置，此時 D6 儲存格用來計算 1 日漲跌幅的公式，也會從「=(B3-C3)/C3」自動變成了「=(C3-D3)/D3」，而產生錯誤的計算結果，其他用來計算 3日、5 日、10 日漲跌幅的公式也碰到相同的狀況。

公式產生的變化如下：

D6：1 日跌幅的公式 =(B3-C3)/C3 =(C3-D3)/D3

E6：3 日跌幅的公式 =(B3-D3)/D3 =(C3-E3)/E3

F6：5 日跌幅的公式 =(B3-F3)/F3 =(C3-G3)/G3

G6：10 日跌幅的公式 =(B3-K3)/K3 =(C3-L3)/L3

能否在插入新指數時，計算 1 日、3 日、5 日、10 日漲跌幅的公式，仍會沿用原來的計算公式，而不會受到相對位址的影響？

請開啟 \ 範例檔 \ 第 7 章範例 \ 7.6 OFFSET&ROW 的妙用 .xlsx\「每日指數」工作表。

這是一個實務上常碰到的問題，如何能固定起始的儲存格，使其不因插入新欄而產生公式位移的現象？

	A	B	C	D	E
1					
2	股市名稱	2013/11/14	2013/11/13	2013/11/12	2013/11/11
3	道瓊	15876.22	15821.63	15750.67	15783.1
4					
5				1日	3日
6			漲跌幅	=(B3-C3)/C3	

	A	B	C	D	E	F
1						
2	股市名稱	2013/11/15	2013/11/14	2013/11/13	2013/11/12	2013/11/11
3	道瓊	15961.7	15876.22	15821.63	15750.67	15783.1
4						
5					1日	3日
6				漲跌幅	=(C3-D3)/D3	

我們可以將公式改成：

D6：=(OFFSET($A$3,0,1)-OFFSET($A$3,0,2))/OFFSET($A$3,0,2)

E6：=(OFFSET($A$3,0,1)-OFFSET($A$3,0,3))/OFFSET($A$3,0,3)

F6：=(OFFSET($A$3,0,1)-OFFSET($ A$3,0,5))/OFFSET($A$3,0,5)

G6：=(OFFSET($A$3,0,1)-OFFSET($A$3,0,10))/OFFSET($A$3,0,10)

再插入欄位到 B 欄的前面時，計算的結果就完全不會受到影響了。

■ 公式說明

以 D6 儲存格計算 1 日漲跌幅的公式為例：

=(OFFSET($A$3,0,1)-OFFSET($A$3,0,2))/OFFSET($A$3,0,2)

▶ OFFSET($A$3,0,1)

要擷取的資料是在「自 A3 儲存格開始，向下移動 0 列，向右移動 1 欄的位置」，也就是 B3 儲存格。

▶ OFFSET($A$3,0,2)

要擷取的資料是在「自 A3 儲存格開始，向下移動 0 列，向右移動 2 欄的位置」，也就是 C3 儲存格。

▶ 公式執行的過程如下：

=(OFFSET($A$3,0,1)-OFFSET($A$3,0,2))/OFFSET($A$3,0,2)

=(B3-C3)/B3

=(15876.22-15821.63)/15876.22

=0.0035

=0.35%

7.7 Excel 資料庫的套印問題

在不使用 VBA 的情況下，可以將 Excel 2010 工作表中的薪水資料庫，分筆套印至同檔中的另一張工作表的特定格式中，再將套表完成的內容以 PFD 格式傳送給員工嗎？

在處理這個問題之前，我們必須先了解：要做到「全自動的大量套印和轉換」，單用函數幾乎是不太可能做到的。但是，我們可以使用「下拉式選單＋函數＋轉存成 PDF」三合一的手法，來達成「半自動的大量套印和轉換」目標。員工人數太多時，可能會覺得沒有效率，但就 40、50 人的公司而言，倒還可以一試。

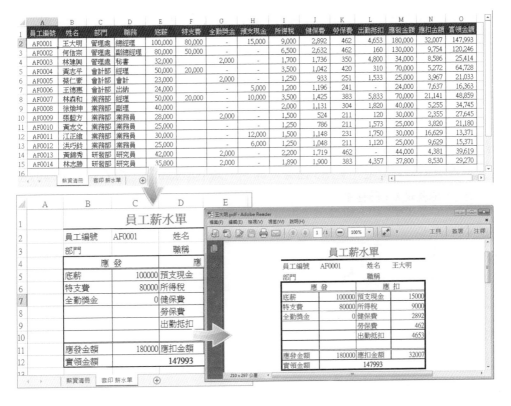

■ 操作步驟

01 選取 A:O 欄的範圍，點按公式索引標籤 / **已建立之名稱**群組 / **定義名稱**，輸入名稱「薪水清冊」，再按下**確定**。

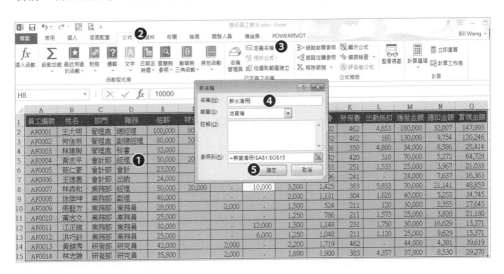

02 選取 A:O 欄的範圍繼續建立名稱，點按公式索引標籤 / 已建立之名稱群組 / 從選取範圍建立，勾選頂端列，再按下確定。

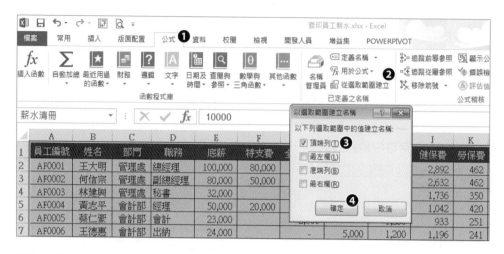

03 設計下拉式選單，切換至「套印薪水單」工作表，點選 C2 儲存格。點按資料索引標籤 / 資料工具群組 / 資料驗證；在資料驗證對話方塊之下的儲存格內允許文字方塊中，選取「清單」；在來源文字方塊中輸入「 = 員工編號」，按下確定。

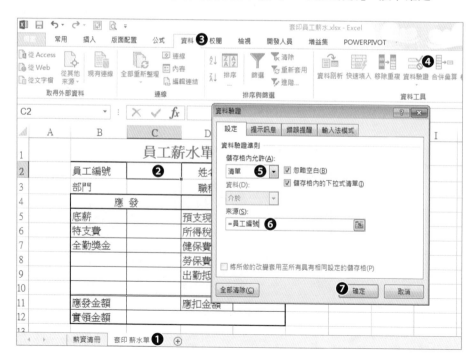

04 透過下拉式選單，即可在 C2 儲存格中選取所需要的員工編號。

05 在 E2 儲存格中輸入公式「=INDEX(INDIRECT(D2),MATCH ($C$2,INDIRECT ($B$2),0))」，即可在 E2 中顯示找到的員工姓名「王大明」。

E2			✕ ✓ f_x	=INDEX(INDIRECT(D2),MATCH($C$2,INDIRECT($B$2),0))			
	A	B	C	D	E	F	G	H

員工薪水單

員工編號	AF0001		姓名	王大明
部門			職稱	
應 發			應 扣	
底薪			預支現金	

06 將 E2 中的公式複製到其他的儲存格中，Excel 將會自動完成所有的資料擷取，詳如下圖所示。

	A	B	C	D	E
1		員工薪水單			
2		員工編號	AF0001	姓名	王大明
3		部門		職稱	
4		應 發		應 扣	
5		底薪	100000	預支現金	15000
6		特支費	80000	所得稅	9000
7		全勤獎金	0	健保費	2892
8				勞保費	462
9				出勤抵扣	4653
10					
11		應發金額	180000	應扣金額	32007
12		實領金額		147993	

薪資清冊　套印 薪水單

07 點按**檔案**索引標籤 \ 匯出 \ 建立 PDF/XPS 文件。

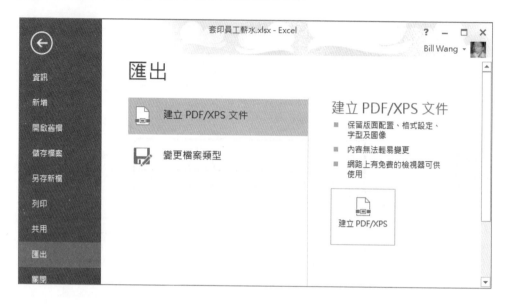

08 選擇要儲存的位置，輸入檔案名稱「王大明 .pdf」，按下**發佈**。

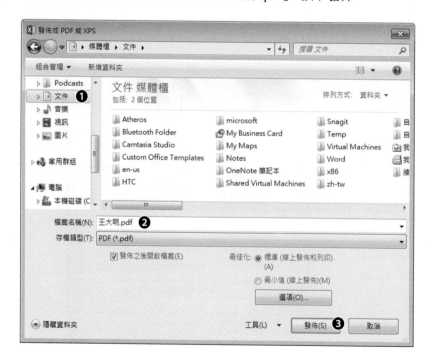

09 下圖即為新產生的 PDF 文件內容。

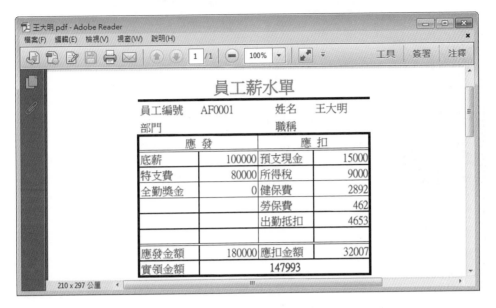

10 接著從**步驟 4** 的下拉式選單中，選擇不同的**員工編號**，再執行**步驟 7** 和**步驟 8**，直到所有的**員工編號**都處理完畢為止；最後再將這些 PDF 檔案透過電子郵件發送給所有的員工即可。

7.8 快速刪除資料庫的空白列

使用 Excel 編輯大型資料庫時，如要移除其中的空白列，在不會 VBA 的情況之下，就必須一列一列的來刪除它，如果空白列一多，這種方式就顯得很沒有效率，有沒有什麼方法可以一次就刪除資料庫中所有的空白列？

其實只要使用 Excel 內建的功能，就可以快速的刪除資料庫中所有的空白列。

01 選取整個資料庫範圍，點按**常用**索引標籤／**編輯**群組／**尋找與選取**／**特殊目標**。

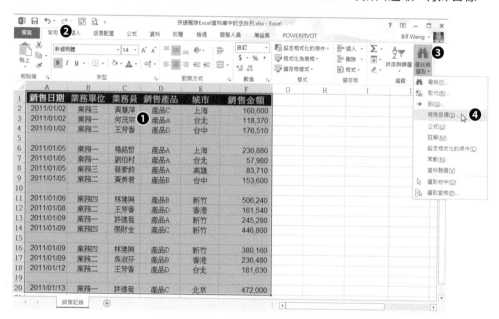

02 在**特殊目標**對話方塊中，點選「空格」，再按下**確定**。

03 資料庫中的所有空白列都在選取的狀態，點按**常用**索引標籤 / **儲存格**群組 / **刪除**，即可刪除所有的空白列。

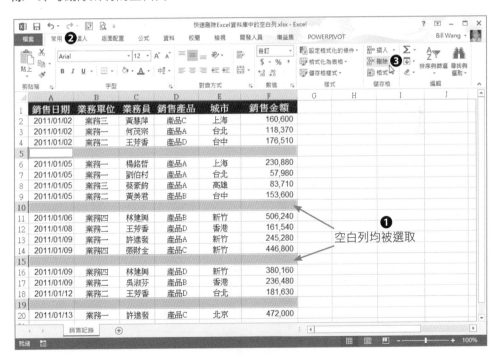

04 刪除空白列之後的資料庫，如下圖所示。

	A	B	C	D	E	F	G
1	銷售日期	業務單位	業務員	銷售產品	城市	銷售金額	
2	2011/01/02	業務三	黃慧萍	產品C	上海	160,600	
3	2011/01/02	業務一	何茂宗	產品A	台北	118,370	
4	2011/01/02	業務二	王芳香	產品D	台中	176,510	
5	2011/01/05	業務一	楊銘哲	產品A	上海	230,880	
6	2011/01/05	業務一	劉伯村	產品A	台北	57,980	
7	2011/01/05	業務三	蔡豪鈞	產品A	高雄	83,710	
8	2011/01/05	業務二	黃美君	產品B	台中	153,600	
9	2011/01/06	業務四	林建興	產品B	新竹	506,240	
10	2011/01/08	業務二	王芳香	產品D	香港	161,540	
11	2011/01/09	業務一	許進發	產品A	新竹	245,280	
12	2011/01/09	業務四	張財全	產品C	新竹	446,800	
13	2011/01/09	業務四	林建興	產品D	新竹	380,160	

銷售記錄

Excel 工作現場實戰寶典第二版

作　　　者：王作桓

企劃編輯：莊吳行世

文字編輯：江雅鈴

設計裝幀：張寶莉

發 行 人：廖文良

發 行 所：碁峰資訊股份有限公司

地　　　址：台北市南港區三重路 66 號 7 樓之 6

電　　　話：(02)2788-2408

傳　　　真：(02)8192-4433

網　　　站：www.gotop.com.tw

書　　　號：ACI034900

版　　　次：2021 年 03 月二版

建議售價：NT$620

國家圖書館出版品預行編目資料

Excel 工作現場實戰寶典 / 王作桓著. -- 二版. -- 臺北市：碁峰資訊, 2021.03

　　面；　公分

　ISBN 978-986-502-757-5(平裝)

　1. EXCEL(電腦程式)

312.49E9　　　　　　　　　　　　　　　　110003109

讀者服務

● 感謝您購買碁峰圖書，如果您對本書的內容或表達上有不清楚的地方或其他建議，請至碁峰網站：「聯絡我們」\「圖書問題」留下您所購買之書籍及問題。(請註明購買書籍之書號及書名，以及問題頁數，以便能儘快為您處理)

http://www.gotop.com.tw

● 售後服務僅限書籍本身內容，若是軟、硬體問題，請您直接與軟體廠商聯絡。

● 若於購買書籍後發現有破損、缺頁、裝訂錯誤之問題，請直接將書寄回更換，並註明您的姓名、連絡電話及地址，將有專人與您連絡補寄商品。